「十三五」国家重点出版物出版规划项目

国家出版基金项目
NATIONAL PUBLICATION FOUNDATION

中国中药资源大典

中国中药资源大典

重庆卷

7

黄璐琦 / 总主编

钟国跃　瞿显友　刘正宇 / 主　编

北京科学技术出版社

图书在版编目（CIP）数据

中国中药资源大典 . 重庆卷 . 7 / 钟国跃，瞿显友，刘正宇主编 . —北京：北京科学技术出版社，2020.10
　　ISBN 978-7-5714-1063-6

　　Ⅰ . ①中… Ⅱ . ①钟… ②瞿… ③刘… Ⅲ . ①中药资源−资源调查−重庆 Ⅳ . ① R281.4

　　中国版本图书馆 CIP 数据核字 (2020) 第 137425 号

策划编辑：李兆弟　侍　伟
责任编辑：侍　伟　王治华　吴　丹
责任校对：贾　荣
图文制作：樊润琴
责任印制：李　茗
出 版 人：曾庆宇
出版发行：北京科学技术出版社
社　　　址：北京西直门南大街16号
邮政编码：100035
电　　　话：0086-10-66135495（总编室）　　0086-10-66113227（发行部）
网　　　址：www.bkydw.cn
印　　　刷：北京捷迅佳彩印刷有限公司
开　　　本：889mm×1194mm　　1/16
字　　　数：1001千字
印　　　张：45.25
版　　　次：2020年10月第1版
印　　　次：2020年10月第1次印刷
ISBN 978-7-5714-1063-6

定　　价：790.00元

被子植物

唇形科 Labiatae 鼠尾草属 Salvia

南川鼠尾草 *Salvia nanchuanensis* Sun

南川鼠尾草

药材名

鼠尾草（药用部位：全草）。

形态特征

一年生或二年生草本。根肥厚，狭锥形，长2～6（～15）cm，直径3～4mm，须根多数，丝状延长。茎直立，高20～65cm，单生或少数丛生，不分枝，钝四棱形，具沟，密被平展白色长绵毛。叶茎生，大都为一回奇数羽状复叶，间有2回裂片；叶柄长1.5～5.5cm，腹凹背凸，密被白色绵毛；小叶卵圆形或披针形，长2～6.5cm，宽0.7～2.3cm，先端钝或渐尖，基部偏斜，圆形或心形，边缘有圆齿或锯齿，薄纸质，上面绿色，无毛，下面青紫色，脉上被长柔毛；小叶柄长2～7mm，毛被同叶柄。轮伞花序具2～6花，组成顶生或腋生长6～15cm的总状花序，植株上部往往组成长达25cm的总状圆锥花序；苞片披针形，长1～3mm，先端渐尖，基部渐狭，两面略被短柔毛，边缘具缘毛；花梗长约3mm，与花序轴被具腺疏柔毛；花萼筒形，长5～7mm，深紫色，外面脉上被具腺白色疏柔毛，内面喉部被白色长硬毛，二唇形，上唇三角形，长约1mm，宽4.5mm，全缘，先端具1或3短尖头，下唇比上唇长，长约 2mm，宽 3mm，半裂成 2 齿，齿长三角形，先端渐尖，果时花萼长 6 ～ 8mm；花冠紫红色，长 0.9 ～ 3cm，长筒形，外面被疏柔毛，内面在冠筒中部被稀疏分散的疏柔毛，冠筒长达 2.5cm，直伸，基部宽 2mm，至喉部稍宽大，冠檐二唇形，上唇长圆形，长约 5mm，宽 3mm，先端微缺，下唇长约 5mm，宽达 7mm，3 裂，中裂片宽倒心形，先端微缺，边缘波状，侧裂片半圆形，不反折，无毛；能育雄蕊 2，略伸出花冠，花丝长约 2mm，药隔长 3.5mm，上臂略长，具能育的药室，2 下臂不育，先端略膨大，并互相联合；花柱伸出，先端不相等 2 裂，前裂片较长而大；花盘等大。小坚果椭圆形，长 2mm，褐色，无毛。花期 7 ～ 8 月。

| 生境分布 | 生于海拔 1700 ～ 1800m 的河边岩石上。分布于重庆城口、南川、开州等地。

| 资源情况 | 野生资源稀少。药材来源于野生。

| 采收加工 | 夏季采收，洗净，晒干。

| 功能主治 | 凉血止血，解毒散瘀。

| 用法用量 | 内服煎汤，适量。

唇形科 Labiatae 鼠尾草属 Salvia

荔枝草

Salvia plebeia R. Br.

| 药 材 名 | 荔枝草（药用部位：地上部分。别名：过冬青、天明精、凤眼草）。

| 形态特征 | 一年生或二年生草本。主根肥厚，向下直伸，有多数须根。茎直立，粗壮，多分枝，被向下的灰白色疏柔毛。叶椭圆状卵圆形或椭圆状披针形，先端钝或急尖，基部圆形或楔形，边缘具齿，草质，上面被稀疏的微硬毛，下面被短疏柔毛，余部散布黄褐色腺点；叶柄腹凹背凸，密被疏柔毛。轮伞花序具 6 花，多数，在茎、枝先端密集组成总状或总状圆锥花序；苞片披针形；花梗与花序轴密被疏柔毛；花萼钟形，外面被疏柔毛，散布黄褐色腺点，内面喉部有微柔毛，二唇形，上唇全缘，先端具 3 小尖头，下唇深裂成 2 齿，齿三角形，锐尖；花冠淡红色、淡紫色、紫色、蓝紫色至蓝色，稀白色，冠筒外面无毛，内面中部有毛环，冠檐二唇形，上唇长圆形，先端微凹，

荔枝草

外面密被微柔毛，两侧折合，外面被微柔毛，3 裂，中裂片最大，阔倒心形，先端微凹或呈浅波状，侧裂片近半圆形；能育雄蕊 2，着生于下唇基部，略伸出花冠外；花柱和花冠等长，先端不相等 2 裂，前裂片较长；花盘前方微隆起。小坚果倒卵圆形，直径 0.4mm。

| 生境分布 | 生于山坡、路旁、沟边、田野潮湿的土壤中。分布于重庆綦江、大足、南岸、垫江、潼南、合川、巫山、丰都、奉节、云阳、万州、永川、石柱、涪陵、忠县、南川、秀山、长寿、江津、武隆、北碚、开州、梁平、九龙坡、荣昌、沙坪坝等地。

| 资源情况 | 野生资源丰富。药材主要来源于野生。

| 采收加工 | 夏季花开放时采割，除去杂质，晒干。

| 药材性状 | 本品长 15 ~ 90cm。茎呈方形，直径 2 ~ 7mm，多分枝；表面棕褐色，被短柔毛；断面类白色，中空。叶对生，棕褐色或深绿色，常皱缩或卷曲、脱落或破碎，完整者展开后呈长椭圆形或披针形，边缘有圆锯齿，背面有金黄色腺点，两面均被短柔毛。轮伞花序顶生及腋生，每轮具 2 ~ 6 花，再集成假穗状；花冠多脱落；花萼宿存，钟状，长约 3mm，黄棕色或黄绿色，背面有金黄色腺点及短柔毛。小坚果倒卵圆形，深棕色。气微，味微辛。

| 功能主治 | 苦、辛，凉。清热，解毒，凉血，利尿。用于咽喉肿痛，支气管炎，肾炎水肿，痈肿。外用于乳腺炎，痔疮肿痛，出血，跌打损伤，蛇犬咬伤。

| 用法用量 | 内服煎汤，9 ~ 30g。

| 附　注 | 本种喜温暖湿润环境，栽培土壤以较肥沃、疏松的夹砂土为好。

唇形科 Labiatae 鼠尾草属 Salvia

一串红 *Salvia splendens* Ker-Gawl.

| 药材名 | 一串红（药用部位：全草）。

| 形态特征 | 亚灌木状草本。茎钝四棱形，具浅槽，无毛。叶卵圆形或三角状卵圆形。轮伞花序具 2 ～ 6 花，组成顶生总状花序；苞片卵圆形，红色，大，在花开前包裹着花蕾，先端尾状渐尖；花梗密被染红的具腺柔毛，花序轴被微柔毛；花萼钟形，红色，外面沿脉上被染红的具腺柔毛，内面在上半部被微硬伏毛，二唇形，唇裂达花萼长 1/3 处，上唇三角状卵圆形，先端具小尖头，下唇比上唇略长，深 2 裂，裂片三角形，先端渐尖；花冠红色，外被微柔毛，内面无毛，冠筒筒状，直伸，在喉部略增大，冠檐二唇形；能育雄蕊 2，近外伸，近伸直，上、下臂近等长，上臂药室发育，下臂药室不育，下臂粗大，不联合；退化雄蕊短小；花柱与花冠近相等，先端不相等 2 裂，前裂片较长。

一串红

花盘等大。小坚果椭圆形，暗褐色，先端具极少数不规则的皱褶突起，边缘或棱具狭翅，光滑。花期 3 ~ 10 月。

| 生境分布 |　多栽培于庭院、路边。重庆各地均有分布。

| 资源情况 |　野生资源稀少，栽培资源较丰富。药材主要来源于栽培。

| 采收加工 |　夏季采收，洗净，晒干。

| 功能主治 |　凉血消肿。

| 用法用量 |　内服煎汤，适量。

███ 唇形科 ███ Labiatae ███ 鼠尾草属 ███ *Salvia*

佛光草
Salvia substolonifera Stib.

| 药 材 名 | 湖广草（药用部位：全草。别名：走茎丹参、乌痧草、盐咳药）。

| 形态特征 | 一年生草本。根须状，簇生。茎少数，丛生，基部上升或匍匐，高10 ~ 40cm，不分枝或少分枝，四棱形，具浅槽，被短柔毛或微柔毛。叶有根出及茎生，根出叶大多数为单叶，茎生叶为单叶或三出叶或3裂；单叶叶片卵圆形，长1 ~ 3cm，宽0.8 ~ 2cm，先端圆形，基部截形或圆形，边缘具圆齿，膜质，两面近无毛或仅沿脉上被微硬毛；三出叶或3裂时，小叶卵圆形，顶生的较大，卵圆形至近圆形，侧生的比顶生的小许多，小叶柄长1 ~ 4mm或至无柄，被微柔毛；叶柄长0.6 ~ 6cm，扁平，被微柔毛。轮伞花序具2 ~ 8花，在下部疏离、上部稍密集，组成长7 ~ 15cm的顶生或腋生总状花序，有时顶生总状花序基部具2短分枝，因而组成三叉状的总状圆锥花

佛光草

序；苞片长卵圆形，长 3 ～ 5mm，先端渐尖或锐尖，基部楔形，全缘，两面近无毛；花梗长约 2mm，与花序轴密被微硬毛及具腺疏柔毛；花萼钟形，花时长 3 ～ 4mm，果时增大，长达 7mm，外面被微柔毛及腺点，内面近无毛，二唇形，上唇梯形，先端截形，全缘或具不明显 2 齿，下唇比上唇稍长，深裂成 2 齿，齿卵状三角形，先端锐尖；花冠淡红色或淡紫色，细小，长 5 ～ 7mm，外面略被微柔毛，内面无毛环或具毛环，冠筒近外伸或稍外伸，钟形，长 3 ～ 4mm，基部筒状，宽约 1mm，至子房部分稍缢缩，其上渐扩大，至喉部宽约 2mm，冠檐二唇形，上唇近长圆形或倒卵圆形，直伸，先端微凹，下唇 3 裂，中裂片较大，近倒心形，边缘浅波状，侧裂片圆形；能育雄蕊 2，上弯，不外伸，花丝长 1mm，药隔短小，长不到 1mm，弯成弧形，上、下臂等长，下臂发育，较上臂为小，分离；花柱内藏，先端 2 裂，前裂片伸长；花盘前方微膨大。小坚果卵圆形，长 1.5mm，直径 0.7mm，淡褐色，先端圆形，腹面具棱，无毛。花期 3 ～ 5 月。

| **生境分布** | 生于海拔 950m 以下的林边、沟边、石隙等潮湿地。分布于重庆巫溪、巫山、万州、巴南、铜梁、荣昌等地。

| **资源情况** | 野生资源稀少。药材来源于野生。

| **采收加工** | 夏、秋季采收,晒干或鲜用。

| **功能主治** | 清热化痰，益肾，调经，止血。用于肺热咳嗽之痰多气喘，吐血，肾虚腰酸，小便频数，带下，月经过多。

| **用法用量** | 内服煎汤，15 ～ 30g；或炖肉服。外用适量，鲜品捣敷。

▓唇形科▓ Labiatae ▓裂叶荆芥属▓ *Schizonepeta*

裂叶荆芥
Schizonepeta tenuifolia (Benth.) Briq.

| 药 材 名 | 荆芥（药用部位：地上部分。别名：假苏、鼠蓂、姜芥）、荆芥穗（药用部位：花穗）、荆芥根（药用部位：根）。

| 形态特征 | 一年生草本。茎高 0.3 ~ 1m，四棱形，多分枝，被灰白色疏短柔毛，茎下部的节及小枝基部通常微红色。叶通常为指状 3 裂，大小不等，先端锐尖，基部楔状渐狭并下延至叶柄，裂片披针形，中间的较大，两侧的较小，全缘，草质，上面暗橄榄绿色，被微柔毛，下面带灰绿色，被短柔毛，脉上及边缘较密，有腺点。花序为多数轮伞花序组成的顶生穗状花序，通常生于主茎上的较大而多花，生于侧枝上的较小而疏花，但均为间断的；苞片叶状，下部的较大，与叶同形，上部的渐变小，乃至与花等长，小苞片线形，极小；花萼管状钟形，被灰色疏柔毛，具 15 脉，齿 5，三角状披针形或披针形，先端渐尖，

裂叶荆芥

后面的较前面的长；花冠青紫色，外被疏柔毛，内面无毛，冠筒向上扩展，冠檐二唇形，上唇先端 2 浅裂，下唇 3 裂，中裂片最大；雄蕊 4，后对较长，均内藏，花药蓝色；花柱先端近相等 2 裂。小坚果长圆状三棱形，褐色，有小点。花期 7 ～ 9 月，果期 9 月以后。

| 生境分布 | 生于海拔 540 ～ 2200m 的山坡路边或山谷、林缘。分布于重庆城口、万州、南川等地。

| 资源情况 | 野生资源稀少，亦有少量栽培。药材主要来源于栽培。

| 采收加工 | 荆芥：夏、秋季花开到顶、穗绿时采割，除去杂质，晒干。
荆芥穗：夏、秋季花开到顶、穗绿时采摘，除去杂质，晒干。
荆芥根：夏、秋季采挖，洗净，晒干或鲜用。

| 药材性状 | 荆芥：本品茎呈方柱形，上部有分枝，长 50 ～ 80cm，直径 2 ～ 4mm；表面淡黄绿色或淡紫红色，被短柔毛；体轻，质脆，断面类白色。叶对生，多已脱落，叶片 3 ～ 5 羽状分裂，裂片细长。穗状轮伞花序顶生，长 2 ～ 9cm，直径约 7mm；花冠多脱落，宿萼钟状，先端 5 齿裂，淡棕色或黄绿色，被短柔毛。小坚果棕黑色。气芳香，味微涩而辛、凉。
荆芥穗：本品呈圆柱形，长 3 ～ 15cm，直径约 7mm。花冠多脱落，宿萼黄绿色，钟形。质脆，易碎，内有棕黑色小坚果。气芳香，味微涩而辛、凉。

| 功能主治 | 荆芥：辛，微温。解表散风，透疹。用于感冒，头痛，麻疹，风疹，疮疡初起。
荆芥穗：辛，微温。解表散风，透疹，消疮。用于感冒，头痛，麻疹，风疹，疮痈初起。
荆芥根：止血，止痛。用于吐血，崩漏，牙痛，瘰疬。

| 用法用量 | 荆芥：内服煎汤，5 ～ 10g。
荆芥穗：内服煎汤，5 ～ 10g。
荆芥根：内服研末，每次 3 ～ 5g；或鲜品捣汁。外用适量，煎汤洗或漱口。

| 附　　注 | （1）在 FOC 中，本种的拉丁学名被修订为 *Nepeta tenuifolia* Benth.，属名被修订为荆芥属 *Nepeta*。
（2）本种喜温暖湿润气候，幼苗能耐 0℃左右低温，−2℃以下则会出现冻害；喜阳光充足的环境，怕干旱，忌积水；以疏松肥沃、排水良好的砂壤土、油砂土、夹砂土栽培为宜，忌连作。

唇形科 Labiatae 四棱草属 Schnabelia

四棱草
Schnabelia oligophylla Hand.-Mazz.

四棱草

药材名

四楞筋骨草（药用部位：全草。别名：箭羽筋骨草、箭羽草、舒艋箭羽草）。

形态特征

草本，高达 1.2m，直立或攀缘。茎被微柔毛，旋脱落。叶长圆形、三角状卵形或卵形，有时 3 深裂，长 1～5cm，先端尖或渐尖，基部楔形、稍圆或近心形，具锯齿；叶柄长 3～23mm。聚伞花序具 1 花；苞片锥形。开花型花萼 5 齿，具 10 脉，萼齿长 5.5～8mm，全缘，具缘毛，先端渐尖；花冠淡蓝紫或紫色，长 1.4～1.8cm，冠筒长约 1.2cm，下唇三角形或倒卵状三角形，中裂片长约 8mm，侧裂片长约 5mm，上唇裂片宽椭圆形，长约 4mm；闭花受精型花萼长约 3mm，花冠长约 1.5mm，下唇中裂片长约 0.5mm，侧裂片长约 0.2mm，上唇卵形或近圆形，长约 0.2mm。小坚果长约 5mm。花果期 4～7 月。

生境分布

生于海拔 500～700m 的山谷溪旁、石灰岩上、河边林下、疏林中或石边。分布于重庆江津、万州、北碚、开州等地。

| 资源情况 | 野生资源稀少，栽培资源较少。药材来源于野生。

| 采收加工 | 5 月采收，洗净，鲜用或晒干。

| 药材性状 | 本品长 30 ~ 40cm。根短小，棕红色。茎具 4 棱，多分枝，棱边具膜质翅，节处较细，呈断裂状；表面枯绿色或绿褐色；质柔脆，易折断，髓部白色，松泡如灯心草。叶多脱落，完整者展平后呈卵形或卵状披针形，长 1 ~ 5cm，宽 0.5 ~ 1cm，先端尖，基部楔形或圆形，下部叶多 3 裂；两面均被毛。气微，味淡。

| 功能主治 | 辛、苦，平。祛风除湿，活血通络。用于风湿痹痛，四肢麻木，腰膝酸痛，跌打损伤，妇女闭经等。

| 用法用量 | 内服煎汤，9 ~ 15g；或浸酒。外用适量，捣敷。孕妇忌服。

| 附　　注 | 本种喜阴湿环境，以肥沃、排水良好、富含腐殖质的砂壤土栽培为好。

唇形科 Labiatae 四棱草属 Schnabelia

四齿四棱草 Schnabelia tetrodonta (Sun) C. Y. Wu et C. Chen

四齿四棱草

| 药 材 名 |

四齿四棱草（药用部位：全草）。

| 形态特征 |

草本。根茎短且膨大，逐节生根；根细长，纤维状。茎高 30 ~ 70（~ 95）cm，直立或上升，被微柔毛，节间长 0.5 ~ 6cm，以中部的最长；分枝幼时多少被短柔毛，以后变无毛。叶对生，具柄，叶柄长 3 ~ 8mm，纤细，被糙伏毛；叶片纸质，茎中部以下的叶卵形，长 1 ~ 1.4cm，宽 7 ~ 9mm，先端锐尖，基部楔形，边缘具粗锯齿，上面绿色，下面色较淡，中脉不甚明显，两面被疏糙伏毛；茎上部的叶渐小而狭。总花梗极短，着生于茎上部叶腋，有花 1 或 2 ~ 3，连花梗长 2 ~ 2.5mm，被疏短柔毛，中部具 2 苞片，苞片钻形，被微柔毛，花梗极短，长约 1.5mm，上部不弯曲。闭花授粉的花花萼钟状，花时长 2 ~ 3mm，外面被短柔毛，内面无毛，具 8 脉，网脉不甚明显；萼筒极短，萼齿 4，线状披针形，相等，长约 2.5mm，宽约 0.8mm，全缘，具缘毛，先端渐尖；果时花萼增大，长 4 ~ 5mm，萼齿宽披针形，长 3.5 ~ 4mm，宽 1.3mm；花冠极小，长约 1.5mm，圆锥形，从不开放，内藏，早落，外面除檐部被具

腺短柔毛外，其余连同内面均无毛，花冠筒较檐部长约2倍，冠檐闭合，二唇形，上唇直立，2裂，裂片卵形，长约0.2mm，下唇较长，3裂，中裂片盔状，长约0.5mm，先端锐尖，侧裂片较小，与上唇裂片相似，长约0.2mm；雄蕊4，二强，内藏，插生于冠筒喉部，直立，长约0.5mm，前对略长，花丝极短，与花药等长，花药肾形，叉开，2室，花粉少；子房被短柔毛，长约0.5mm；花柱极短，内藏，与子房等长，无毛；花盘环状。小坚果倒卵珠形，长约3mm，直径约2mm，被短柔毛，橄榄色，背部具不甚明显的网状条纹，侧面相接，腹面具凹陷的果脐，中间隆起。花期5月，果期6～7月。

| 生境分布 | 生于山坡上、灌丛下。分布于重庆彭水、云阳、南川、涪陵、酉阳、武隆等地。

| 资源情况 | 野生资源一般。药材来源于野生。

| 采收加工 | 5月采收，洗净，鲜用或晒干。

| 功能主治 | 清热解毒，祛风除湿。

| 用法用量 | 内服煎汤，适量；或浸酒。外用适量，捣敷。孕妇禁服。

唇形科 Labiatae 黄芩属 Scutellaria

半枝莲 *Scutellaria barbata* D. Don

半枝莲

| 药 材 名 |

半枝莲（药用部位：全草。别名：野夏枯草、言草儿、半向花）。

| 形态特征 |

根茎短粗，生出簇生的须状根。茎直立，高 12 ~ 35（~ 55）cm，四棱形，基部直径 1 ~ 2mm，无毛或在序轴上部疏被紧贴的小毛，不分枝或具或多或少的分枝。叶具短柄或近无柄，叶柄长 1 ~ 3mm，腹凹背凸，疏被小毛；叶片三角状卵圆形或卵圆状披针形，有时卵圆形，长 1.3 ~ 3.2cm，宽 0.5 ~ 1（~ 1.4）cm，先端急尖，基部宽楔形或近截形，边缘有疏而钝的浅牙齿，上面橄榄绿色，下面淡绿色有时带紫色，两面沿脉上疏被紧贴的小毛或几无毛；侧脉 2 ~ 3 对，与中脉在上面凹陷下面凸起。花单生茎或分枝上部叶腋内，具花的茎部长 4 ~ 11cm；苞叶下部者似叶，但较小，长达 8mm，上部者变小，长 2 ~ 4.5mm，椭圆形至长椭圆形，全缘，上面散布、下面沿脉疏被小毛；花梗长 1 ~ 2mm，被微柔毛，中部有 1 对长约 0.5mm、具纤毛的针状小苞片；花萼开花时长约 2mm；外面沿脉被微柔毛，边缘具短缘毛，盾片高约 1mm，果时花萼长 4.5mm，盾片高 2mm。花冠紫蓝色，长 9 ～ 13mm，外被短柔毛，内在喉部疏被疏柔毛，冠筒基部囊大，宽 1.5mm，向上渐宽，至喉部宽达 3.5mm，冠檐二唇形，上唇盔状，半圆形，长 1.5mm，先端圆，下唇中裂片梯形，全缘，长 2.5mm，宽 4mm，两侧裂片三角状卵圆形，宽 1.5mm，先端急尖；雄蕊 4，前对较长，微露出，具能育半药，退化半药不明显，后对较短，内藏，具全药，药室裂口具髯毛；花丝扁平，前对内侧、后对两侧下部被小疏柔毛；花柱细长，先端锐尖，微裂；花盘盘状，前方隆起，后方延伸成短子房柄；子房 4 裂，裂片等大。小坚果褐色，扁球形，直径约 1mm，具小疣状突起。花果期 4 ～ 7 月。

| 生境分布 | 生于海拔 250 ～ 2000m 的水田边、溪边或湿润草地上。分布于重庆西阳、长寿、璧山、垫江、九龙坡、荣昌等地。

| 资源情况 | 野生资源稀少。药材主要来源于野生，亦有少量栽培。

| 采收加工 | 夏、秋季茎叶茂盛时采挖，洗净，晒干。

| 药材性状 | 本品长 15 ～ 35cm，无毛或花轴上疏被毛。根纤细。茎丛生，较细，方柱形；表面暗紫色或棕绿色。叶对生，有短柄；叶片多皱缩，展平后呈三角状卵形或披针形，长 1.3 ～ 3cm，宽 0.5 ～ 1cm，先端钝，基部宽楔形，全缘或有少数不明显的钝齿；上表面暗绿色，下表面灰绿色。花单生于茎枝上部叶腋，花萼裂片钝或较圆；花冠二唇形，棕黄色或浅蓝紫色，长约 1.2cm，被毛。果实扁球形，浅棕色。气微，味微苦。

| 功能主治 | 辛、苦，寒。归肺、肝、肾经。清热解毒，化瘀利尿。用于疔疮肿毒，咽喉肿痛，毒蛇咬伤，跌打伤痛，水肿，黄疸。

| 用法用量 | 内服煎汤，15 ～ 30g。

| 附 注 | 本种喜温暖湿润气候，宜选择疏松肥沃、排水良好的壤土或砂壤土栽培。

■ 唇形科 ■ Labiatae ■ 黄芩属 ■ *Scutellaria*

赤水黄芩 *Scutellaria chihshuiensis* C. Y. Wu et H. W. Li

| **药 材 名** | 赤水黄芩（药用部位：全草）。

| **形态特征** | 一年生草本。根茎短，斜行，密生须根。茎高 35 ～ 50cm，直立，柔弱，四棱形，略具槽，密被白色微柔毛，紫褐色。叶膜质，卵圆形或卵圆状长圆形，先端钝或锐尖，基部浅心形，边缘具粗大圆齿，干时上面绿色、下面带紫色，两面稍密被具节糙伏毛，侧脉与中脉在两面稍明显；叶柄扁平，被毛同茎。花对生，于茎上部排列成顶生及腋生的总状花序，花梗与花序轴密被具腺白色微柔毛；苞片倒卵圆形，先端圆形，基部楔形，全缘，两面疏被白色微柔毛；花萼外被具腺微柔毛，内面无毛；花冠外被微柔毛，冠筒直伸，基部前方稍囊状膨大，向上渐宽大，冠檐二唇形，上唇盔状，先端微凹，下唇 3 裂，中裂片平展，内面具紫色斑点，近半圆形，先端微凹，

赤水黄芩

两侧裂片长圆形；雄蕊 4，二强，前对具半药，退化半药不明显，后对具全药，药室裂口均具髯毛，花丝扁平，中部以下具纤毛；花柱细长；花盘肥厚，前方隆起；子房无毛。成熟小坚果未见。花期 5 月。

| 生境分布 | 生于海拔 450 ~ 850m 的溪边或阴湿山地路旁草丛中。分布于重庆南川等地。

| 资源情况 | 野生资源稀少，无栽培资源。药材主要来源于野生。

| 采收加工 | 夏、秋季采收，洗净，鲜用或晒干。

| 功能主治 | 清热利尿，润肺止咳。用于感冒，热淋，肺热咳嗽。

| 用法用量 | 内服煎汤，适量。外用适量，捣敷。

唇形科 Labiatae 黄芩属 Scutellaria

岩藿香 *Scutellaria franchetiana* Lévl.

| **药 材 名** | 岩藿香（药用部位：全草。别名：犁头草、方茎犁头草）。

| **形态特征** | 多年生上升草本。根茎横走，密生须根，节上生匍匐枝。茎高
30 ~ 70cm，锐四棱形，被上曲微柔毛，棱上较密。茎叶具柄，叶
柄长 3 ~ 10mm；叶片草质，卵圆形至卵圆状披针形，长 1.5 ~ 3
（~ 4.5）cm，宽 1 ~ 2（~ 2.5）cm，先端渐尖，基部宽楔形至心
形，边缘每侧具 3 ~ 4 大牙齿，两面略被微柔毛。总状花序在茎中
部以上叶腋内腋生，长（1 ~ ）2 ~ 9cm，向茎端渐变短；苞片均叶
状，细小；小苞片条形；花萼开花时长约 2.5mm，果时长约 4mm，
盾片高约 3mm，果时增大；花冠紫色，长达 2.5cm，花冠筒基部膝
曲，微囊状增大，下唇中裂片三角状卵圆形；雄蕊 4，前对较长；
花柱细长，先端锐尖，微裂；花盘前方稍隆起。小坚果黑色，卵球形，

岩藿香

具瘤，腹面基部有果脐。花期 6 ~ 7 月。

| **生境分布** | 生于海拔 700 ~ 1500m 的山坡湿地上。分布于重庆城口、奉节、开州、秀山、南川、北碚、綦江、涪陵等地。

| **资源情况** | 野生资源稀少。药材来源于野生。

| **采收加工** | 夏季采收，鲜用或晒干。

| **药材性状** | 本品长可达 70cm。茎四棱形。叶皱缩，展开后呈卵圆形至卵圆状披针形，长 1.5 ~ 3cm。总状花序，花冠紫色，二唇形；花柱先端锐尖。小坚果黑色，卵球形，具瘤。

| **功能主治** | 辛、苦，凉。祛暑清热，活血解毒。用于暑湿感冒，风热咳嗽，风湿痹痛，痱子，跌打损伤，蜂蜇伤。

| **用法用量** | 内服煎汤，3 ~ 15g。外用适量，捣敷；或煎汤洗。

唇形科 Labiatae 黄芩属 Scutellaria

韩信草 *Scutellaria indica* L.

| **药 材 名** | 韩信草（药用部位：带根全草。别名：大力草、耳挖草、金茶匙）。

| **形态特征** | 多年生草本。根茎短，向下生出多数簇生的纤维状根，向上生出 1 至多数茎。茎高 12 ~ 28cm，上升直立，四棱形，直径 1 ~ 1.2mm，通常带暗紫色，被微柔毛，尤以茎上部及沿棱角为密集，不分枝或多分枝。叶草质至近坚纸质，心状卵圆形或圆卵状圆形至椭圆形，长 1.5 ~ 2.6（~ 3）cm，宽 1.2 ~ 2.3cm，先端钝或圆，基部圆形、浅心形至心形，边缘密生整齐圆齿，两面被微柔毛或糙伏毛，尤以下面为甚；叶柄长 0.4 ~ 1.4（~ 2.8）cm，腹平背凸，密被微柔毛。花对生，在茎或分枝顶上排列成长 4 ~ 8（~ 12）cm 的总状花序；花梗长 2.5 ~ 3mm，与花序轴均被微柔毛；最下 1 对苞片叶状，卵圆形，长达 1.7cm，边缘具圆齿，其余苞片均细小，卵圆形至椭圆形，

韩信草

长 3 ～ 6mm，宽 1 ～ 2.5mm，全缘，无柄，被微柔毛；花萼开花时长约 2.5mm，被硬毛及微柔毛，果时十分增大，盾片花时高约 1.5mm，果时竖起，增大 1 倍；花冠蓝紫色，长 1.4 ～ 1.8cm，外疏被微柔毛，内面仅唇片被短柔毛，冠筒前方基部膝曲，其后直伸，向上逐渐增大，至喉部宽约 4.5mm，冠檐 2 唇形，上唇盔状，内凹，先端微缺，下唇中裂片圆形或卵圆形，两侧中部微内缢，先端微缺，具深紫色斑点，两侧裂片卵圆形；雄蕊 4，二强，花丝扁平，中部以下被小纤毛；花盘肥厚，前方隆起，子房柄短；花柱细长；子房光滑，4 裂。成熟小坚果栗色或暗褐色，卵形，长约 1mm，直径不到 1mm，具瘤，腹面近基部具 1 果脐。花果期 2 ～ 6 月。

| 生境分布 | 生于海拔 1500m 以下的山地或丘陵、疏林下、路旁空地及草地上。分布于重庆万州、南岸、酉阳、云阳、九龙坡、武隆、南川、江津、永川、荣昌、巫溪、巫山、奉节、北碚等地。

| 资源情况 | 野生资源较丰富。药材来源于野生。

| 采收加工 | 春、夏季花开时采收，洗净，鲜用或晒干。

| 药材性状 | 本品根丛生，纤细。茎呈类四棱形，少分枝，直径 1 ～ 1.2mm；表面灰棕色或黄棕色，多具纵棱线，密被白色绒毛；质脆，断面髓部常中空。叶对生，有短柄；叶片多皱缩，展平后呈圆形或卵圆形，长 1 ～ 2.5cm，宽 0.8 ～ 1.5cm；先端钝，基部心形，边缘有钝锯齿；灰绿色或暗绿色，两面密被白色绒毛。总状花序顶生，花冠已脱落；残留花萼呈钟状，萼筒背上生有 1 囊状盾鳞，呈"耳挖"状。气微，味微苦、咸。

| 功能主治 | 辛、苦，寒。归心、肝、肺经。清热解毒，活血止痛，止血消肿。用于痈肿疔毒，肺痈，肠痈，瘰疬，毒蛇咬伤，肺热咳喘，牙痛，喉痹，咽痛，筋骨疼痛，吐血，咯血，便血，跌打损伤，皮肤瘙痒。

| 用法用量 | 内服煎汤，10 ～ 15g。外用适量，捣敷；或煎汤洗。

■唇形科■ Labiatae ■黄芩属■ *Scutellaria*

韩信草（长毛变种） *Scutellaria indica* L. var. *elliptica* Sun ex C. H. Hu

| 药 材 名 | 长毛韩信草（药用部位：全草。别名：韩信草）。

| 形态特征 | 本种与原变种韩信草的区别在于茎、叶柄、叶两面密被白色平展具节疏柔毛。

| 生境分布 | 生于海拔 900m 以下的山坡、路旁或草地上。分布于重庆南川、江津等地。

| 资源情况 | 野生资源稀少。药材主要来源于野生。

| 采收加工 | 春、夏季开花期采收，洗净，鲜用或晒干。

| 功能主治 | 散血消肿，平肝退热。用于痈肿疔毒，毒蛇咬伤，肝火旺，烦躁。

| 用法用量 | 内服煎汤，10 ~ 15g。外用适量，捣敷；或煎汤洗。

韩信草（长毛变种）

唇形科 Labiatae 黄芩属 Scutellaria

变黑黄芩
Scutellaria nigricans C. Y. Wu

| 药 材 名 | 变黑黄芩（药用部位：全草）。

| 形态特征 | 一年生草本；根茎匍匐，纤细。茎直立上升，柔弱，四棱形，无毛，具细条纹，基部带紫色。叶草质，卵圆形，茎下部者变小，大小仅及中部者之半，上面暗绿色，下面淡绿色，干时两面变黑色，上面沿中脉被小糙伏毛，余部疏被具节糙伏毛，下面无毛，先端急尖，基部宽楔形，边缘疏生 6 ~ 8 对具胼胝体的粗大圆齿，侧脉两面微凸起；茎中部者最长，扁平，腹微具沟，除沟内被糙伏毛外余部无毛。花对生，总状花序；花梗与花序轴均密被具腺的有节的微柔毛；苞片菱形，全缘，无毛；花萼密被具腺的有节的微柔毛；花冠紫色或淡紫蓝色，外被短柔毛，内无毛，冠筒直伸，基部前方稍囊状膨大不呈曲膝状，上唇盔状，先端 2 裂，下唇中裂片平展，三角形，

变黑黄芩

基部骤然收缩，边缘波状，两侧裂片卵圆形；雄蕊 4，二强，花丝扁平，中部以下具纤毛；花盘肥厚，前方稍隆起，子房柄极短；花柱细长；子房光滑，4 裂。成熟小坚果未见。花期 4 ~ 6 月。

| **生境分布** | 生于海拔 250 ~ 1650m 的山地林下阴湿处。分布于重庆南川等地。

| **资源情况** | 野生资源稀少，无栽培资源。药材来源于野生。

| **采收加工** | 夏、秋季采收，洗净，鲜用或晒干。

| **功能主治** | 清热解毒。用于感冒发热。

| **用法用量** | 内服煎汤，适量。外用适量，捣敷。

唇形科 Labiatae 黄芩属 Scutellaria

红茎黄芩

Scutellaria yunnanensis Lévl.

| **药 材 名** | 红茎黄芩（药用部位：全草。别名：多子草）。

| **形态特征** | 多年生草本。根茎匍匐，密生纤维状须根。茎直立，钝四棱形，具槽，常呈水红色，几无毛，大都不分枝。叶常 4 对，卵圆形或椭圆状卵圆形，先端渐尖或短渐尖，基部圆形，两面无毛，上面深绿色，下面较淡，带红色，密生小凹腺点；侧脉约 4 对，与中脉在上面凹陷下面凸出，叶缘以内网结；叶柄水红色，腹凹背凸，被具腺柔毛。花对生，排列成顶生或间有少数腋生的总状花序；花梗与花序轴密被微柔毛及具腺柔毛；苞片退化；花萼于花时常呈紫红色，外被微柔毛，盾片开展，半圆形；花冠于冠檐紫红色但筒部色淡或白色，外被微柔毛，冠筒前方基部曲膝状，向上渐增大；雄蕊 4，二强，花丝扁平，中部以下被纤毛；花盘肥厚，前方呈指状伸长，子房柄明显；花柱细长；

红茎黄芩

子房光滑。小坚果成熟时暗褐色，三棱状卵圆形，具瘤，腹面中央隆起，其上有 1 细小果脐。

| **生境分布** | 生于海拔 700 ～ 1200m 的山地林下或山谷沟边。分布于重庆忠县、渝北、北碚等地。

| **资源情况** | 野生资源稀少。药材主要来源于野生。

| **采收加工** | 春季采收，鲜用或晒干。

| **功能主治** | 苦，寒。清肝明目，凉血解毒。用于眩晕，目赤肿毒，翳障遮睛，肺热咯血，暑热烦渴，痈疮肿毒。

| **用法用量** | 内服煎汤，6 ～ 15g。外用适量，鲜品捣敷。

红茎黄芩（柳叶变种）

唇形科 Labiatae 黄芩属 Scutellaria

红茎黄芩（柳叶变种）Scutellaria yunnanensis Lévl. var. salicifolia Sun ex C. H. Hu

药材名

血沟丹（药用部位：全草。别名：土黄芩、一麻消）。

形态特征

本种与原变种红茎黄芩的区别在于叶狭长呈长圆形或披针形，长 5 ~ 9.8cm，宽 1 ~ 1.6cm，基部楔形，全缘或边缘有少数疏浅锯齿。

生境分布

生于海拔 460 ~ 1600m 的沟谷边或灌丛中。分布于重庆江津、合川、北碚等地。

资源情况

野生资源较少。药材来源于野生。

采收加工

春季采收，晒干。

功能主治

苦，寒。清热泻火，化瘀解毒。用于高热不退，肺热咳喘，热毒泻痢，肝脾肿大等。

用法用量

内服煎汤，6 ~ 15g。

| 唇形科 | Labiatae | 水苏属 | *Stachys* |

狭齿水苏
Stachys pseudophlomis C. Y. Wu

狭齿水苏

| 药 材 名 |

狭齿水苏（药用部位：全草）。

| 形态特征 |

多年生草本，高 50 ~ 100cm。根茎肥大，在节上密生纤维状须根。茎劲直，上升，不分枝或多分枝，四棱形，具 4 槽，密被倒向疏柔毛。茎叶卵圆状心形，长 5 ~ 7cm，宽 2.8 ~ 4cm，先端渐尖，基部心形，边缘有规则的细圆齿状锯齿，膜质，上面密被绢质糙伏毛，下面沿中肋及侧脉上密被平展疏柔毛，余部密被糙伏毛，侧脉 3 ~ 5 对，在上面稍下陷，下面显著，叶柄长 1.5 ~ 2.5cm，近扁平，密被倒向疏柔毛；苞叶向上渐变小，下部者披针状卵圆形，叶柄长 0.5 ~ 1.5cm，上部者披针形，基部近圆形，近无柄，比轮伞花序短。轮伞花序腋生，具花 2 ~ 6，远离；苞片线形，微小，长不及 1mm，被微柔毛，少数；花梗短，长约 1mm；花萼管状钟形，长 6.5 ~ 7mm，外面密被疏柔毛及腺点，内面在上部被绢状微柔毛，10 脉，多少明显，次脉不明显，齿 5，近等大，长 2.5 ~ 3mm，线状披针形，反折，先端长渐尖；花冠紫色或红色，长 1.5cm，冠筒近等粗，外面在上部被微柔毛，内面近基部 1/3 处被斜向间断的微柔毛毛环，前方在毛环上呈浅囊状膨大，冠檐二唇形，上唇直伸，长圆状卵圆形，长 4mm，宽 25mm，外面被微柔毛，内面无毛，下唇水平展开，近圆形，直径约 5mm，外面疏被微柔毛，内面无毛，3 裂，中裂片较大，近圆形，直径约 3mm，侧裂片卵圆形，直径 1.5mm；雄蕊 4，前对较长，均延伸至上唇片之下，花丝丝状，被微柔毛，先端略膨大，花药卵圆形，2 室，室纵裂，略叉开；花柱丝状，超出雄蕊，向前下倾，先端相等 2 浅裂，裂片钻形；花盘杯状；子房褐色，无毛。花期 7 ~ 8 月。

| **生境分布** | 生于海拔 200 ~ 900m 的竹林下或疏林下。分布于重庆奉节、涪陵、南川、彭水等地。

| **资源情况** | 野生资源稀少。药材主要来源于野生。

| **采收加工** | 7 ~ 8 月采收，鲜用或晒干。

| **功能主治** | 解毒祛风。用于关节痛，胃痛。

| **用法用量** | 内服煎汤，适量。外用适量，煎汤洗；或研末撒；或捣敷。体虚者慎用。

唇形科 Labiatae 水苏属 Stachys

黄花地钮菜

Stachys xanthantha C.Y. Wu

黄花地钮菜

| 药 材 名 |

黄花地钮菜（药用部位：全草。别名：黄花水苏）。

| 形态特征 |

多年生草本，高 40 ～ 70cm。根茎不增大，匍匐，在节上生纤维状须根。茎直立，纤弱，不分枝或在中部以上少分枝，四棱形，具 4 槽，在棱及节上被倒向具节糙伏毛，节间常伸长，比叶长很多。茎生叶长圆状卵圆形，先端锐尖，基部浅心形，有时平截或宽楔形，边缘为规则的圆齿状锯齿，上面绿色，在边缘密生、余部疏生糙伏毛，下面较淡，沿肋及侧脉上疏生糙伏毛，余部近无毛，侧脉上面不明显或多少凹陷，下面显著且带白色，叶柄近于扁平，被糙伏毛；苞叶向上渐变小，最下方 1 对苞叶与茎生叶同形，基部截平，具短柄，上部苞叶披针形，无柄，稍长于或短于轮伞花序。轮伞花序组成穗状花序；苞片少数，线状披针形，短小，无毛，早落；花梗短小，被微柔毛；花萼狭钟形，外面沿脉上被具节刚毛，内面无毛，10 脉，明显，次脉在萼筒中部以下多少明显，齿 5，近等大或后 3 齿稍大，长三角形，先端具刺尖，边缘被具腺微柔毛；花冠黄色，冠筒向上渐

扩大，外面前方在毛环上呈浅囊状膨大，内面近基部被斜向微柔毛毛环，冠檐二唇形，上唇直伸，外面疏被微柔毛，内面无毛，长圆状卵圆形，先端具波状齿，下唇水平开张，外面极疏被微柔毛，内面无毛，近圆形，3 裂，中裂片最大，近圆形，侧裂片卵圆形；雄蕊 4，前对较长，均上升至上唇片之下，花丝丝状，扁平，先端微增大，中部被微柔毛，花药卵圆形，2 室，室纵裂，略叉开；花柱丝状，略超出雄蕊，先端近相等 2 浅裂；花盘杯状，具圆齿；子房深褐色，无毛。花期 6 ～ 7 月。

| **生境分布** | 生于海拔 1950 ～ 2150m 的荒地。分布于重庆开州、武隆、南川等地。

| **资源情况** | 野生资源稀少。药材主要来源于野生。

| **采收加工** | 7 ～ 8 月采收，晒干。

| **功能主治** | 微苦、微辛，凉。解毒祛风，清热止痛。用于风湿疼痛，疮痈肿痛，烫火伤，毒蛇咬伤等。

| **用法用量** | 内服煎汤，适量。

唇形科 Labiatae 水苏属 *Stachys*

甘露子 *Stachys sieboldii* Miq.

药 材 名	草石蚕（药用部位：全草或块茎。别名：蜗儿菜、土虫草、毛菜）。
形态特征	多年生草本，高 30 ~ 120cm。在茎基部数节上生有密集的须根及多数横走的根茎；根茎白色，在节上有鳞状叶及须根，先端有念珠状或螺蛳形的肥大块茎。茎直立或基部倾斜，单一，或多分枝，四棱形，具槽，在棱及节上被平展的或疏或密的硬毛。茎生叶卵圆形或长椭圆状卵圆形，长 3 ~ 12cm，宽 1.5 ~ 6cm，先端微锐尖或渐尖，基部平截至浅心形，有时宽楔形或近圆形，边缘有规则的圆齿状锯齿，内面被或疏或密的贴生硬毛，但沿脉上仅疏生硬毛，侧脉 4 ~ 5 对，上面不明显，下面显著，叶柄长 1 ~ 3cm，腹凹背平，被硬毛；苞叶向上渐变小，呈苞片状，通常反折（尤其栽培型），下部者无柄，卵圆状披针形，长约 3cm，比轮伞花序长，先端渐尖，基部近

甘露子

圆形，上部者短小，无柄，披针形，比花萼短，近全缘。轮伞花序通常具 6 花，多数远离组成长 5 ～ 15cm 顶生穗状花序；小苞片线形，长约 1mm，被微柔毛；花梗短，长约 1mm，被微柔毛；花萼狭钟形，连齿长 9mm，外被具腺柔毛，内面无毛，10 脉，多少明显，齿 5，正三角形至长三角形，长约 4mm，先端具刺尖头，微反折；花冠粉红色至紫红色，下唇有紫斑，长约 1.3cm，冠筒筒状，长约 9mm，近等粗，前面在毛环上方略呈囊状膨大，外面在伸出萼筒部分被微柔毛，内面在下部 1/3 被微柔毛毛环，冠檐二唇形，上唇长圆形，长 4mm，宽 2mm，直伸而略反折，外面被柔毛，内面无毛，下唇长、宽约 7mm，外面在中部疏被柔毛，内面无毛，3 裂，中裂片较大，近圆形，直径约 3.5mm，侧裂片卵圆形，较短小；雄蕊 4，前对较长，均上升至上唇片之下，花丝丝状，扁平，先端略膨大，被微柔毛，花药卵圆形，2 室，室纵裂，极叉开。花柱丝状，略超出雄蕊，先端近相等 2 浅裂。小坚果卵珠形，直径约 1.5cm，黑褐色，具小瘤。花期 7 ～ 8 月，果期 9 月。

| **生境分布** | 多栽培于菜地、房前屋后。分布于重庆巫溪、巫山、长寿、黔江、酉阳等地。

| **资源情况** | 栽培资源较少。药材主要来源于栽培。

| **采收加工** | 春、秋季采收。挖取块茎，洗净，晒干。

| **药材性状** | 本品块茎多呈纺锤形，先端有的呈螺旋状，两头略尖，长 1.5 ～ 4cm，直径 3 ～ 7mm。表面棕黄色，多皱缩，扭曲，具 5 ～ 15 个环节，节间可见点状芽痕及根痕。质坚脆，易折断，断面平坦，白色。气微，味微甘。用水浸泡后易膨胀，结节明显。

| **功能主治** | 甘，平。归肺、肝、脾经。解表清肺，利湿解毒，补虚健脾。用于风热感冒，虚劳咳嗽，黄疸，淋证，疮毒肿痛，毒蛇咬伤。

| **用法用量** | 内服煎汤，全草 15 ～ 30g，块茎 30 ～ 60g；或浸酒；或焙干研末。外用适量，煎汤洗；或捣敷。不宜生食或多食。

| **附　注** | 本种对气候要求不严，而以稍凉爽的气候为好，栽培土壤以肥沃、疏松的油砂土为宜。

唇形科 Labiatae 香科科属 Teucrium

穗花香科科 *Teucrium japonicum* Willd.

穗花香科科

药材名

水藿香（药用部位：全草。别名：野藿香、毛秀才）。

形态特征

多年生草本。具匍匐茎。茎不分枝或分枝，高 50 ～ 80cm，四棱形，具明显的 4 槽，平滑无毛，极少于近节处被极疏的长柔毛。叶片卵圆状长圆形至卵圆状披针形，分枝上者十分变小，先端急尖或短渐尖，基部心形、近心形或平截，边缘为带重齿的锯齿或圆齿，除叶柄及叶下面中肋的基部偶见疏生的短柔毛外，余部均无毛。假穗状花序生于主茎及上部分枝的先端，主茎上者由于下部有短的侧生花序因而俨如圆锥花序，无毛，由极密接、有时交错而不整齐的具 2 花的轮伞花序组成；苞片线状披针形；花梗短，与苞片均无毛，极少被极疏生长柔毛；花萼钟形，萼筒下方一面稍臌胀，除齿缘稍具缘毛外，余部均无毛，10 脉，萼齿 5，上 3 齿正三角形，等大，下 2 齿锐三角形，与上 3 齿等长，直伸；花冠白色或淡红色，外面在唇片上被鳞状短毛，余部无毛，冠筒长为花冠的 1/4，不伸出于花萼，唇片与冠筒在 1 条直线上，中裂片极发达，菱状倒卵形，外倾，长几达唇片的 1/2，侧裂片卵状长圆形，先端急尖；雄蕊稍短于唇片；花柱与雄蕊等长；花盘小，盘状，微显波状边缘；子房圆球形，4 裂。小坚果倒卵形，栗棕色，平滑，疏被白色波状毛，合生面超过果长之 1/2。花期 7 ~ 9 月。

| 生境分布 | 生于海拔 500 ~ 1100m 的阴湿山地或溪边草丛中。分布于重庆酉阳、黔江等地。

| 资源情况 | 野生资源稀少，无栽培资源。药材来源于野生。

| 采收加工 | 7 ~ 10 月采收，洗净，晒干。

| 功能主治 | 苦、辛，温。发表散寒，利湿除痹。用于外感风寒，头痛，身痛，风寒湿痹等。

| 用法用量 | 内服煎汤，9 ~ 15g。

长毛香科科

| 唇形科 | Labiatae | 香科科属 | Teucrium

长毛香科科
Teucrium pilosum (Pamp.) C. Y. Wu et S. Chow

| 药 材 名 |

长毛香科科（药用部位：全草。别名：毛薄荷、铁马鞭）。

| 形态特征 |

多年生草本。具匍匐茎。茎直立，细弱，扭曲，常不分枝，偶于上部分枝，高 0.5 ~ 1m，遍被长达 3mm、密集而平展的白色长柔毛。叶柄被柔毛；叶片卵圆状披针形或长圆状披针形，偶为卵圆状长圆形，先端短渐尖或渐尖，基部截平或近心形，边缘为稍不整齐的具重齿的细圆锯齿，上面中肋被长柔毛，余部为贴生的短柔毛，下面脉上被长柔毛，余部为不匀称的短柔毛。假穗状花序顶生于主茎及分枝上，被明显的长柔毛，由上下密接、具 2 花但有时参差若 3 ~ 4 花成 1 轮的轮伞花序所组成；苞片线状披针形，被长柔毛；花梗短，与花序轴被明显长柔毛；花萼钟形，外被长柔毛，夹有浅黄色腺点，10 脉，萼齿 5，上 3 齿三角形，下 2 齿三角状钻形；花冠淡红色，冠筒长不达花冠的 1/3，外面在伸出部分疏被长柔毛，散布浅黄色腺点，唇片与冠筒几在 1 条直线上，中裂片极发达，倒卵状正圆形，先端微尖，侧裂片卵状长圆形，先端急尖；雄蕊稍伸出唇片；花柱与雄蕊等长；花盘小，盘状，微显波状边缘；子房圆球形，4 裂。成熟小坚果未见。花期 7 ~ 8 月。

| 生境分布 |　生于海拔 340 ~ 2500m 的山地或溪边路旁草丛中。分布于重庆城口、巫山、巫溪、奉节、南川、忠县、垫江等地。

| 资源情况 |　野生资源稀少，无栽培资源。药材来源于野生。

| 采收加工 |　7 ~ 9 月采收，洗净，鲜用或晒干。

| 功能主治 |　辛、微苦，凉。祛风发表，清热解毒，止痒。用于风热感冒，咽喉肿痛，疟腮，痢疾，漆疮，湿疹，疥癣，风疹等。

| 用法用量 |　内服煎汤，3 ~ 9g。

血见愁
Teucrium viscidum Bl.

血见愁

药材名

山藿香（药用部位：全草。别名：野石蚕、野薄荷、仁沙草）。

形态特征

多年生草本。具匍匐茎。茎直立，高 30 ～ 70cm，下部无毛或几近无毛，上部被夹生腺毛的短柔毛。叶柄长 1 ～ 3cm，近无毛；叶片卵圆形至卵圆状长圆形，长 3 ～ 10cm，先端急尖或短渐尖，基部圆形、阔楔形至楔形，下延，边缘为带重齿的圆齿，有时数齿间具深刻的齿弯，两面近无毛，或被极稀的微柔毛。假穗状花序生于茎及短枝上部，在茎上者由于下部有短的花枝因而俨如圆锥花序，长 3 ～ 7cm，密被腺毛，由密集具 2 花的轮伞花序组成；苞片披针形，较开放的花稍短或等长；花梗短，长不及 2mm，密被腺长柔毛；花萼小，钟形，长 2.8mm，宽 2.2mm，外面密被腺长柔毛，内面在齿下被稀疏微柔毛，齿缘具缘毛，10 脉，其中 5 副脉不甚明显，萼齿 5，直伸，近等大，长不及萼筒长的 1/2，上 3 齿卵状三角形，先端钝，下 2 齿三角形，稍锐尖，果时花萼呈圆球形，直径 3mm，有时甚小；花冠白色、淡红色或淡紫色，长 6.5 ～ 7.5mm，冠筒长

3mm，稍伸出，唇片与冠筒成大角度的钝角，中裂片正圆形，侧裂片卵圆状三角形，先端钝；雄蕊伸出，前对与花冠等长；花柱与雄蕊等长；花盘盘状，浅 4 裂；子房圆球形，先端被泡状毛；小坚果扁球形，长 1.3mm，黄棕色，合生面超过果长的 1/2。花期长江流域为 7 ~ 9 月，广东、云南南部 6 ~ 11 月。

| **生境分布** | 生于海拔 120 ~ 1530m 的山地林下湿润处。分布于重庆秀山、永川、合川、丰都、大足、江津、荣昌、铜梁、南川、长寿、黔江、忠县、涪陵、云阳。

| **资源情况** | 野生资源稀少。药材主要来源于野生。

| **采收加工** | 7 ~ 8 月采收，洗净，鲜用或晒干。

| **药材性状** | 本品长 30 ~ 50cm。根须状。茎方柱形，具分枝；表面黑褐色或灰褐色，被毛，嫩枝毛较密；节处有多数灰白色须状根。叶对生，灰绿色或灰褐色，叶片皱缩，易碎，完整者展平后呈卵形或矩圆形，长 3 ~ 6cm，宽 1.5 ~ 3cm，先端短渐尖或短尖，基部圆形或阔楔形，下延，边缘具粗锯齿，两面均有毛，下面毛较密；叶柄长约 1.5cm。间见枝顶或叶腋有淡红色小花，花萼钟形。小坚果球形，包于宿萼中。花、叶以手搓之微有香气，味微辛、苦。以叶多、色灰绿、气香者为佳。

| **功能主治** | 辛、苦，凉。归肺、大肠经。凉血散瘀，消肿解毒。用于吐血，肠风下血，跌打损伤，痈肿，痔疮，丹毒，疔疮疖肿，蛇咬伤。

| **用法用量** | 内服煎汤，15 ~ 30g，鲜品加倍；或捣汁；或研末。外用适量，捣敷；或煎汤熏洗。

唇形科 Labiatae 香科科属 Teucrium

微毛血见愁

Teucrium viscidum Bl. var. *nepetoides* (Lévl.) C. Y. Wu et S. Chow

微毛血见愁

| 药 材 名 |

微毛血见愁（药用部位：全草）。

| 形态特征 |

本种与原变种血见愁的区别在于花及苞片均较大；花萼长约 4mm，宽约 2.5mm，密被灰白色微柔毛，粗视若被 1 层白霜，而非具腺的短柔毛；花冠长 8 ~ 10mm，冠筒长 4 ~ 5mm。

| 生境分布 |

生于海拔 700 ~ 2200m 的山地林下湿润处。分布于重庆城口、巫溪、南川、北碚、云阳、垫江等地。

| 资源情况 |

野生资源较少。药材来源于野生。

| 采收加工 |

7 ~ 8 月采收，洗净，鲜用或晒干。

| 功能主治 |

用于胃气痛，吐泻，吐血，感冒。

| **用法用量** | 内服煎汤，适量。外用适量，捣敷；或煎汤熏洗。

唇形科 Labiatae 百里香属 Thymus

百里香 *Thymus mongolicus* Ronn.

| 药 材 名 | 地椒（药用部位：地上部分。别名：麝香草、地花椒、百里香）。

| 形态特征 | 半灌木。茎多数，匍匐或上升；不育枝从茎的末端或基部生出，匍匐或上升，被短柔毛；花枝高（1.5 ~ ）2 ~ 10cm，在花序下密被向下曲或稍平展的疏柔毛，下部毛变短而疏，具 2 ~ 4 对叶，基部有脱落的先出叶。叶为卵圆形，长 4 ~ 10mm，宽 2 ~ 4.5mm，先端钝或稍锐尖，基部楔形或渐狭，全缘或稀有 1 ~ 2 对小锯齿，两面无毛，侧脉 2 ~ 3 对，在下面微凸起，腺点多少有些明显，叶柄明显，靠下部的叶柄长约为叶片 1/2，在上部则较短；苞叶与叶同形，边缘在下部 1/3 具缘毛。花序头状，多花或少花，花具短梗；花萼管状钟形或狭钟形，长 4 ~ 4.5mm，下部被疏柔毛，上部近无毛，下唇较上唇长或与上唇近相等，上唇齿短，齿不超过上唇全长

百里香

1/3，三角形，具缘毛或无毛；花冠紫红色、紫色或淡紫色、粉红色，长6.5 ～ 8mm，被疏短柔毛，冠筒伸长，长 4 ～ 5mm，向上稍增大。小坚果近圆形或卵圆形，压扁状，光滑。花期 7 ～ 8 月。

| 生境分布 | 栽培于保存圃。分布于重庆南川等地。

| 资源情况 | 栽培资源稀少，无野生资源。药材来源于栽培。

| 采收加工 | 7 ～ 8 月采收，洗净，鲜用或晒干。

| 药材性状 | 本品茎呈方柱形，略弯曲，多分枝，长 5 ～ 15cm，直径约 1mm。表面紫红色或灰棕色，节明显，下部节上有细根。叶对生，近无柄，叶片展平后呈卵圆形，长 4 ～ 10mm，宽 2 ～ 4.5mm，全缘，微反卷，上表面绿色，下表面灰绿色，两面密布腺点。小花序顶生，密集成头状；花冠暗紫红色或棕色。气芳香，味辛。

| 功能主治 | 辛，温。祛风解表，行气健脾，温中止痛。用于风寒咳嗽，头痛，牙痛，周身疼痛，腹胀冷痛，消化不良，呕吐泄泻。

| 用法用量 | 内服煎汤，9 ～ 15g；或泡酒服。外用适量，煎汤洗患处。

茄科 Solanaceae 天蓬子属 *Atropanthe*

天蓬子
Atropanthe sinensis (Hemsl.) Pascher

| 药 材 名 | 天蓬子根（药用部位：根。别名：搜山虎、浆柳根、白商陆）。

| 形态特征 | 多年生草本。植株高 0.8 ~ 1.5m。茎常带深蓝紫色。叶片纸质，椭圆形至卵形，长 11.5 ~ 17.5cm，宽 4.5 ~ 7.5cm，先端渐尖，基部楔形，微下延，全缘，两面无毛；叶柄几无或长达 4.5cm。花俯垂，花梗长 2.1 ~ 2.6cm，无毛；花萼纸质，长约 2cm，无毛，裂片三角形，先端急尖，长为萼长的 1/2，边缘密被绒毛；花冠漏斗状筒形，黄绿色，长约 3.2cm，脉间具明显的网脉，外面被疏微柔毛，里面仅花冠筒基部与花丝合生处被柔毛，裂片 5，左右对称，上面 1 片略大，半圆形，两侧裂片三角状半圆形，下面 2 片半圆形，花柱贴于下面 2 裂片之间伸出，向上微弯；雄蕊内藏；花盘橙红色。蒴果直径 1.8 ~ 2cm，果萼圆锥形，坚纸质，先端闭合，最宽处直径约 2.5cm，果梗长约 3cm。花期 4 ~ 5 月，果期 8 ~ 9 月。

天蓬子

| 生境分布 | 生于海拔 1380 ~ 2790m 的杂木林下阴湿处或沟边。分布于重庆巫溪、奉节、石柱等地。 |

| 资源情况 | 野生资源稀少。药材来源于野生。 |

| 采收加工 | 秋、冬季采收，洗净，切片，晒干。 |

| 功能主治 | 辛、苦，温；有大毒。发散风寒，活络止痛。用于风寒湿痹，瘫痪，跌打伤痛，破伤风。 |

| 用法用量 | 内服 0.9g，泡酒 500ml，每次饮 5 ~ 10ml。本品有大毒，内服宜慎。孕妇禁服。 |

茄科 Solanaceae 辣椒属 Capsicum

辣椒 *Capsicum annuum* L.

| 药 材 名 | 辣椒（药用部位：果实。别名：番椒、辣茄、辣虎）、辣椒茎（药用部位：茎。别名：辣椒梗）、辣椒叶（药用部位：叶）、辣椒头（药用部位：根）。 |

| 形态特征 | 一年生或有限多年生植物，高 40 ~ 80cm。茎近无毛或微生柔毛，分枝稍"之"字形折曲。叶互生，枝先端节不伸长而成双生或簇生状，矩圆状卵形、卵形或卵状披针形，长 4 ~ 13cm，宽 1.5 ~ 4cm，全缘，先端短渐尖或急尖，基部狭楔形；叶柄长 4 ~ 7cm。花单生，俯垂；花萼杯状，具不显著 5 齿；花冠白色，裂片卵形；花药灰紫色。果梗较粗壮，俯垂；果实长指状，先端渐尖且常弯曲，未成熟时绿色，成熟后成红色、橙色或紫红色，味辣；种子扁肾形，长 3 ~ 5mm，淡黄色。花果期 5 ~ 11 月。 |

辣椒

| **生境分布** | 栽培于菜地。重庆各地均有分布。

| **资源情况** | 野生资源稀少，栽培资源丰富。药材来源于栽培。

| **采收加工** | 辣椒：夏、秋季果实变红色时采收，除去枝梗，晒干。
辣椒茎：9～10月将倒苗前采收，切段，晒干。
辣椒叶：夏、秋季生长茂盛时采摘，鲜用或晒干。
辣椒头：秋季采挖，洗净，晒干。

| **药材性状** | 辣椒：本品呈圆锥形、类圆锥形，略弯曲。表面橙红色、红色或深红色，光滑或较皱缩，显油性，基部微圆，常有绿棕色、具5裂齿的宿萼及果柄。果肉薄。质较脆，横切面可见中轴胎座，有菲薄的隔膜将果实分为2～3室，内含多数种子。气特异，味辛、辣。

| **功能主治** | 辣椒：辛，热。归心、脾经。温中散寒，开胃消食。用于寒滞腹痛，呕吐，泻痢，冻疮。
辣椒茎：辛、甘，热。散寒除湿，活血化瘀。用于风湿冷痛，冻疮。
辣椒叶：苦，温。消肿活络，杀虫止痒。用于水肿，顽癣，疥疮，冻疮，痈肿。
辣椒头：辛、甘，热。散寒除湿，活血消肿。用于手足无力，肾囊肿胀，冻疮。

| **用法用量** | 辣椒：内服煎汤，0.9～2.4g。外用适量。阴虚火旺及诸出血者禁服。
辣椒茎：外用适量，煎汤洗。
辣椒叶：外用适量，鲜品捣敷。
辣椒头：内服煎汤，9～15g。外用适量，煎汤洗；或热敷。

| **附 注** | 本种喜温暖，怕寒冷，尤怕霜冻，又忌高温和暴晒，喜潮湿又怕水涝，比较耐肥。宜在土层深厚肥沃、富含有机质、透水性好的砂壤土和两合土中种植。不宜与茄科植物连作。

茄科 Solanaceae 辣椒属 *Capsicum*

朝天椒 *Capsicum annuum* L. var. *conoides* (Mill.) Irish

| 药 材 名 | 指天椒（药用部位：果实。别名：长柄椒）。

| 形态特征 | 本种与原种的区别在于植物体多二歧分枝；叶长 4 ~ 7cm，卵形；花常单生二分叉间，花梗直立，花稍俯垂，花冠白色或带紫色；果梗及果实均直立，果实较小，圆锥形，长约 1.5（~ 3）cm，成熟后红色或紫色，味极辣。

| 生境分布 | 栽培于菜地。重庆各地均有分布。

| 资源情况 | 野生资源稀少，栽培资源丰富。药材来源于栽培。

| 采收加工 | 全年均可采收，鲜用或晒干。

朝天椒

| 药材性状 | 本品鲜者圆锥形，长 2 ～ 3cm，直径 1cm，先端渐尖，基部稍圆，具宿萼及果柄。表面红色，有光泽，光滑。果肉稍厚。横切面可见中轴胎座，每室有类白色扁圆形种子。气特异，具催嚏性，味辛辣如灼。

| 功能主治 | 辛，温。活血，消肿，解毒。用于疮疡，脚气，狂犬咬伤。

| 用法用量 | 外用适量，煎汤洗；或捣敷。

茄科 Solanaceae 辣椒属 Capsicum

小米辣 *Capsicum frutescens* L.

药 材 名	小米辣（药用部位：果实）。
形态特征	灌木或亚灌木。分枝稍呈"之"字形曲折。叶柄短缩，叶片卵形，长 3 ~ 7cm，中部之下较宽，先端渐尖，基部楔形，中脉在背面隆起，侧脉每边约 4。花在每个开花节上通常双生，有时 3 至数朵；花萼边缘近截形；花冠绿白色。果梗及果实直立生，向先端渐增粗；果实纺锤状，长 7 ~ 14cm，绿色变红色，味极辣。
生境分布	栽培于菜地。重庆各地均有分布。
资源情况	野生资源稀少，栽培资源丰富。药材来源于栽培。
采收加工	秋季采收，洗净，鲜用或晒干。

小米辣

| 药材性状 | 本品呈圆锥形或纺锤形，常带宿萼及果柄，长 1 ～ 3.8cm，直径 4 ～ 9mm。表面红色或橙红色，稍嫩者黄绿色至青绿色，有光泽，具不同程度的皱缩。体轻，质脆或稍软，内部中空，由中隔分成 2 ～ 3 室，每室种子数粒。种子呈扁圆形或扁肾形，淡黄色，一端呈鸟喙状。气特异，具催嚏性，味极辛辣。

| 功能主治 | 辛，热。提升胃温，杀虫。用于胃寒，痔疮，虫病。

| 用法用量 | 内服煎汤，3 ～ 6g。

| 附　注 | 在 FOC 中，本种被修订为辣椒 *Capsicum annuum* L.。

茄科 Solanaceae 夜香树属 Cestrum

夜香树
Cestrum nocturnum L.

| 药 材 名 | 夜香树（药用部位：全株、叶）。

| 形态特征 | 直立或近攀缘状灌木，高 2 ~ 3m，全体无毛。枝条细长而下垂。叶有短柄，叶片矩圆状卵形或矩圆状披针形，全缘，先端渐尖，基部近圆形或宽楔形，两面秃净而发亮，有 6 ~ 7 对侧脉。伞房式聚伞花序，腋生或顶生，疏散，有极多花；花绿白色至黄绿色，晚间极香；花萼钟状，5 浅裂；花冠高脚碟状，筒部伸长，下部极细，向上渐扩大，喉部稍缢缩，裂片 5，直立或稍开展，卵形，急尖，长约为筒部的 1/4；雄蕊伸达花冠喉部，每花丝基部有 1 齿状附属物，花药极短，褐色；子房有短的子房柄，卵形，花柱伸达花冠喉部。浆果矩圆形，长 6 ~ 7mm，直径约 4mm，有 1 种子；种子长卵形，长约 4.5mm。

夜香树

生境分布	栽培于庭院。分布于重庆綦江、长寿、合川、丰都、永川、忠县、云阳、璧山、九龙坡等地。
资源情况	野生资源较少。药材来源于栽培。
采收加工	夏、秋采收，晒干。
功能主治	全株，消肿，杀虫。叶，苦，凉。清热消肿。外用于乳痈，痈疮。
用法用量	外用适量，捣敷。

茄科 Solanaceae 曼陀罗属 Datura

木本曼陀罗 *Datura arborea* L.

| 药 材 名 | 木本曼陀罗（药用部位：花、叶、根、果实、种子）。

| 形态特征 | 小乔木，高超过 2m。茎粗壮，上部分枝。叶卵状披针形、矩圆形或卵形，先端渐尖或急尖，基部不对称楔形或宽楔形，全缘、微波状或有不规则缺刻状齿，两面被微柔毛；侧脉每边 7 ~ 9，长 9 ~ 22cm，宽 3 ~ 9cm；叶柄长 1 ~ 3cm。花单生，俯垂，花梗长 3 ~ 5cm；花萼筒状，中部稍膨胀，长 8 ~ 12cm，直径 2 ~ 2.5cm，裂片长三角形，长 1.5 ~ 2.5cm；花冠白色，脉纹绿色，长漏斗状，筒中部以下较细而向上渐扩大成喇叭状，长达 23cm，檐部裂片有长渐尖头，直径 8 ~ 10cm；雄蕊不伸出花冠筒，花药长达 3cm；花柱伸出花冠筒，柱头稍膨大。浆果状蒴果，表面平滑，广卵形，长达 6cm。

木本曼陀罗

| **生境分布** | 栽培于庭院。分布于重庆丰都、涪陵、南川、北碚等地。

| **资源情况** | 野生资源较少。药材来源于栽培。

| **功能主治** | 辛、苦，温；有毒。平喘止咳，麻醉止痛，解痉止搐。用于哮喘咳嗽，脘腹冷痛，风湿痹痛，癫痫，惊风，疥癣，恶疮，狂犬咬伤，外科麻醉。

| **附　　注** | 在 FOC 中，本种的拉丁学名被修订为 *Brugmansia arborea* (L.) Lagerh.，属名被修订为木曼陀罗属 *Brugmansia*。

毛曼陀罗 *Datura inoxia* Mill.

| 药材名 | 洋金花（药用部位：花。别名：曼陀罗花、蔓陀罗花、山茄花）、曼陀罗子（药用部位：果实、种子。别名：醉葡萄、天茄子、胡茄子）、曼陀罗叶（药用部位：叶）、曼陀罗根（药用部位：根）。

| 形态特征 | 一年生直立草本或半灌木状，高 1 ~ 2m，全体密被细腺毛和短柔毛。茎粗壮，下部灰白色，分枝灰绿色或微带紫色。叶片广卵形，长 10 ~ 18cm，宽 4 ~ 15cm，先端急尖，基部不对称近圆形，全缘而微波状或有不规则的疏齿，侧脉每边 7 ~ 10。花单生于枝叉间或叶腋，直立或斜升；花梗长 1 ~ 2cm，初直立，花萎谢后渐转向下弯曲；花萼圆筒形而不具棱角，长 8 ~ 10cm，直径 2 ~ 3cm，向下渐稍膨大，5 裂，裂片狭三角形，有时不等大，长 1 ~ 2cm，花后宿存部分随果实增大而渐大呈五角形，果时向外反折；花冠长漏斗

毛曼陀罗

状，长 15 ～ 20cm，檐部直径 7 ～ 10cm，下半部带淡绿色，上部白色，花开放后呈喇叭状，边缘有 10 尖头；花丝长约 5.5cm，花药长 1 ～ 1.5cm；子房密生白色柔针毛，花柱长 13 ～ 17cm。蒴果俯垂，近球形或卵球形，直径 3 ～ 4cm，密生细针刺，针刺有韧曲性，全果亦密生白色柔毛，成熟后淡褐色，由近先端不规则开裂；种子扁肾形，褐色，长约 5mm，宽 3mm。花果期 6 ～ 9 月。

| **生境分布** | 生于林边路旁砂质地上，或栽培于庭园、房前屋后。分布于重庆永川、合川、南川、北碚等地。

| 资源情况 | 野生资源稀少，栽培资源较丰富。药材主要来源于栽培。 |

采收加工　洋金花：7月下旬至8月下旬盛花期，于下午4～5时采摘，晒干；遇雨可用50～60℃烘4～6h即干。

曼陀罗子：夏、秋季果实成熟时采收，亦可晒干后取出种子。

曼陀罗叶：7～8月间采收，鲜用或晒干或烘干。

曼陀罗根：夏、秋季采挖，洗净，鲜用或晒干。

药材性状　洋金花：本品带花萼，萼筒长4～9cm，先端5裂，裂片长约1.5cm，表面密生毛茸。花冠长10～18cm，先端裂片三角形，裂片间有短尖。花药长约1cm。

曼陀罗子：本品种子呈扁肾形，长约5mm，宽约3mm，淡褐色。

曼陀罗叶：本品呈广卵形，长6～18cm，宽4～15cm，先端渐尖，基部圆形或截形或楔形，少阔楔形，显著不对称，少有对称，全缘或呈不规则羽状浅裂，裂片三角形，有缘毛，上面疏被白色柔毛，脉上较密，下面密被白色柔毛，脉上尤密，侧脉7～10对，成60°～80°角离开中脉直达裂片先端，中脉及侧脉下面凸出；叶柄近圆柱形，长2～16cm，微紫色，密生白色柔毛。气微，味苦。

功能主治　洋金花：辛，温；有毒。归肺、肝经。平喘止咳，解痉定痛。用于哮喘咳嗽，脘腹冷痛，风湿痹痛，小儿慢惊，外科麻醉。

曼陀罗子：辛、苦，温；有大毒。归肝、脾经。平喘，祛风，止痛。用于喘咳，惊痫，风寒湿痹，脱肛，跌打损伤，疮疖。

曼陀罗叶：苦、辛，温；有毒。归肺、心经。镇咳平喘，止痛拔脓。用于喘咳，痹痛，脚气，脱肛，痈疽疮疖。

曼陀罗根：辛、苦，温；有毒。镇咳，止痛，拔脓。用于喘咳，风湿痹痛，疥癣，恶疮，狂犬咬伤。

| **用法用量** | 洋金花：0.3 ～ 0.6g，宜入丸、散；亦可作卷烟分次燃吸（一日量不超过 1.5g）。外用适量。

曼陀罗子：内服煎汤，0.15 ～ 0.3g。外用适量，煎汤洗；或浸酒涂搽。本品内服 3 粒即可中毒，小儿、孕妇禁服。

曼陀罗叶：内服煎汤，0.3 ～ 0.6g。外用适量。

曼陀罗根：内服煎汤，0.9 ～ 1.5g。外用适量，煎汤熏洗；或研末调涂。

| **附　注** | 本种喜温暖湿润气候，气温在 5℃左右时，种子开始发芽；气温低于 3℃时，植株死亡。以向阳、土层疏松肥沃、排水良好的砂壤土栽培为宜。忌连作。前作不宜选茄科植物。

茄科 Solanaceae 曼陀罗属 Datura

曼陀罗 *Datura stramonium* L.

曼陀罗

| 药 材 名 |

洋金花（药用部位：花。别名：曼陀罗花、蔓陀罗花、山茄花）、曼陀罗子（药用部位：果实或种子。别名：醉葡萄、天茄子、胡茄子）、曼陀罗叶（药用部位：叶）、曼陀罗根（药用部位：根）。

| 形态特征 |

草本或半灌木状，高 0.5 ~ 1.5m，全体近于平滑或在幼嫩部分被短柔毛。茎粗壮，圆柱形，淡绿色或带紫色，下部木质化。叶广卵形，先端渐尖，基部不对称楔形，边缘有不规则波状浅裂，裂片先端急尖，有时亦有波状牙齿；侧脉每边 3 ~ 5，直达裂片先端，长 8 ~ 17cm，宽 4 ~ 12cm；叶柄长 3 ~ 5cm。花单生枝叉间或叶腋，直立，有短梗；花萼筒状，长 4 ~ 5cm，筒部有 5 棱角，两棱间稍向内陷，基部稍膨大，先端紧围花冠筒，5 浅裂，裂片三角形，花后自近基部断裂，宿存部分随果实而增大并向外反折；花冠漏斗状，下半部带绿色，上部白色或淡紫色，檐部 5 浅裂，裂片有短尖头，长 6 ~ 10cm，檐部直径 3 ~ 5cm；雄蕊不伸出花冠，花丝长约 3cm，花药长约 4mm；子房密生柔针毛，花柱长约 6cm。蒴果直立生，卵形，长 3 ~

4.5cm，直径 2 ～ 4cm，表面生有坚硬针刺或有时无刺而近平滑，成熟后淡黄色，规则 4 瓣裂；种子卵圆形，稍扁，长约 4mm，黑色。花期 6 ～ 10 月，果期 7 ～ 11 月。

| **生境分布** | 栽培于庭园、房前屋后。分布于重庆巫山、黔江、南川、丰都、北碚、璧山、荣昌等地。

| **资源情况** | 野生资源稀少，栽培资源较丰富。药材主要来源于栽培。

| **采收加工** | 洋金花：参见"毛曼陀罗"条。

曼陀罗子：夏、秋季果实成熟时采收，晒干。

曼陀罗叶：7 ~ 8 月采摘，干燥。

曼陀罗根：夏、秋季采挖，洗净，鲜用或晒干。

| **药材性状** | 洋金花：参见"毛曼陀罗"条。

曼陀罗子：本品果实呈卵形，长 3 ~ 4cm，直径 2.5 ~ 3.5cm，基部残留部分宿萼及果柄；外表面淡褐色至褐色，生有坚硬、长短不一的针刺，常开裂成规则的 4 瓣，内含多数种子。种子黑色或黑灰色，肾形或三角形，长约 3mm，宽约 2.5mm，两面略凹；表面有网状皱纹，遍布小凹点，种脐位于一侧，平坦。气微，味辛、辣，刺舌。

曼陀罗叶：本品呈灰绿色至深绿色，多皱缩破碎，完整者展平后呈菱状卵形，长 8 ～ 17cm，宽 4 ～ 12cm，先端渐尖，基部楔形、不对称，边缘有不规则重锯齿，齿端渐尖，两面均无毛。质脆，易碎。气微，味苦、涩。

| **功能主治** | 参见"毛曼陀罗"条。

| **用法用量** | 参见"毛曼陀罗"条。

| **附　　注** | 参见"毛曼陀罗"条。

茄科 Solanaceae 天仙子属 Hyoscyamus

天仙子 *Hyoscyamus niger* L.

| **药 材 名** | 天仙子（药用部位：种子。别名：莨菪子、山烟、牙痛子）。

| **形态特征** | 二年生草本，高达 1m，全体被黏性腺毛。根较粗壮，肉质而后变纤维质，直径 2 ~ 3cm。一年生的茎极短，自根茎发出莲座状叶丛，卵状披针形或长矩圆形，长可达 30cm，宽达 10cm，先端锐尖，边缘有粗牙齿或羽状浅裂，主脉扁宽，侧脉 5 ~ 6 直达裂片先端，有宽而扁平的翼状叶柄，基部半抱根茎；第二年春茎伸长而分枝，下部渐木质化，茎生叶卵形或三角状卵形，先端钝或渐尖，无叶柄而基部半抱茎或宽楔形，边缘羽状浅裂或深裂，向茎先端的叶成浅波状，裂片多为三角形，先端钝或锐尖，两面除被黏性腺毛外，沿叶脉并被柔毛，长 4 ~ 10cm，宽 2 ~ 6cm。花在茎中部以下单生叶腋，在茎上端则单生苞状叶腋内而聚集成蝎尾式总状花序，通常偏向一侧，

天仙子

近无梗或仅有极短的花梗；花萼筒状钟形，被细腺毛和长柔毛，长 1 ~ 1.5cm，5 浅裂，裂片大小稍不等，花后增大成坛状，基部圆形，长 2 ~ 2.5cm，直径 1 ~ 1.5cm，有 10 纵肋，裂片开展，先端针刺状；花冠钟状，长约为花萼的 1 倍，黄色而脉纹紫堇色；雄蕊稍伸出花冠；子房直径约 3mm。蒴果包藏于宿存萼内，长卵圆形，长约 1.5cm，直径约 1.2cm；种子近圆盘形，直径约 1mm，淡黄棕色。花果期夏季。

| **生境分布** | 生于村边、山野、路旁、宅旁。分布于重庆巫溪、南川等地。

| **资源情况** | 野生资源较少。药材来源于野生和栽培。

| **采收加工** | 夏、秋季果皮变黄色时采摘果实，暴晒，打下种子，筛去果皮、枝梗，晒干。

| **药材性状** | 本品呈类扁肾形或扁卵形，直径约 1mm。表面棕黄色或灰黄色，有细密的网纹，略尖的一端有点状种脐。切面灰白色，油质，有胚乳。气微，味微辛。

| **功能主治** | 苦、辛，温；有大毒。归心、胃、肝经。解痉止痛，安神定喘。用于胃痉挛疼痛，喘咳，癫狂。

| **用法用量** | 内服煎汤，0.06 ~ 0.6g。

茄科 Solanaceae 红丝线属 Lycianthes

红丝线 *Lycianthes biflora* (Lour.) Bitter

| 药 材 名 | 红丝线（药用部位：全草。别名：十萼茄、双花红丝线、红丝线草）。

| 形态特征 | 灌木或亚灌木，高 0.5 ~ 1.5m。小枝、叶下面、叶柄、花梗及花萼的外面密被淡黄色的单毛及 1 ~ 2 分枝或树枝状分枝的绒毛。上部叶常假双生，大小不相等；大叶片椭圆状卵形，偏斜，先端渐尖，基部楔形渐窄至叶柄而成窄翅；小叶片宽卵形，先端短渐尖，基部宽圆形而后骤窄下延至柄而成窄翅；两种叶均上面绿色，下面灰绿色。花序无柄，通常 2 ~ 3 着生叶腋内；花萼杯状，萼齿 10；花冠淡紫色或白色，星形，先端深 5 裂，裂片披针形，先端尖；花冠筒隐于花萼内，冠檐基部具深色（干时黑色）的斑点；花药近椭圆形，在内面常被微柔毛，顶孔向内，偏斜；子房卵形，光滑，花柱纤细，柱头头状。浆果球形，成熟果绯红色，宿萼盘形，与果柄同样被有

红丝线

与小枝相似的毛被；种子多数，淡黄色，近卵形至近三角形，外面具凸起的网纹。

| **生境分布** | 生于海拔 150 ~ 2000m 的荒野、山坡阴湿处、水边或林下。分布于重庆云阳、丰都、武隆、梁平、巴南、南川等地。

| **资源情况** | 野生资源一般。药材主要来源于野生。

| **采收加工** | 全年均可采收，洗净，鲜用或晒干。

| **功能主治** | 苦，凉。祛痰止咳，清热解毒，补虚。用于感冒，虚劳咳嗽，气喘，消化不良，疟疾，跌打损伤，外伤出血，骨鲠，疮疖火疔，狂犬咬伤。

| **用法用量** | 内服煎汤，15 ~ 30g。外用适量，鲜品捣敷。孕妇忌服。

茄科 Solanaceae 红丝线属 Lycianthes

单花红丝线

Lycianthes lysimachioides (Wall.) Bitter

| 药 材 名 | 佛葵（药用部位：全草。别名：锈草、排叶草、钮扣子）。

| 形态特征 | 多年生草本。茎纤细，延长，基部常匍匐，从节上生出不定根，茎上常被膜质、透明、具节、直立而开展的柔毛，密或分散。叶假双生，大小不相等或近相等，卵形、椭圆形至卵状披针形，先端渐尖，基部楔形下延到叶柄而形成窄翅；大叶片长 4.5 ~ 7cm，宽 2.5 ~ 3.5cm，叶柄长 8 ~ 20（~ 30）mm；小叶片长 2 ~ 4.5cm，宽 1.2 ~ 2.8cm，叶柄长 5 ~ 15（~ 20）mm；两种叶片均为膜质，上面绿色，被膜质、透明、具节、分散的单毛，下面淡绿色，毛被与上面的相似，稀疏分散于叶脉上，边缘具较密的缘毛；侧脉每边 4 ~ 5，在两面均较明显。花序无柄，仅 1 花着生于叶腋内；花梗长 0.8 ~ 1cm，被白色、透明、分散的单毛；花萼杯状钟形，长约 5mm，直径约 7mm，具

单花红丝线

明显的 10 脉，萼齿 10，钻状线形，稍不相等，长 3 ~ 5mm，花萼外面毛被与花梗的相似；花冠白色至浅黄色，星形，直径约 1.8cm，冠檐长约 1.1cm，深 5 裂，裂片披针形，长约 10mm，宽 3 ~ 4mm，尖端稍反卷，并被疏稀而微小的缘毛，花冠筒长约 1.5mm，隐于花萼内；雄蕊 5，着生于花冠筒喉部，花丝长约 1mm，无毛，花药长椭圆形，长 4mm，宽 1.2mm，基部心形，顶孔向内，偏斜；子房近球形，直径约 1mm，光滑，花柱纤细，长约 9mm，长于雄蕊，先端弯或近直立，柱头增厚，头状。成熟浆果未见。

| 生境分布 | 生于海拔 800 ~ 2000m 的山地阴湿林下或路旁。分布于重庆彭水、丰都、城口、永川、忠县、巫溪、巫山、奉节、云阳、南川、北碚等地。

| 资源情况 | 野生资源一般。药材来源于野生。

| 采收加工 | 8 ~ 9 月采收，晒干。

| 功能主治 | 辛，温；有小毒。解毒消肿。用于痈肿疮毒，鼻疮，耳疮。

| 用法用量 | 外用适量，鲜品捣敷；或煎汤洗。

茄科 Solanaceae 红丝线属 *Lycianthes*

紫单花红丝线 *Lycianthes lysimachioides* (Wall.) Bitter var. *purpuriflora* C. Y. Wu et S. C. Huang

| **药 材 名** | 紫单花红丝线（药用部位：全株）。 |

| **形态特征** | 多年生草本。植株的毛被极少。叶卵形至椭圆状卵形，先端渐尖至急尖，基部圆形至楔形，两面均被膜质、透明、具节的单毛或近无毛；大叶片长 5 ~ 11cm，宽 3.5 ~ 6.5cm，叶柄长 1.3 ~ 2.3cm；小叶片长 3 ~ 6.5cm，宽 2.5 ~ 4cm；叶柄长 7 ~ 14mm。花冠淡紫色至暗紫色，花梗近无毛，长约 5 ~ 6mm。花期夏、秋季之间。 |

| **生境分布** | 生于海拔 1000m 以下的林下、山谷、水边阴湿地。分布于重庆南川等地。 |

紫单花红丝线

| **资源情况** | 野生资源较少。药材来源于野生。 |

| **采收加工** | 8～9月采收全草，晒干。 |

| **功能主治** | 清热解毒，杀虫止痒。用于痈肿疮毒，鼻疮，耳疮等。 |

| **用法用量** | 外用适量，鲜品捣敷；或煎汤洗。 |

茄科 Solanaceae 枸杞属 Lycium

宁夏枸杞 *Lycium barbarum* L.

药 材 名	枸杞子（药用部位：果实。别名：苟起子、枸杞红实、甜菜子）、地骨皮（药用部位：根皮。别名：杞根、地骨、地辅）、枸杞叶（药用部位：嫩茎、叶。别名：地仙苗、甜菜、枸杞尖）。
形态特征	灌木，或栽培因人工整枝而成大灌木。分枝细密，野生时多开展而略斜升或弯曲，栽培时小枝弯曲而树冠多呈圆形，有纵棱纹，灰白色或灰黄色，无毛而微有光泽，有不生叶的短棘刺和生叶、花的长棘刺。叶互生或簇生，披针形或长椭圆状披针形，先端短渐尖或急尖，基部楔形，略带肉质，叶脉不明显。花在长枝上生于叶腋，在短枝上同叶簇生；花梗向先端渐增粗；花萼钟状，通常2中裂，裂片有小尖头或先端又2～3齿裂；花冠漏斗状，紫堇色，筒部自下部向上渐扩大，明显长于檐部裂片，裂片卵形，先端圆钝，基部有耳，

宁夏枸杞

边缘无缘毛，花开放时平展；雄蕊的花丝基部稍上处及花冠筒内壁生 1 圈密绒毛；花柱像雄蕊一样由于花冠裂片平展而稍伸出花冠。浆果红色或在栽培类型中也有橙色，果皮肉质，多汁液，形状及大小由于经长期人工培育或植株年龄、生境的不同而多变，广椭圆形、矩圆形、卵形或近球形，先端有短尖头或平截、有时稍凹陷，种子常超过 20，略呈肾形，扁压，棕黄色。花果期较长，一般从 5 月到 10 月边开花边结果，采摘果实时成熟一批采摘一批。

| **生境分布** | 生于土层深厚的沟岸、山坡、田梗和宅旁。分布于重庆南川、北碚、巫山等地。

| **资源情况** | 野生资源稀少，栽培资源较少。药材来源于栽培。

| **采收加工** | 枸杞子：夏、秋季果实成红色时采收，热风烘干，除去果梗；或晾至皮皱后，晒干，除去果梗。

地骨皮：春初或秋后采挖根，洗净，剥取根皮，晒干。

枸杞叶：春季至初夏采摘，洗净，多鲜用。

| **药材性状** | 枸杞子：本品呈类纺锤形或椭圆形，长 6～20mm，直径 3～10mm。表面红色或暗红色，先端有小突起状的花柱痕，基部有白色果梗痕。果皮柔韧，皱缩；果肉肉质，柔润。种子 20～50，类肾形，扁而翘，长 1.5～1.9mm，宽 1～1.7mm，表面浅黄色或棕黄色。气微，味甘。

地骨皮：本品呈筒状或槽状，长 3～10cm，宽 0.5～1.5cm，厚 0.1～0.3cm。外表面灰黄色至棕黄色，粗糙，有不规则纵裂纹，易成鳞片状剥落；内表面黄白色至灰黄色，较平坦，有细纵纹。体轻，质脆，易折断，断面不平坦，外层黄棕色，内层灰白色。气微，味微甘而后苦。

枸杞叶：本品单叶或数处叶簇生于嫩枝上。叶片皱缩，展平后呈卵形或长椭圆形，长 2～6cm，宽 0.5～2.5cm，全缘。表面深绿色。质脆，易碎。气微，味苦。

| **功能主治** | 枸杞子：甘，平。归肝、肾经。滋补肝肾，益精明目。用于虚劳精亏，腰膝酸痛，眩晕耳鸣，阳痿遗精，内热消渴，血虚萎黄，目昏不明。

地骨皮：甘，寒。归肺、肝、肾经。凉血除蒸，清肺降火。用于阴虚潮热，骨蒸盗汗，肺热咳嗽，咯血，衄血，内热消渴。

枸杞叶：苦、甘，凉。归肝、脾、肾经。补虚益精，清热明目。用于虚劳发热，烦渴，目赤昏痛，障翳夜盲，崩漏带下，热毒疮肿。

| **用法用量** | 枸杞子：内服煎汤，6 ~ 12g。

地骨皮：内服煎汤，9 ~ 15g。

枸杞叶：内服煎汤，鲜品 60 ~ 240g；或煮食；或捣汁。外用适量，煎汤洗；或捣汁滴眼。与奶酪相恶。

| **附　　注** | 本种适应性强，喜光照，对土壤要求不严，耐盐碱、耐肥、耐旱，怕水渍，以肥沃、排水良好的中性或微酸性轻壤土栽培为宜，盐碱土的含盐量不能超过 0.2%，在强碱性、黏壤土、水稻田、沼泽地区不宜栽培。

| 茄科 | Solanaceae | 枸杞属 | *Lycium*

枸杞
Lycium chinense Mill.

| 药 材 名 | 地骨皮（药用部位：根皮。别名：杞根、地骨、地辅）、枸杞叶（药用部位：嫩茎、叶。别名：地仙苗、甜菜、枸杞尖）。

| 形态特征 | 多分枝灌木，高 0.5 ~ 1m，栽培时可超过 2m。枝条细弱，弓状弯曲或俯垂，淡灰色，有纵条纹，棘刺长 0.5 ~ 2cm，生叶和花的棘刺较长，小枝先端锐尖成棘刺状。叶纸质或栽培者质稍厚，单叶互生或 2 ~ 4 簇生，卵形、卵状菱形、长椭圆形、卵状披针形，先端急尖，基部楔形，长 1.5 ~ 5cm，宽 0.5 ~ 2.5cm，栽培者较大，可长达 10cm 以上，宽达 4cm；叶柄长 0.4 ~ 1cm。花在长枝上单生或双生叶腋，在短枝上则同叶簇生；花梗长 1 ~ 2cm，向先端渐增粗；花萼长 3 ~ 4mm，通常 3 中裂或 4 ~ 5 齿裂，裂片多少有缘毛；花冠漏斗状，长 9 ~ 12mm，淡紫色，筒部向上骤然扩大，稍短于或

枸杞

近等于檐部裂片，5深裂，裂片卵形，先端圆钝，平展或稍向外反曲，边缘有缘毛，基部耳显著；雄蕊较花冠稍短，或因花冠裂片外展而伸出花冠，花丝在近基部处密生1圈绒毛并交织成椭圆形的毛丛，与毛丛等高处的花冠筒内壁亦密生1环绒毛；花柱稍伸出雄蕊，上端弓弯，柱头绿色。浆果红色，卵形，栽培者可成长矩圆形或长椭圆形，先端尖或钝，长 7 ~ 15mm，栽培者长可达 2.2cm，直径 5 ~ 8mm；种子扁肾形，长 2.5 ~ 3mm，黄色。花果期 6 ~ 11 月。

| 生境分布 | 生于海拔 150 ~ 1000m 的溪边或丘陵地带灌丛中。分布于重庆城口、巫溪、巫山、奉节、开州、梁平、长寿、万州、云阳、丰都、忠县、涪陵、武隆、南川、江津、綦江、璧山、永川、大足、荣昌、铜梁、合川等地。

| 资源情况 | 野生资源一般，亦有少量栽培。药材来源于野生和栽培。

| 采收加工 | 地骨皮：春初或秋后采挖根，洗净，剥取根皮，晒干。
枸杞叶：春季至初夏采摘，洗净，多鲜用。

| 药材性状 | 地骨皮：本品呈筒状或槽状，长 3 ~ 10cm，宽 0.5 ~ 1.5cm，厚 0.1 ~ 0.3cm。外表面灰黄色至棕黄色，粗糙，有不规则纵裂纹，易成鳞片状剥落；内表面黄白色至灰黄色，较平坦，有细纵纹。体轻，质脆，易折断，断面不平坦，外层黄棕色，内层灰白色。气微，味微甘而后苦。
枸杞叶：本品呈圆柱形，弯曲，长短不一，有时有分枝，直径（0.5 ~）2 ~ 4cm，有时可连有粗大的根茎。表面土黄色，有纵裂纹。质脆，易折断，断面黄色，颗粒性，皮部内侧类白色。气微香，味稍甘。

| 功能主治 | 地骨皮：甘、寒。归肺、肝、肾经。凉血除蒸，清肺降火。用于阴虚潮热，骨蒸盗汗，肺热咳嗽，咯血，衄血，内热消渴。
枸杞叶：甘、淡、寒。祛风，清热。用于高血压。

| 用法用量 | 地骨皮：内服煎汤，9 ~ 15g。
枸杞叶：内服煎汤，15 ~ 30g。

茄科 Solanaceae 番茄属 Lycopersicon

番茄 Lycopersicon esculentum Mill.

| 药 材 名 | 番茄（药用部位：果实。别名：小金瓜、西红柿、番李子）。

| 形态特征 | 一年生或多年生草本。体高 0.6 ~ 2m，全体生黏质腺毛，有强烈气味。茎易倒伏。叶羽状复叶或羽状深裂，长 10 ~ 40cm，小叶极不规则，大小不等，常 5 ~ 9，卵形或矩圆形，长 5 ~ 7cm，边缘有不规则锯齿或裂片。花序总梗长 2 ~ 5cm，常具 3 ~ 7 花；花梗长 1 ~ 1.5cm；花萼辐状，裂片披针形，果时宿存；花冠辐状，直径约 2cm，黄色。浆果扁球形或近球形，肉质而多汁液，橘黄色或鲜红色，光滑；种子黄色。花果期夏、秋季。

| 生境分布 | 多栽培于菜地。重庆各地均有分布。

| 资源情况 | 野生资源稀少，栽培资源较丰富。药材来源于栽培。

番茄

| **采收加工** | 夏、秋季果实成熟时采收，洗净，鲜用。

| **功能主治** | 酸、甘，微寒。生津止渴，健胃消食。用于口渴，食欲不振。

| **用法用量** | 内服煎汤，适量；或生食。

茄科 Solanaceae 假酸浆属 Nicandra

假酸浆 *Nicandra physalodes* (L.) Gaertn.

| 药 材 名 | 假酸浆（药用部位：全草或果实、花。别名：水晶凉粉、蓝花天仙子、大千生）。

| 形态特征 | 一年生草本。茎直立，有棱条，无毛，高 0.4 ~ 1.5m，上部交互不等的二歧分枝。叶卵形或椭圆形，草质，长 4 ~ 12cm，宽 2 ~ 8cm，先端急尖或短渐尖，基部楔形，边缘有具圆缺的粗齿或浅裂，两面被稀疏毛；叶柄长为叶片长的 1/4 ~ 1/3。花单生枝腋而与叶对生，通常具较叶柄长的花梗，俯垂；花萼 5 深裂，裂片先端尖锐，基部心状箭形，有 2 尖锐的耳片，果时包围果实，直径 2.5 ~ 4cm；花冠钟状，浅蓝色，直径达 4cm，檐部有折襞，5 浅裂。浆果球形，直径 1.5 ~ 2cm，黄色；种子淡褐色，直径约 1mm。花果期夏、秋季。

假酸浆

| 生境分布 | 生于海拔 300 ～ 1200m 的田边、荒地或住宅区旁。分布于重庆大足、永川、涪陵、九龙坡、秀山等地。

| 资源情况 | 野生资源一般。药材来源于野生。

| 采收加工 | 秋季采集全草，分出果实，分别洗净，鲜用或晒干。夏、秋季采摘花，阴干。

| 功能主治 | 甘、微苦，平；有小毒。清热解毒，利尿镇静。用于感冒发热，鼻渊，热淋，痈肿疮疖，癫痫，狂犬病。

| 用法用量 | 内服煎汤，全草或花 3 ～ 9g，鲜品 15 ～ 30g；果实 1.5 ～ 3g。

茄科 Solanaceae 烟草属 Nicotiana

黄花烟草 *Nicotiana rustica* L.

| 药 材 名 | 黄花烟草 (药用部位：全株)。

| 形态特征 | 一年生草本，高 40 ~ 60cm，有时达 120cm。茎直立，粗壮，被腺毛，分枝较细弱。叶被腺毛，叶片卵形、矩圆形、心形，有时近圆形或矩圆状披针形，先端钝或急尖，基部圆形或心形偏斜，长 10 ~ 30cm，叶柄常短于叶片之半。花序圆锥式，顶生，疏散或紧缩；花梗长 3 ~ 7mm；花萼杯状，长 7 ~ 12mm，裂片宽三角形，1 枚显著长；花冠黄绿色，筒部长 1.2 ~ 2cm，檐部宽约 4mm，裂片短，宽而钝；雄蕊 4 枚较长，1 枚显著短。蒴果矩圆状卵形或近球形，长 10 ~ 16mm；种子矩圆形，长约 1mm，通常褐色。花期 7 ~ 8 月。

| 生境分布 | 栽培于平地、房前屋后。分布于重庆奉节、南川、北碚、丰都、忠县、

黄花烟草

云阳、九龙坡等地。

| **资源情况** | 栽培资源一般。药材主要来源于栽培。

| **采收加工** | 常于 7 月间采收，当烟叶由深绿变成淡黄，叶尖下垂时，可按叶的成熟先后，分数次采摘，采后晒干或烘干，再经回潮、发酵、干燥后即可，亦可鲜用。

| **功能主治** | 苦，平；有毒。行气，解毒，止血，杀虫。用于疔疮肿毒，头癣。

| **用法用量** | 内服煎汤，鲜叶 9 ~ 15g，或点燃吸烟。外用适量，煎汤洗；或捣敷；或研末调敷。

茄科 Solanaceae 碧冬茄属 Petunia

碧冬茄 *Petunia hybrida* Vilm.

| 药 材 名 | 碧冬茄（药用部位：全草）。

| 形态特征 | 一年生草本，高 30 ~ 60cm，全体被腺毛。叶有短柄或近无柄，卵形，先端急尖，基部阔楔形或楔形，全缘，长 3 ~ 8cm，宽 1.5 ~ 4.5cm，侧脉不显著，每边 5 ~ 7。花单生叶腋，花梗长 3 ~ 5cm；花萼 5 深裂，裂片条形，长 1 ~ 1.5cm，宽约 3.5mm，先端钝，果时宿存；花冠白色或紫堇色，有各式条纹，漏斗状，长 5 ~ 7cm，筒部向上渐扩大，檐部开展，有折襞，5 浅裂；雄蕊 4 长 1 短；花柱稍超过雄蕊。蒴果圆锥形，长约 1cm，2 瓣裂，各裂瓣先端又 2 浅裂；种子极小，近球形，直径约 0.5mm，褐色。

| 生境分布 | 栽培于庭院。重庆各地均有分布。

碧冬茄

资源情况	野生资源稀少，栽培资源较丰富。药材来源于栽培。
采收加工	夏、秋季采收，洗净，晒干。
功能主治	清热，消肿，止血。
用法用量	内服煎汤，适量。

酸浆

茄科 Solanaceae 酸浆属 Physalis

酸浆
Physalis alkekengi L.

药材名

酸浆（药用部位：全草。别名：醋浆，酸浆草、灯笼草）、酸浆根（药用部位：根。别名：天灯笼草根）、锦灯笼（药用部位：宿萼、带果实的宿萼。别名：挂金灯、金灯、灯笼果）、挂金灯（药用部位：带宿萼的果实。别名：酸浆实、灯笼儿、王母珠）。

形态特征

多年生草本。基部常匍匐生根。茎高40～80cm，基部略带木质，分枝稀疏或不分枝，茎节不甚膨大，常被柔毛，尤其以幼嫩部分较密。叶长5～15cm，宽2～8cm，长卵形至阔卵形，有时菱状卵形，先端渐尖，基部不对称狭楔形，下延至叶柄，全缘而波状或者有粗牙齿，有时每边具少数不等大的三角形大牙齿，两面被柔毛，沿叶脉较密，上面的毛常不脱落，沿叶脉亦被短硬毛；叶柄长1～3cm。花梗长6～16mm，开花时直立，后来向下弯曲，密生柔毛而果时也不脱落；花萼阔钟状，长约6mm，密生柔毛，萼齿三角形，边缘被硬毛；花冠辐状，白色，直径15～20mm，裂片开展，阔而短，先端骤然狭窄成三角形尖头，外面被短柔毛，边缘有缘毛；雄蕊及花柱均较花冠为短。果

梗长 2 ~ 3cm，多少被宿存柔毛；果萼卵形，长 2.5 ~ 4cm，直径 2 ~ 3.5cm，薄革质，网脉显著，有 10 纵肋，橙色或火红色，被宿存的柔毛，先端闭合，基部凹陷；浆果球形，橙红色，直径 1 ~ 1.5cm，柔软多汁；种子肾形，淡黄色，长约 2mm。花期 5 ~ 9 月，果期 6 ~ 10 月。

|**生境分布**| 生于海拔 500 ~ 1800m 的荒坡、林缘，或栽培。分布于重庆彭水、酉阳、涪陵、九龙坡、黔江、巫溪、奉节、石柱、武隆、南川等地。

| 资源情况 | 野生资源一般。药材来源于野生和栽培。

| 采收加工 | 酸浆：夏季采收，洗净，晒干。

酸浆根：夏、秋季采挖，洗净，鲜用或晒干。

锦灯笼：秋季果实成熟、宿萼呈红色或橙红色时采收，干燥。

挂金灯：秋季果实成熟、宿萼呈橘红色时采摘，晒干。

| 药材性状 | 酸浆：本品茎呈圆柱形，木质化，较硬。叶互生，完整者呈阔卵形，长 5 ~ 15cm，宽 2 ~ 8cm，先端尖，基部不对称，边缘波状，有粗齿。宿萼卵形，直径 1.5 ~ 2.5cm，黄绿色，薄纸质。浆果圆球形，皱缩，直径 1 ~ 1.2cm。气微，味苦。

酸浆根：本品呈细长圆柱形，略扭曲，直径 1 ~ 2mm。表面皱缩，土棕色，节明显。略具青草气，味甚苦而微辛。

锦灯笼：本品宿萼略呈灯笼状，多压扁，长 3 ~ 4.5cm，宽 2.5 ~ 4cm。表面橙红色或橙黄色，有 5 条明显的纵棱，棱间有网状细脉纹。先端渐尖，微 5 裂，基部略平截，中心凹陷，有果梗。体轻，质柔韧，中空或内有棕红色或橙红色果实。果实球形，多压扁，直径 1 ~ 1.5cm，果皮皱缩，内含种子多数。气微，宿萼味苦，果实味甘、微酸。

挂金灯：本品宿萼膨大而薄，略呈灯笼状，多皱缩或压扁，长 2.5 ~ 4cm，直径 2 ~ 3.5cm；表面橘红色或淡绿色，有 5 条明显的纵棱，棱间具网状细脉纹，先端渐尖，微 5 裂，基部内凹，有细果柄。体轻，质韧，中空或内有类球形浆果，直径约 1.2cm；橘黄色或橘红色，表面皱缩，内含多数种子。种子细小，扁圆形，黄棕色。气微，宿萼味苦，果实味微甜、微酸。以个大、色鲜红者为佳。

| 功能主治 | 酸浆：酸、苦，寒。归肺、脾经。清热解毒，利水消肿。用于咽喉肿痛，肺热咳嗽，小便淋涩，黄疸，痢疾，湿疹。

酸浆根：苦，寒。归肺、脾经。清热，利湿。用于黄疸，疟疾，疝气。

锦灯笼：苦，寒。归肺经。清热解毒，利咽化痰，利尿通淋。用于咽痛喑哑，痰热咳嗽，小便不利，热淋涩痛。外用于天疱疮，湿疹。

挂金灯：酸、甘，寒。归肺、肾经。清肺利咽，化痢利水。用于肺热痰嗽，咽喉肿痛，骨蒸劳热，小便淋涩，天疱湿疮。

| 用法用量 | 酸浆：内服煎汤，9 ~ 15g。外用适量，煎汤洗。

酸浆根：内服煎汤，3 ~ 6g，鲜品 24 ~ 30g。孕妇及脾虚泄泻者禁服。

锦灯笼：内服煎汤，5 ~ 9g。外用适量，捣敷患处。

挂金灯：内服煎汤，4.5 ～ 9g。外用适量，捣敷；或煎汤洗。

| **附　　注** | 本种喜温暖、潮湿气候，但耐寒，在北方稍冷的地方也可生长。栽培宜选择肥沃、排水良好的砂壤土或黏壤土。

茄科 Solanaceae 酸浆属 *Physalis*

挂金灯 *Physalis alkekengi* L. var. *francheti* (Mast.) Makino

| 药 材 名 | 酸浆（药用部位：全草。别名：醋浆、酸浆草、灯笼草）、酸浆根（药用部位：根。别名：天灯笼草根）、挂金灯（药用部位：带宿萼的果实。别名：酸浆实、灯笼儿、金灯笼）。

| 形态特征 | 本种与酸浆的区别在于茎较粗壮，茎节膨大；叶仅叶缘被短毛；花梗近无毛或仅有稀疏柔毛，果时无毛，花萼除裂片密生毛外筒部毛被稀疏；果萼毛被脱落而光滑无毛。

| 生境分布 | 生于荒坡、林缘，或栽培。分布于重庆黔江、长寿、丰都、酉阳、南川、江津、城口、巫山、奉节、彭水、万州、云阳等地。

| 资源情况 | 野生资源一般。药材来源于野生和栽培。

挂金灯

| 采收加工 | 酸浆：夏、秋季采收，鲜用或晒干。

酸浆根：夏、秋季采挖，洗净，鲜用或晒干。

挂金灯：秋季果实成熟、宿萼呈红色或橙红色时采收，干燥。

| 药材性状 | 酸浆：本品茎呈圆柱形，木质化，较硬。叶互生，完整者呈阔卵形，长5～15cm，宽2～8cm，先端尖，基部不对称，边缘波状，有粗齿。宿萼卵形，直径1.5～2.5cm，黄绿色，薄纸质。浆果圆球形，皱缩，直径1～1.2cm。气微，味苦。

酸浆根：本品呈细长圆柱形，略扭曲，直径1～2mm。表面皱缩，土棕色，节明显。略具青草气，味甚苦而微辛。

挂金灯：本品宿萼略呈灯笼状，多压扁，长3～4cm，宽2.5～3.5cm。表面橙红色或橙黄色，有5条明显的纵棱，棱间有网状细脉纹。先端渐尖，微5裂，基部略平截，中心凹陷，有果梗。体轻，质柔韧，中空或内有棕红色或橙红色果实。果实球形，多压扁，直径1～1.5cm，果皮皱缩，内含种子多数。气微，宿萼味苦，果实味甘、微酸。

| 功能主治 | 酸浆：酸、苦，寒。归肺、脾经。清热毒，利咽喉，通利二便。用于咽喉肿痛，肺热咳嗽，黄疸，痢疾，水肿，小便淋涩，大便不通，黄水疮，湿疹，丹毒。

酸浆根：苦，寒。归肺、脾经。清热，利湿。用于黄疸，疟疾，疝气。

挂金灯：苦，寒。归肺经。清热解毒，利咽化痰，利尿通淋。用于咽痛喑哑，痰热咳嗽，小便不利，热淋涩痛。外用于天疱疮，湿疹。

| 用法用量 | 酸浆：内服煎汤，9～15g；或捣汁；或研末。外用适量，煎汤洗；研末调敷或捣敷。

酸浆根：内服煎汤，3～6g，鲜品24～30g。孕妇及脾虚泄泻者禁服。

挂金灯：内服煎汤，5～9g。外用适量，捣敷患处。

| 附　　注 | 本种喜温暖、潮湿气候，但耐寒，在北方稍冷的地方也可生长。栽培宜选择肥沃、排水良好的砂壤土或黏壤土。

茄科 Solanaceae 酸浆属 Physalis

苦蘵
Physalis angulata L.

苦蘵

药材名

苦蘵（药用部位：全草。别名：蘵、黄蘵、蘵草）、苦蘵果实（药用部位：果实。别名：苦蘵果）、苦蘵根（药用部位：根）。

形态特征

一年生草本，被疏短柔毛或近无毛，高常30～50cm。茎多分枝，分枝纤细。叶柄长1～5cm，叶片卵形至卵状椭圆形，先端渐尖或急尖，基部阔楔形或楔形，全缘或有不等大的牙齿，两面近无毛，长3～6cm，宽2～4cm。花梗长5～12mm，纤细，和花萼一样被短柔毛，长4～5mm，5中裂，裂片披针形，具缘毛；花冠淡黄色，喉部常有紫色斑纹，长4～6mm，直径6～8mm；花药蓝紫色或有时黄色，长约1.5mm。果萼卵球形，直径1.5～2.5cm，薄纸质，浆果直径约1.2cm；种子圆盘状，长约2mm。花果期5～12月。

生境分布

生于海拔450～1800m的山谷林下或村边路旁。分布于重庆潼南、南川、长寿、城口、合川、北碚等地。

| **资源情况** | 野生资源一般。药材来源于野生。

| **采收加工** | 苦蘵：夏、秋季采收，鲜用或晒干。
苦蘵果实：秋季果实成熟时采收，鲜用或晒干。
苦蘵根：夏、秋季采挖，洗净，鲜用或晒干。

| **药材性状** | 苦蘵：本品茎有分枝，具细柔毛或近光滑。叶互生，黄绿色，多皱缩或脱落，完整者润湿后展开呈卵形，长 3 ~ 6cm，宽 2 ~ 4cm，先端渐尖，基部偏斜，全缘或有疏锯齿，厚纸质；叶柄长 1 ~ 3cm。花淡黄棕色，钟形，先端 5 裂。有的可见果实，球形，橙红色，外包淡绿黄色膨大的宿萼，长约 2.5cm，有 5 条较深的纵棱。气微，味苦。以全草幼嫩、色黄绿、带宿萼多者为佳。

| **功能主治** | 苦蘵：苦、酸，寒。清热，利尿，解毒，消肿。用于感冒咳嗽，咽喉肿痛，牙龈肿痛，湿热黄疸，痢疾，水肿，热淋，天疱疮，疔疮。
苦蘵果实：酸，平。解毒，利湿。用于牙痛，天疱疮，疔疮。
苦蘵根：苦，寒。利水通淋。用于水肿腹胀，黄疸，热淋。

| **用法用量** | 苦蘵：内服煎汤，15 ~ 30g；或捣汁。外用适量，捣敷；煎汤含漱或熏洗。
苦蘵果实：内服煎汤，6 ~ 9g。外用适量，捣汁涂。
苦蘵根：内服煎汤，15 ~ 30g。

茄科 Solanaceae 酸浆属 Physalis

毛酸浆 *Physalis pubescens* L.

| 药 材 名 | 毛酸浆（药用部位：全草）。

| 形态特征 | 一年生草本。茎被柔毛，常多分枝，分枝毛较密。叶阔卵形，长 3 ~ 8cm，宽 2 ~ 6cm，先端急尖，基部歪斜心形，边缘通常有不等大的尖牙齿，两面疏生毛但脉上毛较密；叶柄长 3 ~ 8cm，密生短柔毛。花单独腋生，花梗长 5 ~ 10mm，密生短柔毛；花萼钟状，密生柔毛，5 中裂，裂片披针形，急尖，边缘有缘毛；花冠淡黄色，喉部具紫色斑纹，直径 6 ~ 10mm；雄蕊短于花冠，花药淡紫色，长 1 ~ 2mm。果萼卵形，长 2 ~ 3cm，直径 2 ~ 2.5cm，具 5 棱角和 10 纵肋，先端萼齿闭合，基部稍凹陷；浆果球形，直径约 1.2cm，黄色或有时带紫色；种子近圆盘状，直径约 2mm。花果期 5 ~ 11 月。

毛酸浆

| 生境分布 | 生于海拔 200 ~ 1400m 的田边路旁或荒地中。分布于重庆涪陵、武隆、彭水、秀山、南川、巴南、南岸、璧山、大足、江津等地。 |

| 资源情况 | 野生资源一般。药材来源于野生。 |

| 采收加工 | 夏、秋季采收，洗净，鲜用或晒干。 |

| 功能主治 | 清热解毒，消肿利尿。用于感冒，咽喉炎，天疱疮，水肿，热淋。 |

| 用法用量 | 内服煎汤，适量。外用适量，捣敷或煎汤洗。 |

| 附　注 | 在 FOC 中，本种的拉丁学名被修订为 *Physalis philadelphica* Lamarck。 |

■ 茄科 ■ Solanaceae ■ 茄属 ■ *Solanum*

千年不烂心
Solanum cathayanum C. Y. Wu et S. C. Huang

| **药 材 名** | 千年不烂心（药用部位：全草。别名：白英、野西红柿、蜀羊泉）。

| **形态特征** | 草质藤本。多分枝，长 0.5 ~ 3m，茎、叶各部密被多节的长柔毛。叶互生，多数为心形，长 1.5 ~ 5（~ 7）cm，宽 1 ~ 3.5cm，先端尖或渐尖，基部心形或戟形，全缘，少数基部 3 深裂，裂片全缘，侧裂片短而端钝，中裂片长，卵形至卵状披针形，先端渐尖，上面疏被白色发亮的短柔毛，下面与上面的毛被相似，唯较密；中脉明显，侧脉纤细，每边 4 ~ 6；叶柄长 1 ~ 2cm，密被多节的长柔毛。聚伞花序顶生或腋外生，疏花，总花梗长 1.8 ~ 4cm，被多节发亮的长柔毛及短柔毛，花梗长 0.8 ~ 1cm，先端稍膨大，基部具关节，无毛；花萼杯状，直径约 4mm，无毛，萼齿 5，圆形，先端短尖，长不及 1mm；花冠蓝紫色或白色，直径约 1cm，开放时裂片向外反

千年不烂心

折，花冠筒隐于花萼内，长约 1mm，冠檐长约 6mm，5 裂，裂片椭圆状披针形，长约 4mm，宽约 2mm；花丝长不到 1mm，花药长圆形，长约 3mm，顶孔略向内；子房卵形，直径约 1mm，花柱丝状，长约 6mm，柱头小，头状。浆果成熟时红色，直径约 8mm，果柄无毛，常作弧形弯曲；种子近圆形，两侧压扁，直径约 1.5mm，外面具细致凸起的网纹。花期夏、秋季之间，果期秋末。

| 生境分布 | 生于海拔 500 ~ 1250m 的灌丛中、山谷或山坡等阴湿处。分布于重庆长寿、忠县、云阳、涪陵、九龙坡、垫江等地。

| 资源情况 | 野生资源一般。药材来源于野生。

| 采收加工 | 夏、秋季采收，晒干。

| 功能主治 | 甘、苦，寒。清热解毒，息风定惊。用于小儿发热惊风，黄疸，肺热咳嗽，风火牙痛，瘰疬，妇女崩漏，带下，盆腔炎。

| 用法用量 | 内服煎汤，9 ~ 15g。

| 附　　注 | 在 FOC 中，本种被修订为白英 *Solanum lyratum* Thunb.。

茄科 Solanaceae 茄属 Solanum

刺天茄
Solanum indicum L.

| **药 材 名** | 金钮扣（药用部位：全草或果实、根。别名：天茄子、小颠茄、巴山虎）。

| **形态特征** | 多枝灌木，通常高 0.5 ~ 1.5m。小枝、叶下面、叶柄、花序均密被星状绒毛。小枝褐色，密被尘土色星状绒毛及基部宽扁的淡黄色钩刺，基部被星状绒毛，先端弯曲，褐色。叶卵形，先端钝，基部心形，截形或不相等，边缘 5 ~ 7 深裂或成波状浅圆裂，上面绿色，被星状短绒毛，下面灰绿色，密被星状长绒毛；叶柄密被星状毛及具 1 ~ 2 钻形皮刺。蝎尾状花序腋外生，花梗密被星状绒毛及钻形细直刺；花蓝紫色，或少为白色；花萼杯状，先端 5 裂，裂片卵形；花冠辐状，隐于花萼内，冠檐先端深 5 裂，裂片卵形；花丝基部稍宽大，花药黄色；子房长圆形，具棱，先端被星状绒毛，花柱丝状，柱头截形。果序

刺天茄

被星状毛及直刺；浆果球形，光亮，成熟时橙红色，宿存萼反卷；种子淡黄色，近盘状，直径约 2mm。花果期全年。

| **生境分布** | 生于海拔 100 ~ 2700m 的旷野、路边或荒地。分布于重庆大足、秀山、万州、永川、璧山、巫溪、北碚、南岸、荣昌、巫山、南川等地。

| **资源情况** | 野生资源较丰富。药材主要来源于野生。

| **采收加工** | 全年均可采收，洗净，鲜用或晒干。

| **药材性状** | 本品根呈不规则圆柱形，多扭曲，有分枝，长达 30cm，直径 0.7 ~ 5cm；表面灰黄色或棕黄色，粗糙，可见凸起细根痕及斑点，皮薄，有的剥落，剥落处显淡黄色；质硬，断面淡黄色或黄白色，纤维性。

| **功能主治** | 苦，凉；有毒。祛风，清热，解毒，止痛。用于头痛，鼻渊，牙痛，咽痛，淋巴结炎，胃痛，风湿关节痛，跌打损伤，痈疮肿毒。

| **用法用量** | 内服煎汤，9 ~ 15g；或研末，1.5 ~ 3g。外用适量，捣敷。本品有毒，不宜过量服用。

| **附　　注** | 在 FOC 中，本种的拉丁学名被修订为 *Solanum violaceum* Ortega。

茄科 Solanaceae 茄属 *Solanum*

喀西茄
Solanum khasianum C. B. Clarke

| 药 材 名 | 苦天茄（药用部位：果实。别名：刺天茄、刺茄子、大苦葛）、苦天茄叶（药用部位：叶）。

| 形态特征 | 直立草本至亚灌木，高 1 ~ 2m，最高达 3m。茎、枝、叶及花柄多混生黄白色具节的长硬毛、短硬毛、腺毛及淡黄色基部宽扁的直刺，刺长 2 ~ 15mm，宽 1 ~ 5mm，基部暗黄色。叶阔卵形，长 6 ~ 12cm，宽约与长相等，先端渐尖，基部戟形，5 ~ 7 深裂，裂片边缘又作不规则的齿裂及浅裂；上面深绿色，毛被在叶脉处更密；下面淡绿色，除被有与上面相同的毛被外，还被有稀疏分散的星状毛；侧脉与裂片数相等，在上面平，在下面略凸出，其上分散着生基部宽扁的直刺，刺长 5 ~ 15mm；叶柄粗壮，长约为叶片之半。蝎尾状花序腋外生，短而少花，单生或 2 ~ 4，花梗长约 1cm；花萼钟状，绿色，

喀西茄

直径约 1cm，长约 7mm，5 裂，裂片长圆状披针形，长约 5mm，宽约 1.5mm，外面具细小的直刺及纤毛，边缘的纤毛更长而密；花冠筒淡黄色，隐于花萼内，长约 1.5mm，冠檐白色，5 裂，裂片披针形，长约 14mm，宽约 4mm，具脉纹，开放时先端反折；花丝长约 1.5mm，花药在先端延长，长约 7mm，顶孔向上；子房球形，被微绒毛，花柱纤细，长约 8mm，光滑，柱头截形。浆果球形，直径 2 ~ 2.5cm，初时绿白色，具绿色花纹，成熟时淡黄色，宿萼上被纤毛及细直刺，后逐渐脱落；种子淡黄色，近倒卵形，扁平，直径约 2.5mm。花期春、夏季，果期冬季。

| 生境分布 | 生于海拔 1300 ~ 2300m 的沟边、路边灌丛、荒地、草坡或疏林中。分布于重庆黔江、秀山、江津、永川、潼南、合川、丰都、铜梁、忠县、云阳、垫江、开州、巴南、九龙坡等地。

| 资源情况 | 野生资源较丰富。药材来源于野生。

| 采收加工 | 苦天茄：秋季采收，鲜用或晒干。
苦天茄叶：夏、秋季采收，鲜用或晒干。

| 功能主治 | 苦天茄：微苦，寒；有小毒。祛风止痛，清热解毒。用于湿痹痛，头痛，牙痛，乳痈，疟腮，跌打疼痛。
苦天茄叶：微苦，凉。息风定惊。用于小儿惊厥。

| 用法用量 | 苦天茄：内服煎汤，3 ~ 6g。外用适量，捣敷或研末调敷。
苦天茄叶：内服煎汤，6 ~ 9g。

| 附　　注 | 在 FOC 中，本种的拉丁学名被修订为 *Solanum aculeatissimum* Jacquin。

茄科 Solanaceae 茄属 Solanum

白英
Solanum lyratum Thunb.

| 药 材 名 | 白英（药用部位：全草。别名：白毛藤、白草、毛千里光）、白毛藤（药用部位：地上部分。别名：苻、榖菜、鬼目草）、白毛藤根（药用部位：根。别名：排风藤根）、鬼目（药用部位：果实。别名：来甘、白草子、排风子）。

| 形态特征 | 草质藤本，长 0.5 ~ 1m。茎及小枝均密被具节长柔毛。叶互生，多数为琴形，长 3.5 ~ 5.5cm，宽 2.5 ~ 4.8cm，基部常 3 ~ 5 深裂，裂片全缘，侧裂片愈近基部的愈小，端钝，中裂片较大，通常卵形，先端渐尖，两面均被白色发亮的长柔毛，中脉明显，侧脉在下面较清晰，通常每边 5 ~ 7；少数在小枝上部的为心脏形，小，长 1 ~ 2cm；叶柄长 1 ~ 3cm，被有与茎枝相同的毛被。聚伞花序顶生或腋外生，疏花，总花梗长 2 ~ 2.5cm，被具节的长柔毛，花梗

白英

长 0.8 ~ 1.5cm，无毛，先端稍膨大，基部具关节；花萼环状，直径约 3mm，无毛，萼齿 5 枚，圆形，先端具短尖头；花冠蓝紫色或白色，直径约 1.1cm，花冠筒隐于花萼内，长约 1mm，冠檐长约 6.5mm，5 深裂，裂片椭圆状披针形，长约 4.5mm，先端被微柔毛；花丝长约 1mm，花药长圆形，长约 3mm，顶孔略向上；子房卵形，直径不及 1mm，花柱丝状，长约 6mm，柱头小，头状。浆果球形，成熟时红黑色，直径约 8mm；种子近盘状，扁平，直径约 1.5mm。花期夏、秋季，果期秋末。

| 生境分布 | 生于海拔 200 ~ 2700m 阴湿的路边、山坡、竹林下及灌丛中。分布于重庆丰都、綦江、南岸、大足、涪陵、江津、潼南、合川、北碚、石柱、永川、秀山、璧山、铜梁、万州、武隆、巫溪、开州、梁平、巴南、九龙坡、沙坪坝、荣昌等地。

| 资源情况 | 野生资源丰富。药材来源于野生。

| 采收加工 | 白英：夏、秋季采收，除去杂质，干燥。
白毛藤：夏、秋季采收，除去杂质，洗净，晒干或鲜用。
白毛藤根：夏、秋季采挖，洗净，鲜用或晒干。
鬼目：冬季果实成熟时采收。

| 药材性状 | 白英：本品根较细，稍弯曲，浅棕黄色。茎圆柱形，稍有棱，直径 2 ~ 7mm；外表面灰绿色或灰黄色，密被灰白色绒毛，老茎茸毛较少或无，具纵皱纹；质硬而脆，断面淡绿色，纤维性，中央形成空洞。叶皱缩卷曲，密被绒毛，叶柄长 1 ~ 2cm。有的带淡黄色至暗红色果实。种子近圆形，扁平。气微，味淡。
白毛藤：本品茎呈圆柱形，长短不等，直径 2 ~ 6mm；表面浅绿色、黄绿色，密被柔毛。单叶互生，多破碎，完整者呈琴形，基部 3 ~ 5 深裂，裂片全缘，侧裂片愈近基部的愈小，先端钝，中裂片较大，通常卵形，先端渐尖；小枝叶呈心形，较小，两面均被白色长柔毛。残留聚伞花序，顶生或腋外生，被长柔毛；花萼环状，萼齿 5；花冠蓝紫色或白色。偶见浆果，球形，红黑色。气微，味微苦、涩。

| **功能主治** | 白英：甘、苦，寒；有小毒。归肝、胆、肾经。清热利湿，解毒消肿。用于湿热黄疸，胆囊炎，胆石症，肾炎水肿，风湿关节痛，湿热带下，小儿高热惊搐，痈肿瘰疬，湿疹瘙痒，带状疱疹。

白毛藤：微苦，平。归肺、脾、肝经。清热解毒，消肿。用于风热感冒，发热，咳嗽，黄疸性肝炎，胆囊炎。外用于痈肿，风湿性关节炎。

白毛藤根：苦、辛，平。清热解毒，消肿止痛。用于风炎牙痛，头痛，瘰疬，痈肿，痔漏。

鬼目：酸，平。明目，止痛。用于眼花目赤，迎风流泪，翳障，牙痛。

| **用法用量** | 白英：内服煎汤，9 ～ 15g。本品有小毒，不宜过量服用，否则可出现咽喉灼热感及恶心、呕吐、眩晕、瞳孔散大等中毒反应。

白毛藤：内服煎汤，9 ～ 18g，鲜品 15 ～ 30g。外用适量，鲜品捣敷。

白毛藤根：内服煎汤，15 ～ 30g。

鬼目：内服煎汤，6g；或研末服。外用适量，研末涂。

茄科 Solanaceae 茄属 Solanum

乳茄
Solanum mammosum L.

| 药 材 名 | 五指茄（药用部位：果实。别名：五角丁茄、五子登科、五指丁茄）。

| 形态特征 | 直立草本，高约 1m。茎被短柔毛及扁刺；小枝被具节的长柔毛、腺毛及扁刺，刺蜡黄色，光亮，基部淡紫色，端尖，钻形，直或略弯。叶卵形，宽几与长相等，常 5 裂，有时 3 ~ 7 裂，裂片浅波状，先端尖或钝，基部微凹，两面密被亮白色极长的长柔毛及短柔毛；侧脉约与裂片数相等，在上面平，在下面略凸出，具黄土色细长的皮刺，基部扁，具槽，先端钻形；叶柄上面具槽，被具节的长柔毛、腺毛及皮刺。蝎尾状花序腋外生，常着生于腋芽的外面基部，被有与枝、叶相似的毛被，总花梗极短，无刺；花萼近浅杯状，外被极长具节的长柔毛及腺毛，5 深裂，裂片卵状披针形，先端渐尖，花冠紫堇色，筒部隐于花萼内，5 深裂，裂片长圆状线形，先端渐尖至极尖，外

乳茄

面被长柔毛，内面无毛，边缘膜质，具缘毛；雄蕊 5，几相等，花药长圆状锥形，基部圆形，上部延长，先端带黄色，顶孔向上；子房无毛，卵状渐尖，柱头绿色，浅 2 裂。浆果倒梨状，外面土黄色，内面白色，具 5 乳头状突起；种子黑褐色，近圆形压扁。花果期夏、秋季之间。

| **生境分布** | 栽培于庭院、路边。分布于重庆南川、北碚等地。

| **资源情况** | 野生和栽培资源均较少。药材主要来源于栽培。

| **采收加工** | 秋季采收果实，晒干。

| **功能主治** | 苦、寒。清热解毒，消肿。用于疮痈肿毒，丹毒，瘰疬等。

| **用法用量** | 外用鲜果切为两半，火烤热敷。

茄科 Solanaceae 茄属 Solanum

茄
Solanum melongena L.

茄

药材名

茄子（药用部位：果实。别名：落苏、昆仑瓜、草鳖甲）、茄蒂（药用部位：宿萼）、茄花（药用部位：花。别名：紫茄子花）、茄叶（药用部位：叶）、茄根（药用部位：根或残茎。别名：茄母、茄子根）。

形态特征

直立分枝草本，高可达 1m。小枝、叶柄及花梗均被星状绒毛，小枝多为紫色（野生的往往有皮刺）。叶大，卵形至长圆状卵形，先端钝，基部不相等，边缘浅波状或深波状圆裂，两面被星状绒毛；侧脉每边 4 ~ 5，在上面疏被星状绒毛，在下面则较密，中脉的毛被与侧脉的相同（野生种的中脉及侧脉在两面均具小皮刺）；叶柄长 2 ~ 4.5cm（野生的具皮刺）。能孕花单生，毛被较密，花后常下垂，不孕花蝎尾状，与能孕花并出；花萼近钟形，外面密被与花梗相似的星状绒毛及小皮刺，花萼裂片披针形，先端锐尖，内面疏被星状绒毛；花冠辐状，外面星状毛被较密，内面仅裂片先端疏被星状绒毛，冠檐裂片三角形；子房圆形，先端密被星状毛，花柱中部以下被星状绒毛，柱头浅裂。果实的形状大小变异极大。

| **生境分布** | 栽培于菜地、田埂。重庆各地均有分布。

| **资源情况** | 栽培资源较丰富。药材来源于栽培。

| **采收加工** | 茄子：夏、秋季果实成熟时采收。

茄蒂：果实即将成熟时采收或从作蔬菜的果实上剥下，晒干。

茄花：夏、秋季采收，晒干。

茄叶：夏季采收，鲜用或晒干。

茄根：秋季采收，除去泥沙，干燥。

| **药材性状** | 茄子：本品呈不规则圆形或长圆形，大小不等。表面棕黄色，极皱缩，先端略凹陷，基部有宿萼和果梗。宿萼灰黑色，具不明显的 5 齿；果梗直纵直纹理；果皮革质，有光泽。种子多数，近肾形，稍扁，淡棕色，长 2 ～ 4mm，宽 2 ～ 3mm。气微，味苦。

茄蒂：本品多不完整，完整者略呈浅钟状或星状，灰黑色，先端 5 裂，裂片宽三角形，略向内卷。萼筒喉部类圆形，直径 1.2 ～ 2cm，内面灰白色，基部具长梗，有纵直纹。质坚脆。气微，味淡。

茄根：本品根多为须根，通常弯曲交错，主根不甚明显，支根数条，圆柱形；表面土黄色；质坚硬，不易折断，断面黄白色。茎基呈圆柱形，长不超过 5cm。表面灰黄色，具细密纵皱纹和点状突起的皮孔；叶痕半月形，微隆起；体轻，质坚硬，难折断，断面黄白色或淡黄色，纤维性，不平坦，皮部淡黄色或黄白色，中心有淡绿色或灰白色髓。气微，味淡。

| **功能主治** | 茄子：甘，凉。清热，活血，消肿。用于肠风下血，热毒疮痈，皮肤溃疡。

茄蒂：甘，寒。祛风止血，解毒。用于肠风下血，痈肿疮毒，口疮，牙痛。

茄花：甘，平。敛疮，止痛，利湿。用于创伤，牙痛，妇女带下过多。

茄叶：甘、辛，平。散血消肿。用于血淋，血痢，肠风下血，痈肿，冻伤。

茄根：甘、辛，寒。归胃、大肠经。散血，消肿，祛湿。用于风湿痹痛，冻疮。

| **用法用量** | 茄子：内服煎汤，15 ～ 30g。外用适量，捣敷。

茄蒂：内服煎汤，6 ～ 9g。外用烧存性，研末。

茄花：内服烘干研末，2 ～ 3g。外用适量，研末涂敷。

茄叶：内服研末，6 ～ 9g。外用适量，煎汤浸洗；捣敷；或烧存性，研末调敷。

茄根：内服煎汤，9 ～ 18g；或入散剂。外用适量，煎汤洗；捣汁；或烧存性，研末调敷。

茄科 Solanaceae 茄属 *Solanum*

龙葵 *Solanum nigrum* L.

| 药 材 名 | 龙葵（药用部位：全草。别名：苦菜、苦葵、天茄子）、龙葵子（药用部位：种子）、龙葵根（药用部位：根）。

| 形态特征 | 一年生直立草本，高 0.25 ~ 1m。茎无棱或不明显，绿色或紫色，近无毛或被微柔毛。叶卵形，先端短尖，基部楔形至阔楔形而下延至叶柄，全缘或每边具不规则的波状粗齿，光滑或两面均被稀疏短柔毛，叶脉每边 5 ~ 6。蝎尾状花序腋外生，由 3 ~ 6（~ 10）花组成；花萼小，浅杯状，齿卵圆形，先端圆；花冠白色，筒部隐于花萼内，冠檐 5 深裂，裂片卵圆形；花丝短，花药黄色，顶孔向内；子房卵形，花柱中部以下被白色绒毛，柱头小，头状。浆果球形，熟时黑色；种子多数，近卵形，两侧压扁。

龙葵

| **生境分布** | 生于田边、荒地或村庄附近。分布于重庆黔江、垫江、綦江、丰都、大足、南岸、涪陵、江津、潼南、彭水、万州、北碚、长寿、巫山、九龙坡、忠县、璧山、铜梁、云阳、酉阳、永川、武隆、开州、梁平、巴南、合川、荣昌、沙坪坝等地。 |

| **资源情况** | 野生资源丰富。药材来源于野生。 |

采收加工	龙葵：夏、秋季采收，除去杂质及非药用部分，晒干或鲜用。
	龙葵子：秋季果实成熟时采收，鲜用或晒干。
	龙葵根：夏、秋季采挖，鲜用或晒干。

| **药材性状** | 龙葵：本品茎呈圆柱形，有分枝，长 20 ~ 60cm，直径 2 ~ 10mm；表面绿色或绿褐色，皱缩成沟槽状，光滑，无毛或被极稀疏柔毛；质硬而脆，断面中空。叶对生，皱缩或破裂，完整者展开后呈卵形或椭圆形，长 2.5 ~ 10cm，宽 1.2 ~ 5cm，全缘或具不规则波状粗齿；表面黄绿色或浅褐色，两面光滑或疏被短柔毛；叶柄长 1 ~ 2cm。聚伞花序侧生，花 4 ~ 10，多脱落；花萼杯状，棕褐色；花冠棕黄色。浆果紫黑色或棕褐色，球形，皱缩。种子多数，棕色。气微，味淡。 |

功能主治	龙葵：苦，寒；有小毒。归心、膀胱经。清热解毒，利尿，活血消肿。用于疔疮，痈肿，丹毒，跌打扭伤，小便不利。
	龙葵子：苦，寒。清热解毒，化痰止咳。用于咽喉肿痛，疔疮，咳嗽痰喘。
	龙葵根：苦，寒。清热利湿，活血解毒。用于痢疾，淋浊，尿路结石，带下，风火牙痛，跌打扭伤，痈疽肿毒。

用法用量	龙葵：内服煎汤，9 ~ 30g。外用适量，鲜品捣敷；干品熬膏外敷或煎汤洗患处。
	龙葵子：内服煎汤，6 ~ 9g；或浸酒。外用适量，煎汤含漱；或捣敷。
	龙葵根：内服煎汤，9 ~ 15g，鲜品加倍。外用适量，捣敷或研末调敷。凡虚寒而无实热者禁服。

| **附　注** | 本种喜温暖湿润的气候，对土壤要求不严，以比较肥沃而排水良好的砂壤土栽培为好。 |

茄科 Solanaceae 茄属 Solanum

少花龙葵 *Solanum photeinocarpum* Nakamura et Odashima

少花龙葵

| 药 材 名 |

少花龙葵（药用部位：全草。别名：稀花龙葵、少果龙葵、白花菜）。

| 形态特征 |

纤弱草本。茎无毛或近于无毛，高约1m。叶薄，卵形至卵状长圆形，长4～8cm，宽2～4cm，先端渐尖，基部楔形下延至叶柄而成翅，叶缘近全缘、波状或有不规则的粗齿，两面均被疏柔毛，有时下面近于无毛；叶柄纤细，长1～2cm，被疏柔毛。花序近伞形，腋外生，纤细，被微柔毛，有1～6花，总花梗长1～2cm，花梗长5～8mm，花小，直径约7mm；花萼绿色，直径约2mm，5裂达中部，裂片卵形，先端钝，长约1mm，具缘毛；花冠白色，筒部隐于花萼内，长不及1mm，冠檐长约3.5mm，5裂，裂片卵状披针形，长约2.5mm；花丝极短，花药黄色，长圆形，长1.5mm，约为花丝长度的3～4倍，顶孔向内；子房近圆形，直径不及1mm，花柱纤细，长约2mm，中部以下被白色绒毛，柱头小，头状。浆果球状，直径约5mm，幼时绿色，成熟后黑色；种子近卵形，两侧压扁，直径1～1.5mm。几全年均开花结果。

| 生境分布 | 生于海拔 250 ～ 1200m 的路旁或旷野草丛中。分布于重庆垫江、潼南、合川、云阳、长寿、南川、涪陵、綦江、忠县、铜梁、武隆、开州、石柱、北碚、南岸、九龙坡等地。

| 资源情况 | 野生资源丰富。药材来源于野生。

| 采收加工 | 全年均可采挖，洗净，干燥。

| 药材性状 | 本品根呈圆锥形或圆柱形，弯曲，长 10 ～ 15cm，直径 3 ～ 10mm；表面棕黄色，有分枝，多须根，具纵皱纹；质韧，不易折断，断面不整齐，黄白色。茎呈圆柱形，直径 2 ～ 10mm；表面绿色或黄色，具细皱纹；质韧，不易折断，断面不整齐，黄绿色至黄色，具髓或中空。叶皱缩，展开后呈长卵圆形，叶片纸质，长 2 ～ 6cm，宽 1 ～ 4cm，绿色或黄绿色，先端渐尖，基部楔形，全缘或略呈波状，上面具疏柔毛，下面近无毛。花小，花冠白色。浆果球状。全草气微，叶气微香，味淡。

| 功能主治 | 甘、淡，凉。归肝、肾、膀胱经。清热利湿，散瘀止痛。用于妇女带下，月经不调，瘀血腹痛，热淋，石淋。

| 用法用量 | 内服煎汤，10 ～ 15g。

| 附　注 | 在 FOC 中，本种的拉丁学名被修订为 *Solanum americanum* Miller。

茄科 Solanaceae 茄属 Solanum

海桐叶白英 *Solanum pittosporifolium* Hemsl.

海桐叶白英

| 药 材 名 |

海桐叶白英（药用部位：全草）。

| 形态特征 |

无刺蔓生灌木，长达 1m，植株光滑无毛。小枝纤细，具棱角。叶互生，披针形至卵圆状披针形，先端渐尖，基部圆或钝或楔形，有时稍偏斜，全缘，两面均光滑无毛，侧脉每边 6 ~ 7，在两面均较明显。聚伞花序腋外生，疏散；花萼小，浅杯状，先端 5 浅裂，萼齿钝圆；花冠白色，少数为紫色，花冠筒隐于花萼内，冠檐基部具斑点，先端深 5 裂，裂片长圆状披针形，边缘具缘毛，开放时向外反折；花丝光滑，花药顶孔向内，子房卵形，花柱丝状，柱头头状。浆果球状，成熟后红色；种子多数，扁平。

| 生境分布 |

生于海拔 500 ~ 2500m 的山坡疏林下或灌丛中。分布于重庆丰都、涪陵、武隆、长寿、巴南、江津、渝北、南岸、江北、南川等地。

| 资源情况 |

野生资源稀少。药材主要来源于野生。

| **采收加工** | 夏、秋季采收，除去杂质，干燥。

| **功能主治** | 清热利湿，祛风解毒。用于黄疸，淋病，风湿性关节炎等。

| **用法用量** | 内服煎汤，适量。

| **附　　注** | 本种的药材为苗族习用药材，性冷，入热经。以质嫩、叶色绿、带果实者为佳。

茄科 Solanaceae 茄属 *Solanum*

珊瑚樱 *Solanum pseudo-capsicum* L.

| 药 材 名 | 玉珊瑚根（药用部位：根。别名：冬珊瑚、玉珊瑚、红珊瑚）。

| 形态特征 | 直立分枝小灌木，高达 2m，全株光滑无毛。叶互生，狭长圆形至披针形，长 1 ~ 6cm，宽 5 ~ 15mm，先端尖或钝，基部狭楔形下延成叶柄，全缘或波状，两面均光滑无毛，中脉在下面凸出，侧脉 6 ~ 7 对，在下面更明显；叶柄长 2 ~ 5mm，与叶片不能截然分开。花多单生，很少呈蝎尾状花序，无总花梗或近于无总花梗，腋外生或近对叶生，花梗长 3 ~ 4mm；花小，白色，直径 0.8 ~ 1cm；花萼绿色，直径约 4mm，5 裂，裂片长约 1.5mm；花冠筒隐于花萼内，长不及 1mm，冠檐长约 5mm，裂片 5，卵形，长约 3.5mm，宽约 2mm；花丝长不及 1mm，花药黄色，矩圆形，长约 2mm；子房近圆形，直径约 1mm，花柱短，长约 2mm，柱头截形。浆果橙红色，直径 1 ~ 1.5cm，

珊瑚樱

花萼宿存，果柄长约1cm，先端膨大；种子盘状，扁平，直径2~3mm。花期初夏，果期秋末。

| **生境分布** | 生于路边、沟边和旷地。分布于重庆南岸、江北、北碚、合川、永川、荣昌、大足、秀山、江津、巴南等地。

| **资源情况** | 野生资源一般，亦有栽培。药材主要来源于野生。

| **采收加工** | 秋季采挖，晒干。

| **功能主治** | 辛、微苦，温；有毒。活血止痛。用于腰肌劳损，闪挫扭伤。

| **用法用量** | 内服浸酒，1.5~3g。本品有毒，内服不可过量。

| **附　　注** | 本种喜温暖向阳环境。栽培土壤以排水良好、肥沃的砂壤土为好。本种全株有毒，叶比果毒性更大。中毒症状为头晕、恶心、思睡、剧烈腹痛、瞳孔散大。

███ 茄科 ███ Solanaceae ███ 茄属 ███ *Solanum*

珊瑚豆
Solanum pseudocapsicum L. var. *diflorum* (Vell.) Bitter

| 药 材 名 | 野海椒（药用部位：全草。别名：海茄子、岩海椒、玉珊瑚）。

| 形态特征 | 直立分枝小灌木，高 0.3 ～ 1.5m，小枝幼时被树枝状簇绒毛，后渐
脱落。叶双生，大小不相等，椭圆状披针形，长 2 ～ 5cm 或稍长，
宽 1 ～ 1.5cm 或稍宽，先端钝或短尖，基部楔形下延成短柄，叶面
无毛，叶下面沿脉常有树枝状簇绒毛，全缘或边缘略作波状，中脉
在下面凸出，侧脉每边 4 ～ 7，在下面明显；叶柄长 2 ～ 5mm，
幼时被树枝状簇绒毛，后逐渐脱落。花序短，腋生，通常 1 ～ 3，
单生或呈蝎尾状花序，总花梗短，几近于无，花梗长约 5mm，花
小，直径 8 ～ 10mm；花萼绿色，5 深裂，裂片卵状披针形，端钝，
长约 5mm，花冠白色，花冠筒隐于花萼内，长约 1.5mm，冠檐长
6.5 ～ 8.5mm，5 深裂，裂片卵圆形，长 4 ～ 6mm，宽约 4mm，端

珊瑚豆

尖或钝；花丝长约 1mm，花药长圆形，长约为花丝长度的 2 倍，顶孔略向内；子房近圆形，直径约 1.5mm，花柱长 4 ～ 6mm，柱头截形。浆果单生，球形，珊瑚红色或橘黄色，直径 1 ～ 2cm；种子扁平，直径约 3mm。花期 4 ～ 7 月，果熟期 8 ～ 12 月。

| 生境分布 | 多栽培于庭院、房前屋后，或逸为野生。分布于重庆垫江、长寿、永川、丰都、万州、涪陵、南川、璧山、九龙坡、云阳、忠县、北碚、南岸、梁平、巴南、沙坪坝、合川等地。

| 资源情况 | 野生和栽培资源均较丰富。药材来源于野生和栽培。

| 采收加工 | 夏、秋季采集，晒干。

| 功能主治 | 辛，温；有小毒。祛风湿，通经络，消肿止痛。用于风湿痹痛，腰背疼痛，跌打损伤，无名肿毒。

| 用法用量 | 内服煎汤，5 ～ 10g。外用适量，研末调敷。

茄科 Solanaceae 茄属 Solanum

阳芋
Solanum tuberosum L.

| 药 材 名 | 马铃薯（药用部位：块茎。别名：阳芋、山药蛋、洋番薯）。

| 形态特征 | 草本，高 30 ～ 80cm，无毛或被疏柔毛。地下茎块状，扁圆形或长圆形，外皮白色，淡红色或紫色。叶为奇数不相等的羽状复叶，小叶常大小相间；小叶，6 ～ 8 对，卵形至长圆形，先端尖，基部稍不相等，全缘，两面均被白色疏柔毛，侧脉每边 6 ～ 7，先端略弯。伞房花序顶生，后侧生，花白色或蓝紫色；花萼钟形，直径约 1cm，外面被疏柔毛，5 裂，裂片披针形，先端长渐尖；花冠辐状，直径 2.5 ～ 3cm，花冠筒隐于花萼内，长约 2mm，冠檐长约 1.5cm，裂片 5，三角形，长约 5mm；雄蕊长约 6mm，花药长为花丝的 5 倍；子房卵圆形，无毛，花柱长约 8mm，柱头头状。浆果圆球形，光滑，直径约 1.5cm。花期夏季。

阳芋

| **生境分布** | 栽培于菜园。重庆各地均有分布。

| **资源情况** | 栽培资源较丰富。药材来源于野生和栽培。

| **采收加工** | 夏、秋季采收，洗净，鲜用或晒干。

| **药材性状** | 本品呈扁球形或长圆形，直径 3 ～ 10cm。表面白色或黄色，节间短而不明显，侧芽着生于凹陷的"芽眼"内，一端有短茎基或茎痕。质硬，富含淀粉。气微，味淡。

| **功能主治** | 甘，平。和胃健中，解毒消肿。用于胃痛，疟腮，痈肿，湿疹，烫火伤等。

| **用法用量** | 内服煎汤，适量；或煮食。外用适量，磨汁涂。

玄参科 Scrophulariaceae 金鱼草属 Antirrhinum

金鱼草 *Antirrhinum majus* L.

金鱼草

| 药 材 名 |

金鱼草（药用部位：全草。别名：香彩雀、龙头菜、洋彩雀）。

| 形态特征 |

多年生草本，高可达 80cm。茎直立，基部有时木质化，茎中上部被腺毛，基部有时分枝。下部的叶常对生，上部的叶常互生；具短柄；叶片披针形至长圆状披针形，长 2 ~ 6cm，无毛，先端尖，基部楔形，全缘。总状花序顶生，密被腺毛；花梗长 5 ~ 7mm；花萼与花梗近等长，花萼 5 深裂，裂片卵形，钝或急尖；花冠颜色多种，红色、紫色至白色，长 3 ~ 5cm，基部在前面下延成兜状，上唇直立，宽大，2 半裂，下唇 3 浅裂，在中部向上唇隆起，封闭喉部，使花冠呈假面状；雄蕊 4，二强。蒴果卵形，长约 15mm，基部强烈向前延伸，被腺毛，先端孔裂。

| 生境分布 |

栽培于庭院。重庆各地均有分布。

| 资源情况 |

栽培资源一般，无野生资源。药材来源于栽培。

| **采收加工** | 夏、秋季采收，切段晒干或鲜用。

| **功能主治** | 苦，凉。清热解毒，活血散瘀。用于疮痈肿毒，跌打损伤等。

| **用法用量** | 外用鲜品适量，捣敷。内服煎汤，15 ～ 30g。

来江藤 *Brandisia hancei* Hook. f.

药 材 名	蜜桶花（药用部位：全株。别名：猫花、蜂糖花、蜂糖罐）。
形态特征	灌木，高 2 ～ 3m。全体密被锈黄色星状绒毛，枝及叶上面逐渐变无毛。叶片卵状披针形，长 3 ～ 10cm，宽达 3.5cm，先端具锐尖头，基部近心形，稀圆形，全缘，很少具锯齿；叶柄短，长者达 5mm，被锈色绒毛。花单生叶腋，花梗长达 1cm，中上部有 1 对披针形小苞片，均被毛；花萼宽钟形，长、宽均约 1cm，外面密被锈黄色星状绒毛，内面密被绢毛，具脉 10，5 裂至 1/3 处；萼齿宽短，宽过于长或几相等，宽卵形至三角状卵形，先端具突起或短锐头，齿间的缺刻底部尖锐；花冠橙红色，长约 2cm，外面被星状绒毛，上唇宽大，2 裂，裂片三角形，下唇较上唇低 4 ～ 5mm，3 裂，裂片舌状；雄蕊约与上唇等长；子房卵圆形，与花柱均被星状毛。蒴果卵圆形，略扁平，

来江藤

有短喙，被星状毛。花期 11 月至翌年 2 月，果期 3 ～ 4 月。

| **生境分布** | 生于海拔 500 ～ 2600m 的林中或林缘。分布于重庆黔江、綦江、酉阳、彭水、涪陵、江津、长寿、城口、忠县、垫江、璧山、丰都、巫溪、云阳、武隆、巫山等地。

| **资源情况** | 野生资源丰富。药材来源于野生。

| **采收加工** | 夏、秋季采割，晒干。

| **药材性状** | 本品茎呈圆柱形，多分枝，长 50 ～ 90cm；幼枝表面密被锈黄色星状绒毛；质脆，易折断。单叶对生，叶柄短，长约 5mm，有锈黄色星状绒毛；叶片皱缩，易碎，完整者展开后呈卵状披针形或披针形，长 3 ～ 10cm，宽达 3.5cm，先端锐尖，基部近心形或圆形，全缘，少数有锯齿，上表面绿色或暗紫色，下表面密被锈黄色星状绒毛，呈灰白色。花单生于叶腋，花梗长约 1cm，中上部有 1 对披针形小苞片，均被毛，花萼钟形，上部 5 裂；花冠二唇形，上唇宽大，2 裂，下唇平展，较短，3 裂，均被星状绒毛。蒴果卵圆形，种子小。气微，味微苦。

| **功能主治** | 苦，凉。归肝、心、脾经。清热利湿，解毒，止痛。用于黄疸，胁痛，附骨疽，破伤风，泻痢，跌打损伤。

| **用法用量** | 内服煎汤，9 ～ 30g。

玄参科 Scrophulariaceae 毛地黄属 Digitalis

毛地黄 *Digitalis purpurea* L.

| 药 材 名 | 洋地黄（药用部位：叶。别名：地钟花、洋地黄叶）。

| 形态特征 | 一年生或多年生草本。除花冠外，全体被灰白色短柔毛和腺毛，有时茎上几无毛，高 60 ～ 120cm。茎单生或数条成丛。基生叶多数呈莲座状，叶柄具狭翅，长可达 15cm；叶片卵形或长椭圆形，长 5 ～ 15cm，先端尖或钝，基部渐狭，边缘具带短尖的圆齿，少有锯齿；茎生叶下部的与基生叶同形，向上渐小，叶柄短直至无柄而成为苞片。花萼钟状，长约 1cm，果期略增大，5 裂几达基部；裂片矩圆状卵形，先端钝至急尖；花冠紫红色，内面具斑点，长 3 ～ 4.5cm，裂片很短，先端被白色柔毛。蒴果卵形，长约 1.5cm；种子短棒状，除被蜂窝状网纹外，尚被极细的柔毛。花期 5 ～ 6 月。

毛地黄

| 生境分布 | 栽培于庭院。分布于重庆北碚等地。

| 资源情况 | 栽培资源一般。药材来源于栽培。

| 采收加工 | 我国北方作1年生栽培，南方可作2年生栽培。当叶片肥厚浓绿粗糙、停止生长时，即可采收。北方9月初至10月底采收，此时叶片中强心苷含量最高。北方1年可采叶片2~3次，南方可采3~5次。采后，在60℃以下迅速干燥。

| 药材性状 | 本品宽4~11cm；叶端钝圆，叶基渐狭成翅状叶柄，长约至17cm；叶缘具不规则圆钝锯齿，上表面暗绿色，微有毛，叶脉下凹，下表面淡灰绿色，密被毛，羽状网脉，主脉及主要侧脉宽扁，带紫色，显著凸起，细脉末伸入叶缘每一锯齿，质脆。干时气微，湿润后具特异气味，味极苦。

| 功能主治 | 苦，温。归心经。强心，利尿。用于心力衰竭，心源性水肿等。

| 用法用量 | 内服粉剂，每次0.1g，极量0.4g；或制成片剂、注射剂用。由于个体差异很大，必须根据患者的反应以确定剂量。

| 附　　注 | 本种人工栽培品种有白色、粉色和深红色等，一般分为白花自由钟、大花自由钟、重瓣自由钟。

幌菊
Ellisiophyllum pinnatum (Wall.) Makino

| 药 材 名 | 幌菊（药用部位：全草）。

| 形态特征 | 多年生柔弱、匍匐草本，除花冠外全体被短柔毛。匍匐茎纤细、蔓延，长可达 1m，节间短，长 1.5 ~ 4cm，节稍膨大，下生纤维状不定根。叶单生节上，上升，具长 2.5 ~ 6cm 的长柄，直径约 1.2mm，与匍匐茎等粗或稍粗；叶片卵形或矩圆状卵形，纸质，长 2 ~ 5cm，通常羽状深裂几至中肋，少有浅裂而具大圆齿，裂片 5 ~ 9，倒卵形，中部以上或上部有具短凸尖的圆齿；花单生叶腋，花梗纤细，与叶柄近等长，果期卷曲；苞片小，钻状三角形；花萼钟状，膜质，长 5 ~ 7mm，5 裂至中部，裂片卵形至长椭圆形；花冠白色，长 7 ~ 12mm，漏斗状，花冠筒长约为花冠的一半或稍短，内面从喉部至近基部密被单细胞髯毛，裂片 5，矩圆形至匙形；雄蕊 4，着生于花冠喉部，

幌菊

花药狭箭形，2室，先端结合；花盘呈发达杯状，包裹子房2/3，子房卵形，先端被髯毛或近于无毛，花柱略比花冠短，柱头浅2裂。蒴果圆球形，直径4～5mm，被包于宿萼内；种子大而少数，扁圆形，直径约1.5mm，种皮有胶黏质，密被亚盾状长毛。花果期7～9月。

| 生境分布 | 生于海拔700～1600m的田野、沟边、草地或疏林中。分布于重庆丰都、石柱、酉阳、武隆等地。

| 资源情况 | 野生资源一般。药材来源于野生。

| 采收加工 | 夏、秋季采收，洗净，晒干。

| 功能主治 | 滋阴润燥，平肝明目，消痈肿。用于头晕目眩，肺热咳嗽，黄疸，红痢，白浊，五淋。

| 用法用量 | 内服煎汤，适量。

玄参科 Scrophulariaceae 鞭打绣球属 Hemiphragma

鞭打绣球 *Hemiphragma heterophyllum* Wall.

| 药 材 名 | 鞭打绣球（药用部位：全草。别名：红顶珠、地红参、活血丹）。

| 形态特征 | 多年生铺散匍匐草本，全体被短柔毛。茎纤细，多分枝，节上生根，茎皮薄，老后易于破损剥落。叶二型；主茎上的叶对生，叶柄短，长 2 ~ 5mm 或有时近于无柄或叶柄长至 10mm，叶片圆形，心形至肾形，长 8 ~ 20mm，先端钝或渐尖，基部截形、微心形或宽楔形，边缘共有锯齿 5 ~ 9 对，叶脉不明显；分枝上的叶簇生，稠密，针形，长 3 ~ 5mm，有时枝先端的叶稍扩大为条状披针形。花单生叶腋，近于无梗；花萼裂片 5，近于相等，三角状狭披针形，长 3 ~ 5mm；花冠白色至玫瑰色，辐射对称，长约 6mm，花冠裂片 5，圆形至矩圆形，近于相等，大而开展，有时上有透明小点；雄蕊 4，内藏；花柱长约 1mm，柱头小，不增大，钻状或二叉裂。果实卵球形，红色，

鞭打绣球

长 5 ~ 6mm，可达 10mm，近于肉质，有光泽；种子卵形，长不及 1mm，浅棕黄色，光滑。花期 4 ~ 6 月，果期 6 ~ 8 月。

| 生境分布 | 生于草地或岩石上。分布于重庆开州、城口、南川等地。

| 资源情况 | 野生资源稀少。药材主要来源于野生。

| 采收加工 | 夏、秋季采收，切段，晒干或鲜用。

| 功能主治 | 微甘、淡，温。归心、肝经。祛风除湿，清热解毒，活血止痛。用于风湿痹痛，经闭腹痛，瘰疬，疮肿湿毒，咽痛，齿龈肿痛，跌打损伤。

| 用法用量 | 内服煎汤，10 ~ 15g；或研末。外用适量，煎汤含漱；或鲜品捣敷；或捣汁搽。

玄参科 Scrophulariaceae 母草属 Lindernia

长蒴母草
Lindernia anagallis (Burm. f.) Pennell

| **药 材 名** | 鸭嘴癀（药用部位：全草。别名：定经草、水辣椒、四方草）。

| **形态特征** | 一年生草本，长 10 ～ 40cm。根须状。茎始简单，不久即分枝，下部匍匐长蔓，节上生根，并有根茎，有条纹，无毛。叶仅下部者有短柄；叶片三角状卵形、卵形或矩圆形，长 4 ～ 20mm，宽 7 ～ 12mm，先端圆钝或急尖，基部截形或近心形，边缘有不明显的浅圆齿，侧脉 3 ～ 4 对，约以 45° 角伸展，上下两面均无毛。花单生叶腋，花梗长 6 ～ 10mm，在果中达 2cm，无毛，花萼长约 5mm，仅基部联合，齿 5，狭披针形，无毛；花冠白色或淡紫色，长 8 ～ 12mm，上唇直立，卵形，2 浅裂，下唇开展，3 裂，裂片近相等，比上唇稍长；雄蕊 4，全育，前面 2 的花丝在颈部有短棒状附属物；柱头 2 裂。蒴果条状披针形，比萼长约 2 倍，室间 2 裂；种子卵圆形，有疣状突起。花

长蒴母草

期 4 ~ 9 月, 果期 6 ~ 11 月。

| **生境分布** | 生于海拔 1500m 以下的林边、溪旁或田野较湿润处。分布于重庆南川、涪陵、北碚、长寿、丰都等地。

| **资源情况** | 野生资源较少。药材来源于野生。

| **采收加工** | 夏、秋季采收,鲜用或切段晒干。

| **功能主治** | 甘、微苦,凉。清热解毒,活血消肿。用于风热咳嗽,扁桃体炎,肠炎,消化不良,月经不调,闭经,带下,目赤肿痛,牙痛,痈疽肿毒,毒蛇咬伤,跌打损伤。

| **用法用量** | 内服煎汤,10 ~ 15g,鲜品 30 ~ 60g。外用鲜品适量,捣敷或捣汁涂。孕妇禁服。

泥花草
Lindernia antipoda (L.) Alston

| 药 材 名 | 水虾子草（药用部位：全草。别名：田素馨、紫熊胆、水辣椒）。

| 形态特征 | 一年生草本。根须状成丛。茎幼时亚直立，长大后多分枝，枝基部匍匐，下部节上生根，弯曲上升，高可达 30cm，茎枝有沟纹，无毛。叶片矩圆形、矩圆状披针形、矩圆状倒披针形或几为条状披针形，长 0.3 ~ 4cm，宽 0.6 ~ 1.2cm，先端急尖或圆钝，基部下延，有宽短叶柄，而近于抱茎，边缘有少数不明显的锯齿至有明显的锐锯齿或近于全缘，两面无毛。花多在茎枝之顶成总状着生，花序长者可达 15cm，含花 2 ~ 20；苞片钻形；花梗有条纹，先端变粗，长者可达 1.5cm，花期上升或斜展，在果期平展或反折；花萼仅基部联合，萼齿 5，条状披针形，沿中肋和边缘略被短硬毛；花冠紫色、紫白色或白色，长可达 1cm，花冠管长可达 7mm，上唇 2 裂，下唇 3 裂，上、

泥花草

下唇近等长；后方 1 对雄蕊有性，前方 1 对退化，花药消失，花丝端钩曲有腺；花柱细，柱头扁平，片状。蒴果圆柱形，先端渐尖，长约为宿萼的 2 倍或较多；种子为不规则三棱状卵形，褐色，有网状孔纹。花果期春季至秋季。

| 生境分布 | 生于田边或潮湿的草地中。重庆各地均有分布。

| 资源情况 | 野生资源较丰富。药材来源于野生。

| 采收加工 | 夏、秋季采收，鲜用或切段晒干。

| 功能主治 | 甘、微苦，寒。清热解毒，利尿通淋，活血消肿。用于肺热咳嗽，喉炎，蛇咬伤，跌打损伤，痈疽疔肿，淋病。

| 用法用量 | 内服煎汤，10 ～ 15g，鲜品 30 ～ 60g；捣汁或烧灰泡酒。外用捣敷。

玄参科 Scrophulariaceae 母草属 Lindernia

母草

Lindernia crustacea (L.) F. Muell

| 药 材 名 | 母草（药用部位：全草。别名：四方拳草、蛇通管、气痛草）。

| 形态特征 | 草本，高 10 ~ 20cm，常铺散成密丛。根须状。多分枝，枝弯曲上升，微方形有深沟纹，无毛。叶柄长 1 ~ 8mm；叶片三角状卵形或宽卵形，长 10 ~ 20mm，宽 5 ~ 11mm，先端钝或短尖，基部宽楔形或近圆形，边缘有浅钝锯齿，上面近于无毛，下面沿叶脉被稀疏柔毛或近于无毛。花单生叶腋或在茎枝之顶成极短的总状花序，花梗细弱，长 5 ~ 22mm，有沟纹，近于无毛；花萼坛状，长 3 ~ 5mm，成腹面较深，而侧、背均开裂较浅的 5 齿，齿三角状卵形，中肋明显，外面被稀疏粗毛；花冠紫色，长 5 ~ 8mm，花冠管略长于花萼，上唇直立，卵形，钝头，有时 2 浅裂，下唇 3 裂，中间裂片较大，仅稍长于上唇；雄蕊 4，全育，二强；花柱常早落。蒴果椭圆形，与

母草

宿萼近等长；种子近球形，浅黄褐色，有明显的蜂窝状瘤突。花果期全年。

| **生境分布** | 生于海拔 2700m 以下的田边、草地、路边等低湿处。分布于重庆江津、北碚、潼南、忠县、合川等地。

| **资源情况** | 野生资源一般。药材来源于野生。

| **采收加工** | 夏、秋季采收，鲜用或晒干。

| **功能主治** | 微苦、淡，凉。清热利湿，活血止痛。用于风热感冒，湿热泻痢，肾炎水肿，带下，月经不调，痈疖疔肿，毒蛇咬伤，跌打损伤。

| **用法用量** | 内服煎汤，10 ~ 15g，鲜品 30 ~ 60g；或研末、浸酒。外用鲜品适量，捣敷。

玄参科 Scrophulariaceae 母草属 Lindernia

陌上菜

Lindernia procumbens (Krock.) Philcox

| 药 材 名 | 白猪母菜（药用部位：全草。别名：对座神仙、六月雪、白胶墙）。

| 形态特征 | 直立草本。根细密成丛。茎高5～20cm，基部多分枝，无毛。叶无柄；叶片椭圆形至矩圆形，多少带菱形，长1～2.5cm，宽6～12mm，先端钝至圆头，全缘或有不明显的钝齿，两面无毛，叶脉并行，自叶基发出3～5。花单生叶腋，花梗纤细，长1.2～2cm，比叶长，无毛；花萼仅基部联合，齿5，条状披针形，长约4mm，先端钝头，外面微被短毛；花冠粉红色或紫色，长5～7mm，花冠管长约3.5mm，向上渐扩大，上唇短，长约1mm，2浅裂，下唇甚大于上唇，长约3mm，3裂，侧裂椭圆形较小，中裂圆形，向前突出；雄蕊4，全育，前方2雄蕊的附属物腺体状而短小；花药基部微凹；柱头2裂。蒴果球形或卵球形，与萼近等长或略过之，室间2裂；种子多数，

陌上菜

有格纹。花期 7 ~ 10 月，果期 9 ~ 11 月。

| **生境分布** | 生于海拔 230 ~ 2200m 的水边、潮湿处。分布于重庆城口、北碚、涪陵、长寿等地。

| **资源情况** | 野生资源一般。药材来源于野生。

| **采收加工** | 夏、秋季采收，晒干。

| **功能主治** | 淡、微甘，寒。清热解毒，凉血止血。用于湿热泻痢，目赤肿痛，尿血，痔疮肿痛。

| **用法用量** | 内服煎汤，10 ~ 15g。外用适量，煎汤洗。

玄参科 Scrophulariaceae 母草属 Lindernia

旱田草

Lindernia ruellioides (Colsm.) Pennell

旱田草

| 药 材 名 |

旱田草（药用部位：全草。别名：鸭嘴癀、调经草、小号虎舌癀）。

| 形态特征 |

一年生草本，高 10 ~ 15cm。少主茎直立，更常分枝而长蔓，节上生根，长可达 30cm，近于无毛。叶柄长 3 ~ 20mm，前端渐宽而连于叶片，基部多少抱茎；叶片矩圆形、椭圆形、卵状矩圆形或圆形，长 1 ~ 4cm，宽 0.6 ~ 2cm，先端圆钝或急尖，基部宽楔形，边缘除基部外密生整齐而急尖的细锯齿，但无芒刺，两面被粗涩的短毛或近于无毛。花为顶生的总状花序，有花 2 ~ 10；苞片披针状条形，花梗短，向先端渐粗而连于花萼，无毛；花萼在花期长约 6mm，果期达 10mm，仅基部联合，齿条状披针形，无毛；花冠紫红色，长 10 ~ 14mm，花冠管长 7 ~ 9mm，上唇直立，2 裂，下唇开展，3 裂，裂片几相等，或中间稍大；前方 2 雄蕊不育，后方 2 能育，但无附属物；花柱有宽而扁的柱头。蒴果圆柱形，向先端渐尖，比宿萼长约 2 倍；种子椭圆形，褐色。花期 6 ~ 9 月，果期 7 ~ 11 月。

| 生境分布 |

生于草地、平原、山谷或林下。分布于重庆丰都、涪陵、石柱、武隆、秀山、璧山、铜梁等地。

| 资源情况 |

野生资源一般。药材主要来源于野生。

| 采收加工 |

夏、秋季采收，鲜用或晒干。

| 功能主治 |

甘、淡，平。理气活血，解毒消肿。用于月经不调，痛经，闭经，胃痛，乳痈，瘰疬，跌打损伤，蛇犬咬伤。

| 用法用量 |

内服煎汤，15～30g；或炖服。外用适量，捣敷。

玄参科 Scrophulariaceae 通泉草属 Mazus

通泉草 *Mazus japonicus* (Thunb.) O. Kuntze

通泉草

| 药 材 名 |

通泉草（药用部位：全草。别名：脓泡药、汤湿草、猪胡椒）。

| 形 态 特 征 |

一年生草本，高 3 ~ 30cm。无毛或疏被短柔毛。主根伸长，垂直向下或短缩，须根纤细，多数，散生或簇生。本种在体态上变化幅度很大，茎 1 ~ 5 或有时更多，直立，上升或倾卧状上升，着地部分节上常能长出不定根，分枝多而披散，少不分枝。基生叶少到多数，有时呈莲座状或早落，倒卵状匙形至卵状倒披针形，膜质至薄纸质，长 2 ~ 6cm，先端全缘或有不明显的疏齿，基部楔形，下延成带翅的叶柄，边缘具不规则的粗齿或基部有 1 ~ 2 浅羽裂；茎生叶对生或互生，少数，与基生叶相似或几乎等大。总状花序生于茎、枝先端，常在近基部即生花，伸长或上部成束状，通常 3 ~ 20，花疏稀；花梗在果期长达 10mm，上部的较短；花萼钟状，花期长约 6mm，果期多少增大，萼片与萼筒近等长，卵形，先端急尖，脉不明显；花冠白色、紫色或蓝色，长约 10mm，上唇裂片卵状三角形，下唇中裂片较小，稍突出，倒卵圆形；子房无毛。蒴

果球形；种子小而多数，黄色，种皮上有不规则的网纹。花果期 4 ～ 10 月。

生境分布

生于海拔 800 ～ 2500m 的湿润草坡、沟边、路旁或林缘。分布于重庆綦江、南岸、江津、长寿、合川、奉节、潼南、永川、万州、忠县、丰都、铜梁、涪陵、武隆、北碚、开州、璧山、梁平、九龙坡、荣昌等地。

资源情况

野生资源丰富。药材来源于野生。

采收加工

春、夏、秋季采收，洗净，鲜用或晒干。

功能主治

苦，平。止痛，健胃，解毒。用于偏头痛，消化不良；外用于疔疮，脓疱疮，烫火伤。

用法用量

内服煎汤，10 ～ 15g。外用适量，捣敷患处。

附 注

在 FOC 中，本种的拉丁学名被修订为 *Mazus pumilus* (N. L. Burman) Steenis。

玄参科 Scrophulariaceae 通泉草属 Mazus

美丽通泉草 *Mazus pulchellus* Hemsl. ex Forbes et Hemsl.

| 药 材 名 | 美丽通泉草（药用部位：全草）。

| 形态特征 | 多年生草本，高约20cm，幼时密被白色或锈色短柔毛，后变无毛。根茎短缩，须根纤细，簇生。花茎1～5，草质，直立或上升，简单或有少数分枝，无叶。叶全为基生，莲座状，倒卵状匙形至矩圆状匙形，质地较薄，薄纸质至纸质，长可达20cm，先端圆形，基部渐狭窄成有翅的柄，边缘有缺刻状锯齿、重锯齿至不整齐的羽裂。总状花序，多花，花疏稀；花梗长而纤细，下部的长达4cm，上部的也长于花萼；苞片窄披针形，长2～5mm；花萼钟状，长5～7mm，萼齿远较萼筒短，长卵形，先端锐尖；花冠红色、紫色或深紫堇色，长2～2.5cm，上唇直立而短，2裂，裂片近圆形，端截形，上有流苏状细齿，下唇3裂，中裂较小稍凸出，裂片先端均多少有流苏状

美丽通泉草

细齿；子房无毛。蒴果卵圆形。花果期 3 ~ 6 月。

| **生境分布** | 生于海拔 1600m 以下的溪谷阴湿岩壁上。分布于重庆黔江、彭水等地。

| **资源情况** | 野生资源较少。药材来源于野生。

| **采收加工** | 春、夏、秋季可采收，洗净，鲜用或晒干。

| **功能主治** | 苦，平。清热解毒，利湿通淋。用于热毒痈肿，尿路感染，腹水，黄疸性肝炎等。

| **用法用量** | 内服煎汤，适量。

玄参科 Scrophulariaceae 通泉草属 Mazus

毛果通泉草 *Mazus spicatus* Vant.

| 药 材 名 | 通泉草（药用部位：全草）。

| 形态特征 | 多年生草本，高 10 ~ 30cm，全体被多细胞白色或浅锈色长柔毛。主根短，倾斜向下，长 2 ~ 4cm，侧根同须根多数。茎圆柱形，细瘦，坚挺，通常基部木质化并多分枝，直立或倾卧状上升，着地部分节上常生不定根。基生叶少数而早枯萎；茎生叶对生或上部的互生，倒卵形至倒卵状匙形，膜质，长 1 ~ 4cm，基部渐狭成有翅的叶柄，下部的叶柄长达 1cm，渐上渐短，上部的近于无柄，边缘有缺刻状锯齿。总状花序顶生，短或伸长可达 20cm，花疏稀；苞片小，钻状，花梗细长，较花萼短或近等长；花萼钟状，果期长 5 ~ 8mm，直径小于 1cm，萼齿与筒部近等长，三角状披针形，急尖，萼脉 10 稍突出，明显，沿脉同边缘被短纤毛；花冠白色或淡紫色，长 8 ~ 12mm，

毛果通泉草

上唇裂片狭尖，下唇侧裂片圆形，全缘，中裂片较小，稍突出，卵圆形，端圆或微凹；子房被长硬毛。蒴果小，卵球形，淡黄色，被长硬毛；种子表皮有细网纹。花期 5 ～ 6 月，果期 7 ～ 8 月。

| **生境分布** | 生于海拔 100 ～ 2300m 的山坡或路旁草丛中。分布于重庆巫山、南川、武隆等地。

| **资源情况** | 野生资源稀少。药材来源于野生。

| **采收加工** | 春、夏、秋季采收，洗净，鲜用或晒干。

| **功能主治** | 苦，凉。收敛，止血，止痛。用于烫火伤，出血，头痛，风毒。

| **用法用量** | 内服煎汤，15 ～ 25g。外用适量，捣敷患处。

玄参科 Scrophulariaceae 通泉草属 Mazus

弹刀子菜 *Mazus stachydifolius* (Turcz.) Maxim.

弹刀子菜

|药 材 名|

弹刀子菜（药用部位：全草。别名：水苏叶通泉、四叶细辛、地菊花）。

|形态特征|

多年生草本，高 10 ~ 50cm，粗壮，全体被多细胞白色长柔毛。根茎短。茎直立，稀上升，圆柱形，不分枝或在基部分 2 ~ 5 枝，老时基部木质化。基生叶匙形，有短柄，常早枯萎；茎生叶对生，上部的常互生，无柄，长椭圆形至倒卵状披针形，纸质，长 2 ~ 4（~ 7）cm，以茎中部的较大，边缘具不规则锯齿。总状花序顶生，长 2 ~ 20cm，有时稍短于茎，花稀疏；苞片三角状卵形，长约 1mm；花萼漏斗状，长 5 ~ 10mm，果时增长达 16mm，直径超过 1cm，比花梗长或近等长，萼齿略长于筒部，披针状三角形，先端长锐尖，10 脉纹明显；花冠蓝紫色，长 15 ~ 20mm，花冠筒与唇部近等长，上部稍扩大，上唇短，先端 2 裂，裂片狭长三角形状，先端锐尖，下唇宽大，开展，3 裂，中裂较侧裂约小 1 倍，近圆形，稍凸出，褶襞两条从喉部直通至上下唇裂口，被黄色斑点同稠密的乳头状腺毛；雄蕊 4，二强，着生于花冠筒的近基部；子房上部被长硬毛。蒴果扁卵球形，长 2 ~ 3.5mm。花期 4 ~ 6 月，果期 7 ~ 9 月。

| **生境分布** | 生于海拔 1500m 以下的较湿润路旁、草坡或林缘。分布于重庆城口、北碚、江津等地。

| **资源情况** | 野生资源稀少。药材主要来源于野生。

| **采收加工** | 开花结果时采收，鲜用或晒干。

| **功能主治** | 微辛，凉。解蛇毒，清热解毒，活血散瘀，消肿止痛。用于毒蛇咬伤。

| **用法用量** | 内服煎汤，15 ~ 30g。外用鲜品适量，捣敷。

玄参科 Scrophulariaceae 山罗花属 Melampyrum

钝叶山罗花 *Melampyrum roseum* Maxim. var. *obtusifolium* (Bonati) Hong

钝叶山罗花

| 药 材 名 |

钝叶山罗花（药用部位：全草）。

| 形态特征 |

直立草本。植株全体疏被鳞片状短毛，有时茎上还有两列多细胞柔毛。茎通常多分枝，少不分枝，近于四棱形，高 15 ~ 80cm。叶柄长约 5mm，叶片椭圆形或卵状披针形，先端稍钝，基部常楔状渐窄，长 2 ~ 8cm，宽 0.8 ~ 3cm。苞叶卵形，先端稍钝至急尖，边缘常有短的芒状齿。花萼长约 4mm，常被糙毛，脉上常生多细胞柔毛，萼齿三角形至狭三角形，生有短睫毛；花冠紫色、紫红色或红色，长 15 ~ 20mm，花冠筒长为花冠檐的 2 倍左右，上唇内面密被须毛。蒴果卵状渐尖，长 8 ~ 10mm，直或先端稍向前偏，被鳞片状毛，少无毛的；种子黑色，长 3mm。花期夏、秋季。

| 生境分布 |

生于山坡灌丛及高草丛中。分布于重庆城口等地。

| 资源情况 |

野生资源稀少。药材来源于野生。

| **采收加工** | 夏、秋季采收，鲜用或干燥。

| **功能主治** | 清热解毒，消肿。用于疮毒。

玄参科 Scrophulariaceae 沟酸浆属 *Mimulus*

四川沟酸浆 *Mimulus szechuanensis* Pai

| **药 材 名** | 沟酸浆（药用部位：全草）。 |

| **形态特征** | 多年生直立草本，高达 60cm。根茎长，节上生有成丛的纤维状须根。茎四方形，无毛或有时疏被柔毛，常分枝，角处有狭翅。叶卵形，长 2 ~ 6cm，宽 1 ~ 3cm，先端锐尖，基部宽楔形，渐狭成长至 1.5cm 的短柄，边缘有疏齿，羽状脉，背面沿脉有时被柔毛。花单生于茎枝近先端叶腋，花梗长 1 ~ 5cm，间被微毛或腺状微毛；萼圆筒形，长 1 ~ 1.5cm，果期膨大成囊泡状，长达 2cm，肋有狭翅，萼口斜形，肋与边缘均被多细胞柔毛，萼齿 5，刺状，后方 1 较大；花冠长约 2cm，黄色，喉部有紫斑，花冠筒稍长于花萼，上下唇近等长。蒴果长椭圆形，长 1 ~ 1.5cm，稍扁，被包于宿存的萼内；种子棕色，卵圆形，有明显的网纹。花期 6 ~ 8 月。 |

四川沟酸浆

| **生境分布** | 生于海拔 1300 ~ 2200m 的林下阴湿处、水沟边、溪旁。分布于重庆黔江、万州、南川、酉阳等地。 |

| **资源情况** | 野生资源稀少。药材来源于野生。 |

| **采收加工** | 夏、秋季间采收，洗净，晒干。 |

| **功能主治** | 苦，凉。清热解毒，利湿，消肿，止血。用于湿热痢疾经年不愈，脾虚泄泻，带下，体倦乏力，形寒肢冷，毒蛇咬伤。 |

| **用法用量** | 内服煎汤，10 ~ 15g。 |

玄参科 Scrophulariaceae 沟酸浆属 *Mimulus*

沟酸浆 *Mimulus tenellus* Bunge

| 药 材 名 | 沟酸浆（药用部位：全草）。

| 形态特征 | 多年生草本，柔弱，常铺散状，无毛。茎长可达 40cm，多分枝，下部匍匐生根，四方形，角处具窄翅。叶卵形、卵状三角形至卵状矩圆形，长 1 ~ 3cm，宽 4 ~ 15mm，先端急尖，基部截形，边缘具明显的疏锯齿，羽状脉；叶柄细长，与叶片等长或较短，偶被柔毛。花单生叶腋，花梗与叶柄近等长，明显的较叶短；花萼圆筒形，长约 5mm，果期肿胀成囊泡状，增大近 1 倍，沿肋偶被绒毛，或有时稍具窄翅，萼口平截，萼齿 5，细小，刺状；花冠较萼长 1.5 倍，漏斗状，黄色，喉部有红色斑点；唇短，端圆形，竖直，沿喉部被密的髯毛；雄蕊同花柱无毛，内藏。蒴果椭圆形，较萼稍短；种子卵圆形，具细微的乳头状突起。花果期 6 ~ 9 月。

沟酸浆

| **生境分布** | 生于海拔 250 ～ 1000m 的水边、林下湿地。分布于重庆黔江、潼南、合川、巫溪、酉阳、涪陵、璧山、綦江、北碚、九龙坡、荣昌、城口、奉节、云阳、忠县等地。 |

| **资源情况** | 野生资源较丰富。药材来源于野生。 |

| **采收加工** | 秋季采收，晒干或鲜用。 |

| **功能主治** | 涩，平。收敛止泻，止带。用于脾虚泄泻，带下。 |

| **用法用量** | 内服煎汤，10 ～ 30g。 |

川泡桐 *Paulownia fargesii* Franch.

| 药 材 名 | 泡桐根（药用部位：根、根皮）、泡桐果（药用部位：果实）、泡桐树皮（药用部位：树皮。别名：桐皮、白桐皮、水桐树皮）。

| 形态特征 | 乔木，高达 20m。树冠宽圆锥形，主干明显；小枝紫褐色至褐灰色，有圆形凸出皮孔；全体被星状绒毛，但逐渐脱落。叶片卵圆形至卵状心形，长达 20cm 以上，全缘或浅波状，先端长渐尖成锐尖头，上面疏生短毛，下面的毛具柄和短分枝，毛的疏密度有很大变化，一直变化到无毛为止；叶柄长达 11cm。花序枝的侧枝长可达主枝之半，故花序为宽大圆锥形，长约 1m，小聚伞花序无总梗或几无梗，有花 3 ~ 5，花梗长不及 1cm；花萼倒圆锥形，基部渐狭，长达 2cm，不脱毛，分裂至中部成三角状卵圆形的萼齿，边缘有明显较薄之沿；花冠近钟形，白色有紫色条纹至紫色，长 5.5 ~ 7.5cm，

川泡桐

外面有短腺毛，内面常无紫斑，花冠管在基部以上突然膨大，多少弯曲；雄蕊长 2 ~ 2.5cm；子房有腺，花柱长 3cm。蒴果椭圆形或卵状椭圆形，长 3 ~ 4.5cm，幼时被黏质腺毛，果皮较薄，有明显的横行细皱纹，宿萼贴伏于果基或稍伸展，常不反折；种子长圆形，连翅长 5 ~ 6mm。花期 4 ~ 5 月，果期 8 ~ 9 月。

| 生境分布 | 生于海拔 250 ~ 1000m 的林中或坡地。分布于重庆黔江、潼南、合川、巫溪、酉阳、涪陵、璧山、綦江、北碚、九龙坡、荣昌、城口、奉节、云阳、忠县等地。

| 资源情况 | 野生资源较丰富。药材来源于野生。

| 采收加工 | 泡桐根：秋季采挖，洗净，鲜用或晒干。
泡桐果：夏、秋季采摘，晒干。
泡桐树皮：全年均可采收，鲜用或晒干。

| 药材性状 | 泡桐根：本品呈圆柱形，长短不等，直径约 2cm。表面灰褐色至棕褐色，粗糙，有明显的皱纹与纵沟，具横裂纹及凸起的侧根裂痕。质坚硬，不易折断，断面不整齐，皮部棕色或淡棕色，木部宽广，黄白色，显纤维性，有多数孔洞（导管）及放射状纹理。气微，味微苦。
泡桐果：本品呈倒卵形或长椭圆形，长 3 ~ 3.5cm。表面粗糙，有类圆形疣状点，近先端处灰黄色，系星状毛；果皮厚 3 ~ 6mm，木质；宿萼 5 浅裂。种子长 5 ~ 6mm。气微，味微甘、苦。
泡桐树皮：本品表面灰褐色，有不规则纵裂；小枝有明显的皮孔，常具黏质短腺毛。味淡、微甜。

| 功能主治 | 泡桐根：微苦，微寒。祛风止痛，解毒活血。用于风湿热痹，筋骨疼痛，疮疡肿毒，跌打损伤。
泡桐果：苦，微寒。化痰，止咳，平喘。用于慢性支气管炎，咳嗽咳痰。
泡桐树皮：苦，寒。祛风除湿，消肿解毒。用于风湿热痹，淋病，丹毒，痔疮肿毒，肠风下血，外伤肿痛，骨折。

| 用法用量 | 泡桐根：内服煎汤，15 ~ 30g。外用鲜品适量，捣敷。
泡桐果：内服煎汤，15 ~ 30g。
泡桐树皮：内服煎汤，15 ~ 30g。外用鲜品适量，捣敷；或煎汁涂。

玄参科 Scrophulariaceae 泡桐属 Paulownia

毛泡桐
Paulownia tomentosa (Thunb.) Steud.

| 药 材 名 | 泡桐树皮（药用部位：树皮。别名：桐皮、白桐皮、水桐树皮）、泡桐果（药用部位：果实）、泡桐根（药用部位：根或根皮）。

| 形态特征 | 乔木，高达 20m。树冠宽大伞形，树皮褐灰色；小枝有明显皮孔，幼时常具黏质短腺毛。叶片心形，长达 40cm，先端具锐尖头，全缘或波状浅裂，上面毛稀疏，下面毛密或较疏，老叶下面的灰褐色树枝状毛常具柄和 3 ～ 12 细长丝状分枝，新枝上的叶较大，其毛常不分枝，有时具黏质腺毛；叶柄常被黏质短腺毛。花序枝的侧枝不发达，长约中央主枝之半或稍短，故花序为金字塔形或狭圆锥形，长一般在 50cm 以下，少有更长，小聚伞花序的总花梗长 1 ～ 2cm，几与花梗等长，具花 3 ～ 5；花萼浅钟形，长约 1.5cm，外面绒毛不脱落，分裂至中部或裂过中部，萼齿卵状长圆形，在花中具锐头或稍钝头至果中具钝头；花冠紫色，漏斗状钟形，长 5 ～ 7.5cm，

毛泡桐

在离花冠管基部约 5mm 处弯曲，向上突然膨大，外面被腺毛，内面几无毛，檐部二唇形，直径小于 5cm；雄蕊长达 2.5cm；子房卵圆形，有腺毛，花柱短于雄蕊。蒴果卵圆形，幼时密生黏质腺毛，长 3 ~ 4.5cm，宿萼不反卷，果皮厚约 1mm；种子连翅长 2.5 ~ 4mm。花期 4 ~ 5 月，果期 8 ~ 9 月。

| 生境分布 | 生于海拔 300 ~ 1800m 的山坡、林中或山谷。分布于重庆北碚、秀山、万州、垫江、丰都、涪陵、石柱、武隆、彭水、南川等地。

| 资源情况 | 野生资源一般。药材来源于野生。

| 采收加工 | 泡桐树皮：全年均可采收，鲜用或晒干。
泡桐果：夏、秋季采摘，晒干。
泡桐根：秋季采挖，洗净，鲜用或晒干。

| 药材性状 | 泡桐树皮：本品表面灰褐色，有不规则纵裂；小枝有明显的皮孔，常具黏质短腺毛。味淡，微甘。
泡桐果：本品呈卵圆形，长 3 ~ 4.5cm，直径 2 ~ 3cm。表面红褐色至黑褐色，常有黏质腺毛，先端尖嘴状，长 6 ~ 8mm，基部圆形，自顶部至基部两侧各有棱线 1，常易沿棱线裂成 2 瓣；内表面淡棕色，光滑而有光泽，各有 1 纵隔。果皮革质，厚 0.5 ~ 1mm。宿萼 5 中裂，呈五角星形，裂片卵状三角形。果梗扭曲，长 2 ~ 3cm。种子多数，着生在半圆形肥厚的中轴上，细小，扁而有翅，长 2.5 ~ 4mm。气微，味微甘、苦。以个大、开裂少、带宿萼者为佳。
泡桐根：本品呈圆柱形，长短不等，直径约 2cm。表面灰褐色至棕褐色，粗糙，有明显的皱纹与纵沟，具横裂纹及凸起的侧根裂痕。质坚硬，不易折断，断面不整齐，皮部棕色或淡棕色，木部宽广，黄白色，显纤维性，有多数孔洞（导管）及放射状纹理。气微，味微苦。

| 功能主治 | 泡桐树皮：苦，寒。祛风除湿，消肿解毒。用于湿热痹，淋病，丹毒，痔疮肿毒，肠风下血，外伤肿痛，骨折。
泡桐果：苦，微寒。化痰，止咳，平喘。用于慢性支气管炎，咳嗽咳痰。
泡桐根：微苦，微寒。祛风止痛，解毒活血。用于风湿热痹，筋骨疼痛，疮疡肿毒，跌打损伤。

| 用法用量 | 泡桐树皮：内服煎汤，15 ~ 30g。外用鲜品适量，捣敷；或煎汁涂。
泡桐果：内服煎汤，15 ~ 30g。
泡桐根：内服煎汤，15 ~ 30g。外用鲜品适量，捣敷。

玄参科 Scrophulariaceae 马先蒿属 Pedicularis

大卫氏马先蒿 Pedicularis davidii Franch.

| **药 材 名** | 太白参（药用部位：根。别名：煤参、太白洋参、黑洋参）。

| **形态特征** | 多年生草本，干后稍变黑色，直立，高 15 ~ 30cm，高者可达 50cm，密被短毛。根粗大，多自根颈下端发出 2 ~ 4 侧根，粗线形或略作纺锤形，肉质，长约 7cm，直径可达 6mm，须根多，束生于根颈的四周，它处很少。茎单出或自根颈上端发出多条，常 3 ~ 4 基数，或在基部有少数分枝，仅极偶然在硕大的植株中，如史氏马先蒿一样在中上部极多分枝，中空，基部稍木质化，具明显的棱角，密被锈色短毛，但无毛线。叶茂密，基生者常早脱落，下部的多假对生，上部的互生，基生者及茎下部的具长柄，叶柄长可达 5cm，扁平，沿中肋具狭翅，基部两侧疏被短纤毛或无毛；叶片膜质，卵状长圆形至披地状长圆形，一般长约 7cm，宽约 2cm，下部的较大，

大卫氏马先蒿

长可达 13cm，宽约 3.5cm，向上迅速变小，上部的变为苞片，上面无毛或沿主脉及侧脉被短毛，下面被白色肤屑状物，其网纹作碎冰纹而明显，网眼中的叶面常褐色而凸起，羽状全裂，裂片每边 9 ～ 14，疏稀，线状长圆形或卵状长圆形，基部下延连中肋成狭翅，边羽状浅裂或半裂，2 次裂片卵形，边缘有重锯齿，齿端有胼胝质小刺尖。总状花序顶生，伸长，长约 13cm，长者可达 18cm 或更长，疏稀，果时更为疏稀；苞片叶状，上部的比花萼短，3 深裂；花梗短，长 1.5 ～ 3mm，纤细，密被短毛；花萼膜质，卵状圆筒形而偏斜，前方开裂至花萼管的中部，或更深，长 5 ～ 6mm，近于无毛，主脉 5，稍凸起，明显，次脉多条，稍较细，无网纹，萼齿 3 枚，草质而厚，不等，后方 1 较小 2 ～ 3 倍，钻状，其余的长约为花萼管的 1/3 ～ 1/2，线形，均全缘；花冠全部为紫色或红色，长 12 ～ 16mm，花冠管伸直，长约为花萼的 2 倍，花冠管外疏被短毛，盔的直立部分在自身的轴上扭旋 2 整转，复在含有雄蕊部分的基部强烈扭折，使其细长的喙指向后方，喙常卷成半环形，或近端处略作 "S" 形，先端 2 浅裂，下唇大，长 8 ～ 11mm，宽 11 ～ 13mm，常与管轴成直角开展，3 裂，有缘毛，中裂较小，大部向前凸出，宽倒卵形，基部有短柄，不迭置于侧裂之下，侧裂为宽肾脏形，宽过于长，长约 3.5mm，宽约 8mm；雄蕊着生于花管的上部，2 对花丝均被毛；子房卵状披针形，长约 3mm，柱头伸出于喙端。蒴果狭卵形至卵状披针形，长约 10mm，宽 4 ～ 5mm，两室极不等，但轮廓则几不偏斜，基部约 1/3 为膨大的宿萼所包，面略有细网纹，先端有凸尖。花期 6 ～ 8 月，果期 8 ～ 9 月。

| **生境分布** | 生于海拔 1750 ～ 2700m 的沟边、路旁或草坡上。分布于重庆城口、巫溪、南川等地。

| **资源情况** | 野生资源较少。药材来源于野生。

| **采收加工** | 秋季采收，晾干。

| **功能主治** | 甘、微苦，温；有小毒。滋阴补肾，益气健脾。用于脾肾两虚，骨蒸潮热，关节疼痛，不思饮食。

| **用法用量** | 内服煎汤，9 ～ 15g，大剂量可用 30 ～ 60g。

玄参科 Scrophulariaceae 马先蒿属 Pedicularis

藓生马先蒿 *Pedicularis muscicola* Maxim.

| 药 材 名 | 藓生马先蒿（药用部位：花、根。别名：土人参）。

| 形态特征 | 多年生草本，干时多少变黑，多毛。根茎粗，有分枝，先端有宿存鳞片。茎丛生，在中间者直立，在外围者多弯曲上升或倾卧，常成密丛。叶有柄，叶柄被疏长毛；叶片椭圆形至披针形，羽状全裂，裂片常互生，每边 4 ~ 9，有小柄，卵形至披针形，有锐重锯齿，齿有凸尖，表面被疏短毛，沿中肋被密细毛，背面几光滑。花皆腋生，自基部即开始着生，梗一般较短，密被白长毛至几乎光滑；花萼圆筒形，前方不裂，主脉 5，上被长毛，齿 5，略相等，基部三角形而连于萼管，向上渐细，均全缘，至近端处膨大卵形，具有少数锯齿；花冠玫瑰色，花冠管外面有毛，盔直立部分很短，几在基部即向左方扭折使其顶部向下，前方渐细为卷曲或"S"形的长喙，喙因盔扭折之故而反向

藓生马先蒿

上方卷曲，下唇极大，宽达 2cm，长亦如之，侧裂极大，稍指向外方，中裂较狭，为长圆形，具钝头；花丝 2 对均无毛，花柱稍伸出于喉端。蒴果稍扁平，偏卵形，长 1cm，宽 7mm，为宿萼所包。花期 5 ~ 7 月，果期 8 月。

| 生境分布 | 生于海拔 1750 ~ 2200m 的杂林、冷杉林的苔藓层中，也见于其他阴湿处。分布于重庆南川、綦江、江津等地。

| 资源情况 | 野生资源稀少。药材来源于野生。

| 采收加工 | 花，秋季采收，阴干。根，秋季采挖，阴干。

| 药材性状 | 本品为皱缩的花，棕褐色或浅紫红色。花梗黑褐色，细长。花萼圆筒状，前方不裂，具数条主脉，其上被毛；萼齿 5，向上渐细，后又膨大，叶状，或有锯齿。花冠近基部扭转，前方渐细成卷曲或"S"形的长喙；下唇大，长圆形。花丝无毛，花柱伸出于喙。气微香，味淡、微苦。

| 功能主治 | 花，苦，凉。敛毒，清热。用于肉食中毒，"培根木保"病，热性腹泻。根，甘、微苦，温。补气固表，安神。用于气血不足，体虚多汗，心悸乏力。

| 用法用量 | 内服煎汤，6 ~ 9g。

玄参科 Scrophulariaceae 马先蒿属 Pedicularis

薄菜叶马先蒿
Pedicularis nasturtiifolia Franch.

薄菜叶马先蒿

|药 材 名|

马先蒿（药用部位：全草）。

|形态特征|

多年生草本，干时不变黑色。茎常单条，分枝或简单，无毛或微被成行的毛，软弱而偃蔓。叶基出者未见，茎叶疏生直达先端，对生或亚对生，质薄；叶柄长 1 ~ 5cm，被疏长毛；叶片卵形至椭圆形，长可达 9cm，宽3 ~ 5cm，上面被疏粗毛，中肋沟中较密，下面近于无毛，网脉明显，为羽状全裂，裂片每边 2 ~ 7 对，最下者常仅单侧生 1 而较小很多，距离也较远，多少卵形而歪斜，叶缘有重锯齿，偶有缺刻状开裂，大者长达2.5mm，宽 1.4mm，向叶基一方的基部常下延成翅，向叶端的一方则为亚心形；长枝上叶裂片仅 2 ~ 3 对。花均腋生，花梗纤细，长 8 ~ 20mm，几无毛；花萼圆筒状倒圆锥形，长约 7mm，基部钝，主脉 5 条显著，无网脉，上部无毛，基部沿中脉被白色疏长毛，前方不开裂，萼齿 5 枚，稍不相等，下部略有柄，上部膨大叶状，卵形锐头而有3 ~ 5 锯齿；花冠玫瑰色，花冠管略少于花萼的 2 倍，长约 12mm；下唇很大，圆形，微被缘毛，侧裂较大，半圆形，中裂几不向前凸出，狭卵形而尖；雄蕊花丝前方 1 对被毛。

| **生境分布** | 生于海拔 2000m 左右的林下或潮湿处。分布于重庆丰都、黔江、南川、城口、奉节、武隆、巫溪等地。

| **资源情况** | 野生资源一般。药材主要来源于野生。

| **采收加工** | 夏、秋季采割，阴干。

| **功能主治** | 苦，平。活血祛瘀，清热解毒，消肿止痛。用于跌打损伤，筋骨痛。

| **用法用量** | 内服煎汤，10 ~ 15g；或研末为散。外用煎汤洗。

玄参科 Scrophulariaceae 马先蒿属 Pedicularis

返顾马先蒿 *Pedicularis resupinata* L.

| 药 材 名 | 马先蒿（药用部位：地上部分。别名：烂石草、阿兰内、芝麻七）。

| 形态特征 | 多年生草本，直立，干时不变黑色。根多数丛生，细长而纤维状。茎常单出，上部多分枝，粗壮而中空，多方形有棱，被疏毛或几无毛。叶密生，均茎出，互生或有时下部甚或中部者对生，叶柄短，上部之叶近于无柄，无毛或被短毛；叶片膜质至纸质，卵形至长圆状披针形，前方渐狭，基部广楔形或圆形，边缘有钝圆的重齿，齿上有浅色的胼胝或刺状尖头，且常反卷，渐上渐小而变为苞片，两面无毛或被疏毛。花单生茎枝先端的叶腋中，无梗或有短梗；花萼长卵圆形，多少膜质，脉有网结，几无毛，前方深裂，萼齿仅2，宽三角形，全缘或略有齿，光滑或被微缘毛；花冠淡紫红色，伸直，近端处略扩大，自基部起即向右扭旋，由脉理清晰可见，此种扭旋使下唇及盔部成为回顾之状，

返顾马先蒿

盔的直立部分与花管同一指向，在此部分以上作两次多少膝盖状弯曲，第 1 次向前上方成为含有雄蕊的部分，其背部常多少有毛，下唇稍长于盔，以锐角开展，3 裂，中裂较小，略向前凸出，广卵形；雄蕊花丝前面 1 对有毛；柱头伸出于喙端。蒴果斜长圆状披针形，仅稍长于萼。花期 6 ～ 8 月，果期 7 ～ 9 月。

| 生境分布 | 生于海拔 1500 ～ 2100m 的湿润草地或林缘。分布于重庆巫山、万州、石柱、南川等地。

| 资源情况 | 野生资源稀少。药材主要来源于野生。

| 采收加工 | 秋季采挖，除去茎叶及泥土，晒干。

| 药材性状 | 本品茎呈类方形，直径 2 ～ 4mm；表面绿色或紫色；质脆，易折断，断面皮部浅黄绿色，髓部类白色，有的中空。叶多脱落或破碎，完整者披针形，长 2 ～ 8cm，宽 0.6 ～ 1.5cm，先端尖，基部广楔形，边缘具钝圆的羽状重齿，背面具白色斑点，两面被疏毛或无毛。苞片叶状。花萼长卵形，长约 7mm，一边深裂；花冠紫色，长 2 ～ 2.5cm，旋转扭曲。蒴果斜圆状披针形。气微，味微苦。

| 功能主治 | 苦，平。祛风湿，利小便。用于风湿关节疼痛，尿路结石，小便不利，妇女带下，大风癞疾，疥疮。

| 用法用量 | 内服煎汤，6 ～ 9g；或研末。外用适量，煎汤洗。

轮叶马先蒿 *Pedicularis verticillata* L.

| **药 材 名** | 轮叶马先蒿（药用部位：根。别名：轮花马先蒿、土儿参、土人参）。

| **形态特征** | 多年生草本，干时不变黑，高 15 ~ 35cm，有时极低矮。主根多少纺锤形，一般短细，极偶然在多年的植株中肉质变粗，直径达 6.5mm，须状侧根不发达；根茎先端有三角状卵形至长圆状卵形的膜质鳞片数对。茎直立，在当年生植株中常单条，多年生者常自根颈成丛发出，多达 7 以上，中央者直立，外方者弯曲上升，下部圆形，上部多少四棱形，具毛线 4。叶基出者发达而长存，叶柄长达 3mm 左右，被疏密不等的白色长毛；叶片长圆形至线状披针形，下面微被短柔毛，羽状深裂至全裂，长 2.5 ~ 3cm，裂片线状长圆形至三角状卵形，具不规则缺刻状齿，齿端常有多少白色胼胝，茎生叶下部者偶对生，一般 4 枚成轮，具较短之柄或几无柄，叶片较基生叶

轮叶马先蒿

为宽短。花序总状，常稠密，唯最下 1 ~ 2 花轮多少疏远，仅极偶然有全部花轮均有间歇；苞片叶状，下部者甚长于花，有时变为长三角状卵形，上部者基部变宽，膜质，向前有锯齿，被白色长毛；花萼球状卵圆形，常变红色，口多少狭缩，膜质，具 10 暗色脉纹，外面密被长柔毛，长 6mm，前方深开裂，萼齿常不很明显而偏聚于后方，后方 1 多独立，较小，其前侧方者与后侧方者多合并成 1 三角形的大齿，先端有浅缺或无，边缘无清晰的锯齿而多为全缘；花冠紫红色，长 13mm，花冠管在距基部 3mm 处以直角向前膝屈，使其上段由花萼的裂口中伸出，上段长 5 ~ 6mm，中部稍稍向下弯曲，喉部宽约 3mm，下唇约与盔等长或稍长，中裂圆形而有柄，甚小于侧裂，裂片上有时红脉极显著，盔略镰状弯曲，长 5mm 左右，额圆形，无明显的鸡冠状突起，下缘之端似微有凸尖，但不显著；雄蕊花药对离开而不并生，花丝前方 1 对有毛；花柱稍伸出。蒴果形状大小多变，多少披针形，先端渐尖，不弯曲，或偶然有全长向下弯曲者，或上线至近端处突然弯下成 1 钝尖，而后再在下基线前端成 1 小凸尖，长 10 ~ 15mm，宽 4 ~ 5mm；种子黑色，半圆形，长 1.8mm，有极细而不显明的纵纹。花期 7 ~ 8 月。

| 生境分布 | 生于海拔 1850 ~ 2550m 的亚高山湿润处。分布于重庆石柱、武隆、黔江、酉阳、南川、城口、开州等地。

| 资源情况 | 野生资源稀少。药材主要来源于野生。

| 采收加工 | 秋季采收，洗净，晒干。

| 功能主治 | 甘、微苦，温。益气生津，养心安神。用于气血不足，体虚多汗，心悸怔忡等。

| 用法用量 | 内服煎汤，6 ~ 9g。

松蒿

Phtheirospermum japonicum (Thunb.) Kanitz

松蒿

| 药 材 名 |

松蒿（药用部位：全草。别名：糯蒿、细绒蒿、土茵陈）。

| 形 态 特 征 |

一年生草本，高可达 100cm，但有时高仅 5cm 即开花，植株被多细胞腺毛。茎直立或弯曲而后上升，通常多分枝。叶具长 5 ~ 12mm、边缘有狭翅之柄，叶片长三角状卵形，长 15 ~ 55mm，宽 8 ~ 30mm，近基部的羽状全裂，向上则为羽状深裂；小裂片长卵形或卵圆形，多少歪斜，边缘具重锯齿或深裂，长 4 ~ 10mm，宽 2 ~ 5mm。花具长 2 ~ 7mm 之梗，花萼长 4 ~ 10mm，萼齿 5，叶状，披针形，长 2 ~ 6mm，宽 1 ~ 3mm，羽状浅裂至深裂，裂齿先端锐尖；花冠紫红色至淡紫红色，长 8 ~ 25mm，外面被柔毛；上唇裂片三角状卵形，下唇裂片先端圆钝；花丝基部疏被长柔毛。蒴果卵珠形，长 6 ~ 10mm；种子卵圆形，扁平，长约 1.2mm。

| 生 境 分 布 |

生于海拔 150 ~ 1900m 的山坡灌丛阴处。分布于重庆綦江、城口、黔江、彭水、南川、

巫山、北碚等地。

| **资源情况** | 野生资源稀少。药材主要来源于野生。

| **采收加工** | 夏、秋季采收，鲜用或晒干。

| **药材性状** | 本品全长 30 ~ 60cm。茎直立，上部多分枝，具腺毛，有黏性。叶对生，多皱缩而破碎，完整者三角状卵形，长 3 ~ 5cm，宽 2 ~ 3.5cm，羽状深裂，两侧裂片长圆形，先端裂片较大，卵圆形，边缘具细锯齿，叶两面均有腺毛。穗状花序顶生，花萼钟状，长约 6mm，5 裂；花冠淡红紫色。味微辛。

| **功能主治** | 微辛，凉。归肺、脾、胃经。清热利湿，解毒。用于湿热黄疸，病毒性肝炎，水肿，风热感冒，鼻衄，口衄，齿衄。外用于疮痈。

| **用法用量** | 内服煎汤，15 ~ 30g。外用适量，煎汤洗；或研末调敷。

地黄

| 玄参科 | Scrophulariaceae | 地黄属 | Rehmannia

地黄
Rehmannia glutinosa (Gaert.) Libosch. ex Fisch. et Mey.

| 药 材 名 |

鲜地黄（药用部位：新鲜块根。别名：生地黄、鲜生地、山烟根）、生地黄（药用部位：干燥块根，别名：原生地、干生地、干地黄）、地黄叶（药用部位：叶）。

| 形态特征 |

多年生草本。体高 10 ~ 30cm，密被灰白色多细胞长柔毛和腺毛。根茎肉质，鲜时黄色，在栽培条件下，茎紫红色。叶通常在茎基部集成莲座状，向上则强烈缩小成苞片，或逐渐缩小而在茎上互生；叶片卵形至长椭圆形，上面绿色，下面略带紫色或呈紫红色，边缘具不规则圆齿或钝锯齿以至牙齿；基部渐狭成柄，叶脉在上面凹陷，下面隆起。花具长 0.5 ~ 3cm 之梗，梗细弱，弯曲而后上升，在茎顶部略排列成总状花序，或几全部单生叶腋而分散在茎上；花萼密被多细胞长柔毛和白色长毛，具 10 条隆起的脉；萼齿 5，矩圆状披针形或卵状披针形抑或多少三角形，稀前方 2 枚各又开裂而使萼齿总数达 7 枚之多；花冠长 3 ~ 4.5cm；花冠筒多少弯曲，外面紫红色，被多细胞长柔毛；花冠裂片，5，先端钝或微凹，内面黄紫色，外面紫红色，两面均被多细胞长柔毛；雄蕊 4；药室矩圆形，基部叉开，而使两药室常排成一直线，子房幼时 2 室，老时因隔膜撕裂而成一室，无毛；花柱顶部扩大成 2 枚片状柱头。蒴果卵形至长卵形。花果期 4 ～ 7 月。

| 生境分布 | 生于海拔 500 ～ 1100m 的荒山坡、山脚、墙边、路旁等处。分布于重庆彭水、万州、南川等地。

| 资源情况 | 栽培资源稀少，无野生资源。药材主要来源于栽培。

| 采收加工 | 鲜地黄：新鲜或干燥块根，秋季采挖，除去芦头、须根及泥沙，鲜用；鲜地黄埋在砂土中，防冻，但一般贮存三个月后，不再适用。
生地黄：将鲜地黄缓缓烘焙至约八成干。生地黄置通风干燥处，防霉，防蛀。
地黄叶：初秋采摘，除去杂质，晒干。

| 药材性状 | 鲜地黄：本品呈纺锤形或条状，长 8 ～ 24cm，直径 2 ～ 9cm。外皮薄，表面浅红黄色，具弯曲的纵皱纹、芽痕、横长皮孔及不规则疤痕。肉质，易断，断面皮部淡黄白色，可见橘红色油点，木部黄白色，导管呈放射状排列。气微，味微甜、微苦。
生地黄：本品多呈不规则的团块状或长圆形，中间膨大，两端稍细，有的细小，长条状，稍扁而扭曲，长 6 ～ 12cm，直径 3 ～ 6cm。表面棕黑色或棕灰色，极皱缩，具不规则的横曲纹。体重，质较软而韧，不易折断，断面棕黑色或乌黑色，有光泽，具黏性。无臭，味微甜。
地黄叶：本品多皱缩破碎，完整者展开后呈长椭圆形，长 3 ～ 10cm，宽 1.5 ～ 4cm。灰绿色，被灰白色长柔毛或腺毛，先端钝，基部渐狭，下延成长柄，边缘具不整齐钝齿。质脆。气微，味淡。

| 功能主治 | 鲜地黄：甘、苦，寒。归心、肝、肾经。清热生津，凉血，止血。用于热病伤阴，舌绛烦渴，发斑发疹，吐血，衄血，咽喉肿痛。
生地黄：甘，寒。归心、肝、肾经。清热凉血，养阴，生津。用于热病舌绛烦渴，阴虚内热，骨蒸劳热，内热消渴，吐血，衄血，发斑发疹。
地黄叶：甘、淡，寒。归心、肝、肾经。益气养阴，补肾，活血。用于少气乏力，面色无华，气阴两虚证。外用于恶疮，手足癣。

| 用法用量 | 鲜地黄：内服煎汤，12 ～ 30g。脾胃有湿邪及阳虚者忌服。
生地黄：内服煎汤，10 ～ 15g。脾虚泄泻、胃虚食少、胸膈多痰者慎服。
地黄叶：内服煎汤，10 ～ 20g。外用适量，捣汁涂或揉搓。

| 附　注 | 本种喜温暖气候，较耐寒，以阳光充足、土层深厚、疏松、肥沃中性或微碱性的砂壤土栽培为宜，二合土、肥沃的黏土也能栽种。忌连作。前作宜选禾本科作物，不宜选曾种植过棉、芝麻、豆类、瓜类等的土地，否则病害严重。

玄参科 Scrophulariaceae 地黄属 *Rehmannia*

湖北地黄 *Rehmannia henryi* N. E. Brown

| 药 材 名 | 湖北地黄（药用部位：根。别名：鄂地黄、岩白菜）。

| 形态特征 | 植株被多细胞长柔毛及腺毛，高 15 ~ 40cm。基生叶多少成丛，叶片椭圆状矩圆形，或匙形，长 6 ~ 17cm，宽 3 ~ 8cm，两面均被多细胞长柔毛，边缘具不规则圆齿，齿的先端钝或急尖，有时在较大的叶片中常具带齿的浅裂片；叶片顶部钝圆，基部渐狭成长 2 ~ 8cm 的带翅的柄；茎生叶与基生叶相似，但向上逐渐变小。花单生叶腋，具长约 2.5mm 之梗；花梗稍弯曲向上斜伸，基部的可长达 5.5cm；小苞片钻状，长约 3mm，着生于花梗的近基部，与花萼同被黄褐色多细胞长柔毛；花萼长 1.8 ~ 2.5cm，萼齿开展，卵状披针形，先端钝，全缘或略有齿，长 0.8 ~ 1.2cm，宽 3 ~ 4mm；花冠淡黄色，长 5 ~ 7cm，花冠筒背腹扁，前端稍膨大，外面被白色柔毛；上唇

湖北地黄

裂片横矩圆形，长 1.3cm，宽 1.5cm；下唇裂片矩圆形，中裂长 1.8cm，宽 1.5cm，侧裂片彼此相等，长 1.5cm，宽 1.4cm；花丝基部疏被极短的腺毛；子房无毛，下托有 1 环状花盘，柱头圆形。花期 4 ~ 5 月。

| 生境分布 | 栽培于房前屋后。分布于重庆南川、巫山、巫溪等地。

| 资源情况 | 栽培资源稀少，无野生资源。药材来源于栽培。

| 采收加工 | 秋季采挖，洗净，晒干。

| 功能主治 | 甘，微寒。凉血止血，清热生津。用于发热口干，血热吐衄，尿血，崩漏，斑疹，消渴。

| 用法用量 | 内服煎汤，10 ~ 15g。

玄参科 Scrophulariaceae 玄参属 Scrophularia

长梗玄参 *Scrophularia fargesii* Franch.

长梗玄参

药材名

长梗玄参（药用部位：块根。别名：城口玄参、鄂玄参）。

形态特征

多年生草本，高可达 60cm 以上。根多少肉质变粗。茎不明显四棱形，中空，无毛或被白柔毛或腺柔毛，基部有鳞片状叶，叶全部对生，叶柄可长达 5cm，扁平而略有翅，无毛至被密短毛，叶片质较薄，卵形至卵圆形，基部圆形至心状截形，少有宽楔形，边缘有向外伸张的、大小不等的重锐锯齿，无毛或上面被疏毛而下面仅脉上被微毛，长 5 ~ 9cm。聚伞花序极疏，全部腋生或生于分枝先端，有时因上部的叶变小而多少圆锥状，具花 1 ~ 3，极少复出而具花达 5 者，总梗及花梗均细长，长可达 3cm 以上；花萼长约 5mm，裂片狭卵形至圆卵形，先端圆钝至略尖，有狭膜质边缘，但结果时不明显；花冠紫红色，长 10 ~ 12mm，花冠筒卵球形，上唇较下唇长 2 ~ 3mm，裂片长 1.5 ~ 2mm，边缘相互重叠，下唇裂片均圆形，中间裂片较小；雄蕊稍短于下唇，退化雄蕊近圆形或宽略过于长；花柱仅略长于卵形的子房，长 3 ~ 4mm。蒴果尖卵形，连同短喙长 9 ～ 10mm。

| **生境分布** | 生于海拔 2000 ～ 2500m 的空旷草地或灌丛草地。分布于重庆开州、城口、巫溪等地。

| **资源情况** | 野生资源稀少。药材主要来源于野生。

| **采收加工** | 秋季采挖，洗净，晒干。

| **功能主治** | 苦，凉。清热解毒。用于肠炎，痢疾，疮疡肿毒。

| **用法用量** | 内服煎汤，10 ～ 15g。

玄参科 Scrophulariaceae 阴行草属 Siphonostegia

阴行草 *Siphonostegia chinensis* Benth.

| 药 材 名 | 阴行草（药用部位：全草。别名：金钟茵陈、黄花茵陈、吊钟草）。

| 形态特征 | 一年生草本，高 30 ~ 60cm，有时可达 80cm。茎直立，上部分枝，通常被白色柔毛。叶对生，长 2 ~ 6cm，宽 1.5 ~ 3cm，羽状分裂，裂片 3 ~ 4 对，边缘常有不整齐的齿状缺刻，基部狭窄下延成叶状柄；苞片披针形至线形，近全缘或 3 浅裂。花单朵腋生及顶生，排列成总状花序；花萼筒状，长约 2cm，被短粗毛，先端 5 裂，外表有绿色纵棱 10；花冠唇形，黄色，长约 2.5cm，上唇兜状，全缘，下唇 3 裂，中央 1 裂片较大，外面被柔毛；雄蕊 4，二强；雌蕊 1，子房上位，2 室，花柱伸出上唇外，微向上弯，柱头略膨大。蒴果椭圆形，长约 12mm，宽约 3mm，先端尖锐，胞背开裂；种子多数，黑色。花期 8 ~ 9 月，果期 11 ~ 12 月。

阴行草

| **生境分布** | 生于山地荒坡或林缘草丛中。分布于重庆丰都、秀山、南川、大足等地。

| **资源情况** | 野生资源稀少。药材主要来源于野生。

| **采收加工** | 夏、秋季采割，干燥。

| **药材性状** | 本品茎呈方柱形，上部多分枝，长 30 ～ 100cm，全体被短毛；表面棕褐色至紫褐色；质坚硬、脆，易折断，断面黄白色，中空，纤维性。叶在中、下部常对生，在上部互生，羽状深裂。总状花序顶生，花有短柄；花萼筒状，长约 1.5cm，直径约 3mm，黑棕色，表面有明显的纵棱 10，先端 5 裂；花冠棕黄色，多脱落。蒴果狭卵形或椭圆形，棕黑色，长 5 ～ 10mm，具多数纵纹；质脆，易破裂。种子多数，细小，表面皱缩。气微，味淡。

| **功能主治** | 苦，寒。归心、肝、脾经。清热利湿，凉血祛瘀。用于湿热黄疸，尿路结石，小便不利，便血，外伤出血。

| **用法用量** | 内服煎汤，6 ～ 9g。外用适量，研末调敷患处。

玄参科 Scrophulariaceae 蝴蝶草属 *Torenia*

光叶蝴蝶草 *Torenia glabra* Osbeck

| 药 材 名 |　水韩信草（药用部位：全草。别名：蓝花草、水远志、倒胆草）。

| 形态特征 |　匍匐或多少直立草本。节上生根。分枝多，长而纤细。叶具长 2 ~ 8mm 之叶柄；叶片三角状卵形、长卵形或卵圆形，长 1.5 ~ 3.2cm，宽 1 ~ 2cm，边缘具带短尖的圆锯齿，基部突然收缩，多少截形或宽楔形，无毛或疏被柔毛。花具 0.5 ~ 2cm 之花梗，单朵腋生或顶生，或排列成伞形花序；花萼具 5 宽略超过 1mm 而多少下延之翅，长 0.8 ~ 1.5cm，果期长 1.5 ~ 2cm，萼齿 2，长三角形，先端渐尖，果期开裂成 5 小尖齿；花冠长 1.5 ~ 2.5cm，其超出萼齿的部分长 4 ~ 10mm，紫红色或蓝紫色；前方 1 对花丝各具 1 长 1 ~ 2mm 之线状附属物。花果期 5 月至翌年 1 月。

光叶蝴蝶草

| 生境分布 | 生于海拔 300 ～ 1700m 的山坡、路旁或阴湿处。分布于重庆綦江、大足、潼南、合川、忠县、璧山、涪陵、永川、江津、云阳、南岸、荣昌等地。

| 资源情况 | 野生资源较丰富。药材主要来源于野生。

| 采收加工 | 夏、秋季采收，鲜用或晒干。

| 功能主治 | 甘、微苦，凉。清热利湿，解毒，散瘀。用于热咳，黄疸，泻痢，血淋，疔毒，蛇咬伤，跌打损伤。

| 用法用量 | 内服煎汤，15 ～ 30g。外用鲜品适量，捣敷。

| 附　注 | 在 FOC 中，本种被修订为长叶蝴蝶草 *Torenia asiatica* L.。

玄参科 Scrophulariaceae 蝴蝶草属 Torenia

紫萼蝴蝶草
Torenia violacea (Azaola) Pennell

| **药 材 名** | 紫色翼萼（药用部位：全草。别名：香椒草、金笨汁、马铃草）。

| **形态特征** | 一年生草本。直立草本或多少外倾，高 8 ~ 35cm。自近基部起分枝。叶具长 5 ~ 20mm 之叶柄；叶片卵形或长卵形，先端渐尖，基部楔形或多少截形，长 2 ~ 4cm，宽 1 ~ 2cm，向上逐渐变小，边缘具略带短尖的锯齿，两面疏被柔毛。花具长约 1.5cm 之花梗，果期花梗长可达 3cm，在分枝顶部排成伞形花序或单生叶腋，稀可同时有总状排列的存在；花萼矩圆状纺锤形，具 5 翅，长 1.3 ~ 1.7cm，宽 0.6 ~ 0.8cm，果期长达 2cm，宽 1cm，翅宽达 2.5mm 而略带紫红色，基部圆形，翅几不延，顶部裂成 5 小齿；花冠长 1.5 ~ 2.2cm，其超出萼齿部分仅 2 ~ 7mm，淡黄色或白色；上唇多少直立，近于圆形，直径约 6mm；下唇三裂片彼此近于相等，长约 3mm，宽约 4mm，

紫萼蝴蝶草

各有 1 蓝紫色斑块，中裂片中央有 1 黄色斑块，花丝不具附属物。

| **生境分布** | 生于海拔 200 ～ 2000m 的山坡草地、林下、田边或路旁潮湿处。分布于重庆綦江、潼南、长寿、北碚、合川、九龙坡、巫溪、巫山、万州、南川、江津等地。

| **资源情况** | 野生资源一般。药材主要来源于野生。

| **采收加工** | 夏、秋季采收，洗净，晒干。

| **功能主治** | 微苦，凉。清热解毒，利湿止咳，化痰。用于小儿疳积，吐泻，胃肠炎，痢疾，目赤，结膜炎，黄疸，尿血，疔疮痈肿，毒蛇咬伤。

| **用法用量** | 内服煎汤，10 ～ 15g。

玄参科 Scrophulariaceae 毛蕊花属 Verbascum

毛蕊花 *Verbascum thapsus* L.

毛蕊花

药材名

毛蕊花（药用部位：全草。别名：一柱香、大毛叶、龟与箭）。

形态特征

二年生草本，高达 1.5m，全株被密而厚的浅灰黄色星状毛。基生叶和下部的茎生叶倒披针状矩圆形，基部渐狭成短柄状，长达 15cm，宽达 6cm，边缘具浅圆齿，上部茎生叶逐渐缩小而渐变为矩圆形至卵状矩圆形，基部下延成狭翅。穗状花序圆柱状，长达 30cm，直径达 2cm，结果时还可伸长和变粗，花密集，数朵簇生在一起（至少下部如此），花梗很短；花萼长约 7mm，裂片披针形；花冠黄色，直径 1 ~ 2cm；雄蕊 5，后方 3 的花丝有毛，前方 2 的花丝无毛，花药基部多少下延而成"个"字形。蒴果卵形，约与宿存的花萼等长。花期 6 ~ 8 月，果期 7 ~ 10 月。

生境分布

栽培于平地，或逸为野生。分布于重庆南川、长寿、北碚、江津等地。

| **资源情况** | 野生和栽培资源均稀少。药材主要来源于栽培。

| **采收加工** | 夏、秋季采收，除去泥土、杂质，鲜用或阴干。

| **功能主治** | 辛、苦，凉；有小毒。归心、肝经。清热解毒，止血散瘀。用于肺炎，慢性阑尾炎，疮毒，跌打损伤，创伤出血等。

| **用法用量** | 内服煎汤，10 ~ 15g。外用适量，研粉或鲜品捣敷。

| **附　注** | 本种喜温暖、向阳而较干燥的环境。以疏松、肥沃的砂壤土栽培为好。

玄参科 Scrophulariaceae 婆婆纳属 Veronica

北水苦荬 *Veronica anagallis-aquatica* L.

北水苦荬

| 药 材 名 |

水苦荬（药用部位：地上部分。别名：接骨仙桃、夺命丹、活血丹）。

| 形态特征 |

多年生（稀为一年生）草本，通常全体无毛，极少在花序轴、花梗、花萼和蒴果上有几根腺毛。根茎斜走。茎直立或基部倾斜，不分枝或分枝，高 10 ~ 100cm。无叶柄，上部的叶半抱茎，多为椭圆形或长卵形，少为卵状矩圆形，更少为披针形，长 2 ~ 10cm，宽 1 ~ 3.5cm，全缘或有疏而小的锯齿。花序比叶长，多花；花梗与苞片近等长，上升，与花序轴成锐角，果期弯曲向上，使蒴果靠近花序轴，花序通常不宽于 1cm；花萼裂片卵状披针形，急尖，长约 3mm，果期直立或叉开，不紧贴蒴果；花冠浅蓝色、浅紫色或白色，直径 4 ~ 5mm，裂片宽卵形；雄蕊短于花冠。蒴果近圆形，长、宽近相等，几乎与萼等长，先端圆钝而微凹，花柱长约 2mm。

| 生境分布 |

生于海拔 250 ~ 2500m 的水边、沼泽。分布于重庆巫溪、九龙坡、垫江、涪陵、彭水、秀山、南川、江津、永川等地。

| **资源情况** | 野生资源一般。药材主要来源于野生。

| **采收加工** | 夏季花开时采收，除去根及杂质，晒干。

| **药材性状** | 本品茎呈圆柱形，稍扁，微具棱线；表面绿褐色；质脆，易折断，断面中空。叶对生，无柄，多破碎，完整者呈披针形，长 1 ~ 7cm，宽 0.5 ~ 2cm，全缘或有小齿，两面无毛。总状花序腋生；花梗纤细，长 2 ~ 5mm；苞片 4，卵状披针形，较花冠略短；花冠浅褐色。果实近球形，直径约 2.5mm。气微，味微苦。

| **功能主治** | 苦，凉。归肺、肝、肾经。清热利湿，止血化瘀。用于感冒，喉痛，劳伤咯血，痢疾，血淋，月经不调，疝气，疔疮，跌打损伤，高血压，胃痛，咯血，骨折。

| **用法用量** | 内服煎汤，10 ~ 30g。或研末。外用适量，取鲜品捣烂，外敷患处；或研末调敷患处。

玄参科 Scrophulariaceae 婆婆纳属 Veronica

直立婆婆纳 Veronica arvensis L.

| 药 材 名 | 脾寒草（药用部位：全草）。

| 形态特征 | 小草本。茎直立或上升，不分枝或铺散分枝，高 5 ~ 30cm，有 2 列多细胞白色长柔毛。叶常 3 ~ 5 对，下部的有短柄，中上部的无柄，卵形至卵圆形，长 5 ~ 15mm，宽 4 ~ 10mm，具 3 ~ 5 脉，边缘具圆或钝齿，两面被硬毛。总状花序长而多花，长可达 20cm，各部分被多细胞白色腺毛；苞片下部的长卵形而疏具圆齿至上部的长椭圆形而全缘；花梗极短；花萼长 3 ~ 4mm，裂片条状椭圆形，前方 2 长于后方 2；花冠蓝紫色或蓝色，长约 2mm，裂片圆形至长矩圆形；雄蕊短于花冠。蒴果倒心形，强烈侧扁，长 2.5 ~ 3.5mm，宽略过之，边缘有腺毛，凹口很深，几乎为果实一半长，裂片圆钝，宿存的花柱不伸出凹口；种子矩圆形，长近 1mm。

直立婆婆纳

| 生境分布 | 生于海拔 2000m 以下的路边或荒野草地。分布于重庆丰都、南岸、九龙坡、南川等地。

| 资源情况 | 野生资源稀少。药材主要来源于野生。

| 采收加工 | 春、夏季采收，鲜用或晒干。

| 功能主治 | 苦，寒。清热，除疟。用于痰热咳嗽，小儿惊痫，瘰疬痰核，痈疽，疟疾。

| 用法用量 | 内服煎汤，10 ~ 15g，鲜品 30 ~ 60g。

玄参科 Scrophulariaceae 婆婆纳属 *Veronica*

婆婆纳
Veronica didyma Tenore

| 药 材 名 | 婆婆纳（药用部位：全草。别名：双肾草、菜肾草、卵子草）。

| 形态特征 | 铺散生、多分枝草本，多少被长柔毛，高10～25cm。叶2～4对（腋间有花的为苞片，见下），具长3～6mm的短柄，叶片心形至卵形，长5～10mm，宽6～7mm，每边有2～4深刻的钝齿，两面被白色长柔毛。总状花序很长；苞片叶状，下部的对生或全部互生；花梗比苞片略短；花萼裂片卵形，先端急尖，果期稍增大，三出脉，疏被短硬毛；花冠淡紫色、蓝色、粉色或白色，直径4～5mm，裂片圆形至卵形；雄蕊比花冠短。蒴果近于肾形，密被腺毛，略短于花萼，宽4～5mm，凹口约为90°角，裂片先端圆，脉不明显，宿存的花柱与凹口平齐或略过之；种子背面具横纹，长约1.5mm。

婆婆纳

| **生境分布** | 生于海拔 250 ~ 1900m 的荒地、沟边或田边。分布于重庆垫江、大足、秀山、永川、武隆、开州、铜梁、巫溪、巫山、梁平等地。

| **资源情况** | 野生资源较丰富。药材主要来源于野生。

| **采收加工** | 3 ~ 4 月采收，除去杂草、泥土，晾干或鲜用。

| **功能主治** | 甘，凉。归肝、肾经。凉血止血，理气止痛。用于吐血，疝气，睾丸炎，带下等。

| **用法用量** | 内服煎汤，15 ~ 30g，鲜品 60 ~ 90g；或捣汁饮。

| **附　　注** | 在 FOC 中，本种的拉丁学名被修订为 *Veronica polita* Fries。

玄参科 Scrophulariaceae 婆婆纳属 Veronica

华中婆婆纳
Veronica henryi Yamazaki

| 药 材 名 | 婆婆纳（药用部位：全草）。

| 形态特征 | 一年生或二年生草本。植株高 8 ～ 25cm。茎直立、上升或中下部
匍匐，着地部分节外也生根，下部近无毛，上部被细柔毛，常红紫
色，分枝或否。叶 4 ～ 6 对，在茎上均匀分布或上部较密，下部的
叶具长近 1cm 的叶柄，上部的叶具短柄；叶片薄纸质，卵形至长
卵形，长 2 ～ 5cm，宽 1.2 ～ 3cm，基部通常楔形，少钝，先端常
急尖，边缘齿尖向叶顶，两面无毛或仅上面被短柔毛或两面都被短
柔毛。总状花序 1 ～ 4 对，侧生于茎上部叶腋，长 3 ～ 6cm，有疏
生的花数朵，总梗长 0.5 ～ 1.5cm，花序轴和花梗被细柔毛；苞片
条状披针形，比花梗短，无毛；花梗直，花期长 1 ～ 2mm，果期
长 3mm；花萼裂片条状披针形，无毛，花期长 3 ～ 4mm，果期稍

华中婆婆纳

伸长；花冠白色或淡红色，具紫色条纹，直径约 10mm；雄蕊略短于花冠。蒴果折扇状菱形，长 4 ~ 5mm，宽 9 ~ 11mm，基部成大于 120° 的角，有的几乎平截形，上缘疏生多细胞腺质硬睫毛，花柱长 2 ~ 3mm；种子长 1.5mm。

| 生境分布 | 生于海拔 500 ~ 2300m 的阴湿地。分布于重庆丰都、彭水、石柱、涪陵、秀山、南川、南岸、城口、巫山、万州、酉阳、黔江等地。

| 资源情况 | 野生资源一般。药材主要来源于野生。

| 采收加工 | 7 ~ 9 月采收，晒干或鲜用。

| 功能主治 | 甘、淡，凉。归肝、肾经。补肾强腰，解毒消肿。用于肾虚腰痛，疝气，睾丸肿痛，带下，痈肿。

| 用法用量 | 内服煎汤，15 ~ 30g，鲜品 60 ~ 90g；或捣汁饮。

玄参科 Scrophulariaceae 婆婆纳属 Veronica

疏花婆婆纳 *Veronica laxa* Benth.

| **药 材 名** | 婆婆纳（药用部位：全草）。

| **形态特征** | 植株高（15 ~）50 ~ 80cm，全体被白色多细胞柔毛。茎直立或上升，
不分枝。叶无柄或具极短的叶柄，叶片卵形或卵状三角形，长 2 ~ 5cm，
宽 1 ~ 3cm，边缘具深刻的粗锯齿，多为重锯齿。总状花序单支或
成对，侧生于茎中上部叶腋，长而花疏离，果期长达 20cm；苞片宽
条形或倒披针形，长约 5mm；花梗比苞片短得多；花萼裂片条状长
椭圆形，花期长 4mm，果期长 5 ~ 6mm；花冠辐状，紫色或蓝色，
直径 6 ~ 10mm，裂片圆形至菱状卵形；雄蕊与花冠近等长。蒴果
倒心形，长 4 ~ 5mm，宽 5 ~ 6mm，基部楔状浑圆，有多细胞睫毛，
花柱长 3 ~ 4mm；种子南瓜子形，长略过 1mm。

疏花婆婆纳

| 生境分布 | 生于海拔 1500 ~ 2500m 的沟谷阴处。分布于重庆垫江、忠县、城口、丰都、酉阳、南川、涪陵、长寿、云阳、武隆、巫溪、九龙坡、巫山、万州等地。 |

| 资源情况 | 野生资源一般。药材主要来源于野生。 |

| 采收加工 | 7 ~ 9 月采收，晒干或鲜用。 |

| 功能主治 | 苦、凉。收敛，止血，调经。用于疮疡肿毒，吐血，疝气，睾丸炎，带下。 |

| 用法用量 | 内服煎汤，25 ~ 50g。 |

玄参科 Scrophulariaceae 婆婆纳属 Veronica

蚊母草
Veronica peregrina L.

| 药 材 名 | 仙桃草（药用部位：带虫瘿的全草。别名：水蓑衣、英桃草、小头红）。

| 形态特征 | 一年生草本。植株高 10 ~ 25cm。通常自基部多分枝，主茎直立，侧枝披散，全体无毛或疏被柔毛。叶无柄，下部的倒披针形，上部的长矩圆形，长 1 ~ 2cm，宽 2 ~ 6mm，全缘或中上端有三角状锯齿。总状花序长，果期达 20cm；苞片与叶同形而略小；花梗极短；花萼裂片长矩圆形至宽条形，长 3 ~ 4mm；花冠白色或浅蓝色，长 2mm，裂片长矩圆形至卵形；雄蕊短于花冠。蒴果倒心形，明显侧扁，长 3 ~ 4mm，宽略过之，边缘生短腺毛，宿存的花柱不超出凹口；种子矩圆形。花期 5 ~ 6 月。

| 生境分布 | 生于潮湿荒地、田野或路边。分布于重庆垫江、涪陵、石柱、秀山、

蚊母草

南川、江津、万州、巫溪等地。

| 资源情况 | 野生资源一般。药材主要来源于野生。

| 采收加工 | 春、夏季采收果未开裂的全草，剪去根，拣净杂质，晒干或用文火烘干。

| 药材性状 | 本品须根丛生，细而卷曲；表面棕灰色至棕色；折断面白色。茎圆柱形，直径约 1mm；表面枯黄色或棕色，老茎微带紫色，有纵纹；质柔软，折断面中空。叶大多脱落，残留的叶片淡棕色或棕黑色，皱缩卷曲。蒴果棕色，有多数细小而扁的种子。种子淡棕色，有虫瘿的果实膨大成肉质桃形。气微，味淡。以虫瘿多、内有小虫者为佳。

| 功能主治 | 甘、微辛，平。归肝、胃、肺经。化瘀止血，清热消肿，止痛。用于跌打损伤，咽喉肿痛，痈疽疮疡，咯血，吐血，衄血，胃气痛，疝气痛，痛经等。

| 用法用量 | 内服煎汤，10 ~ 30g；或研末；或捣汁服。外用鲜品适量，捣敷；或煎汤洗。孕妇忌服。

| 附　　注 | 本种喜温暖向阳环境，在潮湿的河边湿地、水稻田旁易生长。以疏松、肥沃的夹砂土栽培为宜。生产中采用种子繁殖方式。

玄参科 Scrophulariaceae 婆婆纳属 Veronica

阿拉伯婆婆纳 *Veronica persica* Poir.

| **药 材 名** | 肾子草（药用部位：全草。别名：灯笼草、灯笼婆婆纳）。

| **形态特征** | 铺散多分枝草本，高 10 ~ 50cm。茎密生 2 列多细胞柔毛。叶 2 ~ 4 对（腋内生花的称苞片，见下面），具短柄，卵形或圆形，长 6 ~ 20mm，宽 5 ~ 18mm，基部浅心形，平截或浑圆，边缘具钝齿，两面疏生柔毛。总状花序很长；苞片互生，与叶同形且几乎等大；花梗比苞片长，有的超过 1 倍；花萼花期长仅 3 ~ 5mm，果期增大达 8mm，裂片卵状披针形，有睫毛，三出脉；花冠蓝色、紫色或蓝紫色，长 4 ~ 6mm，裂片卵形至圆形，喉部疏被毛；雄蕊短于花冠。蒴果肾形，长约 5mm，宽约 7mm，被腺毛，成熟后几乎无毛，网脉明显，凹口角度超过 90°，裂片钝，宿存的花柱长约 2.5mm，超出凹口；种子背面具深的横纹，长约 1.6mm。花期 3 ~ 5 月。

阿拉伯婆婆纳

| **生境分布** | 生于路边或荒野。重庆各地均有分布。 |

| **资源情况** | 野生资源丰富。药材主要来源于野生。 |

| **采收加工** | 夏季采收，鲜用或晒干。 |

| **功能主治** | 辛、苦、咸，平。祛风除湿，壮腰，截疟。用于风湿痹痛，肾虚腰痛，疟疾。 |

| **用法用量** | 内服煎汤，15 ~ 30g。外用适量，煎汤熏洗。 |

玄参科 Scrophulariaceae 婆婆纳属 Veronica

水苦荬 *Veronica undulata* Wall.

| **药 材 名** | 水苦荬（药用部位：带虫瘿的地上部分。别名：半边山、谢婆菜、水莴苣）。

| **形态特征** | 多年生（稀为一年生）草本。本种与北水苦荬在形态上极为相似，唯植株稍矮些；叶片有时为条状披针形，通常叶缘有尖锯齿；茎、花序轴、花萼和蒴果上多少被大头针状腺毛；花梗在果期挺直，横叉开，与花序轴几乎成直角，因而花序宽过 1cm，可达 1.5cm；花柱也较短，长 1 ~ 1.5mm。

| **生境分布** | 生于海拔 2000m 以下的水边或沼泽地。分布于重庆南岸、大足、涪陵、丰都、长寿、綦江、忠县、开州、九龙坡、荣昌等地。

水苦荬

| **资源情况** | 野生资源一般。药材主要来源于野生。

| **采收加工** | 夏季采集有虫瘿果的全草，洗净，切碎，晒干或鲜用。

| **药材性状** | 本品长（20 ~ ）50 ~ 80cm，根茎斜走。茎上部圆柱形，常皱缩而呈纵棱状，基部类四方形，具纵沟；表面浅黄绿色至浅棕黄色；质柔韧，不易折断，切面黄白色，中空。叶对生，皱缩，易破碎，完整者展平后呈狭卵状矩圆形至条状披针形，长 2 ~ 5cm，宽 0.5 ~ 2cm，先端渐尖或钝尖，基部无柄而稍抱茎，脱落后留有环状残痕，两面均无毛。总状花序腋生，果梗与花序轴几乎排列成直角。蒴果近圆形，直径 2 ~ 3mm；先端微凹。种子多数，细小。茎、花序轴、花梗、花萼和果实多少有大头针状腺毛。气微，味淡。

| **功能主治** | 苦，寒。止血，止痛，活血，消肿。用于咯血，胃痛，风湿痛，跌打损伤，痛经，痈肿。

| **用法用量** | 内服煎汤，9 ~ 30g；或研末冲服。外用适量，鲜品捣敷。

玄参科 Scrophulariaceae 腹水草属 Veronicastrum

爬岩红

Veronicastrum axillare (Sieb. et Zucc.) Yamazaki

爬岩红

| 药材名 |

腹水草（药用部位：全草。别名：两头爬、钓鱼竿、霜里红）。

| 形态特征 |

多年生草本。根茎短而横走。茎弯曲，先端着地生根，圆柱形，中上部有条棱，无毛或极少在棱处被疏毛。叶互生，叶片纸质，无毛，卵形至卵状披针形，长 5 ~ 12cm，先端渐尖，边缘具偏斜的三角状锯齿。花序腋生，极少顶生于侧枝上，长 1 ~ 3cm；苞片和花萼裂片条状披针形至钻形，无毛或被疏睫毛；花冠紫色或紫红色，长 4 ~ 5mm，裂片长近 2mm，狭三角形；雄蕊略伸出至伸出达 2mm，花药长 0.6 ~ 1.5mm。蒴果卵球形，长约 3mm；种子矩圆形，长 0.6mm，有不甚明显的网纹。花期 7 ~ 9 月。

| 生境分布 |

生于林下、林缘草地或山谷阴湿处。分布于重庆江津、忠县、涪陵等地。

| 资源情况 |

野生资源稀少。药材主要来源于野生。

| **采收加工** | 7～8月花期采挖，除去杂质，晒干。

| **功能主治** | 苦、辛，凉；有小毒。逐水消肿，清热解毒。用于水肿，腹水，疮疡肿痛。

| **用法用量** | 内服煎汤，4.5～9g。外用捣敷。孕妇禁用，体弱者慎用。

玄参科 Scrophulariaceae 腹水草属 *Veronicastrum*

四方麻 *Veronicastrum caulopterum* (Hance) Yamazaki

四方麻

| 药 材 名 |

四方麻（药用部位：全草。别名：山练草、四角草、青鱼胆）。

| 形态特征 |

直立草本，全体无毛，高达 1m。茎多分枝，有宽达 1mm 的翅。叶互生，从几乎无柄至有长达 4mm 的叶柄；叶片矩圆形，卵形至披针形，长 3 ~ 10cm，宽 1.2 ~ 4cm。花序顶生于主茎及侧枝上，长尾状；花梗长不超过 1mm；花萼裂片钻状披针形，长约 1.5mm；花冠血红色、紫红色或暗紫色，长 4 ~ 5mm，筒部约占一半长，后方裂片卵圆形至前方裂片披针形。蒴果卵形或卵圆形，长 2 ~ 3.5mm。花期 8 ~ 11 月。

| 生境分布 |

生于海拔 2000m 以下的山谷草丛、疏林下。分布于重庆石柱、涪陵、江津、南川等地。

| 资源情况 |

野生资源稀少。药材来源于野生。

| 采收加工 |

秋季采收，鲜用或晒干。

| **功能主治** | 苦，寒。清热解毒，消肿止痛。用于流行性腮腺炎，咽喉肿痛，肠炎，痢疾，淋巴结结核，痈疽肿毒，湿疹，烫火伤，跌打损伤。 |

| **用法用量** | 内服煎汤，10 ~ 15g。外用适量，研末调敷；或鲜品捣敷、捣汁涂。 |

玄参科 Scrophulariaceae 腹水草属 Veronicastrum

宽叶腹水草
Veronicastrum latifolium (Hemsl.) Yamazaki

| 药 材 名 | 钓鱼竿（药用部位：全草。别名：见毒清、腹水草、一串鱼）。

| 形态特征 | 多年生草本。茎细长，弯曲，先端着地生根，长超过 1m，圆柱形，仅上部有时有狭棱，通常被黄色倒生短曲毛，少完全无毛。叶具短柄，叶片圆形至卵圆形，长 3 ~ 7cm，宽 2 ~ 5cm，长略超过宽，基部圆形，平截形或宽楔形，先端短渐尖，通常两面疏被短硬毛，少完全无毛，边缘具三角状锯齿。花序腋生，少兼顶生于侧枝上，长 1.5 ~ 4cm；苞片和花萼裂片有睫毛；花冠淡紫色或白色，长约 5mm，裂片短，正三角形，长不及 1mm。蒴果卵形，长 2 ~ 3mm；种子卵球形，长 0.3mm，具浅网纹。花期 8 ~ 9 月。

| 生境分布 | 生于海拔 300 ~ 1200m 的林中或灌丛中，有时倒挂于岩石上。分布

宽叶腹水草

于重庆黔江、垫江、石柱、潼南、彭水、巫溪、忠县、涪陵、綦江、北碚、南岸等地。

| **资源情况** | 野生资源较丰富。药材主要来源于野生。

| **采收加工** | 夏季采收，鲜用或晒干。

| **功能主治** | 微苦，凉。清热解毒，行水，散瘀。用于肺热咳痰，痢疾，肝炎，水肿，跌打损伤，烫火伤等。

| **用法用量** | 内服煎汤，10 ~ 15g。外用鲜品适量，捣敷。孕妇忌服。

玄参科 Scrophulariaceae 腹水草属 Veronicastrum

细穗腹水草
Veronicastrum stenostachyum (Hemsl.) Yamazaki

| 药 材 名 | 腹水草（药用部位：全草。别名：钓鱼竿、串鱼草、小串鱼）。

| 形态特征 | 多年生草本。根茎短而横走。茎圆柱状，有条棱，多弯曲，先端着地生根，少近直立而先端生花序，长可达1m余，无毛。叶互生，具短柄，叶片纸质至厚纸质，长卵形至披针形，长7～20cm，宽2～7cm，先端长渐尖，边缘为具凸尖的细锯齿，下面无毛，上面仅主脉上被短毛，少全面被短毛。花序腋生，有时顶生于侧枝上，也有兼生于茎先端的，长2～8cm，花序轴多少被短毛；苞片和花萼裂片通常短于花冠，少有近等长的，多少被短睫毛；花冠白色、紫色或紫红色，长5～6mm，裂片近于正三角形，长不及1mm。蒴果卵形；种子小，具网纹。

细穗腹水草

| **生境分布** | 生于海拔 400 ～ 1300m 的灌丛中、林下或阴湿处。分布于重庆黔江、綦江、南岸、石柱、北碚、城口、长寿、武隆、荣昌等地。

| **资源情况** | 野生资源较丰富。药材主要来源于野生。

| **采收加工** | 夏季采收，鲜用或晒干。

| **功能主治** | 苦、辛，凉；有小毒。逐水消肿，清热解毒。用于水肿，腹水，疮疡肿痛。

| **用法用量** | 内服煎汤，4.5 ～ 9g。外用适量，捣敷。

| **附　　注** | 本种喜温暖气候。栽培以土层深厚、排水良好、肥沃疏松的土壤为宜。

玄参科 Scrophulariaceae 腹水草属 *Veronicastrum*

南川腹水草

Veronicastrum stenostachyum (Hemsl.) Yamazaki subsp. *nanchuanense* Chin et Hong

南川腹水草

| 药 材 名 |

南川腹水草（药用部位：全草。别名：钓鱼竿）。

| 形态特征 |

多年生草本。茎直立，高约50cm，分枝，被黄色倒生短卷毛，毛密或疏。茎圆柱形，有条棱，多弯曲，先端着地生根，少近直立而先端生花序，长可超过1m，无毛。叶互生，具短柄，叶片纸质至厚纸质，叶卵形至卵状披针形，长7～20cm，宽2～7cm，先端长渐尖，边缘具三角状锯齿，少为细齿，下面无毛，上面仅主脉上被短毛，少全面被短毛。花序腋生，且兼顶生，长2～8cm，花序轴多少被短毛；花萼裂片丝状，比苞片短，几乎无毛；花冠淡红色，长5～6mm，裂片近于正三角形，长不及1mm。蒴果卵状；种子小，具网纹。花期6～8月。

| 生境分布 |

生于海拔800～1300m的林缘或灌丛中。分布于重庆巴南、南川等地。

| 资源情况 |

野生资源稀少。药材主要来源于野生。

| **采收加工** | 夏季采收，鲜用或晒干。 |

| **功能主治** | 微苦，凉。清热解毒，利水消肿，散瘀止痛，止咳定喘。用于肺热咳嗽，肝炎，水肿，跌打损伤，蛇咬伤，烫火伤。 |

| **用法用量** | 内服煎汤，适量。外用适量，捣敷。 |

腹水草 *Veronicastrum stenostachyum* (Hemsl.) Yamazaki subsp. *plukenetii* (Yamazaki) Hong

| **药 材 名** | 腹水草（药用部位：全草。别名：钓鱼竿、腹水草、见毒消）。

| **形态特征** | 多年生草本。茎弯曲，先端着地生根，多少被黄色倒生卷毛。叶长卵形至卵状披针形，膜质至纸质，长 9 ~ 16cm，宽 3 ~ 6cm。花序长 1.5 ~ 5cm；苞片及花萼裂片钻形，具睫毛或否。

| **生境分布** | 生于海拔 400 ~ 1300m 的林中或灌丛中，或倒挂于岩石上。分布于重庆万州、丰都、璧山、忠县、潼南、合川、巫山、涪陵、奉节、城口、永川、铜梁、云阳、垫江、秀山、武隆、长寿、北碚、开州、巫溪、南岸、梁平、巴南、沙坪坝、荣昌等地。

| **资源情况** | 野生资源丰富。药材主要来源于野生。

腹水草

| **采收加工** | 夏季采收，鲜用或晒干。

| **功能主治** | 苦、辛，凉；有小毒。逐水消肿，清热解毒。用于水肿，腹水，疮疡肿痛。

| **用法用量** | 内服煎汤，4.5～9g。外用适量，捣敷。

| **附　　注** | 本种喜温暖气候。栽培以土层深厚、排水良好、肥沃疏松的土壤为宜。

███ 紫葳科 ███ Bignoniaceae ███ 凌霄属 ███ *Campsis*

凌霄
Campsis grandiflora (Thunb.) Schum.

| 药 材 名 | 凌霄花（药用部位：花。别名：杜灵霄花、吊墙花）、紫葳茎叶（药用部位：茎叶。别名：凌霄藤、争墙风）、紫葳根（药用部位：根。别名：凌霄花根）。

| 形态特征 | 攀缘藤本。茎木质，表皮脱落，枯褐色，以气生根攀附于它物之上。叶对生，为奇数羽状复叶；小叶 7 ~ 9，卵形至卵状披针形，先端尾状渐尖，基部阔楔形，两侧不等大，长 3 ~ 6（~ 9）cm，宽 1.5 ~ 3（~ 5）cm，侧脉 6 ~ 7 对，两面无毛，边缘有粗锯齿；叶轴长 4 ~ 13cm；小叶柄长 5（~ 10）mm。顶生疏散的短圆锥花序，花序轴长 15 ~ 20cm；花萼钟状，长 3cm，分裂至中部，裂片披针形，长约 1.5cm；花冠内面鲜红色，外面橙黄色，长约 5cm，裂片半圆形；雄蕊着生于花冠筒近基部，花丝线形，细长，长 2 ~ 2.5cm，花药黄色，

凌霄

"个"字形着生；花柱线形，长约 3cm，柱头扁平，2 裂。蒴果先端钝。

| **生境分布** | 生于坡地或林缘。分布于重庆綦江、云阳、涪陵、南川等地。

| **资源情况** | 野生资源一般。药材主要来源于栽培。

| **采收加工** | 凌霄花：夏、秋季花盛开时采摘，干燥。

紫葳茎叶：夏、秋季采收，晒干。

紫葳根：全年均可采挖，洗净，切片，晒干。

| **药材性状** | 凌霄花：本品多皱缩卷曲，黄褐色或棕褐色，完整者长 4 ~ 5cm。萼筒钟状，长 2 ~ 2.5cm，裂片 5，裂至中部，萼筒基部至萼齿尖有 5 条纵棱。花冠先端 5 裂，裂片半圆形，下部联合成漏斗状，表面可见细脉纹，内表面较明显。雄蕊 4，着生在花冠上，2 长 2 短，花药"个"字形，花柱 1，柱头扁平。气清香，味微苦、酸。

紫葳根：本品呈长圆柱形。外表面黄棕色或土红色，有纵皱纹，并可见稀疏的支根或支根痕。质坚硬，断面纤维性，有线状物，皮部棕色，木部淡黄色。

| **功能主治** | 凌霄花：甘、酸，寒。归肝、心包经。活血通经，凉血祛风。用于月经不调，经闭癥瘕，产后乳肿，风疹发红，皮肤瘙痒，痤疮。

紫葳茎叶：苦，平。凉血，散瘀。用于血热生风，身痒，风疹，手脚酸软麻木，咽喉肿痛。

紫葳根：甘、辛，寒。归肝、脾、肾经。凉血，祛风，行瘀。用于血热生风，身痒，风疹，腰脚不遂，痛风。

| **用法用量** | 凌霄花：内服煎汤，5 ~ 9g。孕妇慎用。

紫葳茎叶：内服煎汤，15 ~ 25g。孕妇慎用。

紫葳根：内服煎汤，10 ~ 15g；入丸、散或浸酒。孕妇慎用。

| **附 注** | 本种喜温湿环境，对土壤要求不严，在砂壤土、黏土中均能生长。

紫葳科 Bignoniaceae 梓属 Catalpa

梓
Catalpa ovata G. Don

梓

药 材 名

梓白皮（药用部位：根皮或树皮的韧皮部。别名：梓皮、梓根白皮、梓树皮）、梓实（药用部位：果实）、梓叶（药用部位：叶）、梓木（药用部位：心材）。

形态特征

乔木，高达 15m。树冠伞形，主干通直，嫩枝具稀疏柔毛。叶对生或近于对生，有时轮生，阔卵形，长、宽近相等，长约 25cm，先端渐尖，基部心形，全缘或浅波状，常 3 浅裂，叶片上面及下面均粗糙，微被柔毛或近于无毛，侧脉 4 ~ 6 对，基部掌状脉 5 ~ 7；叶柄长 6 ~ 18cm。顶生圆锥花序；花序梗微被疏毛，长 12 ~ 28cm；花萼蕾时圆球形，2 唇开裂，长 6 ~ 8mm；花冠钟状，淡黄色，内面具 2 黄色条纹及紫色斑点，长约 2.5cm，直径约 2cm；能育雄蕊 2，花丝插生于花冠筒上，花药叉开；退化雄蕊 3；子房上位，棒状；花柱丝形，柱头 2 裂。蒴果线形，下垂，长 20 ~ 30cm，直径 5 ~ 7mm；种子长椭圆形，长 6 ~ 8mm，宽约 3mm，两端具有平展的长毛。

| **生境分布** | 栽培于庭院。分布于重庆城口、万州、涪陵、南川、綦江、北碚、秀山等地。

| **资源情况** | 野生资源稀少，栽培资源一般。药材来源于栽培。

| **采收加工** | 梓白皮：全年均可采收，晒干。

梓实：秋、冬季采摘，晒干。

梓叶：春、夏季采摘，鲜用或晒干。

梓木：全年均可采收，切薄片，晒干。

| **药材性状** | 梓白皮：本品呈块片状，大小不等，长 20 ~ 30cm，宽 2 ~ 3cm，厚 3 ~ 5mm，皮片多呈卷曲状。外表面栓皮棕褐色，皱缩，有小支根脱落的痕迹，但不具明显的皮孔，栓皮易脱落；内表面黄白色，平滑细致，有细小的网状纹理。断面不平整，有纤维（即皮层及韧皮部纤维），撕之不易成薄片。以皮块大、厚实、内色黄者为佳。

梓实：本品呈狭线形，新鲜时有强黏性，成熟时渐次消失；长 20 ~ 30cm，直径 5 ~ 9mm，稍弯转，暗棕色至黑棕色，有细纵皱纹并有光泽细点，粗糙而脆，基部有果柄，先端常破裂，露出种子。种子淡褐色，菲薄，长 5mm，宽 2 ~ 3mm，上下两端有长约 1cm 的白色光泽毛茸，中央内面有暗色脐点。种皮除去后即为胚，有子叶 2。气微，味淡。

| **功能主治** | 梓白皮：苦，寒。归胆、胃经。清热，解毒，杀虫。用于时病发热，黄疸，反胃，皮肤瘙痒，疮疥。

梓实：甘，平；无毒。利尿。用于浮肿。

梓叶：苦，寒。归心、肺经。清热解毒，杀虫止痒。

梓木：苦，寒。催吐，止痛。用于霍乱不吐不泻，手足痛风。

| **用法用量** | 梓白皮：内服煎汤，5 ~ 9g。外用研末调敷；或煎汤洗浴。

梓实：内服煎汤，9 ~ 15g。

梓叶：内服煎汤，适量。外用煎汤洗；或煎汤涂；或鲜品捣敷。

梓木：内服煎汤，5 ~ 9g。外用适量，煎汤熏蒸。

| **附　　注** | 本种喜温暖气候，也能耐寒。栽培土壤以深厚、湿润、肥沃的夹砂土为好。生产中采用种子繁殖方式，育苗移栽。

紫葳科 Bignoniaceae 角蒿属 Incarvillea

两头毛
Incarvillea arguta (Royle) Royle

| 药 材 名 | 两头毛（药用部位：全草。别名：哨呐花、黄鸡尾、马桶花）。

| 形态特征 | 多年生具茎草本，分枝，高达 1.5m。叶互生，一回羽状复叶，不聚生于茎基部，长约 15cm；小叶 5 ~ 11，卵状披针形，长 3 ~ 5cm，宽 15 ~ 20mm，先端长渐尖，基部阔楔形，两侧不等大，边缘具锯齿，上面深绿色，疏被微硬毛，下面淡绿色，无毛。顶生总状花序，有花 6 ~ 20；苞片钻形，长 3mm，小苞片 2，长不足 1.5mm；花梗长 0.8 ~ 2.5cm；花萼钟状，长 5 ~ 8mm，萼齿 5，钻形，长 1 ~ 4mm，基部近三角形；花冠淡红色、紫红色或粉红色，钟状长漏斗形，长约 4cm，直径约 2cm，花冠筒基部紧缩成细筒，裂片半圆形，长约 1cm，宽约 1.4cm；雄蕊 4，二强，着生于花冠筒近基部，长 1.8 ~ 2.2cm，不外伸；花药成对连着，"丁"字形着生；花柱细

两头毛

长，柱头舌状，极薄，2 片裂，子房细圆柱形。果实线状圆柱形，革质，长约
20cm；种子细小，多数，长椭圆形，两端尖，被丝状种毛。花期 3 ~ 7 月，
果期 9 ~ 12 月。

| **生境分布** | 生于海拔 1300 ~ 2250m 的干热河谷、山坡灌丛中。分布于重庆南川、云阳等地。

| **资源情况** | 野生资源稀少。药材主要来源于野生。

| **采收加工** | 秋季采收，除去杂质，干燥。

| **药材性状** | 本品根呈圆柱形，直径 0.3 ~ 1cm；表面灰棕色或棕褐色；质坚硬，断面不平坦，
淡黄色或棕黄色。茎呈圆柱形；表面灰绿色至灰黑色；质脆，易折断，断面黄
绿色，中央可见白色的髓。叶纸质，长卵形，先端渐尖，基部楔形，边缘具锯齿。
蒴果线状圆柱形，革质，长约 20cm。气香，根、茎味淡，叶味微苦。

| **功能主治** | 苦，凉。归肺、胃、肝经。清热解毒，利湿通淋，舒筋活血。用于口糜，牙龈肿痛，
咽喉肿痛，胃脘疼痛，胆石症，风湿痹痛，月经不调。

| **用法用量** | 内服煎汤，10 ~ 15g。

紫葳科 Bignoniaceae 硬骨凌霄属 Tecomaria

硬骨凌霄 *Tecomaria capensis* (Thunb.) Spach.

| **药 材 名** | 硬骨凌霄（药用部位：茎叶、花。别名：竹林标、驳骨软丝莲、红花倒水莲）。 |

| **形态特征** | 半藤状或近直立灌木。枝带绿褐色，常有上痂状突起。叶对生，单数羽状复叶；总叶柄长 3 ~ 6cm，小叶柄短；小叶多为 7，卵形至阔椭圆形，长 1 ~ 2.5cm，先端短尖或钝，基部阔楔形，边缘有不甚规则的锯齿，秃净或于背脉腋内被绵毛。总状花序顶生；花萼钟状，5 齿裂；花冠漏斗状，略弯曲，橙红色至鲜红色，有深红色的纵纹，长约 4cm，上唇凹入；雄蕊凸出。蒴果线形，长 2.5 ~ 5cm，略扁。花期春季。 |

| **生境分布** | 栽培于庭院。重庆各地均有分布。 |

硬骨凌霄

| **资源情况** | 野生资源稀少。药材主要来源于栽培。

| **采收加工** | 春、夏季采收茎叶，春季花开时采花，晒干。

| **功能主治** | 辛、微酸，微寒。清热散瘀，通经，利尿。用于肺痨，风热咳喘，咽喉肿痛，闭经，乳肿，风湿骨痛，跌打损伤。

| **用法用量** | 内服煎汤，10 ~ 15g。孕妇慎服。

| **附　注** | （1）在 FOC 中，本种的拉丁学名被修订为 *Tecoma capensis* Lindl.，属名被修订为黄钟花属 *Tecoma*。

（2）本种喜温暖湿润气候和充足的阳光。不耐寒，不耐阴。最适生长温度：4 ~ 10 月为 20 ~ 24℃；10 月至翌年 4 月为 12 ~ 16℃。冬季温度不可低于 8℃。萌发力强。对土壤要求不严，喜排水良好的砂壤土。切忌积水。

爵床科 Acanthaceae 鸭嘴花属 Adhatoda

鸭嘴花 *Adhatoda vasica* Nees

| 药 材 名 | 大驳骨（药用部位：全株。别名：大还魂、龙头草、大驳骨消）、鸭嘴花叶（药用部位：叶）。

| 形态特征 | 大灌木，高 1 ~ 3m。枝圆柱状，灰色，有皮孔，嫩枝密被灰白色微柔毛。叶纸质，矩圆状披针形至披针形，或卵形或椭圆状卵形，长 15 ~ 20cm，宽 4.5 ~ 7.5cm，先端渐尖，有时稍呈尾状，基部阔楔形，全缘，上面近无毛，背面被微柔毛；中脉在上面具槽，侧脉每边约 12；叶柄长 1.5 ~ 2cm。茎叶揉后有特殊臭气。穗状花序卵形或稍伸长；花梗长 5 ~ 10cm；苞片卵形或阔卵形，长 1 ~ 3cm，宽 8 ~ 15mm，被微柔毛；小苞片披针形，稍短于苞片，花萼裂片 5，矩圆状披针形，长约 8mm；花冠白色，有紫色条纹或粉红色，长 2.5 ~ 3cm，被柔毛，花冠管卵形，长约 6mm；药室椭圆形，基部

鸭嘴花

通常有球形附属物不明显。蒴果近木质，长约 0.5cm，上部具 4 种子，下部实心短柄状。

| **生境分布** | 栽培于庭院，或少量逸为野生。分布于重庆南川、南岸等地。

| **资源情况** | 野生资源稀少。药材主要来源于栽培。

| **采收加工** | 大驳骨：全年均可采收，晒干或鲜用。
鸭嘴花叶：全年均可采收，干燥。

| **药材性状** | 大驳骨：本品枝呈圆柱形，老枝光滑，幼枝密被灰白色微毛。叶对生，皱缩，完整者长圆状椭圆形至披针形，长 8 ~ 15cm，宽 3 ~ 6cm，先端渐尖，基部楔形，全缘，两面被微毛；叶柄明显。气微，揉搓后有特殊臭气。
鸭嘴花叶：本品多皱缩破碎，完整者展平后呈长圆状椭圆形至披针形，或卵形或椭圆状卵形，长 15 ~ 20cm，宽 4.5 ~ 7.5cm；全缘。上表面绿色至绿棕色，近无毛；下表面黄绿色至灰黄棕色，被微柔毛；叶脉于下表面凸起。纸质。气特异，味苦。

| **功能主治** | 大驳骨：辛、微苦，平。归肝、脾经。活血止痛，接骨续筋，止血。用于筋伤骨折，扭伤，瘀血肿痛，风湿痹痛，腰痛，月经过多，崩漏。
鸭嘴花叶：辛、微苦，平；有毒。归肝、肾、膀胱经。清热解毒，除风止痛，续筋接骨。用于皮肤疔疮，斑疹瘙痒，六淋证出现的尿频、尿急、尿痛，风湿病肢体关节肿痛，跌打损伤，骨折。

| **用法用量** | 大驳骨：内服煎汤，10 ~ 30g；或浸酒。外用适量，鲜品捣敷；或研末调敷；或煎汤洗。孕妇慎服。
鸭嘴花叶：外用适量。

| **附　　注** | 本种性喜温暖，耐寒力较低，忌霜冻。繁殖方式有播种法与扦插法两种。播种法与一般花卉相同；扦插法则用幼茎做插穗，可分两个期间扦插，扦插方法与一般木本花卉相同。

爵床科 Acanthaceae 穿心莲属 Androgrphis

穿心莲 *Andrographis paniculata* (Burm. f.) Nees

| **药 材 名** | 穿心莲（药用部位：全草。别名：榄核莲、一见喜、斩舌剑）。

| **形态特征** | 一年生草本。茎高 50 ~ 80cm，具 4 棱，下部多分枝，节膨大。叶卵状矩圆形至矩圆状披针形，长 4 ~ 8cm，宽 1 ~ 2.5cm，先端略钝。花序轴上叶较小，总状花序顶生和腋生，集成大型圆锥花序；苞片和小苞片微小，长约 1mm；花萼裂片三角状披针形，长约 3mm，有腺毛和微毛；花冠白色而小，下唇带紫色斑纹，长约 12mm，外有腺毛和短柔毛，二唇形，上唇微 2 裂，下唇 3 深裂，花冠筒与唇瓣等长；雄蕊 2，花药 2 室，一室基部和花丝一侧有柔毛。蒴果扁，中有 1 沟，长约 10mm，疏生腺毛；种子 12，四方形，有皱纹。

| **生境分布** | 栽培于山地、庭院。分布于重庆涪陵、南川等地。

穿心莲

| 资源情况 | 野生资源稀少，栽培资源较少。药材主要来源于栽培。

| 采收加工 | 秋初茎叶茂盛时采割，晒干。

| 药材性状 | 本品茎呈方柱形，多分枝，长 50 ～ 70cm，节稍膨大；质脆，易折断。单叶对生，叶柄短或近无柄；叶片皱缩、易碎，完整者展开后呈披针形或卵状披针形，长 3 ～ 8cm，宽 1 ～ 2.5cm，先端渐尖，基部楔形下延，全缘或波状；上表面绿色，下表面灰绿色，两面光滑。气微，味极苦。

| 功能主治 | 苦，寒。归心、肺、大肠、膀胱经。清热解毒，凉血，消肿。用于感冒发热，咽喉肿痛，口舌生疮，顿咳劳嗽，泄泻痢疾，热淋涩痛，痈肿疮疡，毒蛇咬伤。

| 用法用量 | 内服煎汤，9 ～ 15g，单味大剂量可用 30 ～ 60g；研末，每次 0.6 ～ 3g，装胶囊吞服或开水送服。外用适量，捣烂或制成软膏涂患处；或煎汤滴眼、耳。阳虚证及脾胃弱者慎服。

| 附　　注 | 本种喜高温湿润、阳光充足的环境，喜肥。以肥沃、疏松、排水良好的酸性和中性砂壤土栽培为宜，在 pH 8 的碱性土壤中仍能正常生长。由于重庆雨水较多，光照不足，病虫害多，正常留种难，因此，本种在重庆多为小规模种植。

爵床科 Acanthaceae 白接骨属 Asystasiella

白接骨
Asystasiella neesiana (Wall.) Lindau

| 药 材 名 | 白接骨（药用部位：全草。别名：接骨草、玉接骨、接骨丹）。

| 形态特征 | 草本。具白色、富黏液、竹节形根茎。茎高达 1m，略呈四棱形。叶卵形至椭圆状矩圆形，长 5 ~ 20cm，先端尖至渐尖，边缘微波状至具浅齿，基部下延成柄，叶片纸质，侧脉 6 ~ 7，两面凸起，疏被微毛。总状花序或基部有分枝，顶生，长 6 ~ 12cm；花单生或对生；苞片2，微小，长 1 ~ 2mm；花萼裂片 5，长约 6mm，主花轴和花萼被有柄腺毛；花冠淡紫红色，漏斗状，外疏被腺毛，花冠筒细长，长3.5 ~ 4cm，裂片 5，略不等，长约 1.5cm；雄蕊二强，长花丝 3.5mm，短花丝 2mm，着生于花冠喉部，2 药室等高。蒴果长 18 ~ 22mm，上部具 4 种子，下部实心细长似柄。

白接骨

| 生境分布 | 生于海拔 2000m 以下林下或溪边。分布于重庆城口、巫溪、石柱、南川、酉阳、璧山等地。

| 资源情况 | 野生资源稀少。药材主要来源于野生。

| 采收加工 | 夏、秋季采收，晒干或鲜用。

| 药材性状 | 本品茎略呈四方形，有分枝，光滑，无毛。叶对生，皱缩，完整者呈卵形至椭圆状矩圆形或披针形，长 5 ~ 15cm，宽 2.5 ~ 4cm，先端渐尖至尾状渐尖，基部楔形或近圆形，常下延至叶柄；叶缘微波状至具微齿。

| 功能主治 | 甘、淡，凉。归肺经。化瘀止血，利水消肿，清热解毒。用于吐血，便血，外伤出血，跌打瘀肿，扭伤骨折，风湿肢肿，腹水，疮疡溃烂，疔肿，咽喉肿痛等。

| 用法用量 | 内服煎汤，9 ~ 15g，鲜品 30 ~ 60g；或捣烂绞汁；或研末。外用捣敷或研末撒。孕妇或月经期妇女慎服。

| 附　　注 | 在 FOC 中，本种的拉丁学名被修订为 *Asystasia neesiana* (Wall.) Nees，属名被修订为十万错属 *Asystasia*。

■爵床科■ Acanthaceae ■板蓝属■ Baphicacanthus

板蓝 *Baphicacanthus cusia* (Nees) Bremek.

| 药 材 名 | 南板蓝根（药用部位：根。别名：板蓝根、靛蓝根）、马蓝（药用部位：全草。别名：板蓝）、南板蓝叶（药用部位：叶。别名：蓝靛叶、靛叶）。

| 形态特征 | 草本，多年生一次性结实。茎直立或基部外倾，稍木质化，高约1m，通常成对分枝，幼嫩部分和花序均被锈色、鳞片状毛。叶柔软，纸质，椭圆形或卵形，长 10 ~ 20（~ 25）cm，宽 4 ~ 9cm，先端短渐尖，基部楔形，边缘有稍粗的锯齿，两面无毛，干时黑色；侧脉每边约 8，两面均凸起；叶柄长 1.5 ~ 2cm。穗状花序直立，长10 ~ 30cm；苞片对生，长 1.5 ~ 2.5cm。蒴果长 2 ~ 2.2cm，无毛；种子卵形，长 3.5mm。

板蓝

| **生境分布** | 生于潮湿地方或栽培于村旁。分布于重庆云阳、璧山、武隆、江津、巫山、梁平、巴南等地。

| **资源情况** | 野生资源一般，亦有少量栽培。药材来源于野生和栽培。

| **采收加工** | 南板蓝根：夏、秋季采挖，除去地上茎，洗净，晒干。

马蓝：全年均可采收，洗净，晒干。

南板蓝叶：秋季采收，晒干。

| **药材性状** | 南板蓝根：本品呈类圆形，多弯曲，有分枝，长 10 ～ 30cm，直径 0.1 ～ 1cm。表面灰棕色，具细纵纹；节膨大，节上有细根或茎残基；外皮易剥落，呈蓝灰色。质硬而脆，易折断，断面不平坦，皮部蓝灰色，木部灰蓝色至淡黄褐色，中央有髓。质柔韧。气微，味淡。

马蓝：本品根茎呈圆柱形，直径 2 ～ 6mm；表面暗棕褐色，节膨大，节上有细根，上部有地上茎；质脆，易折断，断面黄白色，略显纤维状，中央有灰蓝色或灰白色的髓。叶片展开后呈椭圆形或倒卵形，先端短尖，边缘有浅齿，两面无毛，有细线条形钟乳体，下表面近无毛；叶柄长 0.6 ～ 2cm，被微毛。气微，味微苦。

南板蓝叶：本品多皱缩成团块。每对叶近等大，完整者呈椭圆形或倒卵状椭圆形，长 7 ～ 15cm，宽 3 ～ 6cm，边缘具浅锯齿，黑绿色；上面无毛，有条形钟乳体，下面近无毛，侧脉每边 5 ～ 8。叶柄长 0.6 ～ 2cm，被短柔毛。纸质。气微，味微苦。以叶大、完整、色黑绿者为佳。

| **功能主治** | 南板蓝根：苦，寒。归心、胃经。清热解毒，凉血消斑。用于瘟疫时毒，发热咽痛，温毒发斑，丹毒。

马蓝：苦，寒。清热解毒，凉血消肿。用于温病发热，丹毒，痈肿，火眼，疮疹。

南板蓝叶：苦、咸，寒。归肺、胃、心、肝经。清热解毒，凉血止血。用于温热病，高热头痛，发斑，肺热咳嗽，湿热泻痢，黄疸，丹毒，猩红热，喉咙肿，口疮，淋巴结炎，肝痈，肠痈，牙龈出血，毒蛇咬伤。

| **用法用量** | 南板蓝根：内服煎汤，9 ～ 15g。

马蓝：内服煎汤，9 ～ 15g。

南板蓝叶：内服煎汤，6 ～ 15g，鲜品 30 ～ 60g；或入丸剂；或绞汁饮。外用适量，捣敷或煎汤洗。脾胃虚寒、无实火热毒者慎服。

爵床科 Acanthaceae 假杜鹃属 Barleria

假杜鹃 *Barleria cristata* L.

| **药 材 名** | 紫靛（药用部位：全株。别名：蓝花草、吐红草、地狗胆）。

| **形态特征** | 小灌木，高达 2m。茎被柔毛，有分枝。长枝叶柄长 3 ~ 6mm，叶片纸质，椭圆形、长椭圆形或卵形，长 3 ~ 10cm，宽 1.3 ~ 4cm，两面被长柔毛，脉上较密，全缘，侧脉 4 ~ 5（~ 7）对，叶柄长 3 ~ 6mm，常早落；腋生短枝的叶小，叶椭圆形或卵形，长 2 ~ 4cm，具短柄，叶腋常生 2 花，短枝有分枝，花在短枝上密集；苞片叶形，无柄。小苞片披针形或线形，长 1 ~ 1.5cm；外 2 萼片卵形或披针形，长 1.2 ~ 2cm，内 2 萼片线形或披针形，长 6 ~ 7mm，有缘毛；花冠蓝紫色或白色，二唇形，长 3.5 ~ 5（~ 7.5）cm，花冠筒圆筒状，喉部渐大，冠檐裂片长圆形；能育雄蕊 2 长 2 短，着生于喉基部，长雄蕊花药 2 室并生，短雄蕊花药先端相连，下面叉开，

假杜鹃

不育雄蕊 1，花丝疏被柔毛；子房扁，长椭圆形，无毛，花盘杯状，包被子房下部，花柱无毛，柱头稍膨大。蒴果长圆形，长 1.2 ～ 1.8cm，两端急尖，无毛。花期 11 ～ 12 月。

| **生境分布** | 生于海拔 700 ～ 1100m 的山坡、路旁或疏林下阴处，也可生于干燥草坡或岩石中。分布于重庆南川等地。

| **资源情况** | 野生资源稀少。药材主要来源于野生。

| **采收加工** | 全年均可采收，切段，鲜用或晒干。

| **药材性状** | 本品茎圆柱形，略有棱，光滑，无刺。叶对生，皱缩，完整者椭圆形至矩圆形，长 3 ～ 10cm，先端尖，基部楔形，全缘，略呈波状，两面具毛。

| **功能主治** | 辛、苦，凉。清肺化痰，祛风利湿，解毒消肿。用于肺热咳嗽，百日咳，风湿疼痛，风疹瘙痒，黄水疮，小便淋痛，跌打瘀肿，痈肿疮疖。

| **用法用量** | 内服煎汤，9 ～ 15g；或泡酒。外用适量，鲜品捣敷；或煎汤洗。

| **附　　注** | 本种生产中可用播种繁殖方式，种子采后即播，亦可嫩枝扦插繁殖。

爵床科 Acanthaceae 杜根藤属 Calophanoides

杜根藤 *Calophanoides quadrifaria* (Nees) Ridl.

药 材 名	大青草（药用部位：全草。别名：圆苞杜根藤、大青草）。
形态特征	草本。茎基部匍匐，下部节上生根，后直立，近四棱形，在两相对面具沟，幼时被短柔毛，后近圆柱形而无毛。叶有柄，叶柄长 0.4 ~ 1.5（~ 2）cm，叶片矩圆形或披针形，基部锐尖，先端短渐尖，边缘常具有间距的小齿，背面脉上无毛或被微柔毛，长 2.5 ~ 8（~ 10）cm，宽 1 ~ 3.5cm，叶片干时黄褐色。花序腋生，苞片卵形，倒卵圆形，长 8mm，宽 5mm，具长 3 ~ 4mm 的柄，具羽脉，两面疏被短柔毛；小苞片线形，无毛，长 1mm，花萼裂片线状披针形，被微柔毛，长 5 ~ 6mm；花冠白色，具红色斑点，被疏柔毛；上唇直立，2 浅裂，下唇 3 深裂，开展；雄蕊 2，花药 2 室，上下叠生，下方药室具距。蒴果无毛，长 8mm；种子无毛，被小瘤。

杜根藤

| **生境分布** | 生于海拔 850 ～ 1600m 的山坡草丛、路旁或林下。分布于重庆忠县、涪陵、巫山等地。

| **资源情况** | 野生资源稀少。药材主要来源于野生。

| **采收加工** | 夏、秋季采收，洗净，鲜用或晒干。

| **功能主治** | 苦，寒。清热解毒。用于时行热毒，丹毒，口舌生疮，黄疸。

| **用法用量** | 内服煎汤，9 ～ 15g；或鲜品捣烂，绞汁服。

| **附　　注** | 在 FOC 中，本种的拉丁学名被修订为 *Justicia quadrifaria* (Nees) T. Anderson，属名被修订为爵床属 *Justicia*。

爵床科 Acanthaceae 黄猄草属 Championella

黄猄草
Championella tetrasperma (Champ. ex Benth.) Bremek.

| 药 材 名 | 岩冬菜（药用部位：全草。别名：四子马蓝、海椒七、赤脚大仙）。

| 形态特征 | 直立或匍匐草本。茎细瘦，近无毛。叶纸质，卵形或近椭圆形，先端钝，基部渐狭或稍收缩，边缘具圆齿，长 2 ~ 7cm，宽 1 ~ 2.5cm；侧脉每边 3 ~ 4；叶柄长 5 ~ 25mm。穗状花序短而紧密，通常仅有花数朵；苞片叶状，倒卵形或匙形，具羽状脉，长约 15mm，和 2 线形、长 5 ~ 6mm 的小苞片及花萼裂片均被扩展、流苏状缘毛；花萼 5 裂，裂片长 6 ~ 7mm，稍钝头；花冠淡红色或淡紫色，长约 2cm，外面被短柔毛，内被长柔毛，冠檐裂片几相等，直径约 3mm，被缘毛；雄蕊 4，二强，花丝基部有膜相连，有 1 退化雄蕊残迹，花粉粒圆球形具种阜形纹饰。蒴果长约 10mm，顶部被柔毛。花期秋季。

黄猄草

| **生境分布** | 生于密林中。分布于重庆忠县、酉阳、永川、巫溪、奉节、南川、巴南、北碚等地。

| **资源情况** | 野生资源一般。药材主要来源于野生。

| **采收加工** | 夏季采收，鲜用或晒干。

| **功能主治** | 辛、苦、咸，平。祛风除湿，壮腰，截疟。用于风湿痹痛，肾虚腰痛，疟疾。

| **用法用量** | 内服煎汤，9 ~ 15g。外用适量，鲜品捣敷；或煎汤熏洗。脾胃虚寒者慎服。

圆苞金足草
Goldfussia pentstemonoides Nees

| 药 材 名 | 大青草（药用部位：全草。别名：球花马蓝、野蓝靛、铁脚灵仙）。

| 形态特征 | 草本。茎高达 1m 多，近梢部多呈 "之" 字形曲折。叶不等大，椭圆形、椭圆状披针形，先端长渐尖，基部楔形渐狭，边缘有锯齿或柔软胼胝狭锯齿，上部各对一大一小，两面有不明显的钟乳体，无毛，上面深暗绿色，被白色伏贴的微柔毛，背面灰白色，除中脉被硬伏毛外光滑无毛，明显地散生先端极狭而具 2 ~ 3 节的毛，侧脉 5 ~ 6 对，有近平行小脉相连；大叶长 4 ~ 15cm，宽 1.5 ~ 4.5cm，叶柄长约 1.2cm，小叶长 1.3 ~ 2.5cm。花序头状，近球形，为苞片所包覆，1 ~ 3 生于 1 总花梗，每头具 2 ~ 3 花；苞片近圆形或卵状椭圆形，外部的长 1.2 ~ 1.5cm，先端渐尖，无毛；小苞片微小，二者均早落；花萼裂片 5，条状披针形，长 7 ~ 9mm，结果时增长至 15 ~ 17mm，

圆苞金足草

有腺毛；花冠紫红色，长约 4cm，稍弯曲，冠檐裂片 5，几相等，先端微凹；雄蕊无毛，前雄蕊达花冠喉部，后雄蕊达花冠中部；花柱几不伸出。蒴果长圆状棒形，长 14 ~ 18mm，被腺毛；种子 4，被毛。

| 生境分布 | 生于海拔 1500m 以下山坡林缘或山谷溪旁阴湿处。分布于重庆云阳、万州、石柱、綦江等地。

| 资源情况 | 野生资源稀少。药材主要来源于野生。

| 采收加工 | 夏、秋季采收地上部分或挖取根部，洗净，晒干或鲜用。

| 功能主治 | 苦、辛，微寒。清热解毒，凉血消斑。用于温病烦渴，发斑，吐衄，肺热咳嗽，咽喉肿痛，口疮，丹毒，痄腮，痈肿，疮毒，湿热泻痢，夏季热痹，肝炎，钩端螺旋体病，蛇咬伤。

| 用法用量 | 内服煎汤，10 ~ 30g；或代茶饮。外用适量，捣敷；或煎汤洗。孕妇禁用。

| 附　注 | 在 FOC 中，本种被修订为球花马蓝 *Strobilanthes dimorphotricha* Hance，属名被修订为马蓝属 *Strobilanthes*。

爵床科 Acanthaceae ▌ 水蓑衣属 ▌ Hygrophila

水蓑衣
Hygrophila salicifolia (Vahl) Nees

水蓑衣

| 药 材 名 |

南天仙子（药用部位：种子）、水蓑衣（药用部位：全草。别名：大青草、青泽兰、化痰清）。

| 形态特征 |

草本，高 80cm。茎四棱形，幼枝被白色长柔毛，不久脱落近无毛或无毛。叶近无柄，纸质，长椭圆形、披针形、线形，长4～11.5cm，宽0.8～1.5cm，两端渐尖，先端钝，两面被白色长硬毛，背面脉上较密，侧脉不明显。花簇生叶腋，无梗；苞片披针形，长约10mm，宽约6.5mm，基部圆形，外面被柔毛，小苞片细小，线形，外面被柔毛，内面无毛；花萼圆筒状，长6～8mm，被短糙毛，5深裂至中部，裂片稍不等大，渐尖，被通常皱曲的长柔毛；花冠淡紫色或粉红色，长1～1.2cm，被柔毛，上唇卵状三角形，下唇长圆形，喉凸上被疏而长的柔毛，花冠管稍长于裂片；后雄蕊的花药比前雄蕊的小一半。蒴果比宿存萼长1/4～1/3，干时淡褐色，无毛。

| 生境分布 |

生于溪沟边或洼地等潮湿处。分布于重庆酉

阳、丰都、北碚、南川等地。

| 资源情况 | 野生资源一般。药材主要来源于野生。

| 采收加工 | 南天仙子：秋季果实成熟时，割取地上部分，晒干，打下种子，除去杂质。
水蓑衣：夏、秋季采收，洗净，鲜用或晒干。

| 药材性状 | 南天仙子：本品略呈扁平心形，直径约1mm。表面棕红色或暗褐色，略平滑，无网纹，黏液化的表皮毛贴伏成薄膜状，遇水膨胀竖立，呈胶状，黏结成团；基部有种脐，脐点微凹。无臭，味淡，黏舌。
水蓑衣：本品长约60cm。茎略呈方柱形，具棱，节处被疏柔毛。叶对生，多皱缩，完整者呈披针形、矩圆状披针形或线状披针形，下部叶为椭圆形，长3～11.5cm，宽2～15mm，先端渐尖，基部下延，全缘。气微，味淡。

| 功能主治 | 南天仙子：甘、微苦，凉。清热解毒，消肿止痛。用于消化不良，咽喉炎，乳腺炎，蛇虫咬伤，疮疖。
水蓑衣：甘、微苦，凉。清热解毒，化瘀止痛。用于咽喉炎，乳痈，百日咳，吐血，衄血。外用于跌打损伤，骨折，毒蛇咬伤，无名肿毒。

| 用法用量 | 南天仙子：内服煎汤，3～9g。外用适量，研末调敷。脓成或已溃者忌用。
水蓑衣：内服煎汤，6～30g；或泡酒；或绞汁饮。外用适量，捣敷。胃寒者慎服。

| 附　注 | （1）在FOC中，本种的拉丁学名被修订为 *Hygrophila ringens* (Linnaeus) R. Brown ex Sprengel。
（2）本种同属植物毛水蓑衣 *Hygrophila Phlomoides*（Wall.）Nees 的种子也作南天仙子入药。

爵床科 Acanthaceae **观音草属** *Peristrophe*

九头狮子草 *Peristrophe japonica* (Thunb.) Bremek.

| **药 材 名** | 九头狮子草（药用部位：全草。别名：土细辛、九节篱、化痰青）。

| **形态特征** | 草本，高 20 ~ 50cm。叶卵状矩圆形，长 5 ~ 12cm，宽 2.5 ~ 4cm，先端渐尖或尾尖，基部钝或急尖。花序顶生或腋生上部叶腋，由 2 ~ 8（~ 10）聚伞花序组成，每个聚伞花序下托以 2 总苞状苞片，一大一小，卵形，几倒卵形，长 1.5 ~ 2.5cm，宽 5 ~ 12mm，先端急尖，基部宽楔形或平截，全缘，近无毛，羽脉明显，内有 1 至少数花；花萼裂片 5，钻形，长约 3mm；花冠粉红色至微紫色，长 2.5 ~ 3cm，外疏生短柔毛，二唇形，下唇 3 裂；雄蕊 2，花丝细长，伸出，花药被长硬毛，2 室叠生，一上一下，线形纵裂。蒴果长 1 ~ 1.2cm，疏被短柔毛，开裂时胎座不弹起，上部具 4 种子，下部实心；种子有小疣状突起。

九头狮子草

| **生境分布** | 生于低海拔的路边、草地或林下或栽培于庭园。分布于重庆大足、潼南、秀山、万州、城口、铜梁、开州、璧山、荣昌、南川等地。 |

| **资源情况** | 野生资源一般。药材主要来源于野生。 |

| **采收加工** | 夏、秋季采收，除去杂质，鲜用或晒干。 |

| **药材性状** | 本品长 20 ~ 50cm。根须状，浅棕褐色。地上部分暗绿色，被毛。茎有棱，节膨大。叶对生，有柄，多皱缩，展平后呈卵形、卵状长圆形或披针形，长 5 ~ 10cm，宽 3 ~ 4cm，先端渐尖，基部楔形，全缘。聚伞花序顶生或腋生于上部，总梗短，叶状苞片 2，大小不一。气微，味微苦、涩。 |

| **功能主治** | 辛、微苦、甘，凉。归肺、肝经。祛风清热，凉肝定惊，散瘀解毒。用于感冒发热，肺热咳喘，肝热目赤，小儿惊风，咽喉肿痛，痈肿疔毒，乳痈，聤耳，瘰疬，痔疮，蛇虫咬伤，跌打损伤。 |

| **用法用量** | 内服煎汤，15 ~ 30g；或绞汁饮。外用适量，鲜品捣敷；煎汤熏洗。 |

| **附　注** | 本种喜温暖半阴环境。栽培土壤以较阴湿、肥沃、疏松者为好。 |

爵床科 Acanthaceae 马蓝属 Pteracanthus

翅柄马蓝 *Pteracanthus alatus* (Nees) Bremek.

| **药 材 名** | 对节叶（药用部位：叶、根）。

| **形态特征** | 多年生草本。具横走茎，节上生根，多分枝；茎纤细，四棱形，无毛或在棱上被微柔毛。叶卵圆形，略具不等叶性，长 3.5 ~ 8（~ 10）cm，先端长渐尖，基部楔形，渐狭，边缘具 4 ~ 5（~ 7）圆锯齿，上面略被微柔毛或无毛，钟乳体细条状，侧脉 5 ~ 6 对；叶柄长约 1.5cm，向叶片具翅。穗状花序偏向一侧，通常"之"字形曲折，花单生或成对；苞片叶状，卵圆形或近心形，向上变小，具 3 脉或羽脉，小苞片线状长圆形，微小或无；花萼长 1 ~ 1.5cm，果时增大达 2cm，5 裂，裂片线形，极无毛，细条状钟乳体纵列；花冠淡紫色或蓝紫色，近于直伸，长约 3.5cm，花冠管圆柱形，与膨胀部分等长，冠檐裂片 5，短小，圆形；花丝与花柱无毛。蒴果

翅柄马蓝

长 1.2 ~ 1.8cm，无毛，具 4 种子；种子卵圆形，被微柔毛，基区小。

| **生境分布** | 生于海拔 1000 ~ 1600m 的林中或山坡上。分布于重庆巫山、巫溪、南川等地。

| **资源情况** | 野生资源稀少。药材主要来源于野生。

| **采收加工** | 夏、秋季采挖根，洗净，切段，晒干。夏、秋季采收叶，鲜用。

| **功能主治** | 辛，凉。清热解毒，活血止痛。用于痈肿疮毒，劳伤疼痛。

| **用法用量** | 内服煎汤，6 ~ 15g；或泡酒。外用鲜品适量，捣敷。

| **附　　注** | 在 FOC 中，本种的拉丁学名被修订为 *Strobilanthes atropurpurea* Nees。

爵床科 Acanthaceae 爵床属 Rostellularia

爵床
Rostellularia procumbens (L.) Nees

| 药 材 名 | 爵床（药用部位：全草。别名：小青草、六角英、赤眼老母草）。

| 形态特征 | 草本。茎基部匍匐，通常被短硬毛，高 20 ～ 50cm。叶椭圆形至椭圆状长圆形，长 1.5 ～ 3.5cm，宽 1.3 ～ 2cm，先端锐尖或钝，基部宽楔形或近圆形，两面常被短硬毛；叶柄短，长 3 ～ 5mm，被短硬毛。穗状花序顶生或生于上部叶腋，长 1 ～ 3cm，宽 6 ～ 12mm；苞片 1，小苞片 2，均披针形，长 4 ～ 5mm，有缘毛；花萼裂片 4，线形，约与苞片等长，有膜质边缘和缘毛；花冠粉红色，长 7mm，二唇形，下唇 3 浅裂；雄蕊 2，药室不等高，下方 1 室有距。蒴果长约 5mm，上部具 4 种子，下部实心似柄状；种子表面有瘤状皱纹。

爵床

| **生境分布** | 生于海拔 1500m 以下的山坡林间草丛中。重庆各地均有分布。

| **资源情况** | 野生资源丰富。药材主要来源于野生。

| **采收加工** | 夏、秋季茎叶茂盛时采收，除去杂质，鲜用或干燥。

| **药材性状** | 本品根细而弯曲。茎多具纵棱 6；表面绿黄色至浅棕黄色，有毛，节膨大成膝状，近基部节上有须状根；质韧。叶对生，具柄；叶片多皱缩，易脱落，展平后呈椭圆形或卵形，长 1.5 ~ 3.5cm，宽 0.5 ~ 2cm，浅绿色，先端尖，全缘，有毛。穗状花序顶生或腋生，苞片条状披针形，被白色长毛。蒴果长卵形，上部有种子 4，下部实心似柄状。气微，味微苦。

| **功能主治** | 苦、咸、辛，寒。归肺、肝、膀胱经。清热解毒，和中化湿，活血止痛。用于感冒发热，咽喉肿痛，咳嗽，小儿疳积，湿热泻痢，痈疮疔肿，湿疹。

| **用法用量** | 内服煎汤，9 ~ 30g，鲜品加倍。外用适量，捣敷；或煎汤洗浴。脾胃虚寒、气血两虚者不宜使用。

| **附　　注** | （1）在 FOC 中，本种的拉丁学名被修订为 *Justicia procumbens* Linnaeus。
（2）本种喜温暖气候，不耐寒，适宜在肥沃、疏松的砂壤土中栽培。

胡麻科 Pedaliaceae 胡麻属 Sesamum

芝麻 *Sesamum indicum* L.

芝麻

| 药 材 名 |

黑芝麻（药用部位：种子。别名：胡麻、油麻、巨胜）、芝麻秆（药用部位：茎）。

| 形态特征 |

一年生直立草本；高 60 ~ 150cm，分枝或不分枝，中空或具有白色髓部，微被毛。叶矩圆形或卵形，长 3 ~ 10cm，宽 2.5 ~ 4cm，下部叶常掌状 3 裂，中部叶有齿缺，上部叶近全缘；叶柄长 1 ~ 5cm。花单生或 2 ~ 3 同生于叶腋内；花萼裂片披针形，长 5 ~ 8mm，宽 1.6 ~ 3.5mm，被柔毛；花冠长 2.5 ~ 3cm，筒状，直径 1 ~ 1.5cm，长 2 ~ 3.5cm，白色而常有紫红色或黄色的彩晕；雄蕊 4，内藏；子房上位，4 室（云南西双版纳栽培植物可至 8 室），被柔毛。蒴果矩圆形，长 2 ~ 3cm，直径 6 ~ 12mm，有纵棱，直立，被毛，分裂至中部或至基部；种子有黑白之分。花期夏末秋初。

| 生境分布 |

栽培于菜地。重庆各地均有分布。

| 资源情况 |

野生资源稀少。药材主要来源于栽培。

| **采收加工** | 黑芝麻：秋季果实成熟时采割植株，晒干，打下种子，除去杂质，再晒干。
芝麻杆：在采收芝麻的同时，取其茎秆，除去根及杂质，晒干或扎把后晒干。

| **药材性状** | 黑芝麻：本品呈扁卵圆形，长约 3mm，宽约 2mm。表面黑色，平滑或有网状皱纹，尖端有棕色点状种脐。种皮薄，子叶 2，白色，富油性。气微，味甘，有油香气。
芝麻杆：本品呈方柱形，长 30 ～ 60cm，淡黄褐色至黄绿褐色，被白色柔毛；体轻，质坚脆，易折断，断面纤维性，中央髓部白色或中空。果实（壳）单个或数个着生于叶腋，具短梗，长椭圆形，具 4 棱，长约 2.5cm，2 ～ 4 开裂，中空，外表面褐黄色，密被柔毛；质脆，易碎。气微，味淡。

| **功能主治** | 黑芝麻：甘，平。归肝、肾、大肠经。补肝肾，益精血，润肠燥。用于头晕眼花，耳鸣耳聋，须发早白，病后脱发，肠燥便秘。
芝麻杆：甘，平。用于咳嗽，哮喘等。

| **用法用量** | 黑芝麻：内服煎汤，9 ～ 15g；或入丸、散。外用适量，煎汤洗浴或捣敷。
芝麻杆：内服煎汤，15 ～ 30g。

苦苣苔科 Gesneriaceae 直瓣苣苔属 Ancylostemon

直瓣苣苔 *Ancylostemon saxatilis* (Hemsl.) Craib

| 药 材 名 | 直瓣苣苔（药用部位：全草）。

| 形态特征 | 多年生草本。根茎直立，粗而短，长 2 ~ 3cm，直径 0.8 ~ 1.4cm。叶全部基生，具长柄；叶片卵形或宽卵形，长 2.5 ~ 9cm，宽 1.5 ~ 5.5cm，先端圆形，基部偏斜，浅心形或截形，边缘具圆齿，稀具牙齿，上面被较密的白色短柔毛和锈色疏长柔毛，下面除被白色短柔毛外，沿主脉和侧脉被锈色长柔毛，侧脉每边 5 ~ 7，上面不明显，下面稍隆起；叶柄长达 7cm，被较密的锈色长柔毛。聚伞花序 2 次分枝，1 ~ 5，每花序具 1 ~ 4 花；花序梗长 7 ~ 11cm，与花梗被褐色长柔毛和淡褐色短柔毛；苞片长圆形或卵圆形，长 3 ~ 6mm，宽 2 ~ 3mm，先端钝，疏被短柔毛，边缘具长柔毛；花梗长 1.5 ~ 2cm；花萼长 4 ~ 6mm，5 裂至 1/3 ~ 1/2，稀裂至基

直瓣苣苔

部之上，裂片卵形，近相等，长 2 ~ 3mm，先端渐尖，边缘具 2 ~ 3 齿，稀近全缘，外面疏被短柔毛和锈色长柔毛，渐变近无毛，内面无毛；花冠筒状，黄色，长 2.7 ~ 3.5cm，直径 6 ~ 10mm，向基部渐狭窄，外面被短柔毛；花冠筒长 2.3 ~ 2.9cm，直径 6.7mm；檐部二唇形，上唇极短，长约 1mm，微凹，下唇 3 深裂，裂片不等长，中央裂片远长于两侧裂片，卵圆形，长 4.5 ~ 8mm，宽 3 ~ 6.5mm，侧裂片宽三角形，长 4 ~ 6mm，宽约 3mm；雄蕊 4，无毛，着生于花冠筒中部之上，上雄蕊长约 8mm，着生于距花冠基部 1cm 处，下雄蕊长 7mm，着生于距花冠基部 1.3cm 处，花丝扁平，花药长 1.5mm，药室不汇合；退化雄蕊长 4mm，着生于距花冠基部 3.5mm 处；花盘高约 1mm，边缘 5 浅裂；雌蕊密被白色短柔毛，子房长 1.8cm，花柱长 5mm，柱头 2，膨大，近圆形，长约 1.2mm。蒴果倒披针形，长 2 ~ 7cm，直径 2.5 ~ 7mm，被疏柔毛至近无毛。

| **生境分布** | 生于海拔 1300 ~ 2100m 的阴湿岩石上或林下石上。分布于重庆城口、武隆、巫山、石柱、涪陵、南川等地。

| **资源情况** | 野生资源稀少。药材主要来源于野生。

| **采收加工** | 夏、秋季采集，洗净，鲜用或干燥。

| **功能主治** | 苦，温。养阴祛风，润肺止咳。

| **用法用量** | 内服煎汤，15 ~ 25g。外用鲜品，捣敷。

苦苣苔科 Gesneriaceae 旋蒴苣苔属 Boea

大花旋蒴苣苔

Boea clarkeana Hemsl.

| 药 材 名 | 旋蒴苣苔（药用部位：全草。别名：牛耳散血草、散血草）。

| 形态特征 | 多年生无茎草本。叶全部基生，具柄，宽卵形，长 3.5 ~ 7cm，宽 2.2 ~ 4.5cm，边缘具细圆齿，两面与叶柄、花序梗、苞片、花梗及花萼均被灰白色短柔毛；叶柄长 1.5 ~ 6cm。聚伞花序伞状，1 ~ 3，每花序具 1 ~ 5 花；花序梗长 7 ~ 13cm，苞片卵形或卵状披针形，长 5 ~ 7mm；花梗长 5 ~ 10mm；花萼长 6 ~ 8mm，5 裂至中部，裂片相等，长圆形或卵状长圆形，长 3.5 ~ 4mm；花冠长 2 ~ 2.2cm，直径 1.2 ~ 1.8cm，淡紫色，筒部长约 1.5cm，檐部稍二唇形，上唇裂片卵圆形，长约 5mm，下唇裂片与上唇同形，长约 4mm；花丝长 7mm；退化雄蕊 2；子房长圆形，长约 8mm，外面被淡褐色短柔毛，花柱与子房近等长。蒴果长圆形，长 3.5 ~ 4.5cm，直径约 3mm，

大花旋蒴苣苔

外面被短柔毛，螺旋状卷曲，干时变黑色；种子卵圆形，长 0.6 ~ 0.8mm。花期 8 月，果期 9 ~ 10 月。

| **生境分布** | 生于海拔 500 ~ 1400m 的山坡岩石缝中。分布于重庆城口、巫山、万州、石柱、黔江、南川、涪陵、武隆等地。

| **资源情况** | 野生资源较少。药材来源于野生。

| **采收加工** | 夏、秋季采收，扎把，晒干或鲜用。

| **功能主治** | 苦、凉。清热，止血，散血，消肿。用于外伤出血，跌打损伤。

| **用法用量** | 内服煎汤，适量。外用鲜品，捣敷。

苦苣苔科 Gesneriaceae 粗筒苣苔属 Briggsia

革叶粗筒苣苔 *Briggsia mihieri* (Franch.) Craib

| 药 材 名 | 岩莴苣（药用部位：全草。别名：锈草、岩枇杷）。

| 形态特征 | 多年生草本。根茎长 0.8 ~ 3cm，直径约 3mm。叶片革质，狭倒卵形、倒卵形或椭圆形，长 1 ~ 10cm，宽 1 ~ 6cm，先端圆钝，基部楔形，边缘具波状牙齿或小牙齿，两面无毛，叶脉不明显；叶柄盾状着生，长 2 ~ 9cm，无毛，干时暗红色。聚伞花序 2 次分枝，腋生，1 ~ 6，每花序具 1 ~ 4 花；花序梗长 8 ~ 17cm，无毛或被疏柔毛；苞片 2，长 1 ~ 2mm，近无毛；花梗细，长 2 ~ 3cm，疏被短腺毛或脱落至近无毛；花萼 5 裂至近基部，裂片长圆状狭披针形，长 4 ~ 6mm，宽 1.5 ~ 2mm，先端短渐尖，全缘，疏被短柔毛或近无毛，具 3 脉；花冠粗筒状，下方肿胀，蓝紫色或淡紫色，长 3.2 ~ 5cm，直径 1.5 ~ 2.6cm，外面近无毛，内面具淡褐色斑纹，

革叶粗筒苣苔

花冠筒长 2.1 ~ 4cm，上唇长 8mm，裂片半圆形，长 5mm，下唇长 1.4cm，3 浅裂，裂片近圆形，长 6 ~ 7mm；上雄蕊长约 1.6cm，着生于距花冠基部 8mm 处，下雄蕊长约 1.7cm，着生于距花冠基部 1.2cm 处，花丝疏被腺状短柔毛，花药卵圆形，长约 1.5mm，药室不汇合；退化雄蕊长 1mm，着生于距花冠基部 2mm 处；花盘环状，高约 1.2mm，边缘波状；雌蕊被短柔毛，子房狭长圆形，长 1.2 ~ 1.4cm，直径 1.1 ~ 1.3mm，花柱长 1.5 ~ 2mm，柱头 2，长圆形，长约 2mm。蒴果倒披针形，长 3.4 ~ 7cm，直径 3.5 ~ 4mm，近无毛。

| **生境分布** | 生于海拔 650 ~ 1710m 的阴湿岩石上。分布于重庆丰都、石柱、西阳、彭水、涪陵、武隆、南川、江津、合川、綦江等地。

| **资源情况** | 野生资源一般。药材主要来源于野生。

| **采收加工** | 全年均可采收，鲜用或晒干。

| **功能主治** | 甘、苦，温。益气，强筋骨，生肌。用于劳伤咳嗽，筋骨损伤，刀伤。

| **用法用量** | 内服煎汤，10 ~ 15g；或泡酒饮。外用适量，捣绒包敷或泡酒擦患处。孕妇忌服。

苦苣苔科 Gesneriaceae 粗筒苣苔属 Briggsia

川鄂粗筒苣苔 *Briggsia rosthornii* (Diels) Burtt

| 药 材 名 | 粗筒苣苔（药用部位：全草）。

| 形态特征 | 多年生草本。叶全部基生，最外层叶有长柄；叶片卵圆形至椭圆形，长 2 ~ 13cm，宽 1.2 ~ 7cm，先端钝，基部浅心形至宽楔形，边缘具粗圆齿，上面除叶脉外，均被白色短柔毛，稀脉上被疏短柔毛，下面除叶片被短柔毛外，沿叶脉被锈色长柔毛；叶柄长达 8cm，密被锈色长柔毛。聚伞花序，1 ~ 5，每花序具 1 ~ 4 花；花序梗长 10 ~ 20cm，被锈色长柔毛；苞片 2，线状披针形至长圆形，长 2 ~ 4mm，宽 1 ~ 2mm，外面被锈色长柔毛；花梗长 1.5 ~ 3.5cm，被锈色长柔毛和腺状柔毛；花萼 5 裂至近基部，裂片披针状长圆形至倒卵形，长 3 ~ 7mm，宽 1.2 ~ 2mm，先端渐尖，全缘，外面被锈色长柔毛，内面无毛，具 3 ~ 5 脉；花冠淡紫色或淡紫红色，下方

川鄂粗筒苣苔

肿胀，长 3.2 ~ 5cm，外面被短柔毛，有深红色或紫红色斑纹，花冠筒长 3cm，直径 1.5cm，上唇长 6mm，2 浅裂，裂片半圆形，长约 2mm，宽 1 ~ 1.2mm，下唇长 1.1 ~ 1.3mm，3 裂至中部之下，裂片长圆形，长 7 ~ 9mm；上雄蕊长 1 ~ 1.5cm，着生于距花冠基部 4mm 处，下雄蕊长 1.4 ~ 2cm，着生于距花冠基部 4 ~ 5mm 处，花丝被短柔毛，花药肾形，长约 2mm，先端汇合；退化雄蕊长 1 ~ 1.2mm，着生于距花冠基部 2 ~ 4mm 处；花盘环状，高 1.2 ~ 2mm；雌蕊被腺状柔毛，子房狭长圆形，长 9 ~ 12mm，直径约 1.5mm，花柱长 2 ~ 4mm，柱头 2，近圆形，长约 1mm。蒴果线状长圆形，长 5 ~ 6.5cm，直径 4 ~ 6mm，被疏柔毛至近无毛。

| **生境分布** | 生于海拔 800 ~ 2000m 的林下潮湿岩石上。分布于重庆石柱、黔江、涪陵、南川等地。

| **资源情况** | 野生资源稀少。药材主要来源于野生。

| **采收加工** | 夏、秋季采收，洗净，鲜用或晒干。

| **功能主治** | 苦，平。舒筋活血，消炎止痛。

| **用法用量** | 15 ~ 25g，泡酒服。

苦苣苔科 Gesneriaceae 粗筒苣苔属 Briggsia

鄂西粗筒苣苔
Briggsia speciosa (Hemsl.) Craib

鄂西粗筒苣苔

| 药 材 名 |

岩青菜（药用部位：全草。别名：雅头还羊、丫头还阳）。

| 形 态 特 征 |

多年生无茎草本。叶全部基生，具叶柄；叶片长圆形或椭圆状狭长圆形，长 3 ~ 8cm，宽 0.8 ~ 3.2cm，先端钝，向基部渐窄而偏斜，边缘具锯齿和钝齿，两面被白色贴伏柔毛，侧脉每边 4 ~ 5，下面微凹陷；叶柄长 4.5 ~ 12cm，密被白色柔毛。聚伞花序，1 ~ 6，每花序具 1 ~ 2 花；花序梗长 9 ~ 16cm，被褐色长柔毛；苞片 2，长圆形至卵状披针形，长 3 ~ 7mm，宽 1.5 ~ 2mm，被白色短柔毛，先端钝，全缘；花萼 5 裂至近基部，裂片卵形至卵状长圆形，长 4 ~ 6mm，宽 1 ~ 3mm，外面被褐色柔毛，内面无毛；花冠粗筒状，紫红色，下方肿胀，长 3.8 ~ 5.3cm，外面疏生短柔毛，内面下唇一侧具 2 黄褐色斑纹，有时有紫色斑点，花冠筒长 3.6cm，上唇长 9mm，2 裂至中部，裂片宽三角形，长 5mm，宽 4 ~ 5mm，先端钝，下唇长 1.2 ~ 1.7cm，3 裂至中部，裂片长圆形，长 7 ~ 10mm，宽 5 ~ 6mm，先端圆形；上雄蕊长约 2.4cm，着生于距花冠基部 0.5mm 处，

下雄蕊长约 3cm，着生于距花冠基部 1mm 处，花丝疏被腺状柔毛，花药肾形，长约 1.2mm，药室先端不汇合；退化雄蕊长约 4mm，着生于距花冠基部 1mm；花盘环状，高 1.5mm，雌蕊疏被腺状短柔毛，子房线状长圆形，长约 2cm，直径约 1.8mm，花柱短，长约 3mm，柱头 2，近圆形，长 0.4mm。蒴果线状披针形，长 6 ~ 6.8cm，直径 2 ~ 2.2mm。

| **生境分布** | 生于海拔 300 ~ 1600m 的山坡阴湿岩石上。分布于重庆巫山、奉节、万州、南川、开州等地。

| **资源情况** | 野生资源稀少。药材主要来源于野生。

| **采收加工** | 春、夏季采收，鲜用或晒干。

| **功能主治** | 辛、苦，平。祛风解表，解毒消肿。用于感冒头痛，筋骨疼痛，痈疮肿毒。

| **用法用量** | 内服煎汤，9 ~ 15g。外用适量，捣敷。

苦苣苔科 Gesneriaceae 唇柱苣苔属 Chirita

牛耳朵
Chirita eburnea Hance

| 药 材 名 | 金山岩白菜（药用部位：全草。别名：猫耳朵、岩白菜、石三七）。

| 形态特征 | 多年生草本。具粗根茎。叶均基生，肉质；叶片卵形或狭卵形，长3.5～17cm，宽2～9.5cm，先端微尖或钝，基部渐狭或宽楔形，全缘，两面均被贴伏的短柔毛，有时上面毛稀疏，侧脉约4对；叶柄扁，长1～8cm，宽达1cm，密被短柔毛。聚伞花序2～6，不分枝或1回分枝，每花序有花（1～）2～13（～17）；花序梗长6～30cm，被短柔毛；苞片2，对生，卵形、宽卵形或圆卵形，长1～4.5cm，宽0.8～2.8cm，密被短柔毛；花梗长达2.3cm，密被短柔毛及短腺毛。花萼长0.9～1cm，5裂达基部，裂片狭披针形，宽2～2.5mm，外面被短柔毛及腺毛，内面被疏柔毛。花冠紫色或淡紫色，有时白

牛耳朵

色，喉部黄色，长 3 ～ 4.5cm，两面疏被短柔毛，与上唇 2 裂片相对有 2 纵条毛；花冠筒长 2 ～ 3cm，口部直径 1 ～ 1.4cm；上唇长 5 ～ 9mm，2 浅裂，下唇长 1.2 ～ 1.8cm，3 裂。雄蕊的花丝着生于距花冠基部 1.2 ～ 1.6cm 处，长 9 ～ 10mm，下部宽，被疏柔毛，向上变狭，并膝状弯曲，花药长约 5mm；退化雄蕊 2，着生于距基部 1.1 ～ 1.5mm 处，长 4 ～ 6mm，有疏柔毛。花盘斜，高约 2mm，边缘有波状齿。雌蕊长 2.2 ～ 3cm，子房及花柱下部密被短柔毛，柱头 2 裂。蒴果长 4 ～ 6cm，直径约 2mm，被短柔毛。花期 4 ～ 7 月。

| **生境分布** | 生于海拔 800 ～ 1200m 的石灰山林中石上或沟边林下。分布于重庆巫山、巫溪、奉节、云阳、石柱、酉阳、彭水、武隆、涪陵、南川、江津、秀山、开州等地。

| **资源情况** | 野生资源一般。药材主要来源于野生。

| **采收加工** | 夏、秋季采收，鲜用或晒干。

| **药材性状** | 本品根茎圆柱形，弯曲，有残余茎基，靠近根茎头部处着生多数细长的须根，长 1 ～ 7cm，直径 0.8 ～ 2cm；表面黄褐色，较光滑，有不规则纵皱纹；质脆，易折断，折断面较致密，黑褐色，维管束呈白色点状，断续连接成圆环。叶基生，展平后呈卵形，全缘，两面均有毛茸，有时可见花枝或果枝。气微。

| **功能主治** | 甘、微苦，凉。清肺止咳，凉血止血，解毒消痈。用于阴虚肺热，咳嗽咯血，崩漏带下，痈肿疮毒，外伤出血。

| **用法用量** | 内服煎汤，根茎 3 ～ 9g，全草 15 ～ 30g。外用鲜品适量，捣敷。

苦苣苔科 Gesneriaceae 珊瑚苣苔属 Corallodiscus

珊瑚苣苔
Corallodiscus cordatulus (Craib) Burtt

| 药 材 名 | 虎耳还魂草（药用部位：全草。别名：滴滴花、石茋苣、九倒花）。

| 形 态 特 征 | 多年生草本。叶全部基生，莲座状，外层叶具柄；叶片革质，卵形，长圆形，长 2 ~ 4cm，宽 1 ~ 2.2cm，先端圆形，基部楔形，边缘具细圆齿，上面平展，有时具不明显的皱褶，稀呈泡状，疏被淡褐色长柔毛至近无毛，下面多为紫红色，近无毛，侧脉每边约4，上面明显，下面隆起，密被锈色绵毛；叶柄长 1.5 ~ 2.5cm，上面疏被淡褐色长柔毛，下面密被锈色绵毛。聚伞花序 2 ~ 3 次分枝，1 ~ 5，每花序具 3 ~ 10 花；花序梗长 5 ~ 14cm，与花梗疏被淡褐色长柔毛至无毛；苞片不存在；花梗长 4 ~ 10mm。花萼 5 裂至近基部，裂片长圆形至长圆状披针形，长 2 ~ 2.2mm，宽约 1mm，外面疏被柔毛至无毛，内面无毛，具 3 脉。花冠筒状，淡紫色、紫蓝色，长 11 ~ 14mm，

珊瑚苣苔

外面无毛，内面下唇一侧具髯毛和斑纹；筒部长约 7mm，直径 3.5 ~ 5.5mm；上唇 2 裂，裂片半圆形，长 1.2 ~ 1.4mm，宽 1.5 ~ 2.5mm，下唇 3 裂，裂片宽卵形至卵形，长 2.5 ~ 4mm，宽 2.5 ~ 3mm。雄蕊 4，上雄蕊长 3 ~ 4mm，着生于距花冠基部 2.5mm 处，下雄蕊长 3.5 ~ 5mm，着生于距花冠基部约 3.5mm 处，花丝线形，无毛，花药长圆形，长约 0.6mm，药室汇合，基部极叉开；退化雄蕊长约 1mm，着生于距花冠基部 2mm 处。花盘高约 0.5mm。雌蕊无毛，子房长圆形，长约 2mm，花柱与子房等长或稍短于子房，柱头头状，微凹。蒴果线形，长约 2cm。

| 生境分布 | 生于海拔 1000 ~ 2300m 的山坡岩石上。分布于重庆城口、巫溪、巫山、奉节、石柱、秀山、南川、黔江、綦江、丰都、酉阳、涪陵、武隆等地。

| 资源情况 | 野生资源一般。药材主要来源于野生。

| 采收加工 | 夏、秋季采集，晒干。

| 功能主治 | 淡，平。健脾，止血，化瘀。用于小儿疳积，跌打损伤，刀伤。

| 用法用量 | 内服煎汤，3 ~ 9g；或浸酒服。外用适量，捣敷。

| 附　　注 | 在 FOC 中，本种被修订为西藏珊瑚苣苔 *Corallodiscus lanuginosus* (Wall. ex A. DC.) B. L. Burtt。

贵州半蒴苣苔 *Hemiboea cavaleriei Lévl.*

| **药 材 名** | 秤杆草（药用部位：全草。别名：水松萝、野蓝、石上凤仙）。

| **形态特征** | 多年生草本。茎上升，高20～150cm，无毛，不分枝或分枝，具4～15节，散生紫斑。叶对生，叶片稍肉质，干后草质，长圆状披针形，卵状披针形或椭圆形，边缘具多数锯齿或浅钝齿，稀近全缘，长5～20cm，两面疏被短柔毛，下面淡绿色或带紫色，侧脉每侧6～14；蠕虫状石细胞嵌生于维管束周围的基本组织中；叶柄长0.5～6.5cm。聚伞花序假顶生，具3～12花；花序梗长0.5～6.5cm，无毛；总苞直径1～2.5cm，无毛，开放后呈船形；花梗长2～5mm，无毛；萼片长5～7mm，无毛；花冠白色、淡黄色或粉红色，散生紫斑，长3～4.8cm，外面疏生腺状短柔毛，花冠筒长2.3～3.3cm，上唇长0.6～1cm，下唇长0.7～1.5cm，花丝长1～1.3cm；花药椭圆形，

贵州半蒴苣苔

长 3 ～ 3.2mm，近先端连着；退化雄蕊 3；雌蕊长 1.7 ～ 2.5cm；子房无毛，柱头钝形。蒴果长 1.5 ～ 2.5cm，无毛。花期 8 ～ 10 月，果期 10 ～ 12 月。

| **生境分布** | 生于海拔 250 ～ 1600m 的山坡林中或草丛中。分布于重庆南川、江津等地。

| **资源情况** | 野生资源较少。药材主要来源于野生。

| **采收加工** | 夏、秋季采收，鲜用或晒干。

| **功能主治** | 微酸、涩，凉。清热解毒。用于痈肿疔毒，烫火伤，跌打损伤。

| **用法用量** | 外用适量，捣敷；或研末，麻油调敷。

纤细半蒴苣苔 *Hemiboea gracilis* Franch.

| 药 材 名 | 半蒴苣苔（药用部位：全草。别名：山白菜、天目降龙草、石花菜）。

| 形态特征 | 多年生草本。茎上升，细弱，通常不分枝，具3～5节，肉质，无毛，散生紫褐色斑点。叶对生，叶片稍肉质，干时草质，倒卵状披针形，卵状披针形或椭圆状披针形，多少偏斜，长3～15cm，宽1.2～5cm，全缘或具疏的波状浅钝齿，基部楔形或狭楔形，通常不对称，上面深绿色，疏生短柔毛，背面绿白色或带紫色，无毛；蠕虫状石细胞少量嵌生于维管束附近的基本组织中；侧脉每侧4～6；叶柄长2～4cm，纤细，无毛。聚伞花序假顶生或腋生，具花1～3；花序梗长0.2～1.2cm，无毛，总苞球形，直径1～1.4（～2）cm，先端具细长尖头，无毛，开放后呈船形；花梗长2～5mm，无毛。萼片5，线状披针形至长椭圆状披针形，长

纤细半蒴苣苔

5 ～ 8mm，宽 2 ～ 4mm，无毛。花冠粉红色，具紫色斑点，长 3 ～ 3.8cm；花冠筒长 2.2 ～ 2.8cm，外面疏被腺状短柔毛，内面基部上方 4 ～ 5mm 处有 1 毛环，口部直径 15 ～ 17mm，基部上方直径 8mm；上唇长 5 ～ 8mm，2 浅裂，裂片半圆形，下唇长 8 ～ 10mm，3 浅裂，裂片半圆形。花丝着生于花冠基部 8 ～ 11mm 处，狭线形，长 11 ～ 12mm，花药长圆形，长（1.1 ～）1.7 ～ 2.5mm，先端连着。退化雄蕊 2，长 4 ～ 5mm，先端小头状，分离。花盘环状，高 1mm。雌蕊长 2 ～ 2.5cm，无毛，子房线形，柱头头状。蒴果线状披针形，长 1.7 ～ 2.5cm，宽 2.2 ～ 3mm，无毛。

| 生境分布 | 生于海拔 300 ～ 1300m 的山谷阴处石上。分布于重庆城口、巫溪、奉节、开州、丰都、酉阳、秀山、黔江、彭水、武隆、南川、大足、江津、北碚、云阳等地。

| 资源情况 | 野生资源稀少。药材主要来源于野生。

| 采收加工 | 夏、秋季采收，鲜用或晒干。

| 功能主治 | 苦，凉。清热，利湿，解毒。用于湿热黄疸，咽喉肿痛，毒蛇咬伤，疔疮肿毒，烫火伤。

| 用法用量 | 内服煎汤，15 ～ 30g。外用适量，捣敷；或鲜品绞汁涂。

苦苣苔科 Gesneriaceae 半蒴苣苔属 Hemiboea

半蒴苣苔 *Hemiboea henryi* Clarke

| **药 材 名** | 半蒴苣苔（药用部位：全草。别名：山白菜、石花、牛舌头）。

| **形态特征** | 多年生草本。茎上升，高 10 ~ 40cm，具 4 ~ 8 节，不分枝，肉质，散生紫斑，无毛或上部疏被短柔毛。叶对生，叶片椭圆形或倒卵状椭圆形，先端急尖或渐尖，基部下延，长 4 ~ 22cm，宽 2 ~ 11.5cm，全缘或有波状浅钝齿，稍肉质，干时草质，无毛或被白色短柔毛，上面深绿色，背面淡绿色或带紫色；皮下散生蠕虫状石细胞；侧脉每侧 5 ~ 7；叶柄长 1 ~ 7（~ 9）cm，具翅，翅合生成船形。聚伞花序假顶生或腋生，具 3 ~ 10 余花；花序梗长 1 ~ 7cm；总苞球形，直径 1 ~ 2.5cm，先端具尖头，淡绿色，无毛，开放后呈船形；花梗粗，长 2 ~ 5mm，无毛。萼片 5，长圆状披针形，长（0.9 ~）1 ~ 1.2cm，宽 3 ~ 4.5mm，无毛，干时膜质。花冠白色，具紫色斑点，长 3.5 ~ 4cm，

半蒴苣苔

外面疏被腺状短柔毛；花冠筒长 3 ~ 3.4cm，内面基部上方 6 ~ 7mm 处具 1 毛环，口部直径 10 ~ 15mm；上唇长 5 ~ 7mm，2 浅裂，裂片半圆形，下唇长 7 ~ 9mm，3 深裂，裂片卵圆形。花丝狭线形，生于距花冠基部 15 ~ 20mm 处，长 8 ~ 12mm，花药长椭圆形，长 3.5 ~ 4.5mm，先端连着。退化雄蕊 3，中间 1 长 2 ~ 6mm，侧面 2 长 4 ~ 7mm，先端小头状，连着或分离。花盘环状，高 1 ~ 1.2mm。雌蕊长 3 ~ 4cm，无毛，柱头钝，略宽于花柱。蒴果线状披针形，多少弯曲，长 1.5 ~ 2.5cm，基部宽 3 ~ 4mm，无毛。

| 生境分布 | 生于海拔 350 ~ 1500m 处。分布于重庆潼南、奉节、酉阳、彭水、丰都、城口、忠县、云阳、长寿、黔江、北碚、巫溪、巫山、合川、巴南、綦江、江津等地。

| 资源情况 | 野生资源较丰富。药材主要来源于野生。

| 采收加工 | 夏、秋季采收，鲜用或晒干。

| 功能主治 | 微苦，平。清热，利湿，解毒。用于湿热黄疸，咽喉肿痛，毒蛇咬伤，烫火伤等。

| 用法用量 | 内服煎汤，15 ~ 30g。外用捣敷；或鲜品绞汁涂。

| 附　　注 | 在 FOC 中，本种被修订为降龙草 *Hemiboea subcapitata* Clarke。

苦苣苔科 Gesneriaceae 半蒴苣苔属 Hemiboea

降龙草
Hemiboea subcapitata Clarke

| 药 材 名 | 降龙草（药用部位：全草。别名：石豇豆、黑乌骨、石泽兰）。

| 形态特征 | 多年生草本。茎肉质，无毛或疏生白色短柔毛，散生紫褐色斑点，不分枝。叶对生；叶片稍肉质，干时草质，椭圆形、卵状披针形或倒卵状披针形，全缘或中部以上具浅钝齿，先端急尖或渐尖，基部楔形或下延，常不相等，上面散生短柔毛或近无毛，深绿色，背面无毛或沿脉疏生短柔毛，淡绿色或紫红色；皮下散生蠕虫状石细胞。聚伞花序腋生或假顶生，具（1～）3～10花；花序梗无毛；总苞球形，先端具凸尖，无毛，开裂后呈船形；花梗粗壮，无毛；萼片5，长椭圆形，无毛，干时膜质；花冠白色，具紫斑，花冠筒外面疏被腺状短柔毛，内面基部上方5～6mm处有1毛环，上唇2浅裂，裂片半圆形；下唇3浅裂，裂片半圆形；花丝狭线形，无毛，花药椭

降龙草

圆形，先端连着；退化雄蕊 3，中央 1 小，侧面 2，先端小头状，分离；花盘环状；子房线形，无毛，柱头钝，略宽于花柱。蒴果线状披针形，多少弯曲，基部无毛。花期 9 ~ 10 月，果期 10 ~ 12 月。

| **生境分布** | 生于海拔 150 ~ 1450m 的山谷林下石上或沟边阴湿处。分布于重庆秀山、巫溪、武隆、开州、城口、万州、涪陵等地。

| **资源情况** | 野生资源较少。药材主要来源于野生。

| **采收加工** | 秋季采收，鲜用或晒干。

| **功能主治** | 甘，寒。清暑利湿，解毒。用于外感暑湿，痈肿疮疖，蛇咬伤。

| **用法用量** | 内服煎汤，9 ~ 15g。外用适量，鲜品捣敷。

| 苦苣苔科 | Gesneriaceae | 金盏苣苔属 | Isometrum

裂叶金盏苣苔 *Isometrum pinnatilobatum* K. Y. Pan

| **药 材 名** | 裂叶金盏苣苔（药用部位：全草。别名：裂叶岩莴苣）。

| **形态特征** | 多年生草本。叶全部基生，具长柄；叶片长圆形，长 1.5 ~ 5cm，宽 0.8 ~ 1.5cm，先端钝，基部渐狭成楔形，边缘羽状浅裂，裂片长 5 ~ 7mm，宽 3 ~ 3.5mm，全缘，上面被灰白色柔毛，下面被淡褐色柔毛，侧脉每边 3 ~ 5，下面隆起；叶柄长 1.5 ~ 3.5cm，被淡褐色长柔毛。聚伞花序 2 次分枝，4 ~ 8，每花序具 4 ~ 6 花；花序梗长 4 ~ 6cm，短于叶，与花梗被褐色长柔毛和腺状短柔毛；苞片线形，长 1.8 ~ 2mm，被褐色长柔毛，具小苞片；花梗长 8 ~ 12mm。花萼裂片相等，披针形，长 2.5 ~ 3mm，宽 1mm，先端渐尖，全缘，外面被短柔毛，内面无毛。花冠细筒状，蓝紫色，长 1.2 ~ 1.4cm，外面疏被短柔毛，内面无毛；花冠筒长约 8mm，约为檐部的 2 倍，

裂叶金盏苣苔

直径 3 ~ 4mm；上唇长 5mm，裂片圆形，长约 2.5mm，下唇长 4mm，侧裂片长 3mm，中央裂片长 3.5mm。雄蕊无毛，上雄蕊长约 3mm，着生于距花冠基部 3.5mm 处，下雄蕊长 2.5mm，着生于距花冠基部 4mm 处，花丝扁平，花药长 0.6mm；退化雄蕊长 0.8 ~ 1.2mm，着生于距花冠基部 3 ~ 3.5mm 处。花盘高约 1mm。雌蕊无毛，子房狭长圆形，长约 3mm，直径约 1.2mm，花柱略短于子房，长约 2.5mm，柱头 2。蒴果未见。花期 5 月。

| **生境分布** | 生于海拔 600 ~ 1600m 的山坡路旁岩壁上。分布于重庆石柱、黔江、彭水等地。

| **资源情况** | 野生资源较少。药材主要来源于野生。

| **采收加工** | 夏、秋季采收，扎把晒干或鲜用。

| **功能主治** | 苦，凉。清热利湿，消炎止血。用于湿热肾炎，小便不利，外伤出血。

| **用法用量** | 内服煎汤，适量。外用适量，捣敷。

苦苣苔科 Gesneriaceae 吊石苣苔属 *Lysionotus*

异叶吊石苣苔 *Lysionotus heterophyllus* Franch.

| 药 材 名 | 吊石苣苔（药用部位：全草。别名：异叶石豇豆）。

| 形态特征 | 亚灌木。茎长达 35cm，无毛，常分枝。叶 4 ~ 8 聚生于茎或分枝先端，4 ~ 5 在茎中部以上近轮生；叶片革质，长椭圆形、长圆形、椭圆形或长圆状卵形，长 1.2 ~ 8.2cm，宽 0.7 ~ 3.2cm，先端短渐尖、渐尖或微尖，基部楔形、宽楔形或圆形，边缘有小齿或近全缘，无毛，下面绿白色，有时呈紫色；叶柄粗，长 2 ~ 10（~ 20）mm，腹面疏被短伏毛或无毛。花序有 1 ~ 4 花；花序梗细，长 1.5 ~ 4.4cm，无毛或被疏柔毛；苞片狭线形，长 1 ~ 1.5mm，无毛；花梗长 5 ~ 10mm；花冠白色，有紫色条纹，长 2.6 ~ 3.5cm，外面疏被短柔毛或近无毛。雄蕊无毛，花丝线形，花药无突起；退化雄蕊 2，无毛；花盘环状，高约 1mm，边缘浅波状；雌蕊无毛。蒴果长 3.5 ~ 5.5cm，

异叶吊石苣苔

无毛；种子狭长圆形，长 1 ～ 1.2mm，毛长 0.5 ～ 0.8mm。花期 7 ～ 8 月。

| **生境分布** | 生于海拔 1000 ～ 1500m 的山地石崖上。分布于重庆石柱、丰都、酉阳、南川、彭水等地。

| **资源情况** | 野生资源稀少。药材来源于野生。

| **采收加工** | 夏、秋季采收，扎把，晒干或鲜用。

| **功能主治** | 苦、微酸、涩，平。清热利湿，祛痰止咳，活血调经。用于咳嗽，食积，脾虚。

| **用法用量** | 内服煎汤，适量。

苦苣苔科 Gesneriaceae　吊石苣苔属 Lysionotus

吊石苣苔 *Lysionotus pauciflorus* Maxim.

| **药 材 名** | 石吊兰（药用部位：地上部分。别名：石豇豆、岩豇豆、黑乌骨）。

| **形态特征** | 常绿小灌木。茎长 7 ~ 30cm，有匍匐茎，常攀附于岩石上，不分枝或少分枝，幼枝常具短毛。叶 3 轮生，有时对生或 4 轮生，具短柄或近无柄；叶片革质，形状变化大，线形、线状倒披针形、狭长圆形或倒卵状长圆形，少有为狭倒卵形或长椭圆形，长 1.5 ~ 5.8cm，宽 0.4 ~ 1.5（ ~ 2）cm，先端急尖或钝，基部钝，宽楔形或近圆形，边缘在中部以上或上部有少数牙齿或小齿，有时近全缘，两面无毛，中脉上面下陷，侧脉每侧 3 ~ 5，不明显；叶柄上面常被短伏毛。花序有 1 ~ 2（ ~ 5）花；花序梗纤细，无毛；苞片披针状线形，疏被短毛或近无毛；花梗无毛；花萼 5 裂达或近基部，无毛或疏被短伏毛，裂片狭三角形或线状三角形；花冠白色带淡紫色条纹或淡紫

吊石苣苔

色，无毛，花冠筒细漏斗状，上唇 2 浅裂，下唇 3 裂；雄蕊无毛，花丝狭线形，花药相连，退化雄蕊 3，无毛，中央的长约 1mm，侧生的狭线形，长约 5mm，弧状弯曲；花盘杯状，有尖齿；雌蕊无毛。蒴果线形，长 5.5 ~ 9cm，宽 2 ~ 3mm，无毛；种子纺锤形，长 0.6 ~ 1mm，毛长 1.2 ~ 1.5mm。花期 7 ~ 10 月。

| 生境分布 | 生于海拔 300 ~ 2000m 的丘陵、山地林中、阴处岩石或树上。分布于重庆黔江、綦江、彭水、巫山、石柱、丰都、城口、酉阳、涪陵、南川、武隆、开州、奉节、巫溪等地。

| 资源情况 | 野生资源较丰富。药材主要来源于野生。

| 采收加工 | 春、夏季叶茂盛时采割，除去杂质，晒干。

| 药材性状 | 本品茎呈圆柱形，长 25 ~ 60cm，直径 2 ~ 5mm；表面淡棕色或灰褐色，有纵皱纹，节膨大，常有不定根；质脆，易折断，断面黄绿色或黄棕色，中心有空隙。叶轮生或对生，有短柄；叶多脱落，脱落后叶柄痕明显；叶片披针形至狭卵形，长 1.5 ~ 5.8cm，宽 0.5 ~ 1.5cm，边缘反卷，上部有齿，两面灰绿色至灰棕色。气微，味苦。

| 功能主治 | 苦，温。归肺经。化痰止咳，软坚散结。用于咳嗽痰多，瘰疬痰核。

| 用法用量 | 内服煎汤，9 ~ 15g；或浸酒服。外用适量，捣敷；或煎汤洗。

| 附 注 | 本种喜阴湿环境。

苦苣苔科 Gesneriaceae 蛛毛苣苔属 *Paraboea*

厚叶蛛毛苣苔 *Paraboea crassifolia* (Hemsl.) Burtt

| 药 材 名 | 厚叶牛耳草（药用部位：全草。别名：石灰草、岩白菜）。

| 形态特征 | 多年生草本。根茎圆柱形，长 0.5 ~ 1.5cm，直径 5 ~ 9mm，具多数须根。叶全部基生，近无柄；叶片厚而肉质，狭倒卵形，倒卵状匙形，长 3.5 ~ 9cm，宽 1.5 ~ 3.2cm，先端圆形或钝，基部渐狭，边缘向上反卷，具不整齐锯齿，上面被灰白色绵毛，渐变近无毛，下面被淡褐色蛛丝状绵毛，侧脉每边 4 ~ 6，下面隆起。聚伞花序伞状，2 ~ 4，每花序具 4 ~ 12 花；花序梗长 8 ~ 12cm，被淡褐色蛛丝状绵毛，变近无毛；苞片 2，钻形，长 2 ~ 3mm，宽不及 1mm，被淡褐色蛛丝状绵毛。花萼长约 3mm，5 裂至近基部，裂片相等，狭线形，长约 2mm，宽不及 1mm，外面被淡褐色短绒毛。花冠紫色，无毛，长 1 ~ 1.4cm，直径约 9mm；花冠筒短而宽，长 6 ~ 7mm，直径约

厚叶蛛毛苣苔

6mm；檐部二唇形，上唇 2 裂，裂片相等，长 3 ～ 4mm，下唇 3 裂，裂片近圆形，长 3 ～ 4mm。雄蕊 2，着生于花冠近基部，内藏，花丝狭线形，长 5.5 ～ 7mm，无毛，上部稍膨大，成直角弯曲，花药大，狭长圆形，两端尖，长 2.5 ～ 3mm，宽 1 ～ 1.2mm，先端连着，药室汇合；退化雄蕊 2，长 2 ～ 2.5mm，着生于距花冠基部 1.5mm 处。无花盘。雌蕊无毛，长 8 ～ 10mm，子房长圆形，比花柱短，长 3 ～ 4mm，直径 0.8 ～ 1mm，花柱纤细，长 5.5 ～ 6mm，柱头 1，头状。蒴果未见。

| **生境分布** | 生于海拔 500 ～ 1000m 的山地石崖上。分布于重庆巫山、奉节、云阳、石柱、酉阳、黔江、彭水、武隆、涪陵、南川、丰都等地。

| **资源情况** | 野生资源较少。药材主要来源于野生。

| **采收加工** | 5 ～ 6 月采收，晒干。

| **功能主治** | 甘，平。补肺止咳，凉血止血。用于肺虚咳喘，咯血，血崩。

| **用法用量** | 内服煎汤，30 ～ 60g。

苦苣苔科 Gesneriaceae 蛛毛苣苔属 Paraboea

蛛毛苣苔 *Paraboea sinensis* (Oliv.) Burtt

| **药 材 名** | 石青菜（药用部位：全草。别名：脸皮、石头菜、华被萼苣苔）。

| **形态特征** | 小灌木。茎常弯曲，高达 30cm，幼枝被褐色毡毛，节间短。叶对生，具叶柄；叶片长圆形，长圆状倒披针形或披针形，长 5.5 ~ 25cm，宽 2.4 ~ 9cm，先端短尖，基部楔形或宽楔形，边缘生小钝齿或近全缘，幼时上面被灰白色或淡褐色绵毛，后变近无毛，下面密被淡褐色毡毛，侧脉每边 10 ~ 13，下面隆起；叶柄长 3 ~ 6cm，被褐色毡毛。聚伞花序伞状，成对腋生，具 10 余花；花序梗长 2.5 ~ 5.5cm，密被褐色毡毛；苞片 2，圆卵形，长 1 ~ 1.5cm，宽 9 ~ 12mm，先端钝，基部合生，全缘；花梗长 8 ~ 10mm，具短绵毛。花萼绿白色，常带紫色，5 裂至近基部，裂片相等，倒披针状匙形，长 8 ~ 13mm，宽 4 ~ 6mm，先端圆形，全缘，两面近无毛。花冠紫蓝色，长 1.5 ~ 2cm，

蛛毛苣苔

直径约 1.5cm，外面无毛；筒部长 1 ～ 1.3cm；檐部广展，稍二唇形，上唇比下唇略短，2 裂，裂片相等，近圆形，长约 7mm，宽约 5mm，下唇 3 裂，裂片相等，近圆形，长约 5mm，宽约 5.5mm。雄蕊 2，着生于花冠下方一侧近基部，花丝上部膨大似囊状，下部弯曲变细而扁平，长约 9mm，无毛，花药大，狭长圆形，两端尖，长约 4mm，宽约 2mm，先端连着；退化雄蕊 1 或 3，长 2 ～ 3mm，着生于距花冠基部 2mm 处。无花盘。雌蕊无毛，内藏，长 6.5 ～ 10mm；子房长圆形，长约 5mm，直径约 1.2mm；花柱圆柱形，长约 5mm，柱头 1，头状。蒴果线形，长 3.5 ～ 4.5cm，直径 2 ～ 3mm，无毛，螺旋状卷曲；种子狭长圆形，长 0.7mm。

| **生境分布** | 生于海拔 500 ～ 2000m 的林下、山坡石缝中或陡崖上。分布于重庆城口、奉节、开州、秀山、黔江、彭水、石柱、武隆、南川、江津、涪陵等地。

| **资源情况** | 野生资源较少。药材来源于野生，自采自用。

| **采收加工** | 全年均可采收，洗净，鲜用或晒干。

| **功能主治** | 苦，凉。清热利湿，止咳平喘，凉血止血。用于痢疾，肝炎，咳嗽，哮喘，荨麻疹，外伤出血。

| **用法用量** | 内服煎汤，6 ～ 10g。外用适量，煎汤熏洗；或研末敷。

列当科 Orobanchaceae 齿鳞草属 Lathraea

齿鳞草
Lathraea japonica Miq.

| 药 材 名 | 齿鳞草（药用部位：全草。别名：金佛山齿鳞草）。

| 形态特征 | 寄生肉质草本。植株高 20 ~ 30（~ 35）cm，全株密被黄褐色的腺毛。茎高 10 ~ 20cm，常从基部分枝，下部近无毛，上部渐被黄褐色腺毛。叶白色，生于茎基部，菱形、宽卵形或半圆形，长 0.5 ~ 0.8mm，宽 0.7 ~ 0.9mm，上部的渐变狭披针形，宽 1 ~ 2mm，两面近无毛。花序总状，狭圆柱形，长 10 ~ 20（~ 25）cm，直径 1.5 ~ 2.5cm；苞片 1，着生于花梗基部，卵状披针形或披针形，长 0.6 ~ 0.9cm；连同花梗、花萼及花冠密被腺毛；花序下部的花梗长 0.5 ~ 0.6（~ 1）cm，上部的渐变短，长 2 ~ 3mm；花萼钟状，长 7 ~ 9mm，先端不整齐的 4 裂，裂片三角形，长 4 ~ 5mm，

齿鳞草

后面 2 较宽，宽 3 ～ 4mm，前面 2 较窄，宽约 2mm；花冠紫色或蓝紫色，长 1.5 ～ 1.7cm，筒部白色，明显比花萼长，上唇盔状全缘或先端微凹，长 5 ～ 6mm，下唇短于上唇，3 裂，长 3 ～ 4mm，裂片半圆形，全缘，波状，稀有齿；雄蕊 4，花丝着生于距筒基部 6 ～ 7mm 处，长 5 ～ 7mm，被柔毛，花药长卵形，长 1.8 ～ 2mm，密被白色长柔毛，基部具小尖头，略叉开；子房近倒卵形，长 1.5 ～ 2.5mm，花柱长 1.2 ～ 1.4cm，柱头 2 浅裂。蒴果倒卵形，长 5 ～ 7mm，直径 3 ～ 4mm，先端具短喙；种子 4，干后浅黄色，不规则球形，直径 1.8 ～ 2mm，种皮具沟状纹饰。花期 3 ～ 5 月，果期 5 ～ 7 月。

| **生境分布** | 生于海拔 1800m 左右的路旁或林下阴湿处。分布于重庆南川等地。

| **资源情况** | 野生资源稀少。药材来源于野生，自采自用。

| **采收加工** | 初夏发苗时采收，晒干。

| **功能主治** | 微苦，凉。清热解毒，消肿止痛。用于疮痈肿毒，毒蛇咬伤，跌打肿痛。

| **用法用量** | 外用适量，煎汤熏洗；或研末敷。

透骨草科 Phrymaceae 透骨草属 Phryma

透骨草

Phryma leptostachya L. subsp. *asiatica* (Hara) Kitamura

透骨草

药材名

透骨草（药用部位：地上部分）。

形态特征

多年生草本，高（10～）30～80（～100）cm。茎直立，四棱形，不分枝或于上部有带花序的分枝，分枝叉开，绿色或淡紫色，遍布倒生短柔毛或于茎上部有开展的短柔毛，少数近无毛。叶对生，叶片卵状长圆形、卵状披针形、卵状椭圆形至卵状三角形或宽卵形，草质，长（1～）3～11（～16）cm，宽（1～）2～8cm，先端渐尖、尾状急尖或急尖，稀近圆形，基部楔形、圆形或截形，中、下部叶基部常下延，边缘有（3～）5至多数钝锯齿、圆齿或圆齿状牙齿，两面散生但沿脉被较密的短柔毛；侧脉每侧4～6；叶柄长0.5～4cm，被短柔毛，有时上部叶柄极短或无柄。穗状花序生于茎顶及侧枝先端，被微柔毛或短柔毛；花序梗长3～20cm；花序轴纤细，长（5～）10～30cm；苞片钻形至线形，长1～2.5mm；小苞片2，生于花梗基部，与苞片同形但较小，长0.5～2mm；花通常多数，疏离，出自苞腋，在序轴上对生于下部互生，具短梗，于蕾期直立，开放时斜展至平展，花后反折。花萼筒状，有

5 纵棱，外面常有微柔毛，内面无毛，萼齿直立；花期萼筒长 2.5 ～ 3.2mm；上方萼齿 3，钻形，长 1.2 ～ 2.3mm，先端多少钩状，下方萼齿 2，三角形，长约 0.3mm。花冠漏斗状筒形，长 6.5 ～ 7.5mm，蓝紫色、淡红色至白色，外面无毛，内面于筒部远轴面被短柔毛；筒部长 4 ～ 4.5mm，口部直径约 1.5mm，基部上方直径约 0.7mm；檐部 2 唇形，上唇直立，长 1.3 ～ 2mm，先端 2 浅裂，下唇平伸，长 2.5 ～ 3mm，3 浅裂，中央裂片较大。雄蕊 4，着生于花冠筒内面基部上方 2.5 ～ 3mm 处，无毛；花丝狭线形，长 1.5 ～ 1.8mm，远轴 2 较长；花药肾状圆形，长 0.3 ～ 0.4mm，宽约 0.5mm。雌蕊无毛；子房斜长圆状披针形，长 1.9 ～ 2.2mm；花柱细长，长 3 ～ 3.5mm；柱头 2 唇形，下唇较长，长圆形。瘦果狭椭圆形，包藏于棒状宿存花萼内，反折并贴近花序轴，萼筒长 4.5 ～ 6mm，上方 3 萼齿长 1.2 ～ 2.3mm；种子 1，基生，种皮薄膜质，与果皮合生。花期 6 ～ 10 月，果期 8 ～ 12 月。

| 生境分布 | 生于海拔 380 ～ 2700m 的阴湿山谷或林下。分布于重庆城口、巫山、巫溪、奉节、石柱、开州、南川、江津、合川、巴南、黔江、涪陵、酉阳、忠县、武隆等地。

| 资源情况 | 野生资源较丰富。药材主要来源于野生，亦有少量栽培。

| 采收加工 | 夏、秋季割取带花、果的地上部分，晒干。

| 药材性状 | 本品茎多分枝，呈圆柱形或微有棱，长 10 ～ 30cm，直径 1 ～ 5mm；表面灰绿色，近基部淡紫色，被灰白色柔毛，具互生叶或叶痕；质脆，易折断，断面黄白色。茎基部有时连有根茎，根茎长短不一；表面灰棕色，略粗糙；质较坚硬，断面淡黄白色。叶多卷曲皱缩或破碎，呈灰绿色，两面均被白色细柔毛。枝梢有时可见总状花序或果序；花小。蒴果三角状扁圆形。气微，味淡而后微苦。

| 功能主治 | 辛，温。归肝、肾经。祛风除湿，舒筋活络，散瘀消肿。用于风湿痹痛，筋骨挛缩，寒湿脚气，腰部扭伤，瘫痪，闭经，阴囊湿疹，疮疖肿毒。

| 用法用量 | 内服煎汤，9 ～ 15g。外用适量，煎汤熏洗。

| 附　注 | 本种喜阳光，怕湿，耐热不耐寒，适生于疏松、肥沃、微酸土壤中，但也耐瘠薄。适应性较强，移植易成活，生长迅速。

车前科 Plantaginaceae 车前属 Plantago

车前
Plantago asiatica L.

车前

| 药 材 名 |

车前草（药用部位：全草。别名：牛舌草、车轮草、蛤蚂草）、车前子（药用部位：种子。别名：车前实、虾蟆衣子、猪耳朵穗子）。

| 形态特征 |

二年生或多年生草本。须根多数。根茎短，稍粗。叶基生呈莲座状，平卧、斜展或直立；叶片薄纸质或纸质，宽卵形至宽椭圆形，长4～12cm，宽2.5～6.5cm，先端钝圆至急尖，边缘波状、全缘或中部以下有锯齿、牙齿或裂齿，基部宽楔形或近圆形，多少下延，两面疏被短柔毛；脉5～7；叶柄长2～15（～27）cm，基部扩大成鞘，疏生短柔毛。花序3～10，直立或弯曲上升；花序梗长5～30cm，有纵条纹，疏被白色短柔毛；穗状花序细圆柱状，长3～40cm，紧密或稀疏，下部常间断；苞片狭卵状三角形或三角状披针形，长2～3mm，长过于宽，龙骨突宽厚，无毛或先端疏生短毛；花具短梗；花萼长2～3mm，萼片先端钝圆或钝尖，龙骨突不延至先端，前对萼片椭圆形，龙骨突较宽，两侧片稍不对称，后对萼片宽倒卵状椭圆形或宽倒卵形；花冠白色，无毛，冠筒与萼片约等长，裂片狭三角形，长约1.5mm，先端渐尖或急尖，具明显的中脉，于花后反折；雄蕊着生于花冠筒内面近基部，与花柱明显外伸，花药卵状椭圆形，长 1 ~ 1.2mm，先端具宽三角形突起，白色，干后变淡褐色，胚珠 7 ~ 15 (~ 18)。蒴果纺锤状卵形、卵球形或圆锥状卵形，长 3 ~ 4.5mm，于基部上方周裂；种子 5 ~ 6 (~ 12)，卵状椭圆形或椭圆形，长 (1.2 ~) 1.5 ~ 2mm，具角，黑褐色至黑色，背腹面微隆起；子叶背腹向排列。花期 4 ~ 8 月，果期 6 ~ 9 月。

| **生境分布** | 生于海拔 150 ~ 2700m 的草地、沟边、河岸湿地、田边、路旁或村边空旷处。重庆各地均有分布。

| **资源情况** | 野生资源丰富。药材主要来源于野生，亦有少量栽培。

| **采收加工** | 车前草：夏季采挖，除去泥沙，晒干。
车前子：夏、秋季种子成熟时采收果穗，晒干，搓出种子，除去杂质。

| **药材性状** | 车前草：本品根丛生，须状。叶基生，具长柄；叶片皱缩，展平后呈卵状椭圆形或宽卵形，长 6 ~ 12cm，宽 2.5 ~ 6.5cm；表面灰绿色或污绿色，具明显弧形脉 5 ~ 7，先端钝或短尖，基部宽锲形，全缘或有不规则波状浅齿。穗状花序数条，花茎长。蒴果盖裂，萼宿存。气微香，味微苦。
车前子：本品呈椭圆形、不规则长圆形或三角状长圆形，略扁，长约 2mm，宽约 1mm。表面黄棕色至黑褐色，有细皱纹，一面有灰白色凹点状种脐。质硬。气微，味淡。

| **功能主治** | 车前草：甘，寒。归肝、肾、肺、小肠经。清热，利尿通淋，祛痰，凉血，解毒。用于热淋涩痛，水肿尿少，暑湿泄泻，痰热咳嗽，吐血衄血，痈肿疮毒。
车前子：甘，寒。归肝、肾、肺、小肠经。清热，利尿通淋，渗湿止泻，明目，祛痰。用于热淋涩痛，水肿胀满，暑湿泄泻，目赤肿痛，痰热咳嗽。

| **用法用量** | 车前草：内服煎汤，9 ~ 30g。
车前子：内服煎汤，9 ~ 15g，包煎。

| **附　　注** | 本种喜温暖湿润气候，较耐寒，在山区、平坝、丘陵地区均能生长。对土壤要求不严，一般土地、田边地角、房前屋后均可栽种，但在较肥沃、湿润的夹砂土中生长较好。

车前科 Plantaginaceae 车前属 Plantago

平车前

Plantago depressa Willd.

| 药 材 名 | 车前草（药用部位：全草。别名：牛舌草、车轮草、蛤蟆草）、车前子（药用部位：种子。别名：车前实、虾蟆衣子、猪耳朵穗子）。

| 形态特征 | 一年生或二年生草本。直根长，具多数侧根，多少肉质；根茎短。叶基生，呈莲座状，平卧、斜展或直立；叶片纸质，椭圆形、椭圆状披针形或卵状披针形，长3～12cm，宽1～3.5cm，先端急尖或微钝，边缘具浅波状钝齿、不规则锯齿或牙齿，基部宽楔形至狭楔形，下延至叶柄，脉5～7，上面略凹陷，于背面明显隆起，两面疏被白色短柔毛；叶柄长2～6cm，基部扩大成鞘状。花序3～10；花序梗长5～18cm，有纵条纹，疏被白色短柔毛；穗状花序细圆柱状，上部密集，基部常间断，长6～12cm；苞片三角状卵形，长2～3.5mm，内凹，无毛，龙骨突宽厚，宽于两侧片，不延至或延至先端；花萼

平车前

长 2 ~ 2.5mm，无毛，龙骨突宽厚，不延至先端，前对萼片狭倒卵状椭圆形至宽椭圆形，后对萼片倒卵状椭圆形至宽椭圆形；花冠白色，无毛，花冠筒等长或略长于萼片，裂片极小，椭圆形或卵形，长 0.5 ~ 1mm，于花后反折；雄蕊着生于花冠筒内面近先端，同花柱明显外伸，花药卵状椭圆形或宽椭圆形，长 0.6 ~ 1.1mm，先端具宽三角状小突起，新鲜时白色或绿白色，干后变淡褐色；胚珠 5。蒴果卵状椭圆形至圆锥状卵形，长 4 ~ 5mm，于基部上方周裂；种子 4 ~ 5，椭圆形，腹面平坦，长 1.2 ~ 1.8mm，黄褐色至黑色；子叶背腹向排列。花期 5 ~ 7 月，果期 7 ~ 9 月。

| **生境分布** | 生于海拔 5 ~ 4500m 的草地、河滩、沟边、草甸、田间或路旁。重庆各地均有分布。

| **资源情况** | 野生资源丰富。药材主要来源于野生，亦有少量栽培。

| **采收加工** | 车前草：夏季采挖，除去泥沙，晒干。
车前子：夏、秋季种子成熟时采收果穗，晒干，搓出种子，除去杂质。

| **药材性状** | 车前草：本品主根直而长。叶片较狭，长椭圆形或椭圆状披针形，长 5 ~ 14cm，宽 2 ~ 3cm。
车前子：本品呈椭圆形、不规则长圆形或三角状长圆形，略扁，长约 2mm，宽约 1mm。表面黄棕色至黑褐色，有细皱纹，一面有灰白色凹点状种脐。质硬。气微，味淡。

| **功能主治** | 车前草：甘，寒。归肝、肾、肺、小肠经。清热，利尿通淋，祛痰，凉血，解毒。用于热淋涩痛，水肿尿少，暑湿泄泻，痰热咳嗽，吐血衄血，痈肿疮毒。
车前子：甘，寒。归肝、肾、肺、小肠经。清热利尿通淋，渗湿止泻，明目，祛痰。用于热淋涩痛，水肿胀满，暑湿泄泻，目赤肿痛，痰热咳嗽。

| **用法用量** | 车前草：内服煎汤，9 ~ 30g。
车前子：内服煎汤，9 ~ 15g，包煎。

| **附　　注** | 本种喜温暖湿润气候，较耐寒，在山区、平坝、丘陵地区均能生长。对土壤要求不严，一般土地、田边地角、房前屋后均可栽种，但在较肥沃、湿润的夹砂土中生长较好。

车前科 Plantaginaceae 车前属 Plantago

长叶车前
Plantago lanceolata L.

| 药 材 名 | 车前草（药用部位：全草）、车前子（药用部位：种子）。

| 形态特征 | 多年生草本。直根粗长；根茎粗短，不分枝或分枝。叶基生，呈莲座状，无毛或散生柔毛；叶片纸质，线状披针形、披针形或椭圆状披针形，长6～20cm，宽0.5～4.5cm，先端渐尖至急尖，全缘或具极疏的小齿，基部狭楔形，下延，脉（3～）5（～7）；叶柄细，长2～10cm，基部略扩大成鞘状，有长柔毛。花序3～15；花序梗直立或弯曲上升，长10～60cm，有明显的纵沟槽，棱上多少贴生柔毛；穗状花序幼时通常呈圆锥状卵形，成长后变短圆柱状或头状，长1～5（～8）cm，紧密；苞片卵形或椭圆形，长2.5～5mm，先端膜质，尾状，龙骨突匙形，密被长粗毛。花萼长2～3.5mm，萼片龙骨突

长叶车前

不达先端，背面常被长粗毛，膜质侧片宽，前对萼片至近先端合生，宽倒卵圆形，边缘被疏毛，2 龙骨突较细，不联合，后对萼片分生，宽卵形，龙骨突成扁平的脊；花冠白色，无毛，花冠筒约与萼片等长或稍长，裂片披针形或卵状披针形，长 1.5 ~ 3mm，先端尾状急尖，中脉明显，干后淡褐色，花后反折；雄蕊着生于冠筒内面中部，与花柱明显外伸，花药椭圆形，长 2.5 ~ 3mm，先端有卵状三角形小尖头，白色至淡黄色；胚珠 2 ~ 3。蒴果狭卵球形，长 3 ~ 4mm，于基部上方周裂；种子（1 ~ ）2，狭椭圆形至长卵形，长 2 ~ 2.6mm，淡褐色至黑褐色，有光泽，腹面内凹成船形；子叶左右向排列。花期 5 ~ 6 月，果期 6 ~ 7 月。

| **生境分布** | 生于河滩、山坡多石处或砂质地、路边、荒地。分布于重庆开州、南川、南岸等地。

| **资源情况** | 野生资源稀少。药材主要来源于栽培。

| **采收加工** | 车前草：夏季采挖，除去泥沙，洗净，阴干或晒干。
车前子：秋季种子成熟时采收果穗，晒干，搓出种子，除去杂质。

| **功能主治** | 车前草：清热利尿，祛痰止咳。用于热淋涩痛，水肿尿少，暑湿泄泻，痰热咳嗽，吐血衄血，痈肿疮毒。
车前子：甘、微寒。清热利尿，渗湿通淋，明目，祛痰。用于水肿胀满，热淋涩痛，暑湿泻痢，目赤肿痛，痰热咳嗽。

| **用法用量** | 内服煎汤，适量。

大车前 *Plantago major* L.

药 材 名	大车前草（药用部位：全草。别名：牛舌草、车轮草、蛤蟆草）、车前子（药用部位：种子。别名：车前实、虾蟆衣子、猪耳朵穗子）。
形态特征	二年生或多年生草本。须根多数；根茎粗短。叶基生，呈莲座状，平卧、斜展或直立；叶片草质、薄纸质或纸质，宽卵形至宽椭圆形，长 3 ~ 18（~ 30）cm，宽 2 ~ 11（~ 21）cm，先端钝尖或急尖，边缘波状、疏生不规则牙齿或近全缘，两面疏生短柔毛或近无毛，少数被较密的柔毛，脉（3 ~）5 ~ 7；叶柄长（1 ~）3 ~ 10（~ 26）cm，基部鞘状，常被毛。花序 1 至数个；花序梗直立或弯曲上升，长（2 ~）5 ~ 18（~ 45）cm，有纵条纹，被短柔毛或柔毛；穗状花序细圆柱状，（1 ~）3 ~ 20（~ 40）cm，基部常间断；苞片宽卵状三角形，长 1.2 ~ 2mm，宽与长约相等或略超过，无毛

大车前

或先端疏生短毛，龙骨突宽厚；花无梗；花萼长 1.5 ~ 2.5mm，萼片先端圆形，无毛或疏被短缘毛，边缘膜质，龙骨突不达先端，前对萼片椭圆形至宽椭圆形，后对萼片宽椭圆形至近圆形；花冠白色，无毛，花冠筒等长或略长于萼片，裂片披针形至狭卵形，长 1 ~ 1.5mm，于花后反折；雄蕊着生于冠筒内面近基部，与花柱明显外伸，花药椭圆形，长 1 ~ 1.2mm，通常初为淡紫色，稀白色，干后变淡褐色；胚珠 12 ~ 40。蒴果近球形、卵球形或宽椭圆状球形，长 2 ~ 3mm，于中部或稍低处周裂；种子（8 ~）12 ~ 24（~ 34），卵形、椭圆形或菱形，长 0.8 ~ 1.2mm，具角，腹面隆起或近平坦，黄褐色；子叶背腹向排列。花期 6 ~ 8 月，果期 7 ~ 9 月。

| 生境分布 | 生于草地、草甸、河滩、沟边、沼泽地、山坡路旁、田边或荒地。分布于重庆涪陵、武隆、巫山、梁平、荣昌等地。

| 资源情况 | 野生资源一般。药材主要来源于野生，亦有少量栽培。

| 采收加工 | 大车前草：夏季采挖，除去泥沙，洗净，阴干或晒干。
车前子：秋季种子成熟时采收果穗，晒干，搓出种子，除去杂质。

| 药材性状 | 大车前草：本品为干燥皱缩的全草。根茎粗短，根丛生，须状。叶基生，具长柄，皱缩，展平后呈宽卵形至宽椭圆形，长 5 ~ 22cm，宽 3 ~ 14cm；表面灰绿色或墨绿色，具明显弧形脉 5 ~ 7，先端钝尖或急尖，基部钝圆或宽楔形，全缘或有不规则波状浅齿，两面疏生短柔毛或近无毛；叶柄长 5 ~ 26cm，基部常扩大成鞘状。穗状花序数条，上端穗状花序长 5 ~ 40cm，细圆柱状。蒴果近球形至宽椭圆状球形，中部或稍低处周裂。气微香，味微苦。
车前子：本品类三角形或斜方形，粒小，长 0.88 ~ 1.6mm，宽 0.55 ~ 0.9mm。表面棕色或棕褐色，腹面隆起较高，脐点白色，多位于腹面隆起的中央或一端。

| 功能主治 | 大车前草：甘、涩，凉。止泻，愈伤。用于腹泻。
车前子：甘、淡，微寒。归肺、肝、肾、膀胱经。清热利尿，渗湿止泻，明目，祛痰。用于小便不利，淋浊带下，水肿胀满，暑湿泻痢，目赤障翳，痰热咳喘。

| 用法用量 | 大车前草：内服煎汤，3 ~ 6g。
车前子：内服煎汤，5 ~ 15g，包煎；或入丸、散。外用适量，煎汤洗或研末调敷。

| 附 注 | 本种喜温暖湿润气候，较耐寒。对土壤要求不严，一般土地、田边地角、房前屋后均可栽种，但在较肥沃、湿润的夹砂土中生长较好。

忍冬科 Caprifoliaceae 糯米条属 Abelia

六道木
Abelia biflora Turcz.

| 药 材 名 | 交翅木（药用部位：果实。别名：六条木、双花六道木）。

| 形态特征 | 落叶灌木，高 1 ~ 3m。幼枝被倒生硬毛，老枝无毛。叶矩圆形至矩圆状披针形，长 2 ~ 6cm，宽 0.5 ~ 2cm，先端尖至渐尖，基部钝至渐狭成楔形，全缘或中部以上羽状浅裂而具 1 ~ 4 对粗齿，上面深绿色，下面绿白色，两面疏被柔毛，脉上密被长柔毛，边缘有睫毛；叶柄长 2 ~ 4mm，基部膨大且成对相连，被硬毛。花单生小枝上叶腋，无总花梗；花梗长 5 ~ 10mm，被硬毛；小苞片三齿状，齿 1 长 2 短，花后不落；萼筒圆柱形，疏生短硬毛，萼齿 4，狭椭圆形或倒卵状矩圆形，长约 1cm；花冠白色、淡黄色或带浅红色，狭漏斗形或高脚碟形，外面被短柔毛，杂有倒向硬毛，4 裂，裂片圆形，花冠筒为裂片长的 3 倍，内密生硬毛；雄蕊 4，二强，着生于花冠筒中部，

六道木

内藏，花药长卵圆形；子房 3 室，仅 1 室发育，花柱长约 1cm，柱头头状。果实具硬毛，冠以 4 宿存而略增大的花萼裂片；种子圆柱形，长 4 ~ 6mm，具肉质胚乳。早春开花，8 ~ 9 月结果。

| 生境分布 | 生于海拔 400 ~ 1500m 的山坡灌丛、林下或沟边。分布于重庆巫山、巫溪、奉节、云阳、涪陵、丰都、忠县、武隆等地。

| 资源情况 | 野生资源一般。药材来源于野生。

| 采收加工 | 秋季采收，鲜用或晒干。

| 功能主治 | 微苦、涩，平。祛风除湿，解毒消肿。用于风湿痹痛，热毒痈疮。

| 用法用量 | 内服煎汤，10 ~ 30g。外用适量，捣敷。

| 附　注 | 在 FOC 中，本种的拉丁学名被修订为 *Zabelia biflora* (Turcz.) Makino，属名被修订为六道木属 *Zabelia*。

忍冬科 Caprifoliaceae 糯米条属 Abelia

糯米条 *Abelia chinensis* R.Br.

| 药 材 名 | 糯米条（药用部位：茎叶。别名：茶条树、小榆蜡叶、小垛鸡）。

| 形态特征 | 落叶多分枝灌木，高达 2m。嫩枝纤细，红褐色，被短柔毛，老枝树皮纵裂。叶有时 3 轮生，圆卵形至椭圆状卵形，先端急尖或长渐尖，基部圆或心形，长 2 ~ 5cm，宽 1 ~ 3.5cm，边缘有稀疏圆锯齿，上面初时疏被短柔毛，下面基部主脉及侧脉密被白色长柔毛，花枝上部叶向上逐渐变小。聚伞花序生于小枝上部叶腋，由多数花序集合成 1 圆锥状花簇，总花梗被短柔毛，果期光滑；花芳香，具 3 对小苞片；小苞片矩圆形或披针形，具睫毛；萼筒圆柱形，被短柔毛，稍扁，具纵条纹，萼檐 5 裂，裂片椭圆形或倒卵状矩圆形，长 5 ~ 6mm，果期变红色；花冠白色至红色，漏斗状，长 1 ~ 1.2cm，为萼齿的 1 倍，外面被短柔毛，裂片 5，圆卵形；雄蕊着生于花冠筒基部，花丝细长，

糯米条

伸出花冠筒外；花柱细长，柱头圆盘形。果实具宿存而略增大的花萼裂片。

| **生境分布** | 生于海拔 400 ～ 1500m 的山地。分布于重庆巫山、巫溪、奉节、云阳、涪陵、丰都、忠县、武隆等地。

| **资源情况** | 野生资源一般。药材来源于野生。

| **采收加工** | 春、夏、秋季采收，鲜用或切段晒干。

| **功能主治** | 苦，凉。清热解毒，凉血止血。用于湿热痢疾，痈疽疮疖，衄血，咯血，吐血，便血，流行性感冒，跌打损伤。

| **用法用量** | 内服煎汤，6 ～ 15g；或鲜品捣汁。外用煎汤洗；或捣敷。

忍冬科 Caprifoliaceae 糯米条属 Abelia

南方六道木
Abelia dielsii (Graebn.) Rehd.

南方六道木

药 材 名

南方六道木（药用部位：果实）。

形态特征

落叶灌木，高 2 ~ 3m。当年生小枝红褐色，老枝灰白色。叶长卵形、矩圆形、倒卵形、椭圆形至披针形，变化幅度很大，长 3 ~ 8cm，宽 0.5 ~ 3cm，嫩时上面散生柔毛，下面除叶脉基部被白色粗硬毛外，光滑无毛，先端尖或长渐尖，基部楔形、宽楔形或钝，全缘或有 1 ~ 6 对齿牙，具缘毛；叶柄长 4 ~ 7mm，基部膨大，散生硬毛。花 2 生于侧枝顶部叶腋；总花梗长 1.2cm；花梗极短或几无；苞片 3，形小而有纤毛，中央 1 长 6mm，侧生者长 1mm；萼筒长约 8mm，散生硬毛，萼檐 4 裂，裂片卵状披针形或倒卵形，先端钝圆，基部楔形；花冠白色，后变浅黄色，4 裂，裂片圆，长约为花冠筒的 1/5 ~ 1/3，花冠筒内有短柔毛；雄蕊 4，二强，内藏，花丝短；花柱细长，与花冠等长，柱头头状，不伸出花冠筒外。果实长 1 ~ 1.5cm；种子柱状。花期 4 月下旬至 6 月上旬，果熟期 8 ~ 9 月。

| **生境分布** | 生于海拔 800 ～ 1800m 的山坡灌丛、路边林下或草地。分布于重庆城口、巫溪、奉节、忠县、南川、酉阳等地。 |

| **资源情况** | 野生资源较少。药材来源于野生，自采自用。 |

| **采收加工** | 秋季采收，晒干。 |

| **功能主治** | 祛风湿。用于风湿痹痛。 |

| **用法用量** | 内服煎汤，15 ～ 24g。 |

忍冬科 Caprifoliaceae 糯米条属 Abelia

二翅六道木
Abelia macrotera (Graebn. et Buchw.) Rehd.

| 药 材 名 | 二翅六道木（药用部位：根、枝、叶）。

| 形态特征 | 落叶灌木，高 1 ～ 2m。幼枝红褐色，光滑。叶卵形至椭圆状卵形，长 3 ～ 8cm，宽 1.5 ～ 3.5cm，先端渐尖或长渐尖，基部钝圆或阔楔形至楔形，边缘具疏锯齿及睫毛，上面绿色，叶脉下陷，疏被短柔毛，下面灰绿色，中脉及侧脉基部密被白色柔毛。聚伞花序常由未伸展的带叶花枝所构成，含数朵花，生于小枝先端或上部叶腋；花大，长 2.5 ～ 5cm；苞片红色，披针形；小苞片 3，卵形，疏被长柔毛；萼筒被短柔毛，花萼裂片 2，长 1 ～ 1.5cm，矩圆形、椭圆形或狭椭圆形，长为花冠筒的 1/3；花冠浅紫红色，漏斗状，长 3 ～ 4cm，外面被短柔毛，内面喉部被长柔毛，裂片 5，略呈二唇形，上唇 2 裂，下唇 3 裂，花冠筒基部具浅囊；雄蕊 4，二强，花丝着生于花冠筒

二翅六道木

中部；花柱与花冠筒等长，柱头头状。果实长 0.6 ～ 1.5cm，被短柔毛，冠以 2 宿存而略增大的花萼裂片。花期 5 ～ 6 月，果期 8 ～ 10 月。

| **生境分布** | 生于海拔 500 ～ 1400m 的路边灌丛、溪边林下等处。分布于重庆巫溪、奉节、石柱、南川、綦江、江津、城口、万州、忠县、酉阳等地。

| **资源情况** | 野生资源较少。药材来源于野生，自采自用。

| **采收加工** | 秋季采收，晒干。

| **功能主治** | 祛风湿，消肿毒，清热燥湿，理气止痛。用于风湿关节痛，跌打损伤，牙痛，高热，火眼。

| **用法用量** | 内服煎汤，适量。

忍冬科 Caprifoliaceae 糯米条属 Abelia

小叶六道木
Abelia parvifolia Hemsl.

| 药 材 名 | 紫茎桠（药用部位：茎、叶）。

| 形态特征 | 落叶灌木或小乔木，高 1 ~ 4m。枝纤细，多分枝，幼枝红褐色，被短柔毛，夹杂散生的糙硬毛和腺毛。叶有时 3 轮生，革质，卵形、狭卵形或披针形，长 1 ~ 2.5cm，先端钝或有小尖头，基部圆至阔楔形，近全缘或具 2 ~ 3 对不明显的浅圆齿，边缘内卷，上面暗绿色，下面绿白色，两面疏被硬毛，下面中脉基部密被白色长柔毛；叶柄短。具 1 ~ 2 花的聚伞花序生于侧枝上部叶腋；萼筒被短柔毛，萼檐 2 裂，极少 3 裂，裂片椭圆形、倒卵形或矩圆形，长 5 ~ 7mm；花冠粉红色至浅紫色，狭钟形，外被短柔毛及腺毛，基部具浅囊，花蕾时花冠弯曲，5 裂，裂片圆齿形，整齐至稍不整齐，最上面 1 片面对浅囊；雄蕊 4，二强，1 对着生于花冠筒基部，另 1 对着生于花冠筒中部，

小叶六道木

花药长柱形，花丝疏被柔毛；花柱细长，柱头达花冠筒喉部。果实长约 6mm，被短柔毛，冠以 2 略增大的宿存花萼裂片。花期 4 ~ 5 月，果期 8 ~ 9 月。

| **生境分布** | 生于海拔 240 ~ 2000m 的林缘、路旁、草坡、岩石或山谷等处。分布于重庆巫山、奉节、黔江、梁平、万州、忠县、南川、江津、北碚、丰都、巫溪、云阳、武隆等地。

| **资源情况** | 野生资源较丰富。药材来源于野生。

| **采收加工** | 夏、秋季采收，鲜用或晒干。

| **功能主治** | 苦、涩，平。祛风，除湿，解毒。用于风湿痹痛，痈疽肿毒。

| **用法用量** | 内服煎汤，15 ~ 24g；或泡酒。外用适量，研末或调敷；或鲜品捣敷。

忍冬科 Caprifoliaceae 双盾木属 Dipelta

云南双盾木 *Dipelta yunnanensis* Franch.

| 药 材 名 | 鸡骨柴（药用部位：根。别名：鸡骨菜）。

| 形态特征 | 落叶灌木，高达 4m。幼枝被柔毛。冬芽具 3 ~ 4 对鳞片。叶椭圆形至宽披针形，长 5 ~ 10cm，宽 2 ~ 4cm，先端渐尖至长渐尖，基部钝圆至近圆形，全缘或稀具疏浅齿，上面疏被微柔毛，主脉下陷，下面沿脉被白色长柔毛，边缘被睫毛；叶柄长约 5mm。伞房状聚伞花序生于短枝顶部叶腋；小苞片 2 对，1 对较小，卵形，不等形，另 1 对较大，肾形；萼檐膜质，被柔毛，裂至 2/3 处，萼齿钻状条形，不等长，长 4 ~ 5mm；花冠白色至粉红色，钟形，长 2 ~ 4cm，基部一侧有浅囊，二唇形，喉部被柔毛及黄色块状斑纹；花丝无毛；花柱较雄蕊长，不伸出。果实圆卵形，被柔毛，先端狭长，2 对宿存的小苞片明显地增大，其中 1 对网脉明显，肾形，以其弯曲部分

云南双盾木

贴生于果实，长 2.5 ~ 3cm，宽 1.5 ~ 2cm；种子扁，内面平，外面延生成脊。花期 5 ~ 6 月，果期 5 ~ 11 月。

| **生境分布** | 生于海拔 1100 ~ 1800m 的杂木林下或山坡灌丛中。分布于重庆南川、石柱等地。

| **资源情况** | 野生资源稀少。药材来源于野生。

| **采收加工** | 夏、秋季采收，切段，晒干。

| **功能主治** | 苦，平。发表透疹，解毒止痒。用于麻疹痘毒，湿热身痒，穿踝风。

| **用法用量** | 内服煎汤，9 ~ 15g。

淡红忍冬 *Lonicera acuminata* Wall.

| **药 材 名** | 金银花（药用部位：花蕾。别名：肚子银花）。

| **形态特征** | 落叶或半常绿藤本。幼枝、叶柄和总花梗均被疏或密、通常卷曲的棕黄色糙毛或糙伏毛，有时夹杂开展的糙毛和微腺毛，或仅着花小枝先端被毛，更或全然无毛。叶薄革质至革质，卵状矩圆形、矩圆状披针形至条状披针形，长 4 ～ 8.5cm，先端长渐尖至短尖，基部圆至近心形，有时宽楔形或截形，两面被疏或密的糙毛或至少上面中脉被棕黄色短糙伏毛，有缘毛；叶柄长 3 ～ 5mm。双花在小枝顶集合成近伞房状花序，或单生于小枝上部叶腋，总花梗长 4 ～ 18mm；苞片钻形，比萼筒短或略较长，被少数短糙毛或无毛；小苞片宽卵形或倒卵形，为萼筒长的 1/3 ～ 2/5，先端钝或圆，有时微凹，有

淡红忍冬

缘毛；萼筒椭圆形或倒壶形，长 2.5 ～ 3mm，无毛或被短糙毛，萼齿卵形、卵状披针形至狭披针形或有时狭三角形，长为萼筒的 1/4 ～ 2/5，边缘无毛或被疏或密的缘毛；花冠黄白色而有红晕，漏斗状，长 1.5 ～ 2.4cm，外面无毛或被开展或半开展的短糙毛，有时还被腺毛，唇形，筒长 9 ～ 12mm，与唇瓣等长或略较长，内被短糙毛，基部有囊，上唇直立，裂片圆卵形，下唇反曲；雄蕊略高出花冠，花药长 4 ～ 5mm，约为花丝的 1/2，花丝基部被短糙毛；花柱除先端外均被糙毛。果实蓝黑色，卵圆形，直径 6 ～ 7mm；种子椭圆形至矩圆形，稍扁，长 4 ～ 4.5mm，有细凹点，两面中部各有 1 凸起的脊。花期 6 月，果期 10 ～ 11 月。

| 生境分布 | 生于海拔 500 ～ 2600m 的山坡和山谷的林中、林间空旷地或灌丛中。分布于重庆秀山、城口、奉节、丰都、黔江、云阳、南川、石柱、巫溪、巫山、酉阳、彭水、武隆等地。

| 资源情况 | 野生资源丰富。药材主要来源于野生，亦有少量栽培。

| 采收加工 | 夏季花开放前采收，直接干燥；蒸、炒后干燥。

| 药材性状 | 本品呈短棒状，长 1 ～ 2cm，上部膨大，直径 1.8 ～ 4mm，下部直径 0.6 ～ 1.3mm。表面黄绿色、棕黄色、淡紫色至紫棕色，无毛或疏被柔毛，萼筒、萼齿均无毛或萼筒上部及萼齿被疏毛，花柱下部及子房有毛。质稍硬。杂有的少量幼枝及总花梗通常被卷曲的黄褐色糙毛或糙伏毛。

| 功能主治 | 甘，寒。清热解毒，疏散风热。用于痈肿疔疮，喉痹，丹毒，热毒血痢，风热感冒，温病发热。

| 用法用量 | 内服煎汤，6 ～ 15g。

| 附　　注 | 本种喜疏松、肥沃、排水良好的砂壤土和灌溉方便、有水源的地方。荒坡、地边、沟旁、房前屋后均可种植。

忍冬科 Caprifoliaceae 忍冬属 *Lonicera*

匍匐忍冬

Lonicera crassifolia Batal.

| 药 材 名 | 匍匐忍冬（药用部位：花蕾）。

| 形态特征 | 常绿匍匐灌木，高达 1m。幼枝密被淡黄褐色卷曲短糙毛，枝黑褐色，无毛。冬芽有数对鳞片。叶通常密集于当年小枝的先端，革质，宽椭圆形至矩圆形，长 1 ~ 3.5（~ 6.3）cm，两端稍尖至圆形，先端有时具小凸尖或微凹缺，除上面中脉被短糙毛外，两面均无毛，边缘背卷，密生糙缘毛；叶柄长 3 ~ 8mm，上面具沟，被短糙毛和缘毛。双花生于小枝梢叶腋，总花梗长 2 ~ 10（~ 14）mm，具短糙毛或无毛；凡苞片、小苞片和萼齿先端均有睫毛；苞片三角状披针形，先端稍钝，长为萼筒的 1/2 ~ 2/3；小苞片圆卵形，长约为苞片之半，先端圆；萼齿卵形，长约 1mm，为萼筒的 1/3 ~ 1/2，先端钝；花冠白色，花冠筒带红色，后变黄色，长约 2cm，外面无毛，内被糙毛，

匍匐忍冬

花冠筒基部一侧略肿大，唇瓣长约为花冠筒的 1/2，上唇直立，有波状齿或短的卵形裂片，下唇反卷；雄蕊长与花冠几相等，花丝下部疏被糙毛；花柱远高出花冠，中上部以下被糙毛。果实黑色，圆形，直径 5 ~ 6mm。花期 6 ~ 7 月，果期 10 ~ 11 月。

| 生境分布 | 生于海拔 1300 ~ 2500m 的溪沟旁、湿润的林缘岩壁或岩缝中。分布于重庆巫山、南川、奉节、酉阳、彭水、石柱、武隆、丰都等地。

| 资源情况 | 野生资源较少。药材来源于野生。

| 采收加工 | 夏初花开放前采收，干燥。

| 功能主治 | 清热解毒，消炎。用于风湿关节痛。

| 用法用量 | 内服煎汤，适量。

忍冬科 Caprifoliaceae 忍冬属 Lonicera

苦糖果

Lonicera fragrantissima Lindl. et Paxt. subsp. *standishii* (Carr.) Hsu et H. J. Wang

| **药 材 名** | 大金银花（药用部位：茎、叶、根。别名：破骨风、鸡骨头）。

| **形态特征** | 落叶灌木。小枝和叶柄有时被短糙毛。叶卵形、椭圆形或卵状披针形，呈披针形或近卵形者较少，通常两面被刚伏毛及短腺毛，或至少下面中脉被刚伏毛，有时中脉下部或基部两侧夹杂短糙毛。花柱下部疏被糙毛。花期 1 月下旬至 4 月上旬，果期 5 ~ 6 月。

| **生境分布** | 生于海拔 900 ~ 2700m 的向阳山坡林中、灌丛中或溪涧旁。分布于重庆城口、巫溪、巫山、奉节、南川、武隆等地。

| **资源情况** | 野生资源一般。药材来源于野生。

| **采收加工** | 夏、秋季采收茎、叶，秋后挖根，均鲜用或切段晒干。

苦糖果

| 功能主治 | 甘，寒。祛风除湿，清热，止痛。用于风湿关节痛，劳伤，疔疮肿毒。

| 用法用量 | 内服煎汤，9 ~ 15g；或泡酒。外用适量，捣敷。

| 附　　注 | （1）在 FOC 中，本种的拉丁学名被修订为 *Lonicera fragrantissima* Lindl. et Paxt. var. *lancifolia* (Rehder) Q. E. Yang。
（2）本种繁殖能力强，属于易培育植物，生产中既可采用种子繁殖方式，也可采用无性繁殖方式。

忍冬科 Caprifoliaceae 忍冬属 Lonicera

蕊被忍冬
Lonicera gynochlamydea Hemsl.

| 药 材 名 | 蕊被忍冬（药用部位：花蕾）。

| 形态特征 | 落叶灌木，高达 3（～4）m，幼枝、叶柄及叶中脉常带紫色，后变灰黄色；幼枝无毛。叶纸质，卵状披针形、矩圆状披针形至条状披针形，长 5～10（～13.5）cm，先端长渐尖，基部圆至楔形，两面中脉被毛，上面散生暗紫色腺，下面基部中脉两侧常被白色长柔毛，边缘被短糙毛；叶柄长 3～6mm。总花梗短于或稍长于叶柄；苞片钻形，长约等于或稍超过萼齿；杯状小苞包围 2 分离的萼筒，先端为 1 由萼檐下延而成的帽边状突起所覆盖；萼齿小而钝，三角形或披针形，有睫毛；花冠白色带淡红色或紫红色，长 8～12mm，内、外两面均被短糙毛，唇形，筒略短于唇瓣，基部具深囊；雄蕊稍伸出，花丝中部以下被毛；花柱比雄蕊短，全部被糙毛。果实紫红色至白

蕊被忍冬

色，直径 4 ~ 5mm，具 1 ~ 2（~ 4）种子。花期 5 月，果期 8 ~ 9 月。

| **生境分布** | 生于海拔 900 ~ 1900m 的山坡、沟谷的灌丛或林中。分布于重庆城口、巫溪、巫山、奉节、酉阳、石柱、南川等地。

| **资源情况** | 野生资源较少。药材来源于野生。

| **采收加工** | 夏初花开放前采收，干燥。

| **功能主治** | 清热解毒，止痢。用于上呼吸道感染，乳腺炎，急性结膜炎，热痢，便血，肿毒，疟疾。

| **用法用量** | 内服煎汤，适量。

忍冬科 Caprifoliaceae 忍冬属 *Lonicera*

忍冬
Lonicera japonica Thunb.

| 药 材 名 | 金银花（药用部位：花蕾。别名：忍冬花、银花、双花）、金银花子（药用部位：果实。别名：银花子）、忍冬藤（药用部位：茎枝。别名：千金藤、忍冬草、金银花藤）、金银花叶（药用部位：叶）。

| 形态特征 | 半常绿藤本。幼枝暗红褐色，密被黄褐色、开展的硬直糙毛、腺毛和短柔毛，下部常无毛。叶纸质，卵形至矩圆状卵形，有时卵状披针形，稀圆卵形或倒卵形，极少有 1 至数个钝缺刻，长 3 ～ 5（～ 9.5）cm，先端尖或渐尖，少有钝、圆或微凹缺，基部圆或近心形，有糙缘毛，上面深绿色，下面淡绿色，小枝上部叶通常两面均密被短糙毛，下部叶常平滑无毛而下面多少带青灰色；叶柄长 4 ～ 8mm，密被短柔毛。总花梗通常单生小枝上部叶腋，与叶柄等长或稍短，下方者则长 2 ～ 4cm，密被短柔毛，并夹杂腺毛；苞片大，

忍冬

叶状，卵形至椭圆形，长达 2 ~ 3cm，两面均被短柔毛或有时近无毛；小苞片先端圆形或截形，长约 1mm，为萼筒的 1/2 ~ 4/5，被短糙毛和腺毛；萼筒长约 2mm，无毛，萼齿卵状三角形或长三角形，先端尖而被长毛，外面和边缘都被密毛；花冠白色，有时基部向阳面呈微红色，后变黄色，长（2 ~）3 ~ 4.5（~ 6）cm，唇形，花冠筒稍长于唇瓣，很少近等长，外被多少倒生的开展或半开展糙毛和长腺毛，上唇裂片先端钝形，下唇带状而反曲；雄蕊和花柱均高出花冠。果实圆形，直径 6 ~ 7mm，熟时蓝黑色，有光泽；种子卵圆形或椭圆形，褐色，长约 3mm，中部有 1 凸起的脊，两侧有浅的横沟纹。花期 4 ~ 6 月（秋季亦常开花），果期 10 ~ 11 月。

| 生境分布 | 生于海拔 200 ～ 1900m 的山坡灌丛或疏林中、乱石堆、山路旁及村庄篱笆边，也常栽培。重庆各地均有分布。

| 资源情况 | 野生资源丰富，亦有少量栽培。药材来源于野生和栽培。

| 采收加工 | 金银花：夏初花开放前采收，干燥。

金银花子：秋末冬初采收，晒干。

忍冬藤：秋、冬季割取，除去杂质，捆成束或卷成团，晒干。

金银花叶：夏、秋季采摘花蕾后采收，晒干。

| 药材性状 | 金银花：本品呈棒状，上粗下细，略弯曲，长 2 ～ 3cm，上部直径约 3mm，下部直径约 1.5mm。表面黄白色或绿白色（贮久色渐深），密被短柔毛。偶见叶

状苞片。花萼绿色，先端 5 裂，裂片有毛，长约 2mm。开放者花冠筒状，先端二唇形；雄蕊 5，附于筒壁，黄色；雌蕊 1，子房无毛。气清香，味淡、微苦。

金银花子：本品呈圆球形，紫黑色或为黄棕色，直径约 2cm。外皮皱缩，质重而结实，内含多数扁小棕褐色的种子。味微甘。

忍冬藤：本品常捆成束或卷成团。茎枝长圆柱形，多分枝，直径 1.5 ~ 6mm，节间长 3 ~ 6cm，有残叶及叶痕。表面棕红色或暗棕色，有细纵纹，老枝光滑，细枝有淡黄色毛茸；外皮易剥落，露出灰白色内皮。质硬脆，易折断，断面黄白色，中心空洞。气微，老枝味微苦，嫩枝味淡。以表面色棕红、质嫩者为佳。

金银花叶：本品多皱缩而破碎，完整者展后呈卵形至长椭圆状卵形，长 2 ~ 8cm，宽 1 ~ 3cm；先端尖，基部圆钝，边缘整齐。上表面绿色或带紫褐色，下表面灰绿色，主脉淡黄色，于下表面突起，侧脉羽状。叶柄短，两面、边缘和叶柄均被短柔毛。纸质，易破碎。气微，味微苦。

| **功能主治** | 金银花：甘，寒。归肺、心、胃经。清热解毒，疏散风热。用于痈肿疔疮，喉痹，丹毒，热毒血痢，风热感冒，温病发热。

金银花子：苦、涩、微甘，凉。清肠化湿。用于肠风泄泻，赤痢。

忍冬藤：甘，寒，归心、肺经。清热解毒，通络。用于温病发热，疮痈肿毒，热毒血痢，风湿热痹。

金银花叶：甘，寒。归肺、心经。清热解毒。用于温病发热，热毒血痢，病毒性肝炎，疮痈肿毒。

| **用法用量** | 金银花：内服煎汤，6 ~ 15g。

金银花子：内服煎汤，3 ~ 9g。

忍冬藤：内服煎汤，10 ~ 30g；或入丸、散；或浸酒。外用适量，煎汤熏洗；或熬膏贴；或研末调敷；亦可用鲜品捣敷。

金银花叶：10 ~ 30g。外用适量，煎汤熏洗；熬膏贴；或研末调敷。

忍冬科 Caprifoliaceae 忍冬属 *Lonicera*

柳叶忍冬
Lonicera lanceolata Wall.

| **药 材 名** | 柳叶忍冬（药用部位：花蕾、果实）。

| **形态特征** | 落叶灌木，高达 4m，植株各部常被疏或密的短腺毛，凡幼枝、叶柄和总花梗都被短柔毛，有时夹生微直毛。冬芽具多对宿存鳞片。叶纸质，卵形至卵状披针形或菱状矩圆形，长 3 ~ 10cm，先端渐尖或尾状长渐尖，基部渐狭或稀近圆形，边缘略波状起伏，两面疏生短柔毛，下面叶脉显著，毛较多；叶柄长 4 ~ 10mm。总花梗长 0.5 ~ 1.5（~ 2.5）cm；苞片小，长 2 ~ 3mm，有时条形，叶状，长达 1cm；杯状小苞的一侧几全裂或仅部分联合，为萼筒长的 1/2 至等长，有腺缘毛；相邻两萼筒分离或下半部合生，无毛，萼齿小，三角形至披针形，顶细尖，有缘毛，为萼筒长的 1/3 ~ 1/2；花冠淡紫色或紫红色，唇形，长 9 ~ 13mm，花冠筒长约为唇瓣的 1/2，

柳叶忍冬

基部有囊，外面或至少囊部被微柔毛，内面被柔毛，上唇有浅圆裂，下唇反折；雄蕊约与花冠上唇等长，花丝基部被柔毛；花柱全被柔毛。果实黑色，圆形，直径 5 ~ 7mm；种子有颗粒状突起而粗糙。花期 6 ~ 7 月，果期 8 ~ 9 月。

| 生境分布 | 生于海拔 2000 ~ 2200m 的针阔叶混交林或冷杉林中，或林缘灌丛中。分布于重庆云阳、南川等地。

| 资源情况 | 野生资源稀少。药材来源于野生。

| 采收加工 | 夏初花开放前采收花，8 ~ 9 月采收果，干燥。

| 功能主治 | 花蕾，清热解毒，疏风散热。用于肿毒。果实，宁心，调经，止痛。用于心悸，月经不调，乳少，发热头痛，喉痛。

| 用法用量 | 内服煎汤，适量。

| 附　　注 | 在 FOC 中，本种被修订为黑果忍冬 *Lonicera nigra* L.。

忍冬科 Caprifoliaceae 忍冬属 Lonicera

金银忍冬
Lonicera maackii (Rupr.) Maxim.

| 药 材 名 | 金银忍冬（药用部位：茎叶、花。别名：木银花、树金银、木金银）、金银忍冬叶（药用部位：叶）。

| 形态特征 | 落叶灌木，高达 6m。茎干直径达 10cm；凡幼枝、叶两面脉上、叶柄、苞片、小苞片及萼檐外面都被短柔毛和微腺毛。冬芽小，卵圆形，有 5 ~ 6 对或更多鳞片。叶纸质，形状变化较大，通常卵状椭圆形至卵状披针形，稀矩圆状披针形或倒卵状矩圆形，更少菱状矩圆形或圆卵形，长 5 ~ 8cm，先端渐尖或长渐尖，基部宽楔形至圆形；叶柄长 2 ~ 5（~ 8）mm。花芳香，生于幼枝叶腋，总花梗长 1 ~ 2mm，短于叶柄；苞片条形，有时条状倒披针形而呈叶状，长 3 ~ 6mm；小苞片多少联合成对，长为萼筒的 1/2 至几相等，先端截形；相邻两萼筒分离，长约 2mm，无毛或疏生微腺毛，萼檐钟

金银忍冬

状，为萼筒长的 2/3 至相等，干膜质，萼齿宽三角形或披针形，不相等，顶尖，裂隙约达萼檐之半；花冠先白色后变黄色，长（1 ～）2cm，外被短伏毛或无毛，唇形，花冠筒长约为唇瓣的 1/2，内被柔毛；雄蕊与花柱长约达花冠的 2/3，花丝中部以下和花柱均被向上的柔毛。果实暗红色，圆形，直径 5 ～ 6mm；种子具蜂窝状微小浅凹点。花期 5 ～ 6 月，果期 8 ～ 10 月。

| **生境分布** | 生于海拔 1000 ～ 1400m 的林中或林缘溪流附近的灌丛中。分布于重庆巫山、巫溪、丰都、江津等地。

| **资源情况** | 野生资源较少。药材主要来源于野生，亦有少量栽培。

| **采收加工** | 5 ～ 6 月采花，夏、秋季采茎叶，鲜用或切段晒干。

| **药材性状** | 金银忍冬：本品花蕾长 1 ～ 2cm，外被短伏毛或无毛，唇形，花冠筒长约为唇瓣的 1/2，内被柔毛；雄蕊与花柱长约达花冠的 2/3，花丝中部以下和花柱均被向上的柔毛。

金银忍冬叶：本品多破碎，完整者卵状椭圆形至卵状披针形，长 5 ～ 8cm，宽 2.5 ～ 4cm，先端长渐尖，基部阔楔形，全缘，沿脉有疏短毛。叶柄长 3 ～ 5mm，有腺毛及柔毛。

| **功能主治** | 金银忍冬：甘、淡，寒。祛风，清热，解毒。用于感冒，咳嗽，咽喉肿痛，目赤肿痛，肺痈，乳痈，湿疮。

金银忍冬叶：辛、苦。归肺、脾经。镇咳，消炎，祛痰，平喘。用于急、慢性支气管炎，感冒咳嗽。

| **用法用量** | 金银忍冬：内服煎汤，9 ～ 15g。外用适量，捣敷；或煎汤洗。

金银忍冬叶：内服煎汤，15 ～ 25g。

| **附　注** | 本种喜光，耐半阴，耐旱，耐寒，喜湿润肥沃及深厚的土壤。

忍冬科 Caprifoliaceae 忍冬属 Lonicera

短柄忍冬 *Lonicera pampaninii Lévl.*

| **药 材 名** | 短柄忍冬（药用部位：花）。

| **形态特征** | 藤本。幼枝和叶柄密被土黄色卷曲的短糙毛，后变紫褐色而无毛。叶有时 3 轮生，薄革质，矩圆状披针形、狭椭圆形至卵状披针形，长 3 ~ 10cm，先端渐尖，有时急窄而具短尖头，基部浅心形，两面中脉被短糙毛，下面幼时常疏生短糙毛，边缘略背卷，有疏缘毛；叶柄短，长 2 ~ 5mm。双花数朵集生于幼枝先端或单生于幼枝上部叶腋，芳香；总花梗极短或几不存；苞片、小苞片和萼齿均被短糙毛；苞片狭披针形至卵状披针形，有时呈叶状，长 5 ~ 15mm；小苞片圆卵形或卵形，长为萼筒的 1/2 ~ 2/3；萼筒长不到 2mm，萼齿卵状三角形至长三角形，比萼筒短，外面被短糙伏毛，有缘毛；花冠白色而常带微紫红色，后变黄色，唇形，长 1.5 ~ 2cm，外面密被

短柄忍冬

倒生短糙伏毛和腺毛，唇瓣略短于花冠筒，上下唇均反曲；雄蕊和花柱略伸出，花丝基部有柔毛，花药长约 2mm；花柱无毛。果实圆形，蓝黑色或黑色，直径 5 ~ 6mm。花期 5 ~ 6 月，果期 10 ~ 11 月。

| 生境分布 | 生于海拔 700 ~ 1100m 的林下或灌丛中。分布于重庆綦江、万州、涪陵、城口、奉节、武隆、南川等地。

| 资源情况 | 野生资源一般。药材来源于野生。

| 采收加工 | 夏初花开放前采收，干燥。

| 功能主治 | 清热解毒，舒筋通络，截疟。用于鼻衄，吐血，疟疾。

| 用法用量 | 内服煎汤，适量。

| 附 注 | 在 FOC 中，本种被修订为淡红忍冬 *Lonicera acuminata* Wall.。

忍冬科 Caprifoliaceae 忍冬属 Lonicera

蕊帽忍冬
Lonicera pileata Oliv.

| 药 材 名 | 蕊帽忍冬（药用部位：花蕾。别名：白地木瓜）。

| 形态特征 | 常绿或半常绿灌木，高达 1.5m。幼枝密被短糙毛，老枝浅灰色而无毛。叶革质，形状和大小变异很大，通常卵形至矩圆状披针形或菱状矩圆形，长 1 ~ 5（~ 6.5）cm，先端钝，基部通常楔形，上面深绿色有光泽，中脉明显隆起，疏生短腺毛及少数微糙毛或近无毛。总花梗极短；苞片叶质，钻形或条状披针形，杯状小苞包围 2 分离的萼筒，无毛，先端为由萼檐下延而成的帽边状突起所覆盖；萼齿小而钝，卵形，边缘被短糙毛；花冠白色，漏斗状，长 6 ~ 8mm，外被短糙毛和红褐色短腺毛，稀可无毛，近整齐，花冠筒 2 ~ 3 倍长于裂片，基部具浅囊，裂片圆卵形或卵形；雄蕊与花柱均略伸出；花柱下半部有毛。果实透明蓝紫色，圆形，直径 6 ~ 8mm；种子卵圆形或近

蕊帽忍冬

圆形，长约 2mm，淡黄褐色，平滑。花期 4 ~ 6 月，果期 9 ~ 12 月。

| 生境分布 | 生于海拔 400 ~ 2000m 的山谷水边沙滩上、疏林中潮湿处或山坡灌丛中。分布于重庆城口、巫溪、奉节、石柱、巫山、彭水、武隆、南川、江津、渝北、綦江等地。

| 资源情况 | 野生资源较少。药材来源于野生。

| 采收加工 | 夏初花开放前采收，干燥。

| 功能主治 | 清热解毒，祛风除湿，截疟，补肾，通络。

| 用法用量 | 内服煎汤，适量。

| 附　　注 | 在 FOC 中，本种的拉丁学名被修订为 *Lonicera ligustrina* var. *pileata* (Oliv.) Franch.。

忍冬科 Caprifoliaceae 忍冬属 Lonicera

细毡毛忍冬 *Lonicera similis* Hemsl.

| 药 材 名 | 金银花（药用部位：花蕾）。

| 形态特征 | 落叶藤本。幼枝、叶柄和总花梗均被淡黄褐色、开展的长糙毛和短柔毛，并疏生腺毛，或全然无毛；老枝棕色。叶纸质，卵形、卵状矩圆形至卵状披针形或披针形，长 3 ~ 10（~ 13.5）cm，先端急尖至渐尖，基部圆或截形至微心形，两侧稍不等，有或无糙缘毛，上面初时中脉被糙伏毛，后变无毛，侧脉和小脉下陷，下面被由细短柔毛组成的灰白色或灰黄色细毡毛，脉上被长糙毛或无毛，老叶毛变稀而网脉明显凸起；叶柄长 3 ~ 8（~ 12）mm。双花单生于叶腋或少数集生枝端成总状花序；总花梗下方者长可达 4cm，向上则渐变短；苞片、小苞片和萼齿均被疏糙毛及缘毛或无毛；苞片三角状披针形至条状披针形，长 2（~ 4.5）mm；小苞片极小，卵形至圆形，长约为萼筒

细毡毛忍冬

的 1/3；萼筒椭圆形至长圆形，长 2（～3）mm，无毛，萼齿近三角形，长约达 1mm，宽近相等；花冠先白色后变淡黄色，长 4～6cm，外被开展的长、短糙毛和腺毛或全然无毛，唇形，花冠筒细，长 3～3.6cm，超过唇瓣，内被柔毛，上唇长 1.4～2.2cm，裂片矩圆形或卵状矩圆形，长 2～5.5mm，下唇条形，长约 2cm，内面被柔毛；雄蕊与花冠几等高，花丝长约 2cm，无毛；花柱稍超出花冠，无毛。果实蓝黑色，卵圆形，长 7～9mm；种子褐色，稍扁，卵圆形或矩圆形，长约 5mm，有浅的横沟纹，两面中部各有 1 棱。花期 5～6（～7）月，果期 9～10 月。

| 生境分布 | 生于海拔 500～1900m 的山谷溪旁、向阳山坡灌丛或林中。分布于重庆綦江、彭水、涪陵、城口、丰都、垫江、南川、酉阳、九龙坡、巫溪、长寿、云阳、开州、铜梁、石柱等地。

| 资源情况 | 野生资源丰富。药材主要来源于野生，亦有栽培。

| 采收加工 | 夏季花开放前采收，采后应立即晾干或烘干。

| 药材性状 | 本品呈长棒状，略弯曲，长 3～6cm，上部稍膨大。表面淡黄色、棕黄色或淡绿褐色，无毛或被开展的长、短糙毛或腺毛。萼齿 5 裂，无毛或仅边缘具毛。开放者花冠二唇形。雄蕊 5，黄色；雌蕊 1，花柱无毛。杂有少量叶片，纸质，背面密被灰白色或灰黄色细毡毛。质稍硬而脆。气清香，味淡、微苦。

| 功能主治 | 甘，寒。清热解毒，疏散风热。用于痈肿疔疮，喉痹，丹毒，热毒血痢，风热感冒，温病发热。

| 用法用量 | 内服煎汤，6～15g。

| 附　注 | 本种适应性很强，对土壤和气候的要求并不严格，山坡、梯田、地堰、堤坝、瘠薄的丘陵都可栽培。以土层较厚的砂壤土栽培为最佳。生产中采用播种、插条和分根等繁殖方式。

唐古特忍冬 *Lonicera tangutica* Maxim.

| 药 材 名 | 唐古特忍冬（药用部位：根、根皮、去皮枝条、花蕾）。

| 形态特征 | 落叶灌木，高 2（～4）m。幼枝无毛或被 2 列弯的短糙毛，有时夹生短腺毛，二年生小枝淡褐色，纤细，开展。冬芽顶渐尖或尖，外鳞片 2 ～ 4 对，卵形或卵状披针形，顶渐尖或尖，背面有脊，被短糙毛和缘毛或无毛。叶纸质，倒披针形至矩圆形或倒卵形至椭圆形，先端钝或稍尖，基部渐窄，长 1 ～ 4（～6）cm，两面常被稍弯的短糙毛或短糙伏毛，上面近叶缘处毛常较密，有时近无毛或完全秃净，下面有时脉腋有趾蹼状鳞腺，常被糙缘毛；叶柄长 2 ～ 3mm。总花梗生于幼枝下方叶腋，纤细，稍弯垂，长 1.5 ～ 3（～ 3.8）cm，被糙毛或无毛；苞片狭细，有时叶状，略短于至略超出萼齿；小苞片分离或联合，长为萼筒的 1/5 ～ 1/4，有或无缘毛；相邻两萼筒中部

唐古特忍冬

以上至全部合生，椭圆形或矩圆形，长 2（~ 4）mm，无毛，萼檐杯状，长为萼筒的 2/5 ~ 1/2 或相等，先端具三角形齿或浅波状至截形，有时具缘毛；花冠白色、黄白色或有淡红晕，筒状漏斗形，长（8 ~）10 ~ 13mm，花冠筒基部稍一侧肿大或具浅囊，外面无毛或有时疏生糙毛，裂片近直立，圆卵形，长 2 ~ 3mm；雄蕊着生于花冠筒中部，花药内藏，达花冠筒上部至裂片基部；花柱高出花冠裂片，无毛或中下部疏生开展糙毛。果实红色，直径 5 ~ 6mm；种子淡褐色，卵圆形或矩圆形，长 2 ~ 2.5mm。花期 5 ~ 6 月，果期 7 ~ 8 月。

| 生境分布 | 生于海拔 1600 ~ 2200m 的云杉、落叶松、栎和竹等林下或混交林中及山坡草地，或溪边灌丛中。分布于重庆城口、巫溪、奉节、万州、石柱、云阳、巫山等地。

| 资源情况 | 野生资源较少。药材来源于野生。

| 采收加工 | 全年均可采挖根和根皮，洗净，晒干。夏、秋季采收枝条，去皮切段，晒干。夏初花开放前采收花，干燥。

| 功能主治 | 根及根皮，用于子痈。去皮枝条，清热解表，祛风。用于气喘，疮疖，痈肿。花蕾，清热解毒，排脓消肿。

| 用法用量 | 内服煎汤，适量。

忍冬科 Caprifoliaceae 忍冬属 Lonicera

盘叶忍冬
Lonicera tragophylla Hemsl.

| 药 材 名 | 盘叶金银花（药用部位：花蕾）。

| 形态特征 | 落叶藤本。幼枝无毛。叶纸质，矩圆形或卵状矩圆形，稀椭圆形，长（4 ～）5 ～ 12cm，先端钝或稍尖，基部楔形，下面粉绿色，被短糙毛或至少中脉下部两侧密被横出的淡黄色髯毛状短糙毛，很少无毛，中脉基部有时带紫红色，花序下方 1 ～ 2 对叶联合成近圆形或圆卵形的盘，盘两端通常钝形或具短尖头；叶柄很短或不存在。由 3 花组成的聚伞花序密集成头状花序生小枝先端，共有 6 ～ 9（～ 18）花；萼筒壶形，长约 3mm，萼齿小，三角形或卵形，顶钝；花冠黄色至橙黄色，上部外面略带红色，长 5 ～ 9cm，外面无毛，唇形，花冠筒稍弓弯，长 2 ～ 3 倍于唇瓣，内面疏生柔毛；雄蕊着生于唇瓣基部，长约与唇瓣等，无毛；花柱伸出，无毛。果实成熟

盘叶忍冬

时由黄色转红黄色，最后变深红色，近圆形，直径约 1cm。花期 6 ~ 7 月，果期 9 ~ 10 月。

| 生境分布 | 生于海拔 1200 ~ 2000m 的云杉、落叶松、栎和竹等林下或混交林中及山坡草地，或溪边灌丛中。分布于重庆城口、巫溪、奉节、石柱、南川、丰都、开州、巫山等地。

| 资源情况 | 野生资源较少。药材来源于野生。

| 采收加工 | 夏初花开放前采收，干燥。

| 药材性状 | 本品呈长棒状，上粗下细，略弯曲，长 3 ~ 5cm，上部膨大部分直径 3 ~ 5mm，下部直径 1 ~ 3mm。表面黄白色或黄绿色，贮久色渐深，稀被短柔毛，基部常附有绿色萼筒，先端 5 裂，无毛；初开放者花冠呈筒状，先端唇形，冠筒长为唇瓣的 2 ~ 3 倍；雌蕊 5，黄色；雄蕊 1，子房无毛。气微香，味微苦。

| 功能主治 | 甘，寒。归肺、心、胃经。清热解毒，疏散风热。用于痈肿疔疮，喉痹，丹毒，血热毒痢，风热感冒，温病发热。

| 用法用量 | 内服煎汤，6 ~ 15g。

忍冬科 Caprifoliaceae 接骨木属 Sambucus

血满草
Sambucus adnata Wall. ex DC.

| 药 材 名 | 血满草（药用部位：全草或根皮。别名：接骨药、接骨草、接骨丹）。

| 形态特征 | 多年生高大草本或半灌木，高 1 ~ 2m。根和根茎红色，折断后流出红色汁液。茎草质，具明显的棱条。羽状复叶具叶片状或条形的托叶；小叶 3 ~ 5 对，长椭圆形、长卵形或披针形，长 4 ~ 15cm，宽 1.5 ~ 2.5cm，先端渐尖，基部钝圆，两边不等，边缘有锯齿，上面疏被短柔毛，脉上毛较密，先端 1 对小叶基部常沿柄相连，有时亦与顶生小叶片相连，其他小叶在叶轴上互生，亦有近于对生；小叶的托叶退化成瓶状突起的腺体。聚伞花序顶生，伞形式，长约 15cm，具总花梗，三至五出的分枝成锐角，初时密被黄色短柔毛，多少杂有腺毛；花小，有恶臭；花萼被短柔毛；花冠白色；花丝基部膨大，花药黄色；子房 3 室，花柱极短或几乎无，柱头 3 裂。果

血满草

实红色，圆形。花期 5 ～ 7 月，果期 9 ～ 10 月。

| **生境分布** | 生于海拔 1400 ～ 2700m 的林下、沟边、灌丛中、山谷斜坡湿地或高山草地等处。分布于重庆巫溪、城口、石柱、彭水、黔江、武隆、南川、江津、涪陵、丰都、铜梁、九龙坡等地。

| **资源情况** | 野生资源较丰富。药材来源于野生。

| **采收加工** | 夏、秋季采收，切段，晒干。

| **药材性状** | 本品茎呈圆柱形，直径 0.3 ～ 2.5cm；表面灰绿色至绿褐色，具多个纵棱，棱槽被黄褐色至锈色短绒毛；切面髓部宽广，白色，疏松呈海绵状，略具光泽，散在棕红色小点，以髓部外侧较多。奇数羽状复叶对生，叶片多皱缩破碎，小叶片完整者展开后呈披针形，长 4 ～ 15cm，宽 1.5 ～ 2.5cm，绿褐色至深绿色，具短柄，被短绒毛；边缘锯齿状。偶见圆锥花序顶生，花小，浅黄色或白色。气略清香，味淡、微涩。

| **功能主治** | 辛，温。归脾、肾经。祛风除湿，活血散瘀。用于风湿痹痛，跌打损伤，皮肤瘙痒，水肿。

| **用法用量** | 内服煎汤，15 ～ 30g。外用适量。

忍冬科 Caprifoliaceae 接骨木属 Sambucus

接骨草 *Sambucus chinensis* Lindl.

| 药 材 名 | 陆英(药用部位：全草。别名：接骨草、排风藤、臭草)、陆英根(药用部位：根。别名：蒴藋根)、陆英果实(药用部位：果实。别名：蒴藋赤子)。

| 形态特征 | 高大草本或半灌木，高 1～2m。茎有棱条，髓部白色。羽状复叶的托叶叶状或有时退化成蓝色的腺体；小叶 2～3 对，互生或对生，狭卵形，长 6～13cm，宽 2～3cm，嫩时上面被疏长柔毛，先端长渐尖，基部钝圆，两侧不等，边缘具细锯齿，近基部或中部以下边缘常有 1 或数枚腺齿；顶生小叶卵形或倒卵形，基部楔形，有时与第 1 对小叶相连，小叶无托叶，基部 1 对小叶有时有短柄。复伞形花序顶生，大而疏散，总花梗基部托以叶状总苞片，分枝三至五出，纤细，被黄色疏柔毛；杯形不孕性花不脱落，可孕性花小；萼筒杯

接骨草

状，萼齿三角形；花冠白色，仅基部联合，花药黄色或紫色；子房 3 室，花柱极短或几无，柱头 3 裂。果实红色，近圆形，直径 3 ~ 4mm；分核 2 ~ 3，卵形，长 2.5mm，表面有小疣状突起。花期 4 ~ 5 月，果期 8 ~ 9 月。

| 生境分布 | 生于海拔 250 ~ 2600m 的山坡、林下、沟边或草丛中。重庆各地均有分布。

| 资源情况 | 野生资源丰富。药材主要来源于野生，亦有少量栽培。

| 采收加工 | 陆英：夏、秋季采收，除去杂质，晒干。
陆英根：秋后采根，鲜用或切片晒干。
陆英果实：9 ~ 10 月采收，鲜用。

| 药材性状 | 陆英：本品根茎呈圆柱形，略扁，长而扭曲，直径 0.2 ~ 1cm，节稍膨大，节上生须根。茎类圆柱形而粗壮，直径可达 1cm，多分枝；表面有纵棱，褐紫色或灰褐色；质坚脆，易折断，断面可见白色或淡棕色广阔髓部。羽状复叶对生，小叶 4 ~ 6，绿褐色，多皱缩，展平后呈长椭圆状披针形，长 6 ~ 13cm，宽 2 ~ 3cm，先端渐尖，基部偏斜稍圆至阔楔形，边缘有锐锯齿。有时可见顶生的复伞房花序。气微，味微苦。
陆英根：本品呈不规则弯曲状，长条形，有分枝，长 15 ~ 30cm，有的长达 50cm，直径 2 ~ 7mm。表面灰色至灰黄色，有纵向细而略扭曲的纹及横长皮孔；偶留有纤细须根。质硬或稍软而韧，难折断，切断面皮部灰色或土黄色，木部纤维质，黄白色，易与皮部撕裂分离。气微，味淡。

| 功能主治 | 陆英：甘、酸，温。归肝经。疏肝健脾，活血化瘀，利尿消肿。用于急性病毒性肝炎，肾炎水肿，跌打损伤，骨折。
陆英根：甘、酸，平。祛风，利湿，活血，散瘀，止血。用于风湿疼痛，头风，腰腿痛，水肿，淋证，带下，跌打损伤，骨折，咯血，吐血，风疹瘙痒，疮肿。
陆英果实：用于蚀疣。

| 用法用量 | 陆英：内服煎汤，15 ~ 30g。外用适量，捣敷。
陆英根：内服煎汤，9 ~ 15g，鲜品 30 ~ 60g。外用适量，捣敷；或煎汤洗。
陆英果实：外用适量，捣烂涂。

| 附　　注 | （1）在 FOC 中，本种的拉丁学名被修订为 *Sambucus javanica* Blume。
（2）本种适应性较强，对气候要求不严；喜向阳，但又稍耐阴。以肥沃、疏松的土壤栽培为好。

接骨木 *Sambucus williamsii* Hance

| 药 材 名 | 接骨木（药用部位：茎枝。别名：续骨木、铁骨散、扦扦活）、接骨木叶（药用部位：叶）、接骨木花（药用部位：花）、接骨木根（药用部位：根、根皮）。

| 形态特征 | 落叶灌木或小乔木，高5～6m。老枝淡红褐色，具明显的长椭圆形皮孔，髓部淡褐色。羽状复叶有小叶2～3对，有时仅1对或多达5对，侧生小叶片卵圆形、狭椭圆形至倒矩圆状披针形，长5～15cm，宽1.2～7cm，先端尖、渐尖至尾尖，边缘具不整齐锯齿，有时基部或中部以下具1至数枚腺齿，基部楔形或圆形，有时心形，两侧不对称，最下1对小叶有时具长0.5cm的叶柄；顶生小叶卵形或倒卵形，先端渐尖或尾尖，基部楔形，具长约2cm的叶柄，初时小叶上面及中脉被稀疏短柔毛，后光滑无毛，叶搓揉后有臭气；托叶狭带形，

接骨木

或退化成带蓝色的突起。花与叶同出，圆锥形聚伞花序顶生，长 5 ~ 11cm，宽 4 ~ 14cm，具总花梗，花序分枝多成直角开展，有时被稀疏短柔毛，随即光滑无毛；花小而密；萼筒杯状，长约 1mm，萼齿三角状披针形，稍短于萼筒；花冠蕾时带粉红色，开后白色或淡黄色，花冠筒短，裂片矩圆形或长卵圆形，长约 2mm；雄蕊与花冠裂片等长，开展，花丝基部稍肥大，花药黄色；子房 3 室，花柱短，柱头 3 裂。果实红色，极少蓝紫黑色，卵圆形或近圆形，直径 3 ~ 5mm；分核 2 ~ 3，卵圆形至椭圆形，长 2.5 ~ 3.5mm，略有皱纹。花期一般 4 ~ 5 月，果期 9 ~ 10 月。

| **生境分布** | 生于海拔 200 ~ 2700m 的山坡、灌丛、沟边、路旁、宅边等地。分布于重庆巫山、巫溪、奉节、城口、酉阳、万州、云阳、南川、江津、北碚、彭水、大足、石柱、秀山、黔江、荣昌等地。

| **资源情况** | 野生资源较丰富。药材主要来源于野生，亦有少量栽培。

| **采收加工** | 接骨木：夏、秋季采收，晒干。
接骨木叶：春、夏季采收，鲜用或晒干。
接骨木花：4 ~ 5 月采收整个花序，加热后花即脱落，除去杂质，晒干。
接骨木根：9 ~ 10 月采挖，洗净，切片，鲜用或晒干。

| **药材性状** | 接骨木：本品呈圆柱形，有分枝。表面灰棕色，密生纵条纹及椭圆形突起的横向皮孔。体轻，质坚硬，不易折断，断面淡黄色，有的可见环状年轮，中央有白色髓部，海绵状，容易开裂。气微香，味微淡。

| **功能主治** | 接骨木：甘、苦，平。归肝经。接骨续筋，活血止痛，祛风利湿。用于骨折，风湿筋骨关节疼痛，跌打肿痛，腰痛，水肿，创伤出血。
接骨木叶：辛、苦，平。活血，舒筋，止痛，利湿。用于跌打骨折，筋骨疼痛，风湿疼痛，痛风，脚气，烫火伤。
接骨木花：辛，温。发汗利尿。用于感冒，小便不利。
接骨木根：苦、甘，平。祛风除湿，活血舒筋，利尿消肿。用于风湿疼痛，痰饮，黄疸，跌打瘀痛，骨折肿痛，急、慢性肾炎，烫火伤。

| **用法用量** | 接骨木：内服煎汤，20 ~ 50g。外用适量。
接骨木叶：内服煎汤，6 ~ 9g；或泡酒。外用适量，捣敷；或煎汤熏洗；或研末调敷。
接骨木花：内服煎汤，4.5 ~ 9g；或泡茶饮。
接骨木根：内服煎汤，15 ~ 30g。外用适量，捣敷；或研粉撒、调敷。

忍冬科 Caprifoliaceae 莛子藨属 Triosteum

穿心莛子藨 *Triosteum himalayanum* Wall.

穿心莛子藨

药材名

五转七（药用部位：带根全草。别名：大对月草、包谷陀子、包谷花）。

形态特征

多年生草木。茎高 40 ~ 60cm，稀开花时先端有 1 对分枝，密生刺刚毛和腺毛。叶通常全株 9 ~ 10 对，基部联合，倒卵状椭圆形至倒卵状矩圆形，长 8 ~ 16cm，宽 5 ~ 10cm，先端急尖或锐尖，上面被长刚毛，下面脉上毛较密，并夹杂腺毛。聚伞花序 2 ~ 5 轮在茎顶或有时在分枝上作穗状花序状；花萼裂片三角状圆形，被刚毛和腺毛，萼筒与花萼裂片间缢缩；花冠黄绿色，花冠筒内紫褐色，长 1.6cm，约为花萼长的 3 倍，外被腺毛，花冠筒基部弯曲，一侧膨大成囊；雄蕊着生于花冠筒中部，花丝细长，淡黄色，花药黄色，矩圆形。果实红色，近圆形，直径 10 ~ 12cm，冠以由宿存萼齿和缢缩的萼筒组成的短喙，被刚毛和腺毛。

生境分布

生于海拔 1800 ~ 2700m 的山坡、暗针叶林边、林下、沟边或草地。分布于重庆城口、开州、巫溪、巫山等地。

| 资源情况 |

野生资源较少。药材来源于野生。

| 采收加工 |

夏、秋季采收，鲜用或切段晒干。

| 功能主治 |

苦，寒。归肝、脾经。利水消肿，活血调经。
用于水肿，小便不利，月经不调，劳伤疼痛。

| 用法用量 |

内服煎汤，6～10g。外用适量，捣敷。

忍冬科 Caprifoliaceae 莛子藨属 Triosteum

莛子藨 *Triosteum pinnatifidum* Maxim.

| **药 材 名** | 天王七（药用部位：根。别名：白果七、鸡爪七）、天王七叶（药用部位：叶）、天王七果实（药用部位：果实）。

| **形态特征** | 多年生草本。茎开花时顶部生分枝 1 对，高达 60cm，具条纹，被白色刚毛及腺毛，中空，具白色的髓部。叶羽状深裂，基部楔形至宽楔形，近无柄，倒卵形至倒卵状椭圆形，长 8 ~ 20cm，宽 6 ~ 18cm，裂片 1 ~ 3 对，无锯齿，先端渐尖，上面浅绿色，散生刚毛，沿脉及边缘毛较密，背面黄白色；茎基部的初生叶有时不分裂。聚伞花序对生，各具 3 花，无总花梗，有时花序下具卵形全缘的苞片，在茎或分枝先端集合成短穗状花序；萼筒被刚毛和腺毛，花萼裂片三角形，长 3mm；花冠黄绿色，狭钟状，长 1cm，筒基部弯曲，一侧膨大成浅囊，被腺毛，裂片圆而短，内面有带紫色斑点；雄蕊着生于花冠筒中部以下，花

莛子藨

丝短，花药矩圆形，花柱基部被长柔毛，柱头楔状头形。果实卵圆形，肉质，具 3 槽，长 10mm，冠以宿存的萼齿；核 3，扁，亮黑色；种子凸平，腹面具 2 槽。花期 5 ～ 6 月，果期 8 ～ 9 月。

| 生境分布 | 生于海拔 1800 ～ 2000m 的山坡、暗针叶林下或沟边向阳处。分布于重庆城口、南川等地。

| 资源情况 | 野生资源较少。药材来源于野生。

| 采收加工 | 天王七：秋末冬初采收，洗净，晒干。
天王七叶：春、夏季采摘，洗净，鲜用。
天王七果实：8 ～ 9 月果实成熟时采摘，晒干。

| 药材性状 | 天王七：本品呈不规则的圆锥形，长 6 ～ 9cm，直径 0.6 ～ 1cm。表面黄棕色至棕褐色，粗糙质韧，根头部有多数残留茎基，下部常有 2 至数条根丛生，可见细纵纹及横裂纹，栓皮成鳞片状剥离。质坚硬，断面黄棕色，皮部略粉性，木部纤维性，有放射状纹理。气微，味苦、微甘、微涩。
天王七叶：本品羽状深裂，基部楔形至宽楔形，近无柄，倒卵形至倒卵状椭圆形，长 8 ～ 20cm，宽 6 ～ 18cm，裂片 1 ～ 3 对，无锯齿，先端渐尖，上面浅绿色，散生刚毛，沿脉及边缘毛较密，背面黄白色。

| 功能主治 | 天王七：苦、涩，平，归脾、肝经。祛风除湿，理气活血。用于风湿痹痛，跌打损伤，脾虚纳差，月经不调，劳伤。
天王七叶：苦、涩，平。止血生肌。用于刀伤出血。
天王七果实：苦、涩，平。调经止带。用于月经不调，白带过多。

| 用法用量 | 天王七：内服煎汤，6 ～ 9g。
天王七叶：外用适量，鲜品捣敷。
天王七果实：内服煎汤，12 ～ 15g；或用甜酒煮。

忍冬科 Caprifoliaceae 荚蒾属 *Viburnum*

桦叶荚蒾 *Viburnum betulifolium* Batal.

| 药 材 名 | 红对节子（药用部位：根）。

| 形 态 特 征 | 落叶灌木或小乔木，高可达 7m。小枝紫褐色或黑褐色，稍有棱角，散生圆形、凸起的浅色小皮孔，无毛或初时稍被毛。冬芽外面多少被毛。叶厚纸质或略带革质，干后变黑色，宽卵形至菱状卵形或宽倒卵形，稀椭圆状矩圆形，长 3.5 ~ 8.5（~ 12）cm，先端急短渐尖至渐尖，基部宽楔形至圆形，稀截形，边缘离基 1/3 ~ 1/2 以上具开展的不规则浅波状牙齿，上面无毛或仅中脉有时被少数短毛，下面中脉及侧脉被少数短伏毛，脉腋集聚簇状毛，侧脉 5 ~ 7 对；叶柄纤细，长 1 ~ 2（~ 3.5）cm，疏生简单长毛或无毛，近基部常有 1 对钻形小托叶。复伞形式聚伞花序顶生或生于具 1 对叶的侧生短枝上，直径 5 ~ 12cm，通常多少被疏或密的黄褐色簇状短毛，总

桦叶荚蒾

花梗初时通常长不到 1cm，果时可达 3.5cm，第 1 级辐射枝通常 7，花生于第（3～）4（～5）级辐射枝上；萼筒有黄褐色腺点，疏被簇状短毛，萼齿小，宽卵状三角形，顶钝，有缘毛；花冠白色，辐状，直径约 4mm，无毛，裂片圆卵形，比筒长；雄蕊常高出花冠，花药宽椭圆形；柱头高出萼齿。果实红色，近圆形，长约 6mm；核扁，长 3.5～5mm，直径 3～4mm，顶尖，有 1～3 浅腹沟和 2 深背沟。花期 6～7 月，果期 9～10 月。

| 生境分布 | 生于海拔 1100～2700m 的山谷林中或山坡灌丛中。分布于重庆巫溪、开州、万州、南川、黔江、忠县、城口、綦江、彭水、石柱、奉节、丰都、铜梁、云阳、酉阳、涪陵、武隆、巫山等地。

| 资源情况 | 野生资源较丰富。药材来源于野生。

| 采收加工 | 秋末采挖，洗净，切段或片，晒干。

| 功能主治 | 涩，平。调经，利湿。用于月经不调，遗精，滑精，白浊，带下，口臭。

| 用法用量 | 内服煎汤，30～60g；或炖肉服。

忍冬科 Caprifoliaceae 荚蒾属 Viburnum

短序荚蒾
Viburnum brachybotryum Hemsl.

| 药材名 | 短序荚蒾（药用部位：根、叶、花）。

| 形态特征 | 常绿灌木或小乔木，高可达 8m。幼枝、芽、花序、萼、花冠外面、苞片和小苞片均被黄褐色簇状毛；小枝黄白色或有时灰褐色，散生凸起的圆形皮孔。冬芽有 1 对鳞片。叶革质，倒卵形、倒卵状矩圆形或矩圆形，长 7 ~ 20cm，先端渐尖或急渐尖，基部宽楔形至近圆形，边缘自基部 1/3 以上疏生尖锯齿，有时近全缘，上面深绿色有光泽，下面散生黄褐色簇状毛或近无毛，侧脉 5 ~ 7 对，弧形，近缘前互相网结，上面略凹陷，连同中脉下面明显凸起，小脉横列，下面明显；叶柄长 1 ~ 2（~ 3）cm，初时散生簇状毛，后变无毛。圆锥花序通常尖形，顶生或常有一部分生于腋出、无叶的退化短枝上，成假腋生状，直立或弯垂，长 5 ~ 11（~ 22）cm，宽 2.5 ~ 8.5

短序荚蒾

（～15）cm；苞片和小苞片宿存；花雌雄异株，生于序轴的第2～3级分枝上，无梗或有短梗；萼筒筒状钟形，长约1.5mm，萼齿卵形，顶钝，长约1mm；花冠白色，辐状，直径4～5（～6）mm，花冠筒极短，裂片开展，卵形至矩圆状卵形，顶钝，长约1.5mm，为筒的2倍；雄蕊花药黄白色，宽椭圆形；柱头头状，3裂，远高出萼齿。果实鲜红色，卵圆形，先端渐尖，基部圆形，长约1cm，直径约6mm；常有毛；核卵圆形或长卵形，稍扁，先端渐尖，长约8mm，直径约5mm，有1深腹沟。花期1～3月，果期7～8月。

| 生境分布 | 生于海拔500～1600m的山谷密林或山坡灌丛中。分布于重庆巫溪、奉节、彭水、石柱、南川、江津等地。

| 资源情况 | 野生资源较少。药材来源于野生。

| 采收加工 | 根，秋末采挖，洗净，切段（片）晒干。叶，春、夏季采收，鲜用或晒干。花，花开时采收，阴干或晒干。

| 功能主治 | 根，清热解毒，祛风除湿。用于风湿关节痛，跌打损伤。叶，外用于皮肤瘙痒，体癣。花，用于风热咳嗽。

| 用法用量 | 根，内服煎汤，适量。叶，外用适量，捣敷；或煎汤洗。花，内服煎汤，适量。

忍冬科 Caprifoliaceae 荚蒾属 Viburnum

金佛山荚蒾 *Viburnum chinshanense* Graebn.

金佛山荚蒾

| 药 材 名 |

金佛山荚蒾（药用部位：全株或果实）。

| 形态特征 |

灌木，高达5m。幼叶下面、叶柄和花序均被由灰白色或黄白色簇状毛组成的绒毛；小枝浑圆，当年生小枝被黄白色或浅褐色绒毛，二年生小枝浅褐色而无毛，散生小皮孔。叶纸质至厚纸质，披针状矩圆形或狭矩圆形，长5~10（~15）cm，先端稍尖或钝形，基部圆形或微心形，全缘，稀具少数不明显小齿，上面暗绿色，无毛或幼时中脉及侧脉散生短毛，老叶下面变灰褐色，侧脉7~10对，近缘处互相网结，上面凹陷（幼叶较明显），下面凸起，小脉上面稍凹陷或不明显；叶柄长1~2cm。聚伞花序直径4~6（~8）cm，总花梗长1~2.5cm，第1级辐射枝通常5~7，几等长，花通常生于第2级辐射枝上，有短柄；萼筒矩圆状卵圆形，长约2.5mm，多少被簇状毛，萼齿宽卵形，顶钝圆，疏生簇状毛；花冠白色，辐状，直径约7mm，外面疏被簇状毛，筒部长约3mm；裂片圆卵形或近圆形，长约2mm；雄蕊略高出花冠，花药宽椭圆形，长约1mm；花柱略高出萼齿或几等长，红色。

果实先红色后变黑色，长圆状卵圆形；核甚扁，长 8 ～ 9mm，直径 4 ～ 5mm，有 2 背沟和 3 腹沟。花期 4 ～ 5 月（有时秋季也开花），果期 7 月。

| **生境分布** | 生于海拔 100 ～ 1900m 的山坡疏林或灌丛中。分布于重庆长寿、丰都、垫江、綦江、大足、南岸、潼南、石柱、合川、涪陵、奉节、永川、铜梁、忠县、九龙坡、南川、云阳、武隆、开州、巫溪、梁平、巴南、沙坪坝、荣昌等地。

| **资源情况** | 野生资源丰富。药材来源于野生。

| **采收加工** | 全株，夏、秋季采收，鲜用或切段晒干。果实，果实成熟时采收，晒干。

| **功能主治** | 全株，用于泄泻，痢疾，痔疮出血，风湿关节痛，跌打损伤。果实，清热解毒，破瘀通经，健脾。

| **用法用量** | 全株，内服煎汤，适量。外用适量，捣敷；或煎汤洗。果实，内服煎汤，适量。

水红木
Viburnum cylindricum Buch.-Ham. ex D. Don

| 药 材 名 | 水红木叶（药用部位：叶、树皮。别名：吊白叶、粉帕叶、炒面叶）、水红木花（药用部位：花）、水红木根（药用部位：根）。

| 形态特征 | 常绿灌木或小乔木，高达 8（~ 15）m。枝带红色或灰褐色，散生小皮孔，小枝无毛或初时被簇状短毛。冬芽有 1 对鳞片。叶革质，椭圆形至矩圆形或卵状矩圆形，长 8 ~ 16（~ 24）cm，先端渐尖或急渐尖，基部渐狭至圆形，全缘或中上部疏生少数钝或尖的不整齐浅齿，通常无毛，下面散生带红色或黄色微小腺点（有时扁化而类似鳞片），近基部两侧各有 1 至数个腺体，侧脉 3 ~ 5（~ 18）对，弧形；叶柄长 1 ~ 3.5（~ 5）cm，无毛或被簇状短毛。聚伞花序伞形，顶圆形，直径 4 ~ 10（~ 18）cm，无毛或散生簇状微毛，连同花萼和花冠有时被微细鳞腺，总花梗长 1 ~ 6cm，第 1 级辐射

水红木

枝通常 7，苞片和小苞片早落，花通常生于第 3 级辐射枝上；萼筒卵圆形或倒圆锥形，长约 1.5mm，有微小腺点，萼齿极小而不显著；花冠白色或有红晕，钟状，长 4 ~ 6mm，有微细鳞腺，裂片圆卵形，直立，长约 1mm；雄蕊高出花冠约 3mm，花药紫色，矩圆形，长 1 ~ 1.8mm。果实先红色后变蓝黑色，卵圆形，长约 5mm；核卵圆形，扁，长约 4mm；直径 3.5 ~ 4mm，有 1 浅腹沟和 2 浅背沟。花期 6 ~ 10 月，果期 10 ~ 12 月。

| **生境分布** | 生于海拔 500 ~ 2700m 的阳坡疏林或灌丛中。分布于重庆巫溪、巫山、城口、酉阳、秀山、彭水、石柱、梁平、万州、綦江、江津、丰都、南川等地。

| **资源情况** | 野生资源较丰富。药材来源于野生。

| **采收加工** | 水红木叶：全年均可采收叶，春、夏季剥取树皮，均鲜用或晒干（树皮晒前切段）。

水红木花：夏季采摘，阴干。

水红木根：全年均可采挖，洗净，鲜用或切段晒干。

| **功能主治** | 水红木叶：苦、涩，凉。利湿解毒，活血。用于赤白痢，泄泻，疝气，痛经，跌打损伤，尿路感染，痈肿疮毒，皮癣，口腔炎，烫火伤。

水红木花：苦，凉。润肺止咳。用于肺燥咳嗽。

水红木根：苦，凉。祛风除湿，活血通络，解毒。用于风湿痹痛，胃痛，肝炎，小儿肺炎，支气管炎，尿路感染，跌打损伤。

| **用法用量** | 水红木叶：内服煎汤，15 ~ 30g。外用适量，鲜品捣敷；或干品研末调敷；或煎汤外洗。

水红木花：内服煎汤，9 ~ 15g；或泡酒。

水红木根：内服煎汤，15 ~ 30g；或泡酒。

忍冬科 Caprifoliaceae 荚蒾属 Viburnum

宜昌荚蒾
Viburnum erosum Thunb.

药 材 名	宜昌荚蒾（药用部位：根）、宜昌荚蒾叶（药用部位：叶）。
形态特征	落叶灌木，高达 3m。当年生小枝连同芽、叶柄和花序均密被簇状短毛和简单长柔毛，二年生小枝带灰紫褐色，无毛。叶纸质，形状变化很大，卵状披针形、卵状矩圆形、狭卵形、椭圆形或倒卵形，长 3 ～ 11cm，先端尖、渐尖或急渐尖，基部圆形、宽楔形或微心形，边缘有波状小尖齿，上面无毛或疏被叉状或簇状短伏毛，下面密被由簇状毛组成的绒毛，近基部两侧有少数腺体，侧脉 7 ～ 10（ ～ 14）对，直达齿端；叶柄长 3 ～ 5mm，被粗短毛，基部有 2 宿存、钻形小托叶。复伞形式聚伞花序生于具 1 对叶的侧生短枝之顶，直径 2 ～ 4cm，总花梗长 1 ～ 2.5cm，第 1 级辐射枝通常 5，花生于第 2 ～ 3 级辐射枝上，常有长梗；萼筒筒状，长约 1.5mm，被绒毛状簇状短毛，

宜昌荚蒾

萼齿卵状三角形，顶钝，具缘毛；花冠白色，辐状，直径约6mm，无毛或近无毛，裂片圆卵形，长约2mm；雄蕊略短于至长于花冠，花药黄白色，近圆形；花柱高出萼齿。果实红色，宽卵圆形，长6~7（~9）mm；核扁，具3浅腹沟和2浅背沟。花期4~5月，果期8~10月。

| **生境分布** | 生于海拔300~2100m的山坡林下或灌丛中。分布于重庆黔江、丰都、綦江、璧山、忠县、秀山、城口、彭水、奉节、涪陵、江津、铜梁、石柱、酉阳、南川、长寿、巫溪、云阳、武隆、垫江、北碚、巫山、开州、永川、巴南等地。

| **资源情况** | 野生资源丰富。药材来源于野生，亦有少量栽培。

| **采收加工** | 宜昌荚蒾：全年均可采挖，鲜用或切段、切片晒干。
宜昌荚蒾叶：春、夏、秋季采收，鲜用。

| **功能主治** | 宜昌荚蒾：涩，平。祛风，除湿。用于风湿痹痛。
宜昌荚蒾叶：涩，平。解毒，祛湿，止痒。用于口腔炎，脚丫湿烂，湿疹。

| **用法用量** | 宜昌荚蒾：内服煎汤，6~9g。
宜昌荚蒾叶：外用适量，捣敷。

| **附　注** | 本种可播种繁殖后移栽。

忍冬科 Caprifoliaceae 荚蒾属 Viburnum

红荚蒾 *Viburnum erubescens* Wall.

| **药 材 名** | 红荚蒾（药用部位：根）。

| **形态特征** | 落叶灌木或小乔木，高达 6m。当年生小枝被簇状毛至无毛。冬芽有 1 对鳞片。叶纸质，椭圆形、矩圆状披针形至狭矩圆形，稀卵状心形或略带倒卵形，长 6 ~ 11cm，先端渐尖、急尖至钝形，基部楔形、钝形至圆形或心形，边缘基部除外面具细锐锯齿，上面无毛或中脉被细短毛，下面中脉和侧脉被簇状毛，稀全面被毛，侧脉 4 ~ 6 对，大部分直达齿端，连同中脉上面略凹陷，下面凸起；叶柄长 1 ~ 2.5cm，被簇状毛或无毛。圆锥花序生于具 1 对叶的短枝之顶，长（5 ~ ）7.5 ~ 10cm，通常下垂，被簇状短毛或近无毛，有时毛密而呈绒状，总花梗长 2 ~ 6cm，花无梗或有短梗，生于序轴的第 1 ~ 3 级分枝上；萼筒筒状，长 2.5 ~ 3mm，通常无毛，有时具红褐色微

红荚蒾

腺，萼齿卵状三角形，长约 1mm，顶钝，无毛或被簇状微毛；花冠白色或淡红色，高脚碟状，花冠筒长 5 ~ 6mm，裂片开展，长 2 ~ 3mm，先端圆；雄蕊生于花冠筒先端，花丝极短，花药黄白色，微外露；花柱高出萼齿。果实紫红色，后转黑色，椭圆形；核倒卵圆形，扁，长 7 ~ 9mm，直径 4 ~ 5mm，有 1 宽广深腹沟，腹面上半部有 1 隆起的脊。花期 4 ~ 6 月，果期 8 月。

| 生境分布 | 生于海拔 1500 ~ 2700m 的针阔叶混交林中。分布于重庆城口、巫溪、巫山、酉阳、南川、彭水等地。

| 资源情况 | 野生资源一般。药材主要来源于野生。

| 采收加工 | 全年均可采挖，切段、切片晒干。

| 功能主治 | 清热解毒，凉血，止血。

| 用法用量 | 内服煎汤，适量。

忍冬科 Caprifoliaceae 荚蒾属 Viburnum

直角荚蒾
Viburnum foetidum Wall. var. *rectangulatum* (Graebn.) Rehd.

| 药 材 名 | 直角荚蒾（药用部位：根）。

| 形态特征 | 灌木。植株直立或攀缘状。枝披散，侧生小枝甚长而呈蜿蜒状，常与主枝呈直角或近直角开展。叶厚纸质至薄革质，卵形、菱状卵形，椭圆形至矩圆形或矩圆状披针形，长 3 ~ 6（~ 10）cm，全缘或中部以上有少数不规则浅齿，下面偶有棕色小腺点，侧脉直达齿端或近缘前互相网结，基部 1 对较长而常作离基三出脉状。总花梗通常极短或几缺，很少长达 2cm；第 1 级辐射枝通常 5。花期 5 ~ 7 月，果期 10 ~ 12 月。

| 生境分布 | 生于海拔 600 ~ 2400m 的山坡林中或灌丛中。分布于重庆黔江、丰都、彭水、潼南、城口、秀山、江津、涪陵、酉阳、南川、忠县、

直角荚蒾

长寿、北碚、石柱、开州、合川、梁平、巴南等地。

| **资源情况** | 野生资源丰富。药材来源于野生。

| **采收加工** | 秋末采挖，洗净，切段（片）晒干。

| **功能主治** | 消炎解毒，止痛止泻。用于痢疾，腹泻，牙痛，火眼，喉痛。

| **用法用量** | 内服煎汤，适量。

巴东荚蒾
Viburnum henryi Hemsl.

| **药 材 名** | 巴东荚蒾（药用部位：根、枝或叶）。 |

| **形态特征** | 灌木或小乔木。常绿或半常绿，高达 7m，全株无毛或近无毛；当年小枝带紫褐色或绿色，二年生小枝灰褐色，稍有纵裂缝。冬芽有 1 对外被黄色簇状毛的鳞片。叶亚革质，倒卵状矩圆形至矩圆形或狭矩圆形，长 6 ~ 10（~ 13）cm，先端尖至渐尖，基部楔形至圆形，边缘除自一叶片的中部或中部以下处全缘外，有浅的锐锯齿，齿常具硬凸头，两面无毛或下面脉上散生少数簇状毛，侧脉 5 ~ 7 对，至少部分直达齿端，连同中脉下面凸起，脉腋有趾蹼状小孔和少数集聚簇状毛；叶柄长 1 ~ 2cm。圆锥花序顶生，长 4 ~ 9cm，宽 5 ~ 8cm，总花梗纤细，长 2 ~ 4cm；苞片和小苞片迟落或宿存而显著，条状 |

巴东荚蒾

披针形，绿白色；花芳香，生于序轴的第 2 ～ 3 级分枝上；萼筒筒状至倒圆锥筒状，长约 2mm，萼檐波状或具宽三角形的齿，长约 1mm；花冠白色，辐状，直径约 6mm，筒长约 1mm，裂片卵圆形，长约 2mm；雄蕊与花冠裂片等长或略超出，花药黄白色，矩圆形；花柱与萼齿几等长，柱头头状。果实红色，后变紫黑色，椭圆形；核稍扁，椭圆形，长 7 ～ 8mm，直径 4mm，有 1 深腹沟，背沟常不存。花期 6 月，果期 8 ～ 10 月。

| **生境分布** | 生于海拔 900 ～ 2600m 的山谷密林中或湿润草坡上。分布于重庆奉节、城口、丰都、酉阳、南川、云阳、巫溪、万州、石柱、秀山等地。

| **资源情况** | 野生资源较少。药材来源于野生。

| **采收加工** | 根，秋末采挖，洗净，切段（片）晒干。枝或叶，春、夏季采收，鲜用或晒干。

| **功能主治** | 根，清热解毒。枝或叶，用于小儿鹅口疮。

| **用法用量** | 枝或叶，内服煎汤，适量。外用适量，捣敷；或煎汤外洗。

忍冬科 Caprifoliaceae 荚蒾属 Viburnum

湖北荚蒾 Viburnum hupehense Rehd.

| 药 材 名 | 湖北荚蒾（药用部位：果实）。

| 形态特征 | 灌木。冬芽、当年小枝、叶柄和花序均被疏或密、有时呈绒状的簇状短毛。叶纸质，宽卵形至倒卵形，先端渐尖或急尾尖，上面被简单、叉状或簇状短毛或短伏毛，下面被疏或密的簇状毛，有或无腺点。萼筒被簇状毛和腺点；花冠外面密被由簇状毛组成的绒毛；柱头不高出萼齿。果实长 5 ～ 8mm。

| 生境分布 | 生于山坡林中或灌丛中。分布于重庆城口、巫溪、奉节、巫山、丰都、南川等地。

| 资源情况 | 野生资源稀少。药材来源于野生。

湖北荚蒾

| **采收加工** | 果实成熟时采收，晒干。

| **功能主治** | 润肺止咳。

| **用法用量** | 内服煎汤，适量。

| **附　注** | 在 FOC 中，本种被修订为桦叶荚蒾 *Viburnum betulifolium* Batal.。

忍冬科 Caprifoliaceae　荚蒾属 Viburnum

阔叶荚蒾
Viburnum lobophyllum Graebn.

| 药 材 名 |　阔叶荚蒾（药用部位：根）。

| 形态特征 |　落叶灌木或小乔木，高可达 7m。小枝紫褐色或黑褐色，稍有棱角，散生圆形、凸起的浅色小皮孔，无毛或初时稍有毛。冬芽红褐色，无毛或仅先端被少数纤毛。叶纸质，干后变黑色，宽卵形至菱状卵形或宽倒卵形，稀椭圆状矩圆形，长 3.5 ～ 8.5（～ 12）cm，先端急短渐尖至渐尖，基部宽楔形至圆形，稀截形，边缘离基 1/3 ～ 1/2以上具开展的不规则浅波状牙齿，上面无毛或仅中脉有时被少数短毛，下面中脉及侧脉被少数短伏毛，脉腋集聚簇状毛，侧脉 5 ～ 7 对；叶柄纤细，长 1 ～ 2（～ 3.5）cm，疏被简单长毛或无毛，近基部常有 1 对钻形小托叶。复伞形式聚伞花序顶生，或生于具 1 对叶的侧生短枝上，直径 5 ～ 12cm，通常多少被疏或密的黄褐色簇状短毛；

阔叶荚蒾

总花梗初时通常长不到 1cm，果时可达 3.5cm，第 1 级辐射枝通常 7，花生于第（3 ～）4（～ 5）级辐射枝上；萼筒无毛，有时具少数腺点，萼齿小，宽卵状三角形，顶钝，有缘毛；花冠较大，白色，辐状，直径约 6mm，无毛，裂片圆卵形，比筒部长；雄蕊常高出花冠，花药宽椭圆形；柱头高出萼齿。果实较大，红色，近圆形，长约 7mm；核扁，长 3.5 ～ 5mm，直径 3 ～ 4mm，顶尖，有 1 ～ 3 浅腹沟和 2 深背沟。花期 6 ～ 7 月，果期 9 ～ 10 月。

| 生境分布 | 生于山坡林中或灌丛中。分布于重庆城口、武隆、南川、彭水等地。

| 资源情况 | 野生资源稀少。药材来源于野生。

| 采收加工 | 秋末采挖，洗净，切段（片）晒干。

| 功能主治 | 调经，涩精。用于月经不调，梦遗虚滑，肺热口臭，白浊带下。

| 用法用量 | 内服煎汤，适量。

绣球荚蒾 *Viburnum macrocephalum* Fort.

绣球荚蒾

药 材 名

木绣球茎（药用部位：茎。别名：绣球花）。

形态特征

落叶或半常绿灌木，高达 4m。树皮灰褐色或灰白色。芽、幼技、叶柄及花序均密被灰白色或黄白色簇状短毛，后渐变无毛。叶临冬至翌年春季逐渐落尽，纸质，卵形至椭圆形或卵状矩圆形，长 5 ~ 11cm，先端钝或稍尖，基部圆或有时微心形，边缘有小齿，上面初时密被簇状短毛，后仅中脉被毛，下面被簇状短毛，侧脉 5 ~ 6 对，近缘前互相网结，连同中脉上面略凹陷，下面凸起；叶柄长 10 ~ 15mm。聚伞花序，直径 8 ~ 15cm，全部由大型不孕花组成，总花梗长 1 ~ 2cm，第 1 级辐射枝 5，花生于第 3 级辐射枝上；萼筒筒状，长约 2.5mm，宽约 1mm，无毛，萼齿与萼筒几等长，矩圆形，顶钝；花冠白色，辐状，直径 1.5 ~ 4cm，裂片圆状倒卵形，筒部甚短；雄蕊长约 3mm，花药小，近圆形；雌蕊不育。花期 4 ~ 5 月。

生境分布

栽培于庭院。分布于重庆南川等地。

| 资源情况 |

野生和栽培资源均稀少。药材主要来源于栽培。

| 采收加工 |

全年均可采收，鲜用或切段晒干。

| 功能主治 |

苦，凉。燥湿止痒。用于疥癣，湿烂痒痛。

| 用法用量 |

外用适量，煎汤熏洗。

| 附　　注 |

本种喜光，略耐阴，喜温暖湿润气候，较耐寒，宜在肥沃、湿润、排水良好的土壤中生长。本种长势旺盛，萌芽力、萌蘖力均强，种子有隔年发芽习性。

忍冬科 Caprifoliaceae 荚蒾属 *Viburnum*

珊瑚树

Viburnum odoratissimum Ker.-Gawl.

| 药 材 名 | 早禾树（药用部位：叶、树皮、根。别名：雷片木、鸭屎木、利桐木）。

| 形态特征 | 常绿灌木或小乔木，高达 10（~ 15）m。枝灰色或灰褐色，有凸起的小瘤状皮孔，无毛或有时稍被褐色簇状毛。冬芽有 1 ~ 2 对卵状披针形的鳞片。叶革质，椭圆形至矩圆形或矩圆状倒卵形至倒卵形，有时近圆形，长 7 ~ 20cm，先端短尖至渐尖而具钝头，有时钝形至近圆形，基部宽楔形，稀圆形，边缘上部有不规则浅波状锯齿或近全缘，上面深绿色，有光泽，两面无毛或脉上散生簇状微毛，下面有时散生暗红色微腺点，脉腋常有集聚簇状毛和趾蹼状小孔，侧脉 5 ~ 6 对，弧形，近缘前互相网结，连同中脉下面凸起而显著；叶柄长 1 ~ 2（~ 3）cm，无毛或被簇状微毛。圆锥花序顶生或生于侧生短枝上，宽尖塔形，长（3.5 ~）6 ~ 13.5cm，宽（3 ~）4.5 ~

珊瑚树

6cm，无毛或散生簇状毛，总花梗长可达 10cm，扁，有淡黄色小瘤状突起；苞片长不足 1cm，宽不及 2mm；花芳香，通常生于花序轴的第 2 ～ 3 级分枝上，无梗或有短梗；萼筒筒状钟形，长 2 ～ 2.5mm，无毛，萼檐碟状，齿宽三角形；花冠白色，后变黄白色，有时微红，辐状，直径约 7mm，筒部长约 2mm，裂片反折，圆卵形，先端圆，长 2 ～ 3mm；雄蕊略超出花冠裂片，花药黄色，矩圆形，长近 2mm；柱头头状，不高出萼齿。果实先红色后变黑色，卵圆形或卵状椭圆形，长约 8mm，直径 5 ～ 6mm；核卵状椭圆形，浑圆，长约 7mm，直径约 4mm，有 1 深腹沟。花期 4 ～ 5 月（有时不定期开花），果期 7 ～ 9 月。

| 生境分布 | 生于海拔 200 ～ 1300m 的山谷密林中溪涧旁荫蔽处、疏林中向阳地或平地灌丛中。分布于重庆永川、巫山等地。

| 资源情况 | 野生资源稀少。药材主要来源于栽培。

| 采收加工 | 春、夏季采收叶和树皮，全年均可采根，树皮、根鲜用或切段晒干，叶鲜用。

| 功能主治 | 辛，温。祛风除湿，通经活络。用于感冒，风湿痹痛，跌打肿痛，骨折。

| 用法用量 | 内服煎汤，根 9 ～ 15g，树皮 30 ～ 60g。外用叶适量，捣敷。

| 附　　注 | 本种喜温暖湿润和阳光充足的环境，较耐寒，稍耐阴，在肥沃的中性土壤中生长最好。主要通过扦插或种子繁殖。

忍冬科 Caprifoliaceae 荚蒾属 Viburnum

日本珊瑚树

Viburnum odoratissimum Ker-Gawl. var. *awabuki* (K. Koch) Zabel ex Rumpl.

日本珊瑚树

| 药 材 名 |

日本珊瑚树（药用部位：叶、树皮或根。别名：早禾树）。

| 形态特征 |

常绿灌木或小乔木。叶倒卵状矩圆形至矩圆形，很少倒卵形，长 7 ~ 13（~ 16）cm，先端钝或急狭而钝头，基部宽楔形，边缘常有较规则的波状浅钝锯齿，侧脉 6 ~ 8 对。圆锥花序通常生于具两对叶的幼枝顶，长 9 ~ 15cm，直径 8 ~ 13cm；花冠筒长 3.5 ~ 4mm，裂片长 2 ~ 3mm；花柱较细，长约 1mm，柱头常高出萼齿。果核通常倒卵圆形至倒卵状椭圆形，长 6 ~ 7mm。其他性状同珊瑚树。花期 5 ~ 6 月，果熟期 9 ~ 10 月。

| 生境分布 |

栽培于庭院，或作绿篱。重庆各地均有分布。

| 资源情况 |

野生资源稀少，栽培资源丰富。药材主要来源于栽培。

| **采收加工** | 叶和树皮于春、夏季采收，根全年均可采，树皮、根鲜用或切段晒干，叶鲜用。

| **功能主治** | 祛风除湿，通经活络。用于感冒，风湿痹痛，跌打肿痛，骨折。

| **用法用量** | 内服煎汤，适量。外用适量，捣敷。

| **附　　注** | （1）本种喜温暖湿润和阳光充足的环境，较耐寒，稍耐阴，根系发达，萌芽力强，耐修剪，生长适温 20 ～ 25℃。栽培土壤以肥沃、疏松的中性壤土为宜。
（2）本种的叶、树皮、根在部分地区同作珊瑚树 *Viburnum odoratissimum* Ker.-Gawl. 入药。

少花荚蒾 *Viburnum oliganthum* Batal.

少花荚蒾

|药 材 名|

少花荚蒾（药用部位：根）、少花荚蒾叶（药用部位：茎叶）。

|形态特征|

常绿灌木或小乔木，高 2 ~ 6m。当年生小枝褐色，有凸起的圆形皮孔，连同花序散生黄褐色簇状微柔毛；二年生小枝灰褐色或黑色，无毛。芽有 1 对通常宿存的大鳞片，外被簇状伏毛。叶亚革质至革质，很少厚纸质，倒披针形至条状倒披针形或倒卵状矩圆形至矩圆形，稀倒卵形，长 5 ~ 10（~ 13）cm，先端急狭而渐尖至长渐尖，具长或短的尾突，基部楔形至钝形，稀近圆形，边缘离基部约 1/3 ~ 1/2 以上具疏浅锯齿，齿顶细尖而弯向内或向前，很少外展，上面深绿色有光泽，中脉两面隆起，上面尤为明显，侧脉 5 ~ 6 对，达叶缘前弯拱而互相网结，上面略下陷，下面稍显著，小脉不明显；叶柄长 5 ~ 15mm，连同总花梗、苞片、小苞片和花萼均带紫红色。圆锥花序顶生，长 2.5 ~ 4.5（~ 10）cm，宽 2 ~ 4cm，总花梗长（1.2 ~）2.5 ~ 7cm，细而扁，花生于序轴的第 1 ~ 2 级分枝上；苞片和小苞片宿存；萼筒筒状倒圆锥形，长约 2mm，萼齿三角状卵形，长约 0.5mm；花冠白色或淡红色，漏斗状，长 6 ~ 8mm，裂片宽卵形，长约为筒部的 1/4；雄蕊花丝极短，花药紫红色，矩圆形；柱头头状，高出萼齿。果实红色，后转黑色，宽椭圆形，长 6 ~ 7mm，直径 4 ~ 5mm；核扁，有 1 宽广的深腹沟。花期 4 ~ 6 月，果期 6 ~ 8 月。

| **生境分布** | 生于海拔 800 ~ 2300m 的丛林、溪涧旁灌丛中或岩石上。分布于重庆城口、巫溪、巫山、秀山、南川等地。

| **资源情况** | 野生资源较少。药材来源于野生。

| **采收加工** | 秋末采挖根，洗净，切段晒干。春、夏季采收茎叶，鲜用或晒干。

| **功能主治** | 用于祛风除湿，解毒消肿。

| **用法用量** | 根，内服煎汤，适量。叶，外用适量，捣敷。

忍冬科 Caprifoliaceae 荚蒾属 Viburnum

鸡树条

Viburnum opulus L. var. *calvescens* (Rehd.) Hara

| 药 材 名 | 鸡树条（药用部位：枝、叶。别名：鸡树条子、山竹子）、鸡树条果（药用部位：果实）。

| 形态特征 | 落叶灌木，高 2 ~ 3m。当年生小枝有棱，树皮厚而多少呈木栓质。叶对生；叶柄粗壮，长 1 ~ 2cm，近端处有腺点，基部有 2 钻形托叶；叶圆卵形至广卵形或倒卵形，长 6 ~ 12cm，宽 5 ~ 10cm，通常 3 裂，具掌状三出脉，基部圆形、截形或浅心形，裂片先端渐尖，边缘具不整齐粗齿牙，中裂片伸长，侧裂片略向外开展，叶下面脉集聚簇生毛，或有时脉上被少数长伏毛。复伞形式聚散花序顶生，大多周围大型不孕的花；总花梗粗壮，长 2 ~ 5cm，无毛；能育花在中央，花萼筒倒圆锥形，萼檐 5 齿裂；花冠白色，辐状，裂片近圆形；雄蕊的花药紫红色；柱头 2 裂；不孕花白色。核果近球形；种子圆形。

鸡树条

| **生境分布** | 生于海拔 1000 ～ 2200m 的溪谷边疏林下或灌丛中。分布于重庆巫溪、奉节、石柱等地。

| **资源情况** | 野生资源稀少。药材主要来源于野生。

| **采收加工** | 鸡树条：7 ～ 9 月采收，鲜用或切段晒干。
鸡树条果：9 ～ 10 月采摘，鲜用或晒干。

| **功能主治** | 鸡树条：甘、苦，平。通经活络，解毒止痒。用于腰腿疼痛，腰扭伤，疮疖，疥癣，皮肤瘙痒。
鸡树条果：甘、苦，平。止咳。用于咳嗽。

| **用法用量** | 鸡树条：内服煎汤，9 ～ 15g，鲜品加倍；或研末。外用捣敷；或煎汤洗。
鸡树条果：内服煎汤，6 ～ 15g，鲜品 15 ～ 30g；或捣汁。

| **附　注** | （1）在 FOC 中，本种的拉丁学名被修订为 *Viburnum opulus* subsp. *calvescens* (Rehder) Sugimoto。
（2）现代药理研究表明，本种药材能收缩子宫、增强子宫的紧张度，有治疗子宫出血的作用；果实酊剂具有利尿作用。

忍冬科 Caprifoliaceae 荚蒾属 *Viburnum*

蝴蝶戏珠花
Viburnum plicatum Thunb. var. *tomentosum* (Thunb.) Miq.

| 药 材 名 | 蝴蝶树（药用部位：根、茎。别名：苦酸汤、蝴蝶木）。

| 形态特征 | 落叶灌木，高达 3m。幼枝浅黄褐色，四角状，被由黄褐色簇状毛组成的绒毛，叶纸质，较狭，宽卵形或矩圆状卵形，有时椭圆状倒卵形，两端有时渐尖，下面常带绿白色，侧脉 10 ~ 17 对。花序直径 4 ~ 10cm，外围有 4 ~ 6 白色、大型的不孕花，具长花梗，花冠直径达 4cm，不整齐 4 至 5 裂；中央可孕花直径约 3mm，花萼筒长约 15mm，花冠辐状，黄白色，裂片宽卵形，长约等于花冠筒，雄蕊高出花冠，花药近圆形。果实先红色后变黑色，宽卵圆形或倒卵圆形，长 5 ~ 6mm，直径约 4mm；核扁，两端钝形，有 1 条上宽下窄的腹沟，背面中下部还有 1 条短的隆起之脊。花期 4 ~ 5 月，果熟期 8 ~ 9 月。

蝴蝶戏珠花

| **生境分布** | 生于海拔 1200 ~ 2000m 的山谷或林中。分布于重庆城口、巫溪、巫山、奉节、酉阳、石柱、武隆、南川、北碚等地。

| **资源情况** | 野生资源一般。药材主要来源于野生，亦有少量栽培。

| **采收加工** | 全年均可采收，切片，晒干。

| **功能主治** | 苦、辛、酸，平。清热解毒，健脾消积，祛风止痛。用于疮毒，淋巴结炎，小儿疳积，风热感冒，风湿痹痛。

| **用法用量** | 内服煎汤，3 ~ 9g。外用适量，烧存性，研末调敷。

| **附　　注** | （1）在 FOC 中，本种的拉丁学名被修订为 *Viburnum plicatum f. tomentosum* (Miq.) Rehder。
（2）本种喜湿润气候，较耐寒，稍耐半阴，常生于富含腐殖质的壤土中。生产中采用播种或扦插繁殖方式。

忍冬科 Caprifoliaceae 荚蒾属 Viburnum

球核荚蒾 *Viburnum propinquum* Hemsl.

| 药 材 名 | 六股筋（药用部位：叶、根。别名：仙人茶、鱼串子、六角筋）。

| 形态特征 | 常绿灌木，高达 2m，全体无毛。当年生小枝红褐色，光亮，具凸起的小皮孔，二年生小枝变灰色。幼叶带紫色，成长后革质，卵形至卵状披针形或椭圆形至椭圆状矩圆形，长 4 ~ 9（~ 11）cm，先端渐尖，基部狭窄至近圆形，两侧稍不对称，边缘通常疏生浅锯齿，基部以上两侧各有 1 ~ 2 腺体，具离基三出脉，脉延伸至叶中部或中部以上，近缘前互相网结，有时脉腋有集聚簇状毛，中脉和侧脉（有时连同小脉）上面凹陷，下面凸起；叶柄纤细，长 1 ~ 2cm。聚伞花序直径 4 ~ 5cm，果时可达 7cm，总花梗纤细，长 1.5 ~ 2.5（~ 4）cm，第 1 级辐射枝通常 7，花生于第 3 级辐射枝上，有细花梗；萼筒长约 0.6mm，萼齿宽三角状卵形，顶钝，长约 0.4mm；

球核荚蒾

花冠绿白色，辐状，直径约 4mm，内面基部被长毛，裂片宽卵形，先端圆形，长约 1mm，约与筒部等长；雄蕊常稍高出花冠，花药近圆形。果实蓝黑色，有光泽，近圆形或卵圆形，长（3～）5～6mm，直径 3.5～4mm；核有 1 极细的浅腹沟或无沟。

| **生境分布** | 生于海拔 500～2300m 的山谷林中或灌丛中。分布于重庆黔江、垫江、石柱、彭水、长寿、酉阳、潼南、奉节、丰都、城口、綦江、涪陵、南川、云阳、忠县、北碚、巫溪、九龙坡、合川、沙坪坝等地。

| **资源情况** | 野生资源较丰富。药材来源于野生。

| **采收加工** | 春、夏季采叶，全年均可采根，根切段，均鲜用或晒干。

| **功能主治** | 苦、辛，温。散瘀止血，续筋接骨。用于跌打损伤，筋伤骨折，外伤出血。

| **用法用量** | 外用适量，研末撒或调敷；或鲜品捣敷。

忍冬科 Caprifoliaceae 荚蒾属 *Viburnum*

皱叶荚蒾
Viburnum rhytidophyllum Hemsl.

| 药 材 名 | 皱叶荚蒾（药用部位：根、茎叶。别名：枇杷叶荚蒾、羊屎条、扁担子）。

| 形态特征 | 常绿灌木或小乔木，高达 4m。幼枝、芽、叶下面、叶柄及花序均被由黄白色、黄褐色或红褐色簇状毛组成的厚绒毛，毛的分枝长 0.3～0.7mm；当年生小枝粗壮，稍有棱角；二年生小枝红褐色或灰黑色，无毛，散生圆形小皮孔；老枝黑褐色。叶革质，卵状矩圆形至卵状披针形，长 8～18（～25）cm，先端稍尖或略钝，基部圆形或微心形，全缘或有不明显小齿，上面深绿色，有光泽，幼时疏被簇状柔毛，后变无毛，各脉深凹陷而呈极度皱纹状，下面有凸起网纹，侧脉 6～8（～12）对，近缘处互相网结，很少直达齿端；叶柄粗壮，长 1.5～3（～4）cm。聚伞花序稠密，直径 7～12cm，总花梗粗壮，长 1.5～4（～7）cm，第 1 级辐射枝通常 7，四角状，

皱叶荚蒾

粗壮，花生于第 3 级辐射枝上，无柄；萼筒筒状钟形，长 2 ~ 3mm，被由黄白色簇状毛组成的绒毛，长 2 ~ 3mm，萼齿微小，宽三角状卵形，长 0.5 ~ 1mm；花冠白色，辐状，直径 5 ~ 7mm，几无毛，裂片圆卵形，长 2 ~ 3mm，略长于筒部；雄蕊高出花冠，花药宽椭圆形，长约 1mm。果实红色，后变黑色，宽椭圆形，长 6 ~ 8mm，无毛；核宽椭圆形，两端近截形，扁，长 6 ~ 7mm，直径 4 ~ 5mm，有 2 背沟和 3 腹沟。花期 4 ~ 5 月，果期 9 ~ 10 月。

| 生境分布 | 生于海拔 800 ~ 2000m 的山坡林下或灌丛中。分布于重庆城口、巫溪、巫山、奉节、酉阳、黔江、彭水、石柱、万州、武隆、南川、丰都、涪陵等地。

| 资源情况 | 野生资源较丰富。药材来源于野生。

| 采收加工 | 秋末采挖根，洗净，切断晒干。春、夏季采收茎叶，鲜用或晒干。

| 功能主治 | 苦、涩，平。清热解毒，祛风除湿，活血止血。用于痢疾，风湿筋骨痛，跌损瘀结，刀伤，痔疮出血，麻疹不透，流行性感冒。

| 用法用量 | 根，内服煎汤，适量。茎叶，外用适量，捣敷。

忍冬科 Caprifoliaceae 荚蒾属 Viburnum

茶荚蒾 *Viburnum setigerum* Hance

茶荚蒾

药材名

鸡公柴（药用部位：根）、鸡公柴果（药用部位：果实。别名：饭汤子果实）。

形态特征

落叶灌木，高达 4m。芽及叶干后变黑色、黑褐色或灰黑色。当年生小枝浅灰黄色，多少有棱角，无毛；二年生小枝灰色，灰褐色或紫褐色。冬芽通常长 5mm 以下，最长可达 1cm，无毛，外面 1 对鳞片为芽体长的 1/3 ～ 1/2。叶纸质，卵状矩圆形至卵状披针形，稀卵形或椭圆状卵形，长 7 ～ 12（～ 15）cm，先端渐尖，基部圆形，边缘基部除外面疏生尖锯齿，上面初时中脉被长纤毛，后变无毛，下面仅中脉及侧脉被浅黄色贴生长纤毛，近基部两侧有少数腺体，侧脉 6 ～ 8 对，笔直而近并行，伸至齿端，上面略凹陷，下面显著凸起；叶柄长 1 ～ 1.5（～ 2.5）cm，被少数长伏毛或近无毛。复伞形式聚伞花序无毛或稍被长伏毛，有极小红褐色腺点，直径 2.5 ～ 4（～ 5）cm，常弯垂，总花梗长 1 ～ 2.5（～ 3.5）cm，第 1 级辐射枝通常 5，花生于第 3 级辐射枝上，有梗或无，芳香；萼筒长约 1.5mm，无毛和腺点，萼齿卵形，长约 0.5mm，顶钝形；花冠白色，干后变茶褐色或黑褐色，辐状，直径 4～6mm，无毛，裂片卵形，长约 2.5mm，比筒部长；雄蕊与花冠几等长，花药圆形，极小；花柱不高出萼齿。果序弯垂，果实红色，卵圆形，长 9～11mm；核甚扁，卵圆形，长 8～10mm，直径 5～7mm，有时则更小，间或卵状矩圆形，直径仅 4～5mm，凹凸不平，腹面扁平或略凹陷。花期 4～5 月，果期 9～10 月。

| 生境分布 | 生于海拔 600～2100m 的山谷溪涧旁疏林或山坡灌丛中。分布于重庆黔江、綦江、南岸、忠县、彭水、涪陵、江津、长寿、酉阳、奉节、丰都、城口、垫江、南川、九龙坡、永川、武隆、北碚、石柱、合川、巴南、沙坪坝、荣昌等地。

| 资源情况 | 野生资源较丰富。药材来源于野生。

| 采收加工 | 鸡公柴：秋后采挖，洗净，切片，晒干。
鸡公柴果：秋后果实成熟时采收，晒干。

| 功能主治 | 鸡公柴：微苦，平。清热利湿，活血止血。用于小便白浊，肺痈，吐血，热瘀经闭。
鸡公柴果：甘，平。健脾。用于消化不良，食欲不振。

| 用法用量 | 鸡公柴：内服煎汤，15～30g。
鸡公柴果：内服煎汤，10～15g。

| 附 注 | 本种可播种繁殖后移栽。

忍冬科 Caprifoliaceae 荚蒾属 Viburnum

合轴荚蒾 *Viburnum sympodiale* Graebn.

| 药 材 名 | 合轴荚蒾（药用部位：根、茎皮）。

| 形态特征 | 落叶灌木或小乔木，高可达 10m。幼枝、叶下面脉上、叶柄、花序及萼齿均被灰黄褐色鳞片状或糠粃状簇状毛，二年生小枝红褐色，有时光亮，最后变灰褐色，无毛。叶纸质，卵形至椭圆状卵形或圆状卵形，长 6 ~ 13（~ 15）cm，先端渐尖或急尖，基部圆形，很少浅心形，边缘有不规则牙齿状尖锯齿，上面无毛或幼时脉上被簇状毛，侧脉 6 ~ 8 对，上面稍凹陷，下面凸起，小脉横列，明显；叶柄长 1.5 ~ 3（~ 4.5）cm；托叶钻形，长 2 ~ 9mm，基部常贴生于叶柄，有时无托叶。聚伞花序直径 5 ~ 9cm，花开后几无毛，周围有大型、白色的不孕花，无总花梗，第 1 级辐射枝常 5，花生于第 3 级辐射枝上，芳香；萼筒近圆球形，长约 2mm，萼齿卵圆形；

合轴荚蒾

花冠白色或带微红色，辐状，直径 5 ~ 6mm，裂片卵形，长 2 倍于筒部；雄蕊花药宽卵圆形，黄色；花柱不高出萼齿；不孕花直径 2.5 ~ 3cm，裂片倒卵形，常大小不等。果实红色，后变紫黑色，卵圆形，长 8 ~ 9mm；核稍扁，长约 7mm，直径约 5mm，有 1 浅背沟和 1 深腹沟。花期 4 ~ 5 月，果期 8 ~ 9 月。

| **生境分布** | 生于海拔 800 ~ 2600m 的林下或灌丛中。分布于重庆城口、巫溪、巫山、奉节、石柱、南川、云阳、武隆、忠县等地。

| **资源情况** | 野生资源一般。药材来源于野生。

| **采收加工** | 秋末采挖根，洗净，切段晒干。春、夏季采收茎皮，鲜用或晒干。

| **功能主治** | 清热解毒，消积。用于疳积，感冒，风湿，淋巴结炎。外用于疮毒。

| **用法用量** | 内服煎汤，适量。外用适量，捣敷。

忍冬科 Caprifoliaceae 荚蒾属 Viburnum

三叶荚蒾
Viburnum ternatum Rehd.

| 药 材 名 | 三叶荚蒾（药用部位：叶。别名：大叶荚蒾）、三叶荚蒾根（药用部位：根）。

| 形态特征 | 落叶灌木或小乔木，高可达 6m。当年生小枝茶褐色，近圆筒形，被带黄色簇状短伏毛，二年生小枝黑褐色。叶 3 轮生，在较细弱枝上对生，卵状椭圆形、椭圆形或长圆状倒卵形，有时倒卵状披针形，长 8 ~ 24cm，全缘或先端具少数大牙齿，上面初疏被叉状伏毛，中脉毛较密，后无毛，下面中脉及侧脉被簇状、叉状或单毛，基部中脉两侧常具圆形大腺斑，侧脉 6 ~ 7 对，弧形；叶柄细，长 2 ~ 6cm，被簇状毛，托叶 2，披针形，长 4 ~ 5mm，被毛。复伞形式聚伞花序，直径 12 ~ 14（~ 18）cm，疏被簇状毛，无或几无总花梗，第 1 级辐射枝 5 ~ 7（~ 10），中间 1 条最短，花生于第 2 ~ 6 级辐射枝上，

三叶荚蒾

无梗或有短梗；花冠白色，辐状，略短于筒部；雄蕊长约 6mm，远高出花冠，花丝在蕾中折叠，花药黄白色，宽椭圆形。果实红色，宽椭圆状矩圆形，长约 7mm，直径约 5mm；核宽椭圆状矩圆形或卵圆形，扁，长 5 ～ 6mm，直径 3 ～ 4mm，灰白色，有 1 腹沟和 2 浅背沟。花期 6 ～ 7 月，果期 9 月。

| **生境分布** | 生于海拔 650 ～ 1400m 的山谷、山坡丛林或灌丛中。分布于重庆彭水、武隆、石柱、合川、南川、北碚、长寿等地。

| **资源情况** | 野生资源稀少。药材来源于野生。

| **采收加工** | 秋末采挖根，洗净，切段晒干。春、夏季采收叶，鲜用或晒干。

| **功能主治** | 用于腰腿痛。

| **用法用量** | 根，内服煎汤，适量。叶，外用适量，捣敷。

忍冬科 Caprifoliaceae 荚蒾属 Viburnum

烟管荚蒾 *Viburnum utile* Hemsl.

烟管荚蒾

药材名

羊屎条根（药用部位：根。别名：羊食子根、羊奶根）、羊屎条花（药用部位：花）、羊屎条叶（药用部位：茎叶）。

形态特征

常绿灌木，高达 2m。叶下面、叶柄和花序均被由灰白色或黄白色簇状毛组成的细绒毛；当年生小枝被带黄褐色或带灰白色绒毛，后变无毛，翌年变红褐色，散生小皮孔。叶革质，卵圆状矩圆形，有时卵圆形至卵圆状披针形，长 2 ~ 5(~ 8.5)cm，先端圆至稍钝，有时微凹，基部圆形，全缘或很少有少数不明显疏浅齿，边稍内卷，上面深绿色有光泽而无毛，或暗绿色而疏被簇状毛，侧脉 5 ~ 6 对，近缘前互相网结，上面略凸起或不明显，下面稍隆起，有时被锈色簇状毛；叶柄长 5 ~ 10(~ 15)mm。聚伞花序直径 5 ~ 7cm，总花梗粗壮，长 1 ~ 3cm，第 1 级辐射枝通常 5 条，花通常生于第 2 ~ 3 级辐射枝上；萼筒筒状，长约 2mm，无毛，萼齿卵状三角形，长约 0.5mm，无毛或具少数簇状缘毛；花冠白色，花蕾时带淡红色，辐状，直径 6 ~ 7mm，无毛，裂片圆卵形，长约 2mm，与筒部等长或略较长；雄蕊与花冠裂片几等长，花药近圆形，直径约 1mm；花柱与萼齿近于等长。果实红色，后变黑色，椭圆状矩圆形至椭圆形，长（6～）7～8mm；核稍扁，椭圆形或倒卵形，长（5～）7mm，直径（4～）5mm，有2极浅背沟和3腹沟。花期3～4月，果期8月。

| 生境分布 | 生于海拔 500～1800m 的马尾松林下或灌丛中。分布于重庆黔江、北碚、綦江、璧山、大足、彭水、巫山、酉阳、石柱、万州、奉节、永川、丰都、巫溪、城口、铜梁、南川、忠县、武隆、云阳、江津、开州、梁平、巴南等地。

| 资源情况 | 野生资源较丰富。药材来源于野生。

| 采收加工 | 羊屎条根：全年均可采挖，洗净，切片，晒干。
羊屎条花：夏、秋季采收，烘干。
羊屎条叶：春、夏季采收，鲜用或晒干。

| 功能主治 | 羊屎条根：苦、涩，平。利湿解毒，活血通络。用于痢疾，脱肛，痔疮下血，带下，风湿痹痛，跌打损伤，痈疽，湿疮。
羊屎条花：解毒，和络。用于羊毛疔，跌打损伤。
羊屎条叶：止血，接骨。用于外伤出血，骨折，流行性感冒。

| 用法用量 | 羊屎条根：内服煎汤，15～30g；或泡酒。外用适量，捣敷；或煎汤洗。
羊屎条花：外用适量，研末敷。
羊屎条叶：内服煎汤，15～60g。外用适量，研末敷。

忍冬科 Caprifoliaceae 锦带花属 Weigela

半边月
Weigela japonica Thunb. var. *sinica* (Rehd.) Bailey

| 药材名 | 水马桑（药用部位：根。别名：白马桑、水吞骨）、水马桑枝叶（药用部位：枝叶。别名：杨栌木叶）。

| 形态特征 | 落叶灌木，高达6m。叶长卵形至卵状椭圆形，稀倒卵形，长5～15cm，宽3～8cm，先端渐尖至长渐尖，基部阔楔形至圆形，边缘具锯齿，上面深绿色，疏被短柔毛，脉上毛较密，下面浅绿色，密被短柔毛；叶柄长8～12mm，被柔毛。单花或具3花的聚伞花序生于短枝的叶腋或先端；萼筒长10～12mm，萼齿条形，深达萼檐基部，长5～10mm，被柔毛；花冠白色或淡红色，花开后逐渐变红色，漏斗状钟形，长2.5～3.5cm，外面疏被短柔毛或近无毛，花冠筒基部呈狭筒形，中部以上突然扩大，裂片开展，近整齐，无毛；花丝白色，花药黄褐色；花柱细长，柱头盘形，伸出花冠外。果实长1.5～2cm，

半边月

先端有短柄状喙，疏被柔毛；种子具狭翅。花期 4 ~ 5 月。

| **生境分布** | 生于海拔 450 ~ 1800m 的山坡林下、山顶灌丛或沟边。分布于重庆彭水、奉节、石柱、万州、南川、巫溪等地。

| **资源情况** | 野生资源一般。药材主要来源于野生，亦有少量栽培。

| **采收加工** | 水马桑：秋、冬季采挖，洗净，切片，晒干。
水马桑枝叶：春、夏季采收，切段，晒干。

| **功能主治** | 水马桑：甘，平。益气，健脾。用于气虚食少，消化不良。
水马桑枝叶：苦，寒。清热解毒。用于疮痈，疮疖。

| **用法用量** | 水马桑：内服煎汤，9 ~ 15g；或炖鸡蛋或猪肉。
水马桑枝叶：外用适量，煎汤洗。

| **附　　注** | 本种喜光耐寒，适应性强，耐瘠薄土壤，适宜栽培于肥沃湿润、腐殖质丰富的土壤。

败酱科 Valerianaceae 败酱属 Patrinia

墓头回

Patrinia heterophylla Bunge

墓头回

药 材 名

墓头回（药用部位：根。别名：地花菜、墓头灰、箭头风）。

形态特征

多年生草本，高（15～）30～80（～100）cm。根茎较长，横走。茎直立，被倒生微糙伏毛。基生叶丛生，长3～8cm，具长柄，叶片边缘圆齿状或具糙齿状缺刻，不分裂或羽状分裂至全裂，具1～4（～5）对侧裂片，裂片卵形至线状披针形，顶生裂片常较大，卵形至卵状披针形；茎生叶对生，茎下部叶常2～3（～6）对羽状全裂，顶生裂片较侧裂片稍大或近等大，卵形或宽卵形，罕线状披针形，长7（～9）cm，宽5（～6）cm，先端渐尖或长渐尖，中部叶常具1～2对侧裂片，顶生裂片最大，卵形、卵状披针形或近菱形，具圆齿，疏被短糙毛，叶柄长1cm，上部叶较窄，近无柄。花黄色，组成顶生伞房状聚伞花序，被短糙毛或微糙毛；总花梗下苞叶常具1或2对（较少为3～4对）线形裂片，分枝下者不裂，线形，常与花序近等长或稍长；萼齿5，明显或不明显，圆波状、卵形或卵状三角形至卵状长圆形，长0.1～0.3mm；花冠钟形，花冠筒长1.8～2

（～ 2.4）mm，上部宽 1.5 ～ 2mm，基部一侧具浅囊肿，裂片 5，卵形或卵状椭圆形，长 0.8 ～ 1.8mm，宽 1.6mm；雄蕊 4，伸出，花丝 2 长 2 短，近蜜囊者长 3 ～ 3.6mm，余者长 1.9 ～ 3mm，花药长圆形，长 1.2mm；子房倒卵形或长圆形，长 0.7 ～ 0.8mm，花柱稍弯曲，长 2.3 ～ 2.7mm，柱头盾状或截头状。瘦果长圆形或倒卵形，先端平截，不育子室上面疏被微糙毛，能育子室下面及上缘被微糙毛或几无毛；翅状果苞干膜质，倒卵形、倒卵状长圆形或倒卵状椭圆形，稀椭圆形，先端钝圆，有时极浅 3 裂，或仅一侧有 1 浅裂，长 5.5 ～ 6.2mm，宽 4.5 ～ 5.5mm，网状脉常具 2 主脉，较少 3 主脉。花期 7 ～ 9 月，果期 8 ～ 10 月。

| 生境分布 | 生于海拔 300 ～ 2100m 的山地岩缝中、草丛中、路边、砂质坡或土坡上。分布于重庆城口、巫溪、巫山、奉节、云阳、石柱等地。

| 资源情况 | 野生资源较少。药材来源于野生。

| 采收加工 | 秋季采挖，除去残茎，晒干。

| 药材性状 | 本品呈细圆柱形，有分枝。表面黄褐色，有细纵纹及点状支根痕，有的具瘤状突起。质硬，断面黄白色，呈破裂状。

| 功能主治 | 辛、苦，微寒。归心、肝经。清热燥湿，祛瘀止痛。用于崩漏，赤白带下，跌打损伤。

| 用法用量 | 内服煎汤，6 ～ 15g。外用适量，煎汤洗患处。

败酱科 Valerianaceae 败酱属 Patrinia

窄叶败酱
Patrinia heterophylla Bunge subsp. *angustifolia* (Hemsl.) H. J. Wang

| 药 材 名 | 窄叶败酱（药用部位：全草。别名：败酱草、苦斋公）。

| 形态特征 | 本种和原亚种墓头回的区别在于花序最下分枝处总苞叶不分裂，花丝较长（常 3.5mm 以上），子房较长（0.8 ~ 1.5mm），茎下部和中部叶常不分裂或有时基部仅具 1 ~ 2 对裂片。花序最下分枝处总苞叶不分裂；萼齿 5，明显或不明显，圆波状、卵形或卵状三角形至卵状长圆形，长 0.1 ~ 0.3mm；花冠钟形，花冠筒长 1.8 ~ 2（~ 2.4）mm，上部宽 1.5 ~ 2mm，基部一侧具浅囊肿，裂片 5，卵形或卵状椭圆形，长 0.8 ~ 1.8mm，宽 1.6mm；雄蕊 4，伸出，花丝较长（常 3.5mm 以上），花药长圆形，长 1.2mm；子房倒卵形或长圆形，长 0.8 ~ 1.5mm，花柱稍弯曲，长 2.3 ~ 2.7mm，柱头盾状或截头状。瘦果长圆形或倒卵形，先端平截，不育子室上面疏被微

窄叶败酱

糙毛，能育子室下面及上缘被微糙毛或几无毛；翅状果苞干膜质，倒卵形、倒卵状长圆形或倒卵状椭圆形，稀椭圆形，先端钝圆，有时极浅 3 裂，或仅一侧有 1 浅裂，长 5.5 ~ 6.2mm，宽 4.5 ~ 5.5mm，网状脉常具 2 主脉，较少 3 主脉。花期 7 ~ 9 月，果期 8 ~ 10 月。

| **生境分布** | 生于海拔 100 ~ 1700m 的山坡草丛中、阔叶林下、马尾松林下或荒坡岩石上、沟边或路边。分布于重庆城口、巫溪、巫山、奉节、万州、秀山等地。

| **资源情况** | 野生资源较少。药材主要来源于野生。

| **采收加工** | 夏、秋季采收，全株拔起，除去泥沙，洗净阴干或晒干。

| **功能主治** | 清热解毒，消肿排脓，活血行瘀。用于急性化脓性扁桃体炎，肺炎，肺脓肿，阑尾炎，肠炎，痢疾，肝炎，胆道感染，急性胰腺炎，眼结膜炎，疮痈肿毒，痔疮，肠风下血，产后血滞腹痛，带下，失眠。

| **用法用量** | 内服煎汤，适量。外用鲜品适量，捣敷。

少蕊败酱

Patrinia monandra C. B. Clarke

| 药 材 名 | 少蕊败酱（药用部位：全草。别名：败酱草、苦斋公）。

| 形态特征 | 二年生或多年生草本，高达 150（~ 220）cm。常无地下根茎，主根横生、斜生或直立。茎基部近木质，粗壮，被灰白色粗毛，后渐脱落，茎上部被倒生稍弯糙伏毛或微糙伏毛，或为 2 纵列倒生短糙伏毛。单叶对生，长圆形，长 4 ~ 10（~ 14.5）cm，宽 2 ~ 4（~ 9.5）cm，不分裂或大头羽状深裂，下部有 1 ~ 2（~ 3）对侧生裂片，边缘具粗圆齿或钝齿，两面疏被糙毛，有时夹生短腺毛；叶柄长 1cm，向上部渐短至近无柄；基生叶和茎下部叶开花时常枯萎凋落。聚伞圆锥花序顶生及腋生，常聚生于枝端成宽大的伞房状，宽达 20（~ 25）cm，花序梗密被长糙毛；总苞叶线状披针形或披针形，长 8.5cm，不分裂，先端尾状渐尖，或有时羽状 3 ~ 5 裂，

少蕊败酱

长达 15cm，顶生裂片卵状披针形，先端短渐尖；花小，花梗基部贴生 1 卵形、倒卵形或近圆形的小苞片，长 1.3 ～ 2mm；花萼小，5 齿状；花冠漏斗形，淡黄色，或同一花序中有淡黄色和白色花，花冠筒长 1.2 ～ 1.8mm，上部宽 1.4 ～ 1.8mm，基部一侧囊肿不明显，花冠裂片稍不等形，卵形、宽卵形或卵状长圆形，长（0.6 ～）1.2 ～ 1.5（～ 1.8）mm，宽 1 ～ 1.2mm；雄蕊 1 或 2 ～ 3，常 1 最长，伸出花冠外，极少有 4 者，花药长圆形或椭圆形，长 0.5 ～ 0.8mm，花丝长（1.5 ～）2.2 ～ 3.3mm，中下部有时疏生柔毛；子房倒卵形，长 0.8 ～ 1.8mm，花柱长 1.7 ～ 2.2（～ 2.8）mm，柱头头状或盾状。瘦果卵圆形，不育子室肥厚，倒卵状长圆形，无毛或疏被微糙毛，能育子室扁平状椭圆形，上面两侧和下面被开展短糙毛；果苞薄膜质，近圆形至阔卵形，长 5 ～ 7.2mm，宽 5 ～ 7（～ 8）mm，先端常呈极浅 3 裂，基部圆形微凹或截形，具主脉 2，极少 3，网脉细而明显。花期 8 ～ 9 月，果期 9 ～ 10 月。

| **生境分布** | 生于海拔 500 ～ 2400m 的山坡草丛、灌丛中、林下及林缘、田野溪旁、路边。分布于重庆城口、巫溪、巫山、奉节、万州、石柱、南川、黔江、酉阳、忠县、云阳、北碚等地。

| **资源情况** | 野生资源较少。药材来源于野生。

| **采收加工** | 夏、秋季采收，全株拔起，除去泥沙，洗净阴干或晒干。

| **功能主治** | 苦，平。清热解毒，消肿排脓，止血止痛。用于肠痈，泄泻，肝炎，产后瘀血腹痛，痈肿疔疮。

| **用法用量** | 内服煎汤，适量。外用鲜品适量，捣敷。

败酱科 Valerianaceae 败酱属 Patrinia

斑花败酱 *Patrinia punctiflora* Hsu et H. J. Wang

| 药 材 名 | 斑花败酱（药用部位：全草）。

| 形态特征 | 二年生或多年生草本，高 45 ～ 200cm。常无匍匐根茎，主根系粗壮。茎密被倒生粗伏毛，周围有疏粗毛。单叶对生，纸质，卵形、椭圆形、卵状披针形或长圆状披针形，先端钝或渐尖，基部楔形，边缘具粗钝齿或浅齿。聚伞花序顶生，被白色倒生粗糙毛；苞叶卵形、长圆形、线状披针形或线形，具钝齿或全缘。花梗极短；萼齿 5，钝齿状或微波状；花冠钟状，淡黄色；雄蕊 4，二强，花药长圆形，"丁"字状着生，花粉粒圆形或钝三角形，具短刺状突起；子房呈倒卵状突起；柱头截头状，稀盾头状。瘦果倒卵状椭圆形；种子扁椭圆形；翅状果苞干膜质，卵形或阔卵形，先端钝圆，基部圆形或截形。花期 7 ～ 10 月，果期 8 ～ 10 月。

斑花败酱

| **生境分布** | 生于海拔 100 ～ 1600m 的山坡草丛或疏林下、溪边、路旁。分布于重庆酉阳、秀山、黔江、南川、彭水、巫山、巫溪、梁平等地。 |

| **资源情况** | 野生资源一般。药材主要来源于野生。 |

| **采收加工** | 夏、秋季采收，全株拔起，除去泥沙，洗净阴干或晒干。 |

| **功能主治** | 辛、苦，凉。归肝、胃、大肠经。清热解毒，祛痰排脓。用于肠痈，肺痈，痢疾，产后瘀血腹痛，痈肿疔疮等。用于肠炎，肝炎，痈肿疮毒，咯血，神经衰弱。 |

| **用法用量** | 内服煎汤，适量。 |

| **附　　注** | （1）在 FOC 中，本种被修订为少蕊败酱 *Patrinia monandra* C. B. Clarke。
（2）本种喜稍湿润环境，耐寒。栽培时注意防旱排涝，特别注意要防止畦沟积水、排水不畅。同时，要经常疏松畦面，协调好根与茎叶的关系，及时疏剪老蔓旧枝，促进通风透气，增强植株抗病力。 |

败酱科 Valerianaceae 败酱属 Patrinia

败酱
Patrinia scabiosaefolia Fisch. ex Trev.

| 药 材 名 | 败酱草（药用部位：全草。别名：黄花龙牙、野黄花、野芹）。

| 形态特征 | 多年生草本，高 30 ～ 200cm。根茎横卧或斜生，节处生多数细根，有特殊的臭气，如腐败的酱味。茎直立，黄绿色至黄棕色，上部稍有分枝。基生叶丛生，卵形、椭圆形或椭圆状披针形，不分裂或羽状分裂或全裂，先端钝或尖，基部楔形，边缘具粗锯齿，上面暗绿色，背面淡绿色，两面被糙伏毛或几无毛，具缘毛；茎生叶对生，宽卵形至披针形，羽状深裂或全裂，具粗锯齿，两面密被或疏被白色糙毛，上部叶渐变窄小，无柄。花序为聚伞花序组成的大型伞房花序，顶生；总苞线形；苞片小；花小，萼齿不明显；花冠钟形，黄色，花冠裂片卵形；雄蕊 4，花药长圆形；子房椭圆状长圆形，柱头盾状或截头状。瘦果长圆形，具 3 棱；种子椭圆形、扁平。花期 7 ～ 9 月。

败酱

| 生境分布 | 生于海拔 100 ～ 2600m 的山坡林下、林缘、灌丛中或路边、田埂边的草丛中。分布于重庆丰都、万州、秀山、江津、彭水、巫山、巫溪、石柱、酉阳、璧山、武隆、忠县、云阳、梁平、大足、巴南等地。

| 资源情况 | 野生资源较丰富。药材主要来源于野生。

| 采收加工 | 夏、秋季采收，拔起全株，除去泥沙，洗净，阴干或晒干。

| 药材性状 | 本品根茎呈圆柱形，多向一侧弯曲，长 5 ～ 15cm，直径 3 ～ 10mm；表面暗棕色至紫棕色，有节，节间长不超过 2cm，节上有细根。茎圆柱形，直径 2 ～ 8mm；表面黄绿色至黄棕色，节明显，常有倒生粗毛；质脆，断面中部有髓或呈细小空洞。叶对生，叶片薄，多卷缩或破碎，完整者展平后呈羽状深裂至全裂，裂片 5 ～ 11，先端裂片较大，长椭圆形或卵形，两侧裂片狭椭圆形至条形，边缘有粗锯齿，上表面深绿色或黄棕色，下表面色较浅，两面疏生白毛；叶柄短或近无柄，基部略抱茎；茎上部叶较小，常 3 裂，裂片狭长。有的枝端带有伞房状聚伞圆锥花序，花黄色。气特异，味微苦。

| 功能主治 | 辛、苦，凉。归胃、大肠、肝经。清热解毒，祛瘀排脓。用于阑尾炎，痢疾，肠炎，肝炎，眼结膜炎，产后瘀血腹痛，痈肿疔疮。

| 用法用量 | 内服煎汤，9 ～ 15g。外用鲜品适量，捣敷。

| 附　注 | 在 FOC 中，本种的拉丁学名被修订为 *Patrinia scabiosifolia* Link。

|败酱科| Valerianaceae |败酱属| *Patrinia*

攀倒甑 *Patrinia villosa* (Thunb.) Juss.

|药 材 名| 败酱草（药用部位：全草。别名：苦斋公、豆豉草、豆渣草）。

|形态特征| 多年生草本，高 50 ~ 100（~ 120）cm。地下根茎长而横走，偶
在地表匍匐生长。茎密被白色倒生粗毛或仅沿 2 叶柄相连的侧面
具纵列倒生短粗伏毛，有时几无毛。基生叶丛生，叶片卵形、宽
卵形或卵状披针形至长圆状披针形，长 4 ~ 10（~ 25）cm，宽 2 ~ 5
（~ 18）cm，先端渐尖，边缘具粗钝齿，基部楔形下延，不分裂或
大头羽状深裂，常有 1 ~ 2（有 3 ~ 4）对生裂片，叶柄较叶片稍长；
茎生叶对生，与基生叶同形，或菱状卵形，先端尾状渐尖或渐尖，基
部楔形下延，边缘具粗齿，上部叶较窄小，常不分裂，上面均鲜绿色
或浓绿色，背面绿白色，两面被糙伏毛或近无毛；叶柄长 1 ~ 3cm，
上部叶渐近无柄。由聚伞花序组成顶生圆锥花序或伞房花序，分枝

攀倒甑

达 5 ～ 6 级，花序梗密被长粗糙毛或仅 2 纵列粗糙毛；总苞叶卵状披针形至线状披针形或线形；花萼小，萼齿 5，浅波状或浅钝裂状，长 0.3 ～ 0.5mm，被短糙毛，有时疏生腺毛；花冠钟形，白色，5 深裂，裂片不等形，卵形、卵状长圆形或卵状椭圆形，长（0.75 ～）1.25 ～ 2mm，宽 1.1 ～ 1.65（～ 1.75）mm，蜜囊先端的裂片常较大，花冠筒常比裂片稍长，长 1.5 ～ 2.25（～ 2.6）mm，宽 1.7 ～ 2.3mm，内面被长柔毛，筒基部一侧稍囊肿；雄蕊 4，伸出；子房下位，花柱较雄蕊稍短。瘦果倒卵形，与宿存增大苞片贴生；果苞倒卵形、卵形、倒卵状长圆形或椭圆形，有时圆形，长（2.8 ～）4 ～ 5.5（～ 6.5）mm，宽（2.5 ～）4 ～ 5.5（～ 8）mm，先端钝圆，不分裂或微 3 裂，基部楔形或钝，网脉明显，具主脉 2，极少为 3，下面中部 2 主脉内被微糙毛。花期 8 ～ 10 月，果期 9 ～ 11 月。

| 生境分布 | 生于海拔 400 ～ 1500m 的山地林下、林缘或灌丛中、草丛中。重庆各地均有分布。

| 资源情况 | 野生资源丰富。药材主要来源于野生，亦有少量栽培。

| 采收加工 | 夏季花开前采收，晒至半干，扎成束，阴干。

| 药材性状 | 本品根茎节间长 3 ～ 6cm，着生数条粗壮的须根。茎不分枝，表面有倒生的白色长毛及纵向纹理，断面中空。茎生叶多不分裂，基生叶常有 1 ～ 4 对侧裂片；叶柄长 1 ～ 4cm，有翼。

| 功能主治 | 辛、苦，凉。归脾、大肠经。清热解毒，祛瘀排脓。用于肠痈腹痛，肺痈吐脓，痈肿疮毒，产后瘀血腹痛。

| 用法用量 | 内服煎汤，9 ～ 15g。外用鲜品适量，捣敷。

| 附　注 | 本种喜稍湿润环境，耐严寒。一般土地均可栽培，但以较肥沃的砂壤土栽培为佳。

柔垂缬草

败酱科 Valerianaceae 缬草属 Valeriana

柔垂缬草 *Valeriana flaccidissima* Maxim.

药材名

蛇头细辛（药用部位：根、根茎。别名：岩边香、蜘蛛香、水臭草）。

形态特征

细柔草本，高 20 ~ 80cm，植株稍多汁。根茎细柱状，具明显的环节；匍枝细长，具有柄的心形或卵形小叶。基生叶与匍枝叶同形，有时 3 裂，钝头，波状圆齿或全缘；茎生叶卵形，羽状全裂，裂片 3 ~ 7，疏离；先端裂片卵形或披针形，长 2 ~ 4cm，宽 1 ~ 2cm，具钝头或渐尖，边缘具疏齿，侧裂片与顶裂片同形而依次渐小。花序顶生，或有时自上部叶腋出，伞房状聚伞花序，分枝细长，果期为甚；苞片和小苞片线形至线状披针形，最上部的小苞片等于或稍短于果长；花淡红色，花冠长 2.5 ~ 3.5mm，花冠裂片长圆形至卵状长圆形，花冠裂片较花冠筒为短；雌、雄蕊常伸出于花冠之外。瘦果线状卵形，长约 3mm，光秃，有时被白色粗毛。花期 4 ~ 6月，果期 5 ~ 8 月。

生境分布

生于海拔 1000 ~ 2600m 的林缘、草地、溪边等水湿条件较好之处。分布于重庆城口、巫溪、巫山、奉节、万州、石柱、南川、云阳、武隆等地。

| **资源情况** | 野生资源较少。药材主要来源于野生,亦有少量栽培。

| **采收加工** | 夏、秋季采挖,除去茎叶,洗净,鲜用或晒干。

| **功能主治** | 辛、微甘,温。祛风,散寒,除湿,消食。用于外感风寒,风湿痹痛,食积腹胀。

| **用法用量** | 内服煎汤,9 ~ 15g。

| **附　注** | 本种喜湿润,耐涝,也较耐旱。宜选地下水位高或低洼地种植,并要有良好的灌溉条件。栽培土壤以中性或弱碱性的砂壤土为好。

长序缬草

| 败酱科 | Valerianaceae | 缬草属 | *Valeriana*

长序缬草 *Valeriana hardwickii* Wall.

| 药 材 名 |

豆豉草（药用部位：全草或根。别名：通经草、岩参、蛇头细辛）。

| 形态特征 |

大草本，高 60 ~ 150cm。根茎短缩，呈块柱状。茎直立，粗壮，中空，外具粗纵棱槽，下部常被疏粗毛，向上除节部外渐光秃。基生叶多为 3 ~ 5（~ 7）羽状全裂或浅裂，稀有不分裂而为心形全叶的；羽裂时，顶裂片较侧裂片为大，卵形或卵状披针形，长 3.5 ~ 7cm，宽 1.5 ~ 3cm，先端长渐尖，基部近圆形，边缘具齿或全缘，两侧裂片依次稍小，疏离；叶柄细长，茎生叶与基生叶相似，向上叶渐小，叶柄渐短；全部叶多少被短毛。极大的圆锥状聚伞花序顶生或腋生；苞片线状钻形；小苞片三角状卵形，全缘或具钝齿，最上的小苞片常只及果实的一半或更短；花小，白色，花冠长 1.5 ~ 2.5（~ 3.5）mm，漏斗状扩张，裂片卵形，常为花冠长度的 1/2；雌、雄蕊常与花冠等长或稍伸出。果序极度延展，在成熟的植株上，常长 50 ~ 70cm；瘦果宽卵形至卵形，长 2 ~ 2.5（~ 3）mm，宽 1 ~ 1.2mm，常被白色粗毛，也有光秃者。花期 6 ~ 8 月，果期 7 ~ 10 月。

生境分布

生于海拔 1000 ～ 2300m 的草坡、林缘或林下、溪边。分布于重庆彭水、奉节、城口、巫山、南川等地。

资源情况

野生资源较少。药材来源于野生。

采收加工

夏、秋季采收，洗净，晒干。

功能主治

辛、甘，平。活血调经，祛风利湿，健脾消积。用于月经不调，痛经，闭经，风湿痹痛，小便不利，小儿疳积，跌打伤痛，脉管炎。

用法用量

内服煎汤，10 ～ 15g；或浸酒。外用适量，煎汤洗。

败酱科 Valerianaceae 缬草属 Valeriana

蜘蛛香
Valeriana jatamansi Jones

| 药 材 名 | 蜘蛛香（药用部位：根茎、根。别名：马蹄香、臭药、鬼见愁）。

| 形态特征 | 植株高 20 ～ 70cm。根茎粗厚，块柱状，节密，有浓烈香味。茎 1 至数株丛生。基生叶发达，叶片心状圆形至卵状心形，长 2 ～ 9cm，宽 3 ～ 8cm，边缘具疏浅波齿，被短毛或有时无毛，叶柄长为叶片的 2 ～ 3 倍；茎生叶不发达，每茎 2 对，有时 3 对，下部的心状圆形，近无柄，上部的常羽裂，无柄。花序为顶生的聚伞花序，苞片和小苞片长钻形，中肋明显，最上部的小苞片常与果实等长；花白色或微红色，杂性；雌花小，长 1.5mm，不育花药着生于极短的花丝上，位于花冠喉部；雌蕊伸长于花冠之外，柱头深 3 裂；两性花较大，长 3 ～ 4mm，雌、雄蕊与花冠等长。瘦果长卵形，两面被毛。花期 5 ～ 7 月，果期 6 ～ 9 月。

蜘蛛香

| **生境分布** | 生于海拔 2500m 以下的山顶草地、林中或溪边。分布于重庆城口、开州、巫山、奉节、万州、涪陵、武隆、南川、黔江等地。 |

| **资源情况** | 野生资源较少。药材主要来源于野生，亦有少量栽培。 |

| **采收加工** | 秋季采挖，除去泥沙，晒干。 |

| **药材性状** | 本品根茎呈圆柱形，略扁，稍弯曲，少分枝，长 1.5 ~ 8cm，直径 0.5 ~ 2cm；表面暗棕色或灰褐色，有紧密隆起的环节和凸起的点状根痕，有的先端略膨大，具茎、叶残基；质坚实，不易折断，折断面略平坦，黄棕色或灰棕色，可见筋脉点（维管束）断续排列成环。根细长，稍弯曲，长 3 ~ 15cm，直径约 2mm；有浅纵皱纹；质脆。气特异，味微苦、辛。 |

| **功能主治** | 微苦、辛，温。归心、脾、胃经。理气止痛，消食止泻，祛风除湿，镇惊安神。用于脘腹胀痛，食积不化，腹泻痢疾，风湿痹痛，腰膝酸软，失眠。 |

| **用法用量** | 内服煎汤，3 ~ 6g。 |

| **附　注** | 本种喜阴湿环境，为较深根性植物，宜在背阳、背风的缓坡和平地，土层深厚肥沃、疏松、排灌方便和富含腐殖质的山地夹砂土壤种植。栽培采用分株无性繁殖。 |

缬草

败酱科 Valerianaceae 缬草属 Valeriana

缬草
Valeriana officinalis L.

| 药 材 名 |

缬草（药用部位：根、根茎。别名：小救驾、穿心排草、鹿子草）。

| 形态特征 |

多年生高大草本，高可达 100 ～ 150cm。根茎粗短，呈头状，须根簇生。茎中空，有纵棱，被粗毛，尤以节部为多，老时毛少。匍枝叶、基出叶和基部叶在花期常凋萎；茎生叶卵形至宽卵形，羽状深裂，裂片 7 ～ 11；中央裂片与两侧裂片近同形同大小，但有时与第 1 对侧裂片合生成 3 裂状，裂片披针形或条形，先端渐窄，基部下延，全缘或有疏锯齿，两面及叶柄轴多少被毛。花序顶生，呈伞房状三出聚伞圆锥花序；小苞片中央纸质，两侧膜质，长椭圆状长圆形、倒披针形或线状披针形，先端芒状凸尖，边缘多少被粗缘毛；花冠淡紫红色或白色，长 4 ～ 5（ ～ 6）mm，花冠裂片椭圆形，雌、雄蕊约与花冠等长。瘦果长卵形，长 4 ～ 5mm，基部近平截，光秃或两面被毛。花期 5 ～ 7 月，果期 6 ～ 10 月。

| 生境分布 |

生于海拔 2500m 以下的山坡草地、林下、

缬草

沟边。分布于重庆黔江、石柱、城口、忠县、丰都、酉阳、南川、涪陵、武隆、奉节、开州、巫溪、巫山、万州等地。

| 资源情况 | 野生资源较少。药材主要来源于野生，亦有少量栽培。

| 采收加工 | 秋季采挖，除去地上部分及泥沙，晾干。

| 药材性状 | 本品根茎呈头状或短柱状，较粗短，长 1 ～ 5cm，直径 0.3 ～ 1.7cm；表面黄棕色至棕褐色，先端残留茎基和叶柄残基，四周密生多数细长的根；质坚实，不易折断，断面淡黄色或棕色，中心絮状而疏松，有很多空隙。根多数簇生，长 4 ～ 9cm，直径 2 ～ 5mm；表面灰棕色或灰黄色，具深纵皱纹；质脆，易折断，断面黄白色或深棕色。气特异，味微苦、辛。

| 功能主治 | 辛、苦，温。归心、肝经。安神，理气，止痛。用于心神不安，心悸失眠，郁病，癫痫，脘腹胀痛，腰腿痛，跌打损伤。

| 用法用量 | 内服煎汤，3 ～ 6g。

| 附　注 | 本种喜湿润，耐涝，也较耐旱。地下水位高或低洼地均可种植。栽培土壤以中性或弱碱性的砂壤土为好。

败酱科 Valerianaceae 缬草属 Valeriana

小缬草
Valeriana tangutica Bat.

| 药 材 名 | 香毛草（药用部位：全草或根。别名：香草仔、小香草）。

| 形态特征 | 细弱小草本，高 10 ～ 15（～ 20）cm，全株无毛。根茎斜升，先端包有膜质纤维状老叶鞘；根细带状，根茎及根均具有浓香味。基生叶薄纸质，心状宽卵形或长方状卵形，长 1 ～ 2（～ 4）cm，宽约 1cm，全缘或大头羽裂，顶裂片圆或椭圆形，长、宽约 1cm，全缘，侧裂片 1 ～ 2 对，小椭圆形或狭椭圆形，两端均钝圆，全缘，叶柄长达 5cm；茎上部叶羽状 3 ～ 7 深裂，裂片线状披针形，全缘。半球形的聚伞花序顶生，直径 1 ～ 2cm；小苞片披针形，边缘膜质；花白色或有时粉红色，花冠筒状漏斗形，长 5 ～ 6mm，花冠 5 裂，裂片倒卵形；雌、雄蕊近等长，均伸出于花冠之外；子房椭圆形，光秃。花期 6 ～ 7 月，果期 7 ～ 8 月。

小缬草

| **生境分布** | 生于海拔 1200 ~ 2300m 的山沟或潮湿草地。分布于重庆南川、云阳等地。 |

| **资源情况** | 野生资源一般。药材主要来源于野生，亦有少量栽培。 |

| **采收加工** | 7 ~ 9 月采收，洗净，晒干。 |

| **药材性状** | 本品根茎粗短，生多数细根，根直径不足 1mm；表面棕黄色，具纵皱纹；质脆，易折断，断面黄白色。茎细。叶基生，具长柄；叶片多皱缩破碎，完整者展平后呈 3 ~ 5 全裂，先端叶片较大，先端微凹，全缘，侧裂片较小，疏离；叶片薄而脆。聚伞花序顶生，花白色或棕黄色。瘦果长圆形，扁平。气芳香，味微苦。 |

| **功能主治** | 甘、微辛，平。止咳，止血，散瘀，止痛。用于咳嗽，咯血，吐血，衄血，崩漏下血，风湿痹痛，骨折。 |

| **用法用量** | 内服煎汤，2 ~ 5g。 |

| **附　注** | 本种喜冷凉、湿润的气候，宜选择靠近水源、灌溉方便的地块，以土层深厚、疏松肥沃、坡度小、排水良好的酸性黑砂黄壤土进行引种栽培。 |

川续断科 Dipsacaceae 川续断属 Dipsacus

深紫续断 *Dipsacus atropurpureus* C. Y. Cheng et Z. T. Yin

深紫续断

| 药 材 名 |

深紫续断（药用部位：根。别名：金山续断）。

| 形 态 特 征 |

多年生草本，高 1 ~ 1.5m。主根长圆形，黄褐色，稍肉质。茎有 6 ~ 8 棱，棱上疏生粗短下弯的硬刺。基生叶稀疏丛生，叶片羽状深裂或全裂，长 10 ~ 18cm，宽 7 ~ 12cm，中裂片大，长椭圆形或阔卵形，长 6 ~ 12cm，宽 4 ~ 8cm，侧裂片 2 ~ 3 对，靠近中裂片的 1 对较大，披针形或卵形，叶面疏被短柔毛或近光滑，背面光滑无毛；茎生叶的中、下部叶为羽状全裂，中裂片大，侧裂片 2 ~ 3 对，披针形或卵形；上部叶不裂或仅基部 3 裂，叶片和裂片均为披针形，全缘，两面近光滑无毛。头状花序球形，直径 2 ~ 2.5cm，总花梗长 30cm；总苞片 7 ~ 8，叶状，披针形，被白色短毛；小苞片长方状倒卵形，先端具长 1 ~ 2mm 的喙尖，喙尖两侧无刺毛，仅基部被白色柔毛；小总苞倒卵柱状，先端 4 裂，先端急尖；花萼四棱状浅皿形，内面和先端被柔毛；花冠深紫色，向下渐细，基部的细管粗短，4 裂，1 裂片稍大，外被短柔毛；雄蕊 4，着生于花冠管上，明显的伸出花冠外；子房下位，包藏于囊状小总

苞内。瘦果四棱柱状，长约 2.5 ~ 4mm，淡褐色，瘦果的先端稍外露。花期 7 ~ 9 月，果期 9 ~ 11 月。

| 生境分布 | 生于沟边草丛、田野荒坡上，重庆特有种。分布于重庆南川等地。

| 资源情况 | 野生资源稀少。药材主要来源于野生。

| 采收加工 | 在霜冻前采挖，将全根挖起，除去泥土，用火烘烤或晒干；也可将鲜根置沸水或蒸笼中蒸或烫至根稍软时取出，堆起，用稻草覆盖任其发酵至草上发生水珠时，再摊开晒干或烤至全干，除去须根、泥土。

| 功能主治 | 苦、辛，微温。归肝、肾经。补肝肾，强筋骨，调血脉，止崩漏。用于腰背酸痛，肢节痿痹，跌打创伤，损筋折骨，胎动漏红，血崩，遗精，带下，痈疽疮肿。

| 用法用量 | 内服煎汤，6 ~ 15g；或入丸、散。外用鲜品适量，捣敷。

| 附　注 | 部分地区本种的根同作川续断入药。

川续断科 Dipsacaceae 川续断属 Dipsacus

日本续断 *Dipsacus japonicus* Miq.

日本续断

| 药 材 名 |

续断（药用部位：根。别名：川续断、山萝卜根、和尚头）。

| 形态特征 |

多年生草本，高 1m 以上。主根长圆锥状，黄褐色。茎中空，向上分枝，具 4 ~ 6 棱，棱上具钩刺。基生叶具长柄，叶片长椭圆形，分裂或不裂；茎生叶对生，叶片椭圆状卵形至长椭圆形，先端渐尖，基部楔形，长 8 ~ 20cm，宽 3 ~ 8cm，常为 3 ~ 5 裂，先端裂片最大，两侧裂片较小，裂片基部下延成窄翅，边缘具粗齿或近全缘，有时全为单叶对生，正面被白色短毛，叶柄和叶背脉上均具疏的钩刺和刺毛。头状花序顶生，圆球形，直径 1.5 ~ 3.2cm；总苞片线形，被白色刺毛；小苞片倒卵形，开花期长达 9 ~ 11mm，先端喙尖长 5 ~ 7mm，两侧被长刺毛；花萼盘状，4 裂，被白色柔毛；花冠管长 5 ~ 8mm，基部细管明显，长 3 ~ 4mm，4 裂，裂片不相等，外被白色柔毛；雄蕊 4，着生于花冠管上，稍伸出花冠外；子房下位，包于囊状小总苞内，小总苞具 4 棱，长 5 ~ 6mm，被白色短毛，先端具 8 齿。瘦果长圆楔形。花期 8 ~ 9 月，果期 9 ~ 11 月。

| **生境分布** | 生于山坡、路旁和草坡。分布于重庆城口、巫溪、巫山、石柱、武隆等地。 |

| **资源情况** | 野生资源较少。药材主要来源于野生，亦有少量栽培。 |

| **采收加工** | 在霜冻前采挖，将全根挖起，除去泥土，用火烘烤或晒干，也可将鲜根置沸水或蒸笼中蒸或烫至根稍软时取出，堆起，用稻草覆盖任其发酵至草上发生水珠时，再摊开晒干或烤至全干，去掉须根、泥土。 |

| **功能主治** | 苦、辛，微温。补肝肾，续筋骨，止崩漏，安胎。用于肝病虚弱，腰膝酸痛，风湿肢体疼痛，跌打损伤，遗精，崩漏带下，胎漏，胎动不安，痈肿，瘰疬，肠风下血，痔疮，月经不调。 |

| **用法用量** | 内服煎汤，适量。外用鲜品适量，捣敷。 |

川续断科 Dipsacaceae 双参属 Triplostegia

双参
Triplostegia glandulifera Wall. ex DC.

双参

| 药 材 名 |

双参（药用部位：块根。别名：萝卜参、童子参、羊蹄参）。

| 形态特征 |

柔弱多年生直立草本，高 15 ~ 30（~ 40）cm。根茎细长，四棱形，具 2 ~ 6 节，节间长 0.5 ~ 2cm，节上生不定根；主根常为 2 枝并列，稍肉质，近纺锤形，长 3 ~ 5cm，直径 2 ~ 3mm，棕褐色。茎方形，有沟，近光滑或微被疏柔毛。叶近基生，呈假莲座状，3 ~ 6 对叶生于缩短节上，或在茎下部松散排列；叶片倒卵状披针形，连叶柄长 3 ~ 8cm，2 ~ 4 回羽状中裂，中央裂片较大，两侧裂片渐小，边缘有不整齐浅裂或锯齿，基部渐狭成长 1 ~ 3cm 的叶柄；上面深绿色，被稀疏白色渐脱毛，下面苍绿色，沿脉上具疏柔毛；茎上部叶渐小，浅裂，无柄。花在茎先端成疏松窄长圆形聚伞圆锥花序；各分枝处有苞片 1 对，长 2 ~ 4mm，具中脉 1，边缘疏生柔毛；花具短梗，果时长达 1mm；小总苞 4 裂，裂片披针形，长 1.5 ~ 2mm，外面密被紫色腺毛；萼筒壶状，长约 1.5mm，具 8 肋棱，先端收缩成 8 微小的牙齿状或锯齿状的檐部；花冠白色或粉红色，长 3 ～ 4（～ 5）mm，短漏斗状，5 裂，裂片先端钝，近辐射对称；雄蕊 4，略外伸，花药内向，白色，花丝直立，长 5mm，着生于花冠近口部；花柱略长于雄蕊，长 2mm，直伸，子房包于囊状小总苞内（囊苞）。瘦果包于囊苞中，果时囊苞长 3 ～ 4mm，外被腺毛，4 裂，裂片先端长渐尖，多曲钩。花果期 7 ～ 10 月。

| 生境分布 | 生于海拔 1500 ～ 2300m 的林下、溪旁、山坡草地、草甸或林缘路旁。分布于重庆城口、巫溪、巫山、南川、云阳等地。

| 资源情况 | 野生资源较少。药材主要来源于野生，亦有少量栽培。

| 采收加工 | 秋季采挖，洗净，干燥。

| 药材性状 | 本品呈纺锤形或长圆锥形，微弯曲，常 2 个孪生，偶有 3 个，长 2 ～ 6cm，直径 2 ～ 5mm。表面黄白色、黄棕色或棕黑色，根头残留部分草质茎；孪生根中，一个较饱满，具纵皱纹，另一个干瘪、皱缩，具纵沟纹。有须根或须根痕。质脆，易折断，断面有的蓝色，略呈角质样，有的灰白色，具髓部或中空。无臭，味苦后微甘。

| 功能主治 | 苦，温。归心、肝、脾、肾经。益肾养肝，健脾宁心。用于肝肾亏虚，腰膝酸软，头晕乏力，不育不孕，月经不调，心悸失眠。

| 用法用量 | 内服煎汤，15 ～ 30g。

| 附　注 | 本种喜冷凉气候，忌高温。幼苗喜阴，成株喜阳光。以土层深厚、排水良好、富含腐殖质的砂壤土栽培为宜。不宜在黏土、低洼地、盐碱土和连作地上种植。

桔梗科 Campanulaceae 沙参属 Adenophora

湖北沙参 *Adenophora longipedicellata* Hong

| 药 材 名 | 湖北沙参（药用部位：根）。

| 形态特征 | 多年生草本。茎高大，长近 1 ～ 3m，不分枝或具长达 70cm 的细长分枝，无毛。基生叶卵状心形；茎生叶至少下部的具叶柄，叶片卵状椭圆形至披针形，基部楔形或宽楔形，先端渐尖，边缘具细齿或粗锯齿，薄纸质，长 7 ～ 12cm，宽 2 ～ 5cm，无毛或有时仅在背面脉上疏生刚毛。花序具细长分枝，组成疏散的大圆锥花序，无毛或被短毛；花梗细长，长 1.5 ～ 3cm；花萼完全无毛，筒部圆球状，裂片钻状披针形，长 8 ～ 14mm；花冠钟状，白色、紫色或淡蓝色，长 19 ～ 21mm，裂片三角形，长仅 5 ～ 6mm；花盘环状，长 1mm 或更短，无毛；花柱长 21mm，几乎与花冠等长或稍伸出。幼果圆球形。花期 8 ～ 10 月。

湖北沙参

| **生境分布** | 生于海拔 2400m 以下的山坡草地、灌丛中或峭壁缝里。分布于重庆城口、巫溪、巫山、奉节、云阳、万州、石柱、南川、江津、彭水、涪陵、武隆等地。 |

| **资源情况** | 野生资源较少，亦有少量栽培。药材来源于野生。 |

| **采收加工** | 春、秋季采挖，除去须根，洗后趁鲜刮去粗皮，洗净，干燥。 |

| **功能主治** | 清热养阴，润肺止咳，生津，祛痰。用于阴虚肺热，燥咳痰黏，热病伤津，舌干口渴。 |

| **用法用量** | 内服煎汤，适量。 |

桔梗科 Campanulaceae 沙参属 Adenophora

沙参
Adenophora stricta Miq.

沙参

药材名

南沙参（药用部位：根。别名：知母、白沙参、苦心）。

形态特征

多年生草本。茎高 40 ~ 80cm，不分枝，常被短硬毛或长柔毛，少无毛的。基生叶心形，大而具长柄；茎生叶无柄，或仅下部的叶有极短而带翅的叶柄，叶片椭圆形，狭卵形，基部楔形，少近于圆钝的，先端急尖或短渐尖，边缘有不整齐的锯齿，两面疏生短毛或长硬毛，或近于无毛，长 3 ~ 11cm，宽 1.5 ~ 5cm。花序常不分枝而成假总状花序，或有短分枝而成极狭的圆锥花序，极少具长分枝而为圆锥花序的；花梗常极短，长不足 5mm；花萼常被短柔毛或粒状毛，少完全无毛的，筒部常倒卵状，少为倒卵状圆锥形，裂片狭长，多为钻形，少为条状披针形，长 6 ~ 8mm，宽至 1.5mm；花冠宽钟状，蓝色或紫色，外面无毛或被硬毛，特别是在脉上，长 1.5 ~ 2.3cm，裂片长为全长的 1/3，三角状卵形；花盘短筒状，长 1 ~ 1.8mm，无毛；花柱常略长于花冠，少较短的。蒴果椭圆状球形，极少为椭圆形，长 6 ~ 10mm；种子棕黄色，稍扁，有 1 棱，长约 1.5mm。花期 8 ～ 10 月。

| **生境分布** | 生于海拔 300 ～ 900m 的水田边、沟边或潮湿草地上。分布于重庆秀山、巫山、垫江、武隆、开州、南川等地。

| **资源情况** | 野生资源较少。药材主要来源于野生，亦有栽培。

| **采收加工** | 春、秋季采挖，除去须根，洗后趁鲜刮去粗皮，洗净，干燥。

| **药材性状** | 本品呈圆锥形或圆柱形，略弯曲，长 7 ～ 27cm，直径 0.8 ～ 3cm。表面黄白色或淡棕黄色，凹陷处常有残留粗皮，上部多有深陷横纹，呈断续的环状，下部有纵纹和纵沟。先端具 1 或 2 个根茎。体轻，质松泡，易折断，断面不平坦，黄白色，多裂隙。气微，味微甘。

| **功能主治** | 甘，微寒。归肺、胃经。养阴清肺，益胃生津，化痰，益气。用于肺热燥咳，阴虚劳嗽，干咳痰黏，胃阴不足，食少呕吐，气阴不足，烦热口干。

| **用法用量** | 内服煎汤，9 ～ 15g。

| **附　　注** | 本种喜温暖或凉爽气候，耐寒，虽耐干旱，但在生长期也需要适量水分。以土层深厚肥沃、富含腐殖质、排水良好的砂壤土栽培为宜。

桔梗科 Campanulaceae 沙参属 Adenophora

无柄沙参

Adenophora stricta Miq. subsp. *sessilifolia* Hong

| 药 材 名 | 泡沙参（药用部位：根）。

| 形态特征 | 本种和原亚种沙参的区别在于茎叶被短毛；花萼多被短硬毛或粒状毛，少无毛的；花冠外面无毛或仅先端脉上有几根硬毛。

| 生境分布 | 生于海拔 600 ~ 2000m 的草地或林缘草地中。分布于重庆城口、巫溪、巫山、奉节、开州、石柱、彭水、酉阳、秀山、丰都、涪陵、武隆、南川、合川、云阳等地。

| 资源情况 | 野生资源较少。约材来源于野生。

| 采收加工 | 春、秋季采挖，除去须根，洗净泥土，干燥。

| 药材性状 | 本品呈圆柱形、圆锥形，少数在根下部有分枝，长 7 ~ 15cm，直径 1 ~ 3.5cm。表面灰黄色、黄棕色，根上部有横向环纹，下部有稀疏

无柄沙参

的纵沟纹，外皮不易脱落，表面粗糙。先端有时残留长 2 ～ 6cm 的根茎，其上有凹陷的茎痕及芽痕。体轻，质松泡，断面黄白色，多裂隙。气弱，味微甘、苦。

| 功能主治 | 甘，微寒。归肺、胃经。养阴清热，润肺止咳，养胃生津。用于肺热燥咳，虚劳咳嗽，虚热喉痹，肺痈咯血，胃热口渴等。

| 用法用量 | 内服煎汤，9 ～ 15g。

| 附　　注 | 本种喜温暖或凉爽气候，耐寒，虽耐干旱，但在生长期也需要适量水分，在幼苗时期，干旱往往引起死苗。以土层深厚肥沃、富含腐殖质、排水良好的砂壤土栽培为宜。

桔梗科 Campanulaceae 风铃草属 Campanula

紫斑风铃草
Campanula punctata Lam.

| **药 材 名** | 紫斑风铃草（药用部位：全草或根。别名：灯笼花、独叶灵）。 |

| **形态特征** | 多年生草本，全体被刚毛。具细长而横走的根茎。茎直立，粗壮，高 20 ~ 100cm，通常在上部分枝。基生叶具长柄，叶片心状卵形；茎生叶下部的有带翅的长柄，上部的无柄，三角状卵形至披针形，边缘具不整齐钝齿。花顶生于主茎及分枝先端，下垂；花萼裂片长三角形，裂片间有 1 卵形至卵状披针形而反折的附属物，边缘有芒状长刺毛；花冠白色，带紫斑，筒状钟形，长 3 ~ 6.5cm，裂片有睫毛。蒴果半球状倒锥形，脉很明显；种子灰褐色，矩圆形，稍扁。花期 6 ~ 9 月。 |

| **生境分布** | 生于海拔 1350 ~ 2300m 的山地林中、灌丛或草地中。分布于重庆 |

紫斑风铃草

城口、巫山、巫溪、南川等地。

| **资源情况** | 野生资源较少。药材主要来源于野生。

| **采收加工** | 7 ~ 9 月采收，洗净，晒干。

| **功能主治** | 根，清热解毒，祛风除湿，止痛，平喘。全草，用于咽喉痛，头痛，难产。

| **用法用量** | 内服煎汤，适量。

| **附　　注** | 本种喜光照充足的环境，喜干，可耐阴，忌水湿。对土壤要求不严，以含丰富腐殖质、疏松透气的砂壤土栽培为好。

桔梗科 Campanulaceae 金钱豹属 *Campanumoea*

金钱豹
Campanumoea javanica Bl.

| 药 材 名 | 土党参（药用部位：根。别名：土人参、土沙参、野党参）。

| 形态特征 | 草质缠绕藤本，具乳汁。具胡萝卜状根。茎无毛，多分枝。叶对生，极少为互生，具长柄，叶片心形或心状卵形，边缘有浅锯齿，极少为全缘，长 3 ~ 11cm，宽 2 ~ 9cm，无毛或有时背面疏生长毛。花单朵生于叶腋，各部无毛，花萼与子房分离，5 裂至近基部，裂片卵状披针形或披针形，长 1 ~ 1.8cm；花冠上位，长 10 ~ 13mm，白色或黄绿色，内面紫色，钟状，裂至中部；雄蕊 5；柱头 4 ~ 5 裂，子房和蒴果 5 室。浆果黑紫色、紫红色，球形，直径 10 ~ 12（~ 15）mm；种子不规则，常为短柱状，表面有网状纹饰。花期 8 ~ 9 月。

| 生境分布 | 生于海拔 500 ~ 1600m 的灌丛或疏林中。分布于重庆綦江、丰都、

金钱豹

石柱、长寿、酉阳、江津、忠县、黔江、云阳、涪陵、城口、开州、垫江、北碚、梁平等地。

| **资源情况** | 野生资源丰富。药材主要来源于野生，亦有栽培。

| **采收加工** | 秋、冬季采挖，除去须根，晒至半干，洗净，晒干。

| **药材性状** | 本品呈圆柱形，多具4棱，稍弯曲，下部有分枝，长8～20cm，直径1～2cm。表面灰黄色，有不规则纵皱纹及多数疣瘩状突起。质硬，易折断，断面颗粒状，类白色或黄白色。气微，味微甘。

| **功能主治** | 甘，平。健脾补肺。用于体倦乏力，肺虚咳嗽，脾虚腹泻，乳汁稀少。

| **用法用量** | 内服煎汤，9～15g。

桔梗科 Campanulaceae 金钱豹属 Campanumoea

长叶轮钟草
Campanumoea lancifolia (Roxb.) Merr

| **药 材 名** | 红果参（药用部位：根。别名：肉算盘、山荸荠、蜘蛛果）。

| **形态特征** | 直立或蔓性草本，有乳汁，通常全部无毛。茎高可达 3m，中空，分枝多而长，平展或下垂。叶对生，偶有 3 轮生的，具短柄，叶片卵形，卵状披针形至披针形，长 6 ～ 15cm，宽 1 ～ 5cm，先端渐尖，边缘具细尖齿，锯齿或圆齿。花通常单朵顶生兼腋生，有时 3 朵组成聚伞花序，花梗或花序梗长 1 ～ 10cm，花梗中上部或在花基部有 1 对丝状小苞片；花萼仅贴生至子房下部，裂片（4 ～）5（～ 7），相互间远离，丝状或条形，边缘有分枝状细长齿；花冠白色或淡红色，管状钟形，长约 1cm，5 ～ 6 裂至中部，裂片卵形至卵状三角形；雄蕊 5 ～ 6，花丝与花药等长，花丝基部宽而成片状，其边缘被长毛，花柱有或无毛，柱头（4 ～）5 ～ 6 裂；子房（4 ～）5 ～ 6 室。浆果球形，（4 ～）

长叶轮钟草

5 ~ 6 室，熟时紫黑色，直径 5 ~ 10mm；种子极多数，呈多角体。花期 7 ~ 10 月。

| 生境分布 | 生于海拔 400 ~ 1700m 的林中、灌丛或草地中。分布于重庆城口、巫山、奉节、酉阳、南川、武隆、江津、彭水等地。

| 资源情况 | 野生资源较少。药材来源于野生。

| 采收加工 | 夏、秋季采挖，洗净，鲜用或晒干。

| 功能主治 | 甘、微苦，平。补虚益气，祛痰止痛。用于劳倦气虚乏力，跌打损伤，肠绞痛。

| 用法用量 | 内服煎汤，15 ~ 30g；或泡酒服。外用适量，捣敷。

| 附　　注 | 在 FOC 中，本种被修订为轮钟花 *Cyclocodon lancifolius* (Roxburgh) Kurz。

桔梗科 Campanulaceae 党参属 Codonopsis

党参 *Codonopsis pilosula* (Franch.) Nannf.

| 药 材 名 | 党参（药用部位：根。别名：上党人参、防风党参、黄参）。

| 形态特征 | 多年生草本。茎基具多数瘤状茎痕，根常肥大呈纺锤形或纺锤状圆柱形，较少分枝或中部以下略有分枝，长 15 ～ 30cm，直径 1 ～ 3cm，表面灰黄色，上端 5 ～ 10cm 部分有细密环纹，而下部则疏生横长皮孔，肉质。茎缠绕，长 1 ～ 2m，直径 2 ～ 3mm，有多数分枝，侧枝 15 ～ 50cm，小枝 1 ～ 5cm，具叶，不育或先端着花，黄绿色或黄白色，无毛。叶在主茎及侧枝上的互生，在小枝上的近于对生，叶柄长 0.5 ～ 2.5cm，被疏短刺毛；叶片卵形或狭卵形，长 1 ～ 6.5cm，宽 0.8 ～ 5cm，先端钝或微尖，基部近于心形，边缘具波状钝锯齿，分枝上叶片渐趋狭窄，叶基圆形或楔形，上面绿色，下面灰绿色，两面疏或密的被贴伏的长硬毛或柔毛，少为无毛。花单生于枝端，

党参

与叶柄互生或近于对生，有梗；花萼贴生至子房中部，筒部半球形，裂片宽披针形或狭矩圆形，长 1 ~ 2cm，宽 6 ~ 8mm，先端钝或微尖，微波状或近于全缘，其间弯缺尖狭；花冠上位，阔钟状，长 1.8 ~ 2.3cm，直径 1.8 ~ 2.5cm，黄绿色，内面有明显紫斑，浅裂，裂片正三角形，先端尖，全缘；花丝基部微扩大，长约 5mm，花药长形，长 5 ~ 6mm；柱头被白色刺毛。蒴果下部半球形，上部短圆锥形；种子多数，卵形，无翼，细小，棕黄色，光滑无毛。花果期 7 ~ 10 月。

| **生境分布** | 生于海拔 900 ~ 2700m 的山地林边或灌丛中，或栽培于平地。分布于重庆城口、巫溪、奉节、江津等地。

| **资源情况** | 野生和栽培资源均较少。药材主要来源于栽培。

| **采收加工** | 秋季采挖，洗净，晒干。

| **药材性状** | 本品呈长圆柱形，稍弯曲，长 10 ~ 35cm，直径 0.4 ~ 2cm。表面灰黄色、黄棕色至灰棕色，根头部有多数疣状突起的茎痕及芽痕，每个茎痕的先端呈凹下的圆点状；根头下有致密的环状横纹，向下渐稀疏，有的达全长的 1/2，栽培品环状横纹少或无；全体有纵皱纹和散在的横长皮孔样突起，支根断落处常有黑褐色胶状物。质稍柔软或稍硬而略带韧性，断面稍平坦，有裂隙或放射状纹理，皮部淡棕黄色至黄棕色，木部淡黄色至黄色。有特殊香气，味微甘。

| **功能主治** | 甘，平。归脾、肺经。健脾益肺，养血生津。用于脾肺气虚，食少倦怠，咳嗽虚喘，气血不足，面色萎黄，心悸气短，津伤口渴，内热消渴。

| **用法用量** | 内服煎汤，9 ~ 30g。

| **附 注** | 本种喜冷凉气候，忌高温。幼苗喜阴，成株喜阳光。以土层深厚、排水良好、富含腐殖质的砂壤土栽培为宜。不宜在黏土、低洼地、盐碱土和连作地种植。

桔梗科 Campanulaceae 半边莲属 Lobelia

半边莲 *Lobelia chinensis* Lour.

| 药 材 名 | 半边莲（药用部位：全草。别名：细米草、急解索、半边花）。

| 形态特征 | 多年生草本。茎细弱，匍匐，节上生根，分枝直立，高 6 ~ 15cm，无毛。叶互生，无柄或近无柄，椭圆状披针形至条形，长 8 ~ 25mm，宽 2 ~ 6mm，先端急尖，基部圆形至阔楔形，全缘或顶部有明显的锯齿，无毛。花通常 1，生于分枝的上部叶腋；花梗细，长 1.2 ~ 2.5（~ 3.5）cm，基部有长约 1mm 的小苞片 1 ~ 2 枚或者没有，小苞片无毛；花萼筒倒长锥状，基部渐细而与花梗无明显区分，长 3 ~ 5mm，无毛，裂片披针形，约与萼筒等长，全缘或下部有 1 对小齿；花冠粉红色或白色，长 10 ~ 15mm，背面裂至基部，喉部以下被白色柔毛，裂片全部平展于下方，呈 1 个平面，两侧裂片披针形，较长，中间 3 裂片椭圆状披针形，较短；雄蕊长约 8mm，花丝中部

半边莲

以上联合，花丝筒无毛，未联合部分的花丝侧面生柔毛，花药管长约 2mm，背部无毛或疏生柔毛。蒴果倒锥状，长约 6mm；种子椭圆状，稍扁压，近肉色。花果期 5 ～ 10 月。

| **生境分布** | 生于水田边、沟边或潮湿草地上。分布于重庆大足、潼南、彭水、合川、奉节、江津、万州、永川、秀山、酉阳、黔江、忠县、铜梁、云阳、南川、涪陵、长寿、丰都、北碚、开州、垫江、璧山、梁平、荣昌等地。

| **资源情况** | 野生资源较丰富。药材主要来源于野生，亦有少量栽培。

| **采收加工** | 夏季采收，除去泥沙，洗净，晒干。

| **药材性状** | 本品常缠结成团。根茎极短，直径 1 ～ 2mm；表面淡棕黄色，平滑或有细纵纹。根细小，黄色，侧生纤细须根。茎细长，有分枝，灰绿色，节明显，有的可见附生的细根。叶互生，无柄，叶片多皱缩，绿褐色，展平后呈狭披针形，长 1 ～ 2.5cm，宽 0.2 ～ 0.5cm，边缘具疏而浅的锯齿或全缘。花梗细长，花小，单生于叶腋，花冠基部筒状，上部 5 裂，偏向一边，浅紫红色，花冠筒内有白色绒毛。气微特异，味微甘而辛。

| **功能主治** | 辛，平。归心、小肠、肺经。清热解毒，利尿消肿。用于痈肿疔疮，蛇虫咬伤，臌胀水肿，湿热黄疸，湿疹湿疮。

| **用法用量** | 内服煎汤，9 ～ 15g。

| **附　注** | （1）直萼黄芩、长叶并头草与本种为同科近缘植物，外形相似，极易混淆。
（2）本种喜潮湿环境，耐轻度旱，耐寒性强，冬季温度即使低达 −8℃，也能安全越冬。在肥沃、疏松的砂壤土上生长较好，栽培地一般选河边、溪旁等潮湿的田地。

桔梗科 Campanulaceae 半边莲属 *Lobelia*

江南山梗菜 *Lobelia davidii* Franch.

江南山梗菜

| 药 材 名 |

大种半边莲（药用部位：全草或根。别名：大半边莲、野靛、穿耳草）。

| 形态特征 |

多年生草本，高可达 180cm。主根粗壮，侧根纤维状。茎直立，分枝或不分枝，幼枝有隆起的条纹，无毛或被极短的倒糙毛，或密被柔毛。叶螺旋状排列，下部的早落；叶片卵状椭圆形至长披针形，大的长可达 17cm，宽达 7cm，先端渐尖，基部渐狭成柄；叶柄两边有翅，向基部变窄，叶柄长可达 4cm。总状花序顶生，长 20 ～ 50cm，花序轴无毛或被极短的柔毛；苞片卵状披针形至披针形，比花长；花梗长 3 ～ 5mm，被极短的毛和很小的小苞片 1 或 2；花萼筒倒卵状，长约 4mm，基部浑圆，被极短的柔毛，裂片条状披针形，长 5 ～ 12mm，宽 1 ～ 1.5mm，边缘有小齿；花冠紫红色或红紫色，长 1.1 ～ 2.5（ ～ 2.8 ）cm，近二唇形，上唇裂片条形，下唇裂片长椭圆形或披针状椭圆形，中肋明显，无毛或被微毛，喉部以下被柔毛；雄蕊在基部以上联合成筒，花丝筒无毛或在近花药处被微毛，下方 2 花药先端被髯毛。蒴果球形，直径 6 ～ 10mm，底部常背向花序轴，无毛或被微毛；种子黄褐色，稍压扁，椭圆形，一边厚而另一边薄，薄边颜色较淡。花果期 8 ~ 10 月。

| **生境分布** | 生于海拔 750 ~ 2500m 的山地林边或沟边较阴湿处。分布于重庆秀山、黔江、彭水、石柱、丰都、涪陵、南川、奉节等地。

| **资源情况** | 野生资源稀少。药材主要来源于野生。

| **采收加工** | 夏、秋季采收，洗净，鲜用或晒干。

| **功能主治** | 辛、甘，平；有小毒。归肺、肾经。宣肺化痰，清热解毒，利尿消肿。用于咳嗽痰多，痈肿疔毒，下肢溃烂，蛇虫咬伤，水肿。

| **用法用量** | 内服煎汤，3 ~ 9g。外用鲜品适量，捣敷。

桔梗科 Campanulaceae 半边莲属 Lobelia

西南山梗菜 *Lobelia sequinii* Lévl. et Van.

西南山梗菜

| 药 材 名 |

破天菜（药用部位：全草。别名：野烟、红雪柳、大将军）。

| 形态特征 |

半灌木状草本，高 1 ~ 2.5（~ 5）m。茎多分枝，无毛。叶纸质，螺旋状排列，下部的长矩圆形，长达 25cm，具长柄；中部以上的披针形，长 6 ~ 20cm，宽 1.2 ~ 4cm，先端长渐尖，基部渐狭，边缘有重锯齿或锯齿，两面无毛，有短柄或无柄。总状花序生于主茎和分枝的先端，花较密集，偏向花序轴一侧；花序下部的几枚苞片条状披针形，边缘有细锯齿，长于花，上部的变窄成条形，全缘，短于花；花梗长 5 ~ 8mm，稍背腹压扁，向后弓垂，先端生 2 条状小苞片；花萼筒倒卵状矩圆形至倒锥状，长 5 ~ 8mm，无毛，裂片披针状条形，长（8 ~）16 ~ 20（~ 25）mm，宽 1.5 ~ 2mm，全缘，无毛；花冠紫红色、紫蓝色或淡蓝色，长 2.5 ~ 3（~ 3.5）cm，内面喉部以下密生柔毛，上唇裂片长条形，宽约 1mm，相当于花冠长的 2/3，上升或平展，下唇裂片披针形，约为花冠长的一半，外展；雄蕊联合成筒，花丝筒约与花冠筒等长，除基部外无毛，花药管长 5 ～ 7mm，基部有数丛短毛，背部无毛，下方 2 花药先端被笔毛状髯毛。蒴果矩圆形，长 1 ～ 1.2cm，宽 5 ～ 7mm，无毛，因果梗向后弯曲而倒垂；种子矩圆形，表面有蜂窝状纹饰。花果期 8 ～ 10 月。

| **生境分布** | 生于海拔 500 ～ 2300m 的山坡草地、林边和路旁。分布于重庆巫山、巫溪、奉节、綦江、忠县、云阳、涪陵、丰都、武隆等地。

| **资源情况** | 野生资源一般。药材主要来源于野生，亦有少量栽培。

| **采收加工** | 夏、秋季采收，洗净，切段，干燥。

| **药材性状** | 本品长短不一。根呈圆锥形，多分枝，具不规则纵皱纹；黄白色或灰黄白色；质坚脆，易折断，断面不平坦，皮层极薄，木部黄白色，具放射状纹理及裂隙。茎呈圆柱形，常皱缩成纵沟纹，近基部具镶嵌凸起的鳞片状叶痕，上部叶痕稀疏；土黄色或黄白色；质韧，难折断，断面淡黄白色，中空。叶展开后呈宽披针形，长 18 ～ 20cm，宽 25 ～ 40mm，先端渐尖，基部楔形，下延，边缘有细锯齿，黄棕色或黄绿色。有晒烟气，味辛、麻，有剧毒。

| **功能主治** | 辛，寒；有大毒。祛风止痛，清热解毒。用于风湿关节痛，跌打损伤，痈肿疔疮，腮腺炎。

| **用法用量** | 外用适量，捣敷患处；或浸酒涂擦；或研末撒患处。本品有毒，忌内服。

| **附　　注** | （1）在 FOC 中，本种的拉丁学名被修订为 *Lobelia seguinii* Lévl. et Van.。
（2）本种喜温暖湿润气候，怕旱，耐寒，耐涝。在潮湿的沟边、河滩湿地易生长。以疏松肥沃的黏壤土栽培为宜。

桔梗科 Campanulaceae 袋果草属 Peracarpa

袋果草

Peracarpa carnosa (Wall.) Hook. f. et Thoms.

| 药 材 名 | 袋果草（药用部位：全草）。

| 形态特征 | 纤细草本。茎肉质，直径约 1mm 或不及 1mm，长 5 ~ 15cm，无毛。叶多集中于茎上部，具长 3 ~ 15mm 的叶柄；叶片膜质或薄纸质，卵圆形或圆形，基部平钝或浅心形，先端圆钝或多少急尖，长 8 ~ 25mm，宽 7 ~ 20mm，两面无毛或上面疏生贴伏的短硬毛，边缘波状，但弯缺处有短刺；茎下部的叶疏离而较小。花梗细长而常伸直，长可达 6cm，但有时短至 1cm；花萼无毛，筒部倒卵状圆锥形，裂片三角形至条状披针形；花冠白色或紫蓝色，裂片条状椭圆形。果实倒卵形，长 4 ~ 5mm；种子棕褐色，长 1.7mm。花期 3 ~ 5 月，果期 4 ~ 11 月。

袋果草

| **生境分布** | 生于海拔 1300 ~ 2000m 的林下或沟边潮湿岩石上。分布于重庆奉节、南川、合川、丰都、梁平等地。

| **资源情况** | 野生资源较少。药材来源于野生。

| **采收加工** | 夏、秋季采收，晒干。

| **功能主治** | 清热润肺，止咳。用于筋骨痛，小儿惊风。

| **用法用量** | 内服煎汤，适量。

桔梗科 Campanulaceae 桔梗属 Platycodon

桔梗
Platycodon grandiflorus (Jacq.) A. DC.

桔梗

| 药 材 名 |

桔梗（药用部位：根。别名：铃铛花、梗草、苦梗）。

| 形 态 特 征 |

多年生草本。茎高 20 ~ 120cm，通常无毛，偶密被短毛，不分枝，极少上部分枝。叶全部轮生，部分轮生至全部互生，无柄或有极短的叶柄；叶片卵形，卵状椭圆形至披针形，长 2 ~ 7cm，宽 0.5 ~ 3.5cm，基部宽楔形至圆钝，先端急尖，上面无毛而绿色，下面常无毛而被白粉，有时脉上被短毛或瘤突状毛，边缘具细锯齿。花单朵顶生，或数朵集成假总状花序，或有花序分枝而集成圆锥花序；花萼筒部半圆球形或圆球形倒锥形，被白粉，裂片三角形，或狭三角形，有时齿状；花冠大，长 1.5 ~ 4cm，蓝色或紫色。蒴果球形，或球状倒圆锥形，或倒卵形，长 1 ~ 2.5cm，直径约 1cm。花期 7 ~ 9 月。

| 生 境 分 布 |

生于海拔 500 ~ 1800m 的向阳处草丛、灌丛中，少数生于林下。分布于重庆綦江、垫江、江津、丰都、城口、忠县、云阳、万州、涪陵、南川、长寿、武隆、开州、巫溪、巫山等地。

| **资源情况** | 野生资源较少，栽培资源丰富。药材来源于栽培。

| **采收加工** | 春、秋季采挖，洗净，除去须根，趁鲜剥去外皮或不去外皮，干燥。

| **药材性状** | 本品呈圆柱形或略呈纺锤形，下部渐细，有的有分枝，略扭曲，长 7 ～ 20cm，直径 0.7 ～ 2cm。表面淡黄白色至黄色，不去外皮者表面黄棕色至灰棕色，具纵扭皱沟，并有横长的皮孔样斑痕及支根痕，上部有横纹。有的先端有较短的根茎或不明显，其上有数个半月形茎痕。质脆，断面不平坦，形成层环棕色，皮部黄白色，有裂隙，木部淡黄色。气微，味微甘后苦。

| **功能主治** | 苦、辛，平。归肺经。宣肺，利咽，祛痰，排脓。用于咳嗽痰多，胸闷不畅，咽痛喑哑，肺痈吐脓。

| **用法用量** | 内服煎汤，3 ～ 10g。

| **附　　注** | （1）本种喜凉爽湿润气候，耐寒，可忍受低温，喜阳光，怕风害，在多风地区栽培要注意防倒伏。栽培于海拔 1000m 的深厚肥沃、含腐殖质多的砂壤土中。
（2）供桔梗药用的尚有：桔梗科桔梗属轮叶沙参 *Adenopphora tetraphylla* (Thumb.) Fisch、杏叶沙参 *A. axilliflora* Borb；沙参属植物长柱沙参 *A. stenanthina* (Ledeb.) Kitagawa、石头花 *Cyposopila acutcfolic* Fisch、灯心草蚤缀 *Arenaria juncea* Bieb.；石竹科植物丝石竹 *Gypsophila oldhamiana* Miq.、瓦草 *Silene viscidulua* (Franch.) Hand.-Mazz. var. *szechuanense* (Wills.) Hand.-Mazz.。

桔梗科 Campanulaceae 铜锤玉带属 Pratia

铜锤玉带草 *Pratia nummularia* (Lam.) A. Br. et Aschers.

铜锤玉带草

药 材 名

铜锤玉带草（药用部位：全草。别名：地茄子草、翳子草、地浮萍）、地茄子（药用部位：果实。别名：小铜锤、地钮子、地扣子）。

形态特征

多年生草本，有白色乳汁。茎平卧，长12～55cm，被开展的柔毛，不分枝或在基部有长或短的分枝，节上生根。叶互生，叶片圆卵形、心形或卵形，长0.8～1.6cm，宽0.6～1.8cm，先端钝圆或急尖，基部斜心形，边缘有牙齿，两面疏生短柔毛，叶脉掌状至掌状羽脉；叶柄长2～7mm，被开展短柔毛。花单生叶腋；花梗长0.7～3.5cm，无毛；花萼筒坛状，长3～4mm，宽2～3mm，无毛，裂片条状披针形，伸直，长3～4mm，每边生2或3小齿；花冠紫红色、淡紫色、绿色或黄白色，长6～7（～10）mm，花冠筒外面无毛，内面被柔毛，檐部二唇形，裂片5，上唇2裂片条状披针形，下唇裂片披针形；雄蕊在花丝中部以上联合，花丝筒无毛，花药管长1mm余，背部生柔毛，下方2花药先端生髯毛。果实为浆果，紫红色，椭圆状球形，长1～1.3cm；种子多数，近圆球形，稍压扁，表面有小疣突。在热带地区整年可开花结果。

| 生境分布 | 生于田边、路旁、丘陵、低山草坡或疏林中的潮湿地。分布于重庆黔江、綦江、南岸、大足、江津、长寿、万州、九龙坡、丰都、璧山、石柱、云阳、涪陵、南川、永川、彭水、巫溪、忠县、武隆、北碚、合川、巴南、荣昌、沙坪坝等地。

| 资源情况 | 野生资源较丰富。药材主要来源于野生，亦有少量栽培。

| 采收加工 | 铜锤玉带草：夏季采收，洗净，鲜用或晒干。
地茄子：8～9月采收，鲜用或晒干。

| 功能主治 | 铜锤玉带草：辛、苦，平。祛风利湿，活血，解毒。用于风湿疼痛，跌打损伤，月经不调，目赤肿痛，乳痈，无名肿毒。
地茄子：苦、辛，平。祛风，利湿，理气，散瘀。用于风湿痹痛，疝气，跌打损伤，遗精，带下。

| 用法用量 | 铜锤玉带草：内服煎汤，9～15g；研末吞服，每次0.9～1.2g；或浸酒。外用捣敷。
地茄子：内服煎汤，30～60g。外用适量，鲜品捣敷。

| 附　注 | （1）在FOC中，本种的拉丁学名被修订为 *Lobelia nummularia* Lam.，属名被修订为半边莲属 *Lobelia*。
（2）本种喜潮湿环境，耐阴不耐旱，稍耐寒。在肥沃、疏松的砂壤土中生长较好，耕翻前需施肥，生产中可采用分株、匍匐茎扦插或播种繁殖方式。夏季炎热干燥时要遮阳浇水，以达到降温保湿作用；当冬季气温降低时覆盖保护膜保温，少通风，即可安全过冬。

桔梗科 Campanulaceae 蓝花参属 Wahlenbergia

蓝花参

Wahlenbergia marginata (Thunb.) A. DC.

蓝花参

药材名

蓝花参（药用部位：全草。别名：金钱吊葫芦、葫芦草、沙参草）。

形态特征

多年生草本，有白色乳汁。根细长，外面白色，细胡萝卜状，直径可达 4mm，长约 10cm。茎自基部多分枝，直立或上升，长 10 ~ 40cm，无毛或下部疏生长硬毛。叶互生，无柄或具长至 7mm 的短柄，常在茎下部密集，下部的匙形、倒披针形或椭圆形，上部的条状披针形或椭圆形，长 1 ~ 3cm，宽 2 ~ 8mm，边缘波状或具疏锯齿，或全缘，无毛或疏生长硬毛。花梗极长，细而伸直，长可达 15cm；花萼无毛，筒部倒卵状圆锥形，裂片三角状钻形；花冠钟状，蓝色，长 5 ~ 8mm，分裂达 2/3，裂片倒卵状长圆形。蒴果倒圆锥形或倒卵状圆锥形，有 10 不甚明显的肋，长 5 ~ 7mm，直径约 3mm；种子矩圆形，光滑，黄棕色，长 0.3 ~ 0.5mm。花果期 2 ~ 5 月。

生境分布

生于低海拔的田边、路边或荒地中，有时生于山坡或沟边。分布于重庆垫江、大足、潼南、合川、涪陵、江津、丰都、璧山、永川、南川、巫溪、长寿、九龙坡、忠县、云阳、綦江、武隆、铜梁、巫山、开州、梁平、荣昌等地。

| 资源情况 | 野生资源较丰富。药材来源于野生。

| 采收加工 | 夏、秋季采收，除去杂质，晒干。

| 药材性状 | 本品根细长，稍扭曲，有的有分枝，长 4 ~ 8cm，直径 0.3 ~ 0.7cm；表面棕褐色或浅棕黄色，具细纵纹；断面黄白色。茎丛生，纤细。叶互生，无柄；叶片多皱缩，展平后呈条形或倒披针状匙形，长 1 ~ 3cm，宽 0.2 ~ 0.4cm，灰绿色或棕绿色。花单生枝顶，浅蓝紫色。蒴果圆锥形，长约 5mm。种子多数，细小。气微，味微甘，嚼之有豆腥味。以根粗、茎叶色绿者为佳。

| 功能主治 | 甘、微苦，微温。归脾、心经。祛风解表，宣肺化痰。用于感冒，慢性气管炎，腹泻，痢疾，百日咳，劳倦乏力，颈淋巴结核，急性结膜炎。

| 用法用量 | 内服煎汤，6 ~ 15g，鲜品 30 ~ 60g。外用捣敷。

| 附　注 | 本种喜潮湿环境，耐阴，不耐旱，稍耐寒。在肥沃、疏松的砂壤土中生长较好，耕翻前需施肥，生产中可采用分株、匍匐茎扦插或播种繁殖方式。夏季炎热干燥时要遮阳浇水，以达到降温保湿作用；当冬季气温降低时覆盖保护膜保温，少通风，就可安全过冬。

菊科 Compositae 蓍属 Achillea

云南蓍
Achillea wilsoniana Heimerl ex Hand.-Mazz.

云南蓍

药材名

蓍草（药用部位：地上部分。别名：白花一枝蒿、飞天蜈蚣、千叶蓍）。

形态特征

多年生草本。有短的根茎。茎直立，高35～100cm，下部变无毛，中部以上被较密的长柔毛，不分枝或有时上部分枝，叶腋常有不育枝。叶无柄，下部叶在花期凋落，中部叶矩圆形，长4～6.5cm，宽1～2cm，2回羽状全裂，1回裂片多数，几接近，椭圆状披针形，长5～10mm，宽2～4mm，2回裂片少数，下面的较大，披针形，有少数齿，上面的较短小，近无齿或有单齿，齿端具白色软骨质小尖头，叶上面绿色，疏生柔毛和凹入的腺点，下面被较密的柔毛；叶轴宽约1.5mm，全缘或上部裂片间有单齿。头状花序多数，集成复伞房花序；总苞宽钟形或半球形，直径4～6mm；总苞片3层，覆瓦状排列，外层短，卵状披针形，长2.3mm，宽约1.2mm，先端稍尖，中层卵状椭圆形，长2.5mm，宽约1.8mm，内层长椭圆形，长4mm，宽约1.8mm，先端钝或圆形，有褐色膜质边缘，中间绿色，有凸起的中肋，被长柔毛；托片披针形，舟状，长4.5mm，具稍带褐色的膜质透明边缘，背部稍带绿色，被少数腺点，上部疏被长柔毛；边花6～8（～16），舌片白色，偶有淡粉红色边缘，长、宽各约2.2mm，先端具深或浅的3齿，管部与舌片近等长，翅状压扁，具少数腺点；管状花淡黄色或白色，长约3mm，管部压扁，具腺点。瘦果矩圆状楔形，长2.5mm，宽约1.1mm，具翅。花果期7～9月。

| **生境分布** | 生于山坡草地或灌丛中。分布于重庆城口、巫溪、巫山、奉节、云阳、万州、南川、江津等地。

| **资源情况** | 野生资源稀少。药材来源于野生。

| **采收加工** | 夏、秋季采收，鲜用或切段晒干。

| **药材性状** | 本品茎呈圆柱形，上部有分枝，长30～100cm；表面深灰绿色至浅棕绿色，被白色柔毛，具纵棱。叶互生，无柄；叶片多破碎，完整者展平后呈条状披针形，羽状深裂，长2～6cm，宽0.5～1cm，暗绿色，两面均被柔毛；叶基半抱茎。头状花序密集成圆锥伞房状。气微，味微辛。

| **功能主治** | 辛、苦，微温；有毒。归肝、脾、膀胱经。祛风止痛，活血，解毒。用于头风痛，牙痛，风湿痹痛，血瘀经闭，腹部痞块，跌打损伤，蛇虫咬伤，痈肿疮毒。

| **用法用量** | 内服煎汤，2～5g；或研末；或浸酒。外用适量，煎汤洗；或捣敷；或研末调敷。孕妇禁服，不可过量服用。

菊科 Compositae 和尚菜属 Adenocaulon

和尚菜
Adenocaulon himalaicum Edgew.

| **药材名** | 水葫芦根（药用部位：根、根茎。别名：土冬花）。

| **形态特征** | 根茎匍匐，直径 1 ~ 1.5cm，自节上生出多数的纤维根。茎直立，高 30 ~ 100cm，中部以上分枝，稀自基部分枝，分枝纤细，斜上，或基部的分枝粗壮，被蛛丝状绒毛，有长 2 ~ 4cm 的节间。根生叶或有时下部的茎叶花期凋落；下部茎叶肾形或圆肾形，长（3 ~）5 ~ 8cm，宽（4 ~）7 ~ 12cm，基部心形，先端急尖或钝，边缘有不等形的波状大牙齿，齿端有凸尖，叶上面沿脉被尘状柔毛，下面密被蛛丝状毛，基出 3 脉，叶柄长 5 ~ 17cm，宽 0.3 ~ 1cm，有狭或较宽的翼，翼全缘或有不规则的钝齿；中部茎叶三角状圆形，长 7 ~ 13cm，宽 8 ~ 14cm，向上的叶渐小，三角状卵形或菱状倒卵形，最上部的叶长约 1cm，披针形或线状披针形，无柄，全缘。头状花

和尚菜

序排成狭或宽大的圆锥状花序，花梗短，被白色绒毛，花后花梗伸长，长 2 ～ 6cm，密被稠密头状具柄腺毛；总苞半球形，宽 2.5 ～ 5mm；总苞片 5 ～ 7，宽卵形，长 2 ～ 3.5mm，全缘，果期向外反曲；雌花白色，长 1.5mm，檐部比管部长，裂片卵状长椭圆形，两性花淡白色，长 2mm，檐部短于管部 2 倍。瘦果棍棒状，长 6 ～ 8mm，被多数头状具柄的腺毛。花果期 6 ～ 11 月。

| **生境分布** | 生于河岸、湖旁、峡谷、阴湿密林下，或干燥山坡。分布于重庆城口、忠县、江津、巫溪、巫山、奉节、武隆、南川等地。

| **资源情况** | 野生资源较少。药材来源于野生。

| **采收加工** | 夏、秋季采挖，洗净，鲜用或晒干。

| **功能主治** | 辛、苦，温。宣肺平喘，利水消肿，散瘀止痛。用于咳嗽气喘，水肿，小便不利，产后瘀滞腹痛，跌打损伤。

| **用法用量** | 内服煎汤，10 ～ 15g。外用适量，鲜根捣敷。

菊科 Compositae 下田菊属 Adenostemma

下田菊
Adenostemma lavenia (L.) O. Kuntze

| 药 材 名 | 下田菊（药用部位：地上部分。别名：水兰、白龙须、仁皂刺）。

| 形态特征 | 一年生草本，高 30 ~ 100cm。茎直立，单生，基部直径 0.5 ~ 1cm，坚硬，通常自上部叉状分枝，被白色短柔毛，下部或中部以下光滑无毛，全株有稀疏的叶。基部的叶花期生存或凋萎；中部的茎叶较大，长椭圆状披针形，长 4 ~ 12cm，宽 2 ~ 5cm，先端急尖或钝，基部宽或狭楔形，叶柄有狭翼，长 0.5 ~ 4cm，边缘有圆锯齿，叶两面被稀疏的短柔毛或脱毛，通常沿脉被较密的毛；上部和下部的叶渐小，有短叶柄。头状花序小，少数、稀多数在假轴分枝先端排列成松散伞房状或伞房圆锥状花序；花序分枝粗壮；花序梗长 0.8 ~ 3cm，被灰白色或锈色短柔毛；总苞半球形，长 4 ~ 5mm，宽 6 ~ 8mm，果期变宽，宽可达 10mm；总苞片 2 层，近等长，狭长椭圆形，质

下田菊

地薄，几膜质，绿色，先端钝，外层苞片大部合生，外面被白色稀疏长柔毛，基部的毛较密；花冠长约 2.5mm，下部被黏质腺毛，上部扩大，有 5 齿，被柔毛。瘦果倒披针形，长约 4mm，宽约 1mm，先端钝，基部收窄，被腺点，熟时黑褐色；冠毛约 4，长约 1mm，棒状，基部结合成环状，先端有棕黄色的黏质的腺体分泌物。花果期 8 ~ 10 月。

| 生境分布 | 生于海拔 260 ~ 2000m 的水边、路旁、柳林沼泽地、林下或山坡灌丛中。分布于重庆石柱、武隆、南川、长寿、北碚、云阳、酉阳、丰都、垫江等地。

| 资源情况 | 野生资源一般。药材来源于野生。

| 采收加工 | 秋季采收，除去杂质，晒干。

| 药材性状 | 本品茎呈圆柱形或扁圆柱形，有的有分枝，长 20 ~ 100cm，直径 0.2 ~ 1cm；表面灰棕色至棕褐色，有纵纹，节明显，上部被细毛，下部光滑无毛；质脆，易折断，断面不平坦，皮部灰绿色，髓部灰白色至灰棕色。叶互生，叶皱缩，完整者展平后呈椭圆状披针形，先端急尖或钝，基部宽或狭楔形；叶柄有狭翼，边缘有浅齿。头状花序小，多生于分枝先端，被灰白色或锈色短柔毛。总苞半球形，长 4 ~ 5mm，宽可达 10mm，总苞片 2 层。瘦果倒披针形，长约 4mm，宽约 1mm；冠毛约 4，长约 1mm，棒状。气微，微苦。

| 功能主治 | 辛、微苦，凉。归肺、肝、胃经。清热利湿，解毒消肿。用于感冒高热，支气管炎，咽喉炎，扁桃体炎，黄疸性肝炎。外用于痈疖疮疡，蛇咬伤。

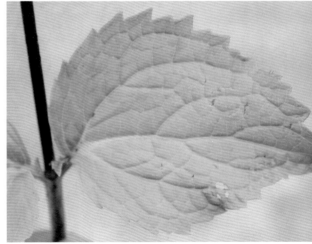

| 用法用量 | 内服煎汤，9 ~ 15g。外用适量，捣敷。

菊科 Compositae 藿香蓟属 Ageratum

藿香蓟
Ageratum conyzoides L.

| 药 材 名 | 胜红蓟（药用部位：全草。别名：胜红药、脓泡草、绿升麻）。

| 形态特征 | 一年生草本，高 50 ~ 100cm，有时又不足 10cm。无明显主根。茎粗壮，基部直径 4mm，或少有纤细的，而基部直径不足 1mm，不分枝或自基部或自中部以上分枝，或下基部平卧而节常生不定根；全部茎枝淡红色，或上部绿色，被白色尘状短柔毛或上部被稠密开展的长绒毛。叶对生，有时上部互生，常有腋生的不发育的叶芽；中部茎叶卵形或椭圆形或长圆形，长 3 ~ 8cm，宽 2 ~ 5cm；自中部叶向上向下及腋生小枝上的叶渐小或小，卵形或长圆形，有时植株全部叶小形，长仅 1cm，宽仅达 0.6mm；全部叶基部钝或宽楔形，基出 3 脉或不明显五出脉，先端急尖，边缘圆锯齿，有长 1 ~ 3cm 的叶柄，两面被白色稀疏的短柔毛且有黄色腺点，上面沿脉处及叶下面

藿香蓟

的毛稍多有时下面近无毛，上部叶的叶柄或腋生幼枝及腋生枝上的小叶的叶柄通常被白色稠密开展的长柔毛。头状花序 4 ~ 18 在茎顶排成通常紧密的伞房状花序；花序直径 1.5 ~ 3cm，少有排成松散伞房花序式的；花梗长 0.5 ~ 1.5cm，被尘球短柔毛；总苞钟形或半球形，宽 5mm，总苞片 2 层，长圆形或披针状长圆形，长 3 ~ 4mm，外面无毛，边缘撕裂；花冠长 1.5 ~ 2.5mm，外面无毛或先端被尘状微柔毛，檐部 5 裂，淡紫色。瘦果黑褐色，5 棱，长 1.2 ~ 1.7mm，被白色稀疏细柔毛；冠毛膜片 5 或 6，长圆形，先端急狭或渐狭成长或短芒状，或部分膜片先端截形而无芒状渐尖，全部冠毛膜片长 1.5 ~ 3mm。花果期全年。

| 生境分布 | 生于山谷、山坡林下或林缘、河边或山坡草地、田边或荒地上，或栽培于山坡、平地。分布于重庆綦江、潼南、江津、永川、忠县、云阳、酉阳、涪陵、长寿、九龙坡、垫江、巴南等地。

| 资源情况 | 野生资源丰富，亦有少量栽培。药材来源于野生。

| 采收加工 | 秋季采收，除去泥土，晒干。

| 药材性状 | 本品茎略呈方形，基部类圆形，直径 0.3 ~ 0.8cm。茎、叶被白色多节长柔毛。茎直立，多分枝，绿色、黄棕色或稍带紫色。叶对生，上部互生，叶片基部钝或宽楔形，长 0.5 ~ 13cm，宽 1 ~ 5cm，边缘有粗锯齿，叶脉明显。头状花序，直径 4 ~ 8mm，伞房状排列，总苞片 2 ~ 3 层；花冠白色、黄色或紫色，呈管状。瘦果管状，具 5 棱，黑褐色，先端有 5 个芒状的鳞膜片。气特异，味淡。

| 功能主治 | 辛、苦，平。归心、肺经。清热解毒，利咽消肿。用于感冒发热，咽喉肿痛，白喉，痢疾，中耳炎，外伤出血，痈疽肿毒，湿疹，小腿溃疡等。

| 用法用量 | 内服干品 15 ~ 30g，鲜品 30 ~ 60g。外用适量，捣敷。

| 附　注 | 现代医学研究表明，本种药材具有镇痛、抗炎、抗菌杀虫、促进伤口愈合、抗氧化、抗癌等药理作用。

菊科 Compositae 兔儿风属 *Ainsliaea*

杏香兔儿风 *Ainsliaea fragrans* Champ.

杏香兔儿风

| 药 材 名 |

杏香兔耳风（药用部位：全草。别名：金边兔耳、兔耳草、兔耳箭）。

| 形态特征 |

多年生草本。根茎短或伸长，有时可离地面近 2cm，圆柱形，直或弯曲，直径 1 ~ 3mm；根颈被褐色绒毛，具簇生细长须根。茎直立，单一，不分枝，花葶状，高 25 ~ 60cm，被褐色长柔毛。叶聚生于茎的基部，莲座状或呈假轮生，叶片厚纸质，卵形、狭卵形或卵状长圆形，长 2 ~ 11cm，宽 1.5 ~ 5cm，先端钝或中脉延伸具 1 小的凸尖头，基部深心形，全缘或边缘具疏离的胼胝体状小齿，有向上弯拱的缘毛，上面绿色，无毛或被疏毛，下面淡绿色或有时多少带紫红色，被较密的长柔毛，脉上尤甚；基出脉 5，在下面明显增粗并凸起，中脉中上部复具 1 ~ 2 对侧脉，网脉略明显，网眼大；叶柄长 1.5 ~ 6cm，稀更长，无翅，密被长柔毛。头状花序通常有小花 3，具被短柔毛的短梗或无梗，于花葶之顶排成间断的总状花序，花序轴被深褐色的短柔毛，并有长 3 ~ 4mm 的钻形苞叶；总苞圆筒形，直径 3 ~ 3.5mm；总苞片约 5 层，背部有纵纹，无毛，有时先端带紫红

色，外 1 ~ 2 层卵形，长 1.8 ~ 2mm，宽约 1mm，先端尖，中层近椭圆形，长 3 ~ 8mm，宽 1.5 ~ 2mm，先端钝，最内层狭椭圆形，长约 11mm，宽约 2mm，先端渐尖，基部长渐狭，具爪，边缘干膜质；花托狭，不平，直径约 0.5mm，无毛。花全部两性，白色，开放时具杏仁香气，花冠管纤细，长约 6mm，冠檐显著扩大，于管口上方 5 深裂，裂片线形，与花冠管近等长；花药长约 4.5mm，先端钝，基部箭形的尾部长约 2mm；花柱分枝伸出药筒之外，长约 0.5mm，先端具钝头。瘦果棒状圆柱形或近纺锤形，栗褐色，略压扁，长约 4mm，被 8 显著的纵棱，被较密的长柔毛；冠毛多数，淡褐色，羽毛状，长约 7mm，基部联合。花期 11 ~ 12 月。

| 生境分布 | 生于海拔 100 ~ 850m 的山坡灌木林下或路旁、沟边草丛中。分布于重庆万州、南川、黔江、彭水、酉阳、石柱、城口、忠县、巫溪、开州、北碚、垫江等地。

| 资源情况 | 野生资源一般。药材来源于野生。

| 采收加工 | 夏、秋季采收，除去泥土，阴干或晒干。

| 药材性状 | 本品多皱缩成团。根茎不规则圆柱形，较短，直径约 3mm，着生多数须根，黄棕色，全体被棕色长柔毛。叶基生，卷曲，多破碎，完整者卵状长椭圆形，似兔耳，长 3 ~ 10cm，宽 2 ~ 5cm，基部心形，全缘，少有疏短刺状齿；上表面灰绿色或褐绿色，下表面淡黄灰色或紫色；叶柄与叶片近等长。有的可见头状花序排列成疏总状。瘦果倒披针形，栗褐色，扁平，具条棱；冠毛羽毛状，棕黄色。有杏仁香气，味微甘。

| 功能主治 | 甘，寒。归肺、脾、胆经。清热利湿，凉血解毒，止咳，散结止血。用于口腔溃烂，虚劳咯血，湿热黄疸，水肿，小儿疳积，消化不良，跌打损伤，瘰疬，毒蛇咬伤等。

| 用法用量 | 内服煎汤，9 ~ 15g。外用适量，鲜品捣敷。

菊科 Compositae 兔儿风属 Ainsliaea

光叶兔儿风
Ainsliaea glabra Hemsl.

| 药 材 名 | 兔耳风（药用部位：全草。别名：大血筋草、水上红、心肺草）。

| 形态特征 | 多年生草本。根茎粗短，直径 5 ~ 8mm，簇生细弱的须根，根颈被黄褐色绵毛。茎通常粗壮，直立，常呈紫红色，高 45 ~ 80cm 或有时超过 1m，无毛，花序之下不分枝。发育正常的叶集生于茎的中部以下而又离茎基 3 ~ 4cm，互生，不呈莲座状，节间极不等长，短者长 1.5 ~ 2cm，长者可达 8cm，叶片纸质，卵状披针形、长圆状披针形或有时近椭圆形，长 10 ~ 20cm，宽 5 ~ 9.5cm，先端渐尖，基部渐狭或短楔尖，稍下延，边缘有胼胝体状的细齿，上面绿色，通常无毛或极少被糙伏毛，下面于脉上呈紫红色，无毛；中脉在上面凸起，在下面平坦，侧脉 6 ~ 7 对，其中下部的 3 对通常基部与中脉平行紧贴，至离基 2 ~ 5cm 处与中脉成锐角作弧形上升，网脉

光叶兔儿风

明显，网眼很疏；叶柄紫红色，长 7 ~ 15cm，具细纵棱，无翅亦无毛；茎上部的叶小，疏离，节间长 7 ~ 9cm，叶片卵状披针形或披针形，长 1.5 ~ 4.5cm，宽 4 ~ 15mm，先端渐尖，边缘亦具胼胝体状疏齿，叶柄短，长 5 ~ 15mm；花序上的叶苞片状，通常具钝头。头状花序具花 3，小，长 7 ~ 8mm，直径 3 ~ 4mm，极多数，于茎顶排成开展的圆锥花序，圆锥花序长 25 ~ 35cm，宽 5 ~ 15cm，花序轴无毛，末次分枝和头状花序梗被短柔毛；总苞圆筒形，直径 2 ~ 3mm；总苞片约 5 层，全部无毛，背部具 1 明显的脉，外 1 ~ 2 层卵形，长 1 ~ 2mm，宽约 1mm，先端钝，中层长圆形，长 4.5 ~ 5mm，宽与外层的近相等，先端亦钝，最内层线形，略长于花盘，宽不及 1mm，先端略尖，基部稍狭，边缘薄，干膜质；花托狭，不平，直径约 0.3mm，无毛。花全为两性，花冠细管状，长约 2.8mm，先端无裂片，深藏于冠毛之中；花药内藏，先端钝，基部具丝状尖尾；花柱分枝钝，稍叉开。瘦果纺锤形，具 10 纵棱，干时黄褐色，长约 4mm，无毛或顶部有时被疏毛；冠毛黄白色，羽毛状，长约 5mm，基部稍联合。花期 7 ~ 9 月。

| **生境分布** | 生于海拔 800 ~ 1200m 的林缘或林下阴湿草丛中。分布于重庆黔江、丰都等地。

| **资源情况** | 野生资源稀少。药材来源于野生。

| **采收加工** | 春、夏季采收，切段，晒干。

| **功能主治** | 甘、微辛，凉。养阴清肺，祛瘀止血。用于肺痨咯血，跌打损伤。

| **用法用量** | 内服煎汤，10 ~ 15g。

菊科 Compositae 兔儿风属 Ainsliaea

长穗兔儿风
Ainsliaea henryi Diels

长穗兔儿风

药材名

二郎剑（药用部位：全草。别名：见血草）。

形态特征

多年生草本。根茎粗短或伸长而微弯曲，直径 4 ~ 6mm，根颈密被黄褐色绒毛；根纤细，绕节丛生，长 5 ~ 20cm。茎直立，不分枝，高 40 ~ 80cm，直径 1.5 ~ 2mm，常呈暗紫色，开花期被毛，后渐脱毛。叶基生，密集，莲座状，叶片稍厚，长卵形或长圆形，连基部楔状渐狭而成的翅柄则呈长倒卵形，长 3 ~ 8cm，宽 2 ~ 3cm，先端钝短尖，基部楔状长渐狭成翅柄，边缘具波状圆齿，凹缺中间具胼胝体状细齿，上面绿色，被疏柔毛，下面淡绿色或有时带淡紫色，其与边缘被绢质长柔毛；中脉在上面平坦，在下面增宽而稍凸起，侧脉通常 3 对，很纤弱，弧形上升，无明显网脉；叶柄长 2 ~ 5cm，被柔毛，上部具阔翅，翅向下渐狭，下部无翅；茎生叶极少而小，苞片状，卵形，长 8 ~ 25cm，被柔毛。头状花序含花 3，开花期长 10 ~ 16mm，直径约 3mm，常 2 ~ 3 聚集成小聚伞花序，小聚伞花序无梗或中央者具纤细的梗，于茎顶复作长的穗状花序排列，花序轴被柔毛；总苞圆筒形，直径约2mm；总苞片约5层，先端具长尖头，外层卵形，长1.5～2mm，宽1～1.5mm，有时呈紫红色，中层卵状披针形，长4～6mm，宽1.4～2mm，最内层线形，长可达16mm，宽近1mm，上部常带紫红色。花全部两性，闭花受精的花冠圆筒形，隐藏于冠毛之中，长约3.2mm；花药长约1.5mm，先端钝，基部的尾长为花药的1/2；花柱长约2.7mm，花柱分枝先端钝。瘦果圆柱形，长约6mm，无毛，有粗纵棱；冠毛污白色至污黄色，羽毛状，长约8mm。花期7～9月。

| **生境分布** | 生于海拔700～2070m的坡地或林下沟边。分布于重庆巫山、奉节、云阳、万州、石柱、秀山、南川、城口、丰都等地。

| **资源情况** | 野生资源一般。药材来源于野生。

| **采收加工** | 夏、秋季采收，鲜用或切段晒干。

| **功能主治** | 苦、酸，凉。散瘀清热，止咳平喘。用于跌打损伤，血瘀肿痛，毒蛇咬伤，肺热咳嗽，哮喘。

| **用法用量** | 内服煎汤，6～15g。外用适量，捣敷。

菊科 Compositae 兔儿风属 Ainsliaea

宽叶兔儿风
Ainsliaea latifolia (D. Don) Sch.-Bip.

宽叶兔儿风

| 药 材 名 |

倒赤伞（药用部位：全草。别名：一把箭、大叶一支箭、刀口药）。

| 形态特征 |

多年生草本。根茎粗壮，直或弧曲状，直径5～10mm，根颈密被污黄色或黄白色绵毛；根簇生，细弱，纤维状。茎直立，不分枝，高30～80cm，直径2～4mm，薄或密被蛛丝状白色绵毛。叶聚生于茎基部的呈莲座状，叶片薄纸质，卵形或狭卵形，大者长10～11cm，宽5～6.5cm，小者长仅3cm，宽1～1.5cm，先端短尖或钝，基部缢缩下延于叶柄成阔翅，边缘有胼胝体状细齿，上面疏被长柔毛，稀脱落近无毛，下面密被白色绒毛，杂以同色、稍硬的长毛，长毛于脉上尤密；基出脉3，侧生的1对其外侧常有几条细的分枝，斜上升于叶片上部离缘弯拱网结，中脉中部以上的1～3对侧脉细弱，弧形上升，网脉明显；叶柄与叶片几等长，具翅，翅于下部略狭，宽5～20mm，两面均被与叶片相同的毛；茎上部的叶疏离，卵形、披针形或近长圆形，长2～2.5cm；花序轴上的叶更小，苞片状，长5～10mm，无柄或具短柄，毛被与基生叶的相同。头状花序具花 3，长 10 ~ 15mm，单个或 2 ~ 4 聚集于苞片状的叶腋内复组成间断的、长 9 ~ 38cm 的穗状花序，花序轴粗挺，被蛛丝状绵毛；总苞圆筒形，直径约 3mm；总苞片约 5 层，背部多少被毛，外层的卵形，长约 1.5mm，宽约 1mm，先端钝，具 1 脉，中层长卵形，长约 3.2mm，宽约 2mm，先端钝或有带紫红色短尖头，最内层椭圆形，长约 8mm，宽近 2mm，具 3 脉，先端渐尖，尖头常呈紫红色，边缘薄，近膜质；花托不平，无毛，直径约 1mm。花全部两性；花冠管状，长约 11mm，檐部 5 深裂，裂片偏于一侧，长圆形，略长于花冠管；花药长约 5.5mm，先端截平，基部的尾长约 1.5mm；花柱分枝扁，长不足 0.5mm，先端钝圆。瘦果近纺锤形，长约 5.5mm，具 8 粗纵棱，密被倒伏的绢质长毛；冠毛棕褐色，羽毛状，长 8 ~ 10mm，基部联合。花期 4 ~ 10 月。

| **生境分布** | 生于海拔 1300 ~ 2500m 的山地林下或路边。分布于重庆城口、云阳、开州、南川等地。

| **资源情况** | 野生资源稀少。药材主要来源于野生。

| **采收加工** | 7 ~ 9 月采收，鲜用或切段晒干。

| **功能主治** | 辛、微苦，温。祛风散寒，活血消肿。用于风寒感冒，头痛，腰痛，肠火，痢疾，跌打瘀肿，外伤出血，中耳炎，乳腺炎。

| **用法用量** | 内服煎汤，6 ~ 15g；或浸酒。外用适量，捣敷；或研末撒；或绞汁滴耳。

菊科 Compositae 兔儿风属 *Ainsliaea*

红背兔儿风
Ainsliaea rubrifolia Franch.

红背兔儿风

| 药 材 名 |

红走马胎（药用部位：全草）。

| 形 态 特 征 |

多年生草本。根茎粗短，直或弯曲，长不超过 3cm，直径 3 ~ 5mm，密生纤维状须根，根颈密被向上的粗长毛。茎直立，极细弱，花葶状，除花序外不分枝，高 17 ~ 40cm，基部直径约 1mm，被褐色长柔毛。叶基生的密集，呈莲座状，叶片纸质，长卵形、卵状披针形或披针形，长 5 ~ 9cm，宽 2.3 ~ 4.3cm，先端短尖，基部心形，两耳通常略重叠，全缘或边缘有疏的胼胝体状小齿，具深褐色、向上弯拱的密缘毛，上面绿色，具灰白色的云石状斑纹，被贴伏的疏硬毛或脱落变无毛，下面紫红色，被褐色长硬毛，尤以基部及脉上较密；基出脉 3，中脉上部 2 对互生侧脉均弧形上升；叶柄长 3 ~ 11cm，无翅，密被深褐色、长 4 ~ 7mm 的粗硬毛；茎生叶少而小，披针形，长 10 ~ 28mm，宽 3 ~ 9mm，先端短尖，基部钝或略狭，绝无心形者，被毛与基生叶相似，1 脉或有时具 1 对不显著的侧脉，叶柄短，下部的长 5 ~ 8mm，上部的更短或近无柄。头状花序通常具花 3，于花期直径 6 ~ 8mm，具梗，

于茎顶排成下部狭、上部开展的圆锥花序，圆锥花序长 12 ~ 18cm，花序轴和分枝均被长硬毛；总苞圆筒形，直径 4 ~ 5mm；总苞片约 5 层，均无毛，外层卵形至阔卵形，长 2.5 ~ 3mm，宽 1 ~ 1.5mm，先端长渐尖，尖头锐利，中层狭椭圆形至长圆形，长 4 ~ 5mm，宽 1 ~ 1.2mm，先端渐尖，最内层长圆形，长约 11mm，宽约 1.2mm，先端长尖；花托不平，无毛。花全部两性，花期 9 ~ 10 月者，花冠不开裂，隐藏于冠毛之中，长约为冠毛的 2/3；花药长 2.2mm，内藏，先端钝圆，基部的尾芒尖；花柱分枝内藏，线形，先端钝，内侧略扁，长达 1mm。5 ~ 6 月开花的植株，花冠略露出于冠毛之外，长可达 7mm，檐部 5 裂，裂片长圆形，长 2 ~ 3mm；花药长约 4mm，先端钝，基部的尾长达 1.2mm；花柱分枝内侧扁，先端圆，内藏，不伸出于药筒之外。瘦果纺锤形，具 8 纵棱，被疏柔毛；冠毛近等长，褐黄色，羽毛状，长约 6.5mm，基部联合成环。花期 5 ~ 6 月及 9 ~ 10 月。

| **生境分布** | 生于海拔 1620 ~ 2100m 的坡地沟边或林地岩石上。分布于重庆城口、万州、南川、梁平等地。

| **资源情况** | 野生资源较少。药材来源于野生。

| **采收加工** | 春、夏季采收，洗净，晒干。

| **功能主治** | 辛、甘，温。止咳化痰，活血止痛。用于风寒咳嗽，风湿筋骨痛，跌打肿痛。

| **用法用量** | 内服煎汤，9 ~ 15g。外用适量，研末调敷。

| **附　注** | 在 FOC 中，本种被修订为杏香兔儿风 *Ainsliaea fragrans* Champ.。

菊科 Compositae 兔儿风属 Ainsliaea

云南兔儿风 *Ainsliaea yunnanensis* Franch.

| 药 材 名 | 燕麦灵（药用部位：全草。别名：倒吊花、接骨一枝箭、铜脚威灵）。

| 形态特征 | 多年生草本。根茎圆柱形，直伸或弯曲，直径 3 ~ 6mm，稀有达 1cm 者，根颈密被绵毛；根近肉质，粗壮，簇生。茎直立，单一，不分枝，花葶状，高 20 ~ 60mm，基部直径 1.5 ~ 2.5mm，多少被绵毛。叶基生的密集，呈莲座状，大小极不等，叶片近革质，卵形、卵状披针形或披针形，长 2 ~ 6cm，宽 1 ~ 4cm，先端短尖，基部圆或截平，有时沿叶柄短下延，两侧常不等，边缘有胼胝体状细齿，上面被具疣状基部的糙毛，但在花期多数毛脱落而仅存粗糙的疣状突起，下面被糙伏状长柔毛，常于脉上较密；中脉在下面明显凸起，侧脉 4 ~ 5 对，很纤细，弯拱上升，虽有少数分枝，但不结成网眼；叶柄长

云南兔儿风

2 ~ 7.5cm，无翅，被长柔毛，基部明显扩大；茎生叶与基生叶近同形，少而小，长 8 ~ 20mm，宽 3 ~ 7mm，被毛，下部的具 3 ~ 5mm 的短柄，上部的无柄。头状花序具花3，花期长达22mm，沿茎的上部一侧或于同一侧的短枝上通常3 ~ 6 密集，平展或下垂，复作间断的穗状花序式排列；总苞圆筒形，直径约 6mm；总苞片 5 ~ 6 层，边缘和顶部带紫红色，背部均具 1 脉，多少被疏柔毛，外 1 ~ 3 层卵形，长 2.5 ~ 3.5mm，宽 1.5 ~ 2.2mm，先端短尖，中层狭长圆形，长 9 ~ 13mm，宽 2 ~ 2.5mm，先端渐尖，最内层披针形，长约 14mm，先端长渐尖，边缘薄，膜质，基部楔状渐狭；花托较宽，直径约 1.3mm，无毛。花淡红色，全部两性；花冠长 16 ~ 18mm，花冠管向上略增大，长约 7.5mm，于管口上方约 2mm 处 5 深裂，裂片偏于 1 侧，长圆形，长 6.5 ~ 8mm，宽约 1mm，顶部卷曲；花药外露，长约 8mm，先端圆，基部的尾挺直，长 2 ~ 2.5mm；花柱分枝略伸出于药筒之外，头状，内侧略扁，长约 0.2mm。瘦果近纺锤形，无明显纵棱，长约 5mm，密被白色长柔毛；冠毛黄白色，羽毛状，长约 9mm，基部联合。花期 9 月到翌年 1 月。

| **生境分布** | 生于海拔1700m左右的林下、林缘或山坡草地上。分布于重庆涪陵等地。

| **资源情况** | 野生资源较少。药材来源于野生。

| **采收加工** | 夏、秋季采挖，鲜用或切段晒干。

| **功能主治** | 辛、苦，平。祛风湿，续筋骨，消积，驱虫。用于风湿关节痛，跌打损伤，骨折，消化不良，疳积，虫积。

| **用法用量** | 内服煎汤，10 ~ 15g；或浸酒；或研末。外用适量，捣敷。

菊科 Compositae 香青属 Anaphalis

黄腺香青
Anaphalis aureo-punctata Lingelsh et Borza

黄腺香青

| 药 材 名 |

黄腺香青（药用部位：全草）。

| 形 态 特 征 |

根茎细或稍粗壮，有长达 12cm 或稀达 20cm 的匍枝。茎直立或斜升，高 20 ~ 50cm，细或粗壮，不分枝，稀在花后有直立的花枝，草质或基部稍木质，被白色或灰白色蛛丝状绵毛，或下部多少脱毛，下部有密集、上部有渐疏的叶，莲座状叶宽匙状椭圆形，下部渐狭成长柄，常被密绵毛；下部叶在花期枯萎，匙形或披针状椭圆形，有具翅的叶柄，长 5 ~ 16cm，宽 1 ~ 6cm；中部叶稍小，多少开展，基部渐狭，沿茎下延成宽或狭翅，边缘平，先端急尖稀渐尖，有短或长尖头；上部叶小，披针状线形；全部叶上面被具柄腺毛及易脱落的蛛丝状毛，下面被白色或灰白色蛛丝状毛及腺毛，或多少脱毛，有离基三或五出脉，侧脉明显且长达叶端或在近叶端消失，或有单脉。头状花序多数或极多数密集成复伞房状；花序梗纤细；总苞钟形或狭钟形，长 5 ~ 6mm，直径约 5mm；总苞片约 5 层，外层浅或深褐色，卵圆形，长约 2mm，被绵毛，内层白色或黄白色，长约 5mm，在雄株先端宽圆形，宽达 2.5mm，在

雌株先端钝或稍尖，宽约 1.5mm，最内层较短狭，匙形或长圆形有长达全长 2/3 的爪部；花托有繸状突起；雌株头状花序有多数雌花，中央有 3 ～ 4 雄花；雄株头状花序全部有雄花或外围有 3 ～ 4 雌花；花冠长 3 ～ 3.5mm，冠毛较花冠稍长，雄花冠毛上部宽扁，有微齿。瘦果长达 1mm，被微毛。花期 7 ～ 9 月，果期 9 ～ 10 月。

| 生境分布 | 生于海拔 200 ～ 1800m 的林下、林缘、草地、河谷、泛滥地或石砾地。分布于重庆巫山、奉节、云阳等地。

| 资源情况 | 野生资源较少。药材来源于野生。

| 采收加工 | 霜降后采收全草，除去泥沙，晒干。

| 功能主治 | 甘、微苦，凉。清热解毒，驱虫。用于牙痛，痢疾，风疹瘙痒，瘰疬疮毒，跌打损伤，蛔虫病。

| 用法用量 | 内服煎汤，适量。

菊科 Compositae 香青属 *Anaphalis*

黄腺香青（绒毛变种）

Anaphalis aureo-punctata Lingelsh et Borza var. *tomentosa* Hand.-Mazz.

| **药 材 名** | 黄腺香青绒毛变种（药用部位：全草）。 |

| **形态特征** | 本种与原变种黄腺香青的区别在于茎粗壮，被蛛丝状毛；下部及中部叶宽椭圆形，匙状至披针状椭圆形，下部急狭成宽翅，长 5 ~ 9cm，宽 2 ~ 4cm，上面被蛛丝状毛及具柄头状腺毛，下面被白色或灰白色密绵毛及沿脉的锈色毛，有长达叶端的三出脉；总苞基部浅褐色。 |

| **生境分布** | 生于海拔 1700 ~ 2500m 的田坝上或草丛中。分布于重庆城口、开州等地。 |

| **资源情况** | 野生资源稀少。药材来源于野生。 |

| **采收加工** | 霜降后采收全草，除去泥沙，晒干。 |

黄腺香青（绒毛变种）

| **功能主治** | 微苦、甘，凉。清热解毒，驱虫。用于牙痛，痢疾，风疹瘙痒，瘰疬疮毒，跌打损伤，蛔虫病。

| **用法用量** | 内服煎汤，适量。

菊科 Compositae 香青属 Anaphalis

旋叶香青

Anaphalis contorta (D. Don) Hook. f.

旋叶香青

| 药 材 名 |

旋叶香青（药用部位：全草）。

| 形态特征 |

根茎木质，有单生或丛生的根出条及花茎。茎直立或斜升，高 15 ~ 80cm，稍细，下部木质，多分枝，被白色密绵毛，下部有时脱毛或有被绵毛的腋芽，全部有密集的叶。下部叶在花期枯落，叶开展或平展，线形，长 1.5 ~ 3cm，较狭，向茎中或上部渐大，基部常宽大而有抱茎的小耳，先端渐尖，有细尖头，边缘反卷；顶部叶较细短；全部叶上面被较密的蛛丝状毛或绵毛，下面被白色密绵毛；中脉在下面稍凸起，侧脉不明显；根出条有长圆形披针形或倒披针形的叶，被较长的绵毛。头状花序极多数，无梗或有长达 3mm 的花序梗，在茎和枝端密集成复伞房状；总苞钟状，长 5 ~ 6mm，直径 4 ~ 6mm；总苞片 5 ~ 6 层，外层浅黄褐色或带紫红色，被长绵毛，卵圆形，长 2.5mm，内层倒卵状长圆形，先端圆形，长达 4mm，在雌株白色，宽约 1.2mm，在雄株乳白色，稀稍红色，宽达 1.5mm，最内层匙形，有长达 2/3 的爪部；花托蜂窝状；雌株头状花序外围有多层雌花，中央有 1 ~ 4 雄花，雄株头状花序全部有雄

花；花冠长 2.3 ~ 3mm，冠毛约与花冠等长，雄花冠毛上部较粗厚。瘦果长圆形，具小腺体。花果期 8 ~ 10 月。

| **生境分布** | 生于海拔 1000 ~ 2700m 的山坡草地。分布于重庆巫溪、巫山、南川、开州等地。

| **资源情况** | 野生资源稀少。药材来源于野生。

| **采收加工** | 霜降后采收全草，除去泥沙，晒干。

| **功能主治** | 祛风止咳，清热利湿。用于劳伤咳嗽。

| **用法用量** | 内服煎汤，适量。

菊科 Compositae 香青属 Anaphalis

珠光香青（黄褐变种）

Anaphalis margaritacea (L.) Benth. et Hook. f. var. *cinnamomea* (DC.) Herd. ex Maxim.

| 药 材 名 | 珠光香青（药用部位：全草）。

| 形态特征 | 多年生草本。茎被灰白色绵毛，下部木质，高 50 ~ 100cm。叶长圆状或线状披针形，长 4 ~ 9cm，宽 0.7 ~ 1.2cm，有时达 2.5cm，基部抱茎，先端渐尖，上面被灰白色蛛丝状绵毛，下面被黄褐色或红褐色厚绵毛，有在下面凸起的三出脉或五出脉。头状花序多数，在茎枝端排成复伞房状，稀伞房状；总苞宽钟形或半球形，长 6 ~ 8mm，直径 8 ~ 13mm，总苞片 5 ~ 7 层，基部多少褐色，上部白色，外层卵圆形，被绵毛，内层卵圆形或长椭圆形，长 5mm，先端圆或稍尖，最内层线状倒披针形，宽 0.5mm，有长爪。瘦果长椭圆形，长 0.7mm，有小腺点。花果期 8 ~ 11 月。

珠光香青（黄褐变种）

| **生境分布** | 生于海拔 300 ~ 2000m 的低山或亚高山灌丛、草地、山坡或溪岸。分布于重庆、奉节、忠县、垫江、南川等地。 |

| **资源情况** | 野生资源稀少。药材主要来源于野生。 |

| **采收加工** | 夏季花初开放时连根挖起，除去泥沙，晒干或鲜用。 |

| **功能主治** | 苦、辛，凉。清热止咳，散瘀止血。用于感冒头痛，肺热咳嗽，外伤出血。 |

| **用法用量** | 内服煎汤，10 ~ 30g。外用适量，捣敷；或研末调敷。 |

菊科 Compositae 香青属 Anaphalis

香青
Anaphalis sinica Hance

| **药 材 名** | 通肠香（药用部位：全草。别名：白四棱风、大叶蓬、九里香）。

| **形态特征** | 多年生草本。根茎细或粗壮，木质，有长达 8cm 的细匍枝。茎直立，疏散或密集丛生，高 20 ～ 50cm，细或粗壮，通常不分枝或在花后及断茎上分枝，被白色或灰白色绵毛，全部有密生的叶。下部叶在下花期枯萎；中部叶长圆形，倒披针长圆形或线形，长 2.5 ～ 9cm，宽 0.2 ～ 1.5cm，基部渐狭，沿茎下延成狭或稍宽的翅，边缘平，先端渐尖或急尖，有短小尖头；上部叶较小，披针状线形或线形，全部叶上面被蛛丝状绵毛，或下面或两面被白色或黄白色厚绵毛，在绵毛下常杂有腺毛，有单脉或具侧脉向上渐消失的离基三出脉；莲座状叶被密绵毛，先端钝或圆形。头状花序多数或极多数，密集成复伞房状或多次复伞房状；花序梗细；总苞钟形或近倒圆锥形，

香青

长 4 ～ 5mm（稀达 6mm），宽 4 ～ 6mm；总苞片 6 ～ 7 层，外层卵圆形，浅褐色，被蛛丝状毛，长 2mm，内层舌状长圆形，长约 3.5mm，宽 1 ～ 1.2mm，乳白色或污白色，先端钝或圆形，最内层较狭，长椭圆形，有长达全长 2/3 的爪部，雄株的总苞片常较钝；雌株头状花序有多层雌花，中央有 1 ～ 4 雄花；雄株头状花托有繸状短毛；花序全部有雄花；花冠长 2.8 ～ 3mm，冠毛常较花冠稍长，雄花冠毛上部渐宽扁，有锯齿。瘦果长 0.7 ～ 1mm，被小腺点。花期 6 ～ 9 月，果期 8 ～ 10 月。

| **生境分布** | 生于海拔 400 ～ 2000m 的低山或亚高山灌丛、草地、山坡或溪岸。分布于重庆黔江、永川、巫山、石柱、奉节、城口、云阳、涪陵、南川、酉阳、武隆、丰都等地。

| **资源情况** | 野生资源丰富。药材来源于野生。

| **采收加工** | 霜降后采收，除去泥沙，晒干。

| **药材性状** | 本品密被白色绵毛。根灰褐色。茎长 25 ～ 50cm，灰白色，基部毛脱落处显淡棕色，有纵沟纹；质脆，易折断，断面中部具髓。叶互生，无柄；叶片皱缩，展平后呈倒披针形，长 2 ～ 7cm，先端急尖，基部常下延成四棱状狭翅。头状花序排列成伞房状，顶生，淡黄白色。瘦果细小，矩圆形，冠毛白色。气香，味微苦。以色灰白、香气浓者为佳。

| **功能主治** | 辛、微苦，微温。祛风解表，宣肺止咳。用于感冒，气管炎，肠炎，痢疾。

| **用法用量** | 内服煎汤，10 ～ 30g。

菊科 Compositae 牛蒡属 Arctium

牛蒡
Arctium lappa L.

| 药 材 名 | 牛蒡子（药用部位：成熟果实。别名：大力子、恶实、鼠黏子）、牛蒡根（药用部位：根。别名：恶实根、鼠黏根、牛菜）、牛蒡茎叶（药用部位：茎叶。别名：大夫叶）。

| 形态特征 | 二年生草本。具粗大的肉质直根，长达 15cm，直径可达 2cm，有分枝支根。茎直立，高达 2m，粗壮，基部直径达 2cm，通常带紫红色或淡紫红色，有多数高起的条棱，分枝斜升，多数，全部茎枝被稀疏的乳突状短毛及长蛛丝毛并混杂以棕黄色的小腺点。基生叶宽卵形，长达 30cm，宽达 21cm，边缘具稀疏的浅波状凹齿或齿尖，基部心形，有长达 32cm 的叶柄，两面异色，上面绿色，被稀疏的短糙毛及黄色小腺点，下面灰白色或淡绿色，被薄绒毛或绒毛稀疏，有黄色小腺点，叶柄灰白色，被稠密的蛛丝状绒毛及黄色小

牛蒡

腺点，但中下部常脱毛；茎生叶与基生叶同形或近同形，具等样的及等量的毛被，接花序下部的叶小，基部平截或浅心形。头状花序多数或少数在茎枝先端排成疏松的伞房花序或圆锥状伞房花序，花序梗粗壮；总苞卵形或卵球形，直径 1.5 ~ 2cm；总苞片多层，多数，外层三角状或披针状钻形，宽约 1mm，中、内层披针状或线状钻形，宽 1.5 ~ 3mm；全部苞近等长，长约 1.5cm，先端有软骨质钩刺；小花紫红色，花冠长 1.4cm，细管部长 8mm，檐部长 6mm，外面无腺点，花冠裂片长约 2mm。瘦果倒长卵形或偏斜倒长卵形，长 5 ~ 7mm，宽 2 ~ 3mm，两侧压扁，浅褐色，有多数细脉纹，有深褐色的色斑或无色斑；冠毛多层，浅褐色，冠毛刚毛糙毛状，不等长，长达 3.8mm，基部不联合成环，分散脱落。花果期 6 ~ 9 月。

| 生境分布 | 生于海拔 500 ~ 2000m 的山坡、山谷、林缘、林中、灌丛中、河边潮湿地、村庄路旁或荒地，或栽培于平地、房前屋后。分布于重庆黔江、丰都、潼南、城口、酉阳、彭水、云阳、涪陵、忠县、巫溪、武隆、开州、垫江、奉节、巫山、荣昌等地。

| 资源情况 | 野生和栽培资源均一般。药材来源于野生和栽培。

| 采收加工 | 牛蒡子：秋季果实成熟时采收果序，晒干，打下果实，除去杂质，再晒干。
牛蒡根：10 月采挖 2 年以上的根，除去杂质，洗净，晒干。
牛蒡茎叶：6 ~ 9 月采收，晒干或鲜用。

| 药材性状 | 牛蒡子：本品呈长倒卵形，略扁，微弯曲，长 5 ~ 7mm，宽 2 ~ 3mm。表面灰褐色，带紫黑色斑点，有数条纵棱，通常中间 1 ~ 2 条较明显。先端钝圆，稍宽，顶面有圆环，中间具点状花柱残迹；基部略窄，着生面色较淡。果皮较硬，子叶 2，淡黄白色，富油性。气微，味苦后微辛，稍麻舌。
牛蒡根：本品呈圆柱状或纺锤状，肉质而直立。外表面黑褐色，有皱纹，内表面黄色。味微苦而黏。

| 功能主治 | 牛蒡子：辛、苦，寒。归肺、胃经。疏散风热，宣肺透疹，解毒利咽。用于风热感冒，咳嗽痰多，麻疹，风疹，咽喉肿痛，痄腮，丹毒，痈肿疮毒。

牛蒡根：苦、微甘，凉。归肺、心经。散风热，消毒肿。用于风热感冒，头痛，咳嗽，热毒面肿，咽喉肿痛，齿龈肿痛，风湿痹痛，癥瘕积块，痈疖恶疮，痔疮脱肛。

牛蒡茎叶：苦、微甘，凉。清热除烦，消肿止痛。用于风热头痛，心烦口干，咽喉肿痛，小便涩少，痈肿疮疖，皮肤风痒，白屑风。

| 用法用量 | 牛蒡子：内服煎汤，6 ~ 12g。

牛蒡根：内服煎汤，6 ~ 15g。外用适量。

牛蒡茎叶：内服煎汤，10 ~ 15g，鲜品加倍；或捣汁。外用适量，鲜品捣敷；或绞汁；或熬膏涂。

| 附　　注 | 本种喜温暖湿润气候，耐寒，耐旱，怕涝。以土层深厚、疏松肥沃、排水良好的砂壤土栽培为宜。本种在重庆地区栽培不成规模，现分布的多为栽培逸为野生。

菊科 Compositae 木茼蒿属 Argyranthemum

木茼蒿
Argyranthemum frutescens (L.) Sch.-Bip.

| 药 材 名 | 木茼蒿（药用部位：全草）。

| 形态特征 | 灌木，高达 1m。枝条大部木质化。叶宽卵形、椭圆形或长椭圆形，长 3 ~ 6cm，宽 2 ~ 4cm，2 回羽状分裂，1 回为深裂或几全裂，2 回为浅裂或半裂，1 回侧裂片 2 ~ 5 对，2 回侧裂片线形或披针形，两面无毛；叶柄长 1.5 ~ 4cm，有狭翼。头状花序多数，在枝端排成不规则的伞房花序，有长花梗；总苞宽 10 ~ 15mm；全部苞片边缘白色宽膜质，内层总苞片先端膜质扩大几成附片状；舌状花舌片长 8 ~ 15mm。舌状花瘦果有 3 具白色膜质宽翅形的肋；两性花瘦果有 1 ~ 2 具狭翅的肋，并有 4 ~ 6 细间肋；冠状冠毛长 0.4mm。花果期 2 ~ 10 月。

木茼蒿

| 生境分布 | 栽培于公园或植物园。分布于重庆开州、万州、涪陵、巴南、南岸、渝北、南川、北碚、合川等地。

| 资源情况 | 野生资源稀少。药材主要来源于栽培。

| 采收加工 | 夏、秋季采收，洗净，晒干。

| 功能主治 | 安神养脾，止痢。用于心烦，口渴，痢疾。

| 用法用量 | 内服煎汤，适量。

| 附　　注 | 本种品种繁多，野生材料以白色品种居多，而商品生产以粉色和黄色品种为主。

菊科 Compositae 蒿属 Artemisia

奇蒿
Artemisia anomala S. Moore

| 药 材 名 | 刘寄奴（药用部位：带花全草。别名：金寄奴、乌藤菜、九里光）。

| 形态特征 | 多年生草本。根茎稍粗，弯曲，斜向上。茎稀2至少数，高80 ～ 150cm，具纵棱，黄褐色或紫褐色，初被微柔毛。叶厚纸质或纸质，叶上面初微被疏柔毛，下面初微被蛛丝状绵毛；下部叶卵形或长卵形，茎稀倒卵形，不裂或先端有数枚浅裂齿，具细锯齿，具短柄，叶柄长3 ～ 5mm；中部叶卵形、长卵形或卵状披针形，长9 ～ 12（～ 15）cm，具细齿，叶柄长2 ～ 4（～ 10）mm；上部叶与苞片叶小。头状花序长圆形或卵圆形，直径2 ～ 2.5mm，排成密穗状花序，在茎上端组成窄或稍开展的圆锥花序；总苞片背面淡黄色，无毛；雌花4 ～ 6，两性花6 ～ 8。瘦果倒卵圆形或长圆状倒卵圆形。花果期6 ～ 11 月。

奇蒿

| **生境分布** | 生于低海拔地区的林缘、路旁、沟边、河岸、灌丛或荒坡等地。分布于重庆酉阳、万州、云阳、南川、北碚等地。

| **资源情况** | 野生资源稀少。药材主要来源于野生。

| **采收加工** | 夏、秋季花开时采收，连根拔起，洗净，鲜用或晒干。

| **药材性状** | 本品茎圆柱形，直径 2 ~ 4mm，多折断；表面棕黄色至深褐色，有纵棱，被白色细毛；质坚，折断面纤维性，黄白色，中央具白色、疏松的髓。叶互生，通常干枯皱缩或脱落，完整者展平后呈长卵状披针形，上面棕绿色，下面灰绿色，密被白毛。头状花穗集成圆锥状，淡黄色。瘦果有纵棱。气芳香，味淡。以叶绿、花穗黄而多、无霉斑及杂质者为佳。

| **功能主治** | 微苦，平。归心、脾经。清热解毒，行瘀消肿。用于阑尾炎，肾炎，胆囊炎，肠炎，菌痢，肝炎，腹膜炎，上呼吸道感染，流行性感冒，咳嗽，扁桃体炎，喉炎，闭经，烫火伤，毒蛇咬伤，跌打损伤，皮肤感染。

| **用法用量** | 内服煎汤，4.5 ~ 9g；或入散剂。外用捣敷；或研末撒。气血虚弱、无瘀滞者忌用。

菊科 Compositae 蒿属 Artemisia

艾
Artemisia argyi Lévl. et Van.

艾

药材名

艾叶（药用部位：叶。别名：艾蒿、艾较、芽敏）、艾实（药用部位：果实。别名：艾子）。

形态特征

多年生草本，高 80 ~ 150（~ 250）cm。全株密被白色茸毛，中部以上或仅上部有开展及斜升的花序枝。叶互生，下部叶在花期枯萎；中部叶卵状三角形或椭圆形，长 6 ~ 9cm，宽 4 ~ 8cm，基部急狭或渐狭成短或稍长的柄，或稍扩大而成托叶状；叶片羽状或浅裂，侧裂片约 2 对，常楔形，中裂片又常 3 裂，裂片边缘有齿，上面被蛛丝状毛，有白色密或疏腺点，下面被白色或灰色密茸毛；上部叶渐小，3 裂或不分裂，无柄。头状花序多数，排列成复总状，长约 3mm，直径 2 ~ 3mm，花后下倾；总苞片卵形，4 ~ 5 层，边缘膜质，背面被绵毛；花带红色，多数，外层雌性，内层两性。瘦果常几达 1mm，无毛。花期 7 ~ 10 月。

生境分布

生于低海拔至中海拔地区的荒地、路旁河边或山坡等地，也见于森林草原或草原地区。

分布于重庆万州、云阳、南川、北碚、丰都、秀山、奉节、巫山、城口、铜梁、武隆、巫溪等地。

| 资源情况 | 野生资源丰富。药材主要来源于栽培。

| 采收加工 | 艾叶：夏季花未开时采摘，除去杂质，晒干。
艾实：9 ~ 10 月果实成熟后采收。

| 药材性状 | 艾叶：本品多皱缩破碎，有短柄，完整者展平后呈卵状椭圆形，羽状深裂，裂片椭圆状披针形，边缘有不规则的粗锯齿。上表面灰绿色或深黄绿色，有稀疏的柔毛和腺点，下表面密生灰白色绒毛。质柔软。气清香，味苦。以叶厚、色青、背面色灰白、绒毛多、质柔软、气香浓郁者为佳。

| 功能主治 | 艾叶：辛、苦，温；有小毒。归肝、脾、肾经。温经止血，散寒止痛，祛湿止痒。用于吐血，衄血，崩漏，月经过多，胎漏下血，少腹冷痛，经寒不调，宫冷不孕。外用于皮肤瘙痒。
艾实：明目，壮阳，利腰膝，暖子宫。

| 用法用量 | 艾叶：内服煎汤，3 ~ 9g。外用适量，供灸治或熏洗用。
艾实：内服研末，1.5 ~ 4.5g；或为丸。

| 附　注 | 本种喜温暖湿润气候，耐旱，耐阴。以疏松肥沃、富含腐殖质的壤土栽培为宜。生产中采用分株繁殖方式。

菊科 Compositae 蒿属 Artemisia

茵陈蒿 *Artemisia capillaris* Thunb.

| 药 材 名 | 茵陈（药用部位：全草。别名：马先、茵蔯蒿、因陈蒿）。

| 形态特征 | 半灌木状草本，植株有浓烈的香气。主根明显木质，垂直或斜向下伸长；根茎直径 5 ～ 8mm，直立，稀少斜上展或横卧，常有细的营养枝。茎单生或少数，高 40 ～ 120cm 或更长，红褐色或褐色，有不明显的纵棱，基部木质，上部分枝多，向上斜伸展；茎、枝初时密生灰白色或灰黄色绢质柔毛，后渐稀疏或脱落无毛。营养枝端有密集叶丛，基生叶密集着生，常成莲座状；基生叶、茎下部叶与营养枝叶两面均被棕黄色或灰黄色绢质柔毛，后期茎下部叶被毛脱落，叶卵圆形或卵状椭圆形，长 2 ～ 4(～ 5)cm，宽 1.5 ～ 3.5cm，2(～ 3)回羽状全裂，每侧有裂片 2 ～ 3 (～ 4)，每裂片再 3 ～ 5 全裂，小裂片狭线形或狭线状披针形，通常细直，不弧曲，长 5 ～ 10mm，

茵陈蒿

宽 0.5 ~ 1.5（~ 2）mm，叶柄长 3 ~ 7mm，花期上述叶均萎谢；中部叶宽卵形、近圆形或卵圆形，长 2 ~ 3cm，宽 1.5 ~ 2.5cm，（1 ~）2 回羽状全裂，小裂片狭线形或丝线形，通常细直，不弧曲，长 8 ~ 12mm，宽 0.3 ~ 1mm，近无毛，先端微尖，基部裂片常半抱茎，近无叶柄；上部叶与苞片叶羽状 3 全裂或 5 全裂，基部裂片半抱茎。头状花序卵球形，稀近球形，多数，直径 1.5 ~ 2mm，有短梗及线形的小苞叶，在分枝的上端或小枝端偏向外侧生长，常排成复总状花序，并在茎上端组成大型、开展的圆锥花序；总苞片 3 ~ 4 层，外层总苞片草质，卵形或椭圆形，背面淡黄色，有绿色中肋，无毛，边缘膜质，中、内层总苞片椭圆形，近膜质或膜质；花序托小，凸起；雌花 6 ~ 10，花冠狭管状或狭圆锥状，檐部具 2（~ 3）裂齿，花柱细长，伸出花冠外，先端二叉，叉端尖锐；两性花 3 ~ 7，不育，花冠管状，花药线形，先端附属物尖，长三角形，基部圆钝，花柱短，上端棒状，2 裂，不叉开，退化子房极小。瘦果长圆形或长卵形。花果期 7 ~ 10 月。

| **生境分布** | 生于低海拔地区河岸、海岸附近的湿润沙地、路旁或低山坡。分布于重庆万州、云阳、南川、北碚、丰都、秀山、奉节、巫山、城口、铜梁、武隆、巫溪等地。

| **资源情况** | 野生资源稀少。药材主要来源于野生，亦有栽培。

| **采收加工** | 春季幼苗高 6 ~ 10cm 时采收或秋季花蕾长至花初开时采割，除去杂质和老茎，晒干。

| **药材性状** | 本品多卷曲成团状，灰白色或灰绿色，全体密被白色绒毛，绵软如绒。茎细小，长 1.5 ~ 2.5cm，直径 0.1 ~ 0.2cm，除去表面白色绒毛后可见明显纵纹；质脆，易折断。叶具柄；展平后呈 1 ~ 3 回羽状分裂，叶片长 1 ~ 3cm，宽约 1cm；小裂片卵形或稍呈倒披针形、条形，先端锐尖。气清香，味微苦。

| **功能主治** | 苦、辛，微寒。归脾、胃、肝、胆经。清利湿热，利胆退黄。用于黄疸尿少，湿温暑湿，湿疮瘙痒。

| **用法用量** | 内服煎汤，6 ~ 15g。外用适量，煎汤熏洗。

| **附 注** | 本种喜温暖湿润气候，适应性较强。以向阳、土层深厚、疏松肥沃、排水良好的砂壤土栽培为宜。

菊科 Compositae 蒿属 Artemisia

青蒿

Artemisia carvifolia Buch.-Ham. ex Roxb.

| 药 材 名 | 青蒿（药用部位：地上部分。别名：蒿、蒿子、臭蒿）、青蒿子（药用部位：花序）。

| 形态特征 | 一年生草本，植株有香气。主根单一，垂直，侧根少。茎单生，高30 ～ 150cm，上部多分枝，幼时绿色，有纵纹，下部稍木质化，纤细，无毛。叶两面青绿色或淡绿色，无毛；基生叶与茎下部叶 3 回栉齿状羽状分裂，有长叶柄，花期叶凋谢；中部叶长圆形、长圆状卵形或椭圆形，长 5 ～ 15cm，宽 2 ～ 5.5cm，2 回栉齿状羽状分裂，第 1 回全裂，每侧有裂片 4 ～ 6，裂片长圆形，基部楔形，每裂片具多枚长三角形的栉齿或为细小、略呈线状披针形的小裂片，先端锐尖，两侧常有 1 ～ 3 小裂齿或无裂齿，中轴与裂片羽轴常有小锯齿，叶柄长 0.5 ～ 1cm，基部有小形半抱茎的假托叶；上部叶与苞片叶 1

青蒿

（~2）回栉齿状羽状分裂，无柄。头状花序半球形或近半球形，直径3.5 ~ 4mm，具短梗，下垂，基部有线形的小苞叶，在分枝上排成穗状花序式的总状花序，并在茎上组成中等开展的圆锥花序；总苞片3 ~ 4层，外层总苞片狭小，长卵形或卵状披针形，背面绿色，无毛，有细小白点，边缘宽膜质，中层总苞片稍大，宽卵形或长卵形，边缘宽膜质，内层总苞片半膜质或膜质，先端圆；花序托球形；花淡黄色；雌花10 ~ 20，花冠狭管状，檐部具2裂齿，花柱伸出花冠管外，先端二叉，叉端尖；两性花30 ~ 40，能育或中间若干朵不育，花冠管状，花药线形，上端附属物尖，长三角形，基部圆钝，花柱与花冠等长或略长于花冠，先端二叉，叉端截形，有睫毛。瘦果长圆形至椭圆形。花果期6 ~ 9月。

| **生境分布** | 生于低海拔、湿润的河岸边砂地、山谷、林缘、路旁等。分布于重庆酉阳、秀山、南川等地。

| **资源情况** | 野生资源稀少。药材来源于野生。

| **采收加工** | 青蒿：夏季开花前枝叶茂盛时采割，除去老茎，阴干。
青蒿子：6 ~ 8月花开放前采摘，除去杂质，阴干。

| **药材性状** | 青蒿：本品叶2回羽状深裂，裂片矩圆状条形，2次裂片条形，两面无毛。以色绿、叶多、香气浓者为佳。
青蒿子：本品头状花序呈半球形，直径3 ~ 4mm（若绿豆般大），有短梗；总苞无毛，总苞片3层，外层较短，狭矩圆形，灰绿色，内层较宽大，先端圆形，边缘宽膜质；花序托球形或半圆球形；花筒状，外层雌性，内层两性。成熟瘦果矩圆形，长约1mm，无毛。气微香，味微苦、辛。

| **功能主治** | 青蒿：苦，寒。解暑，清热。用于伤暑，疟疾，低热。
青蒿子：苦，寒。清虚热。用于虚劳发热，低热不退。

| **用法用量** | 青蒿：内服煎汤，4.5 ~ 9g。
青蒿子：内服煎汤，4.5 ~ 9g。

菊科 Compositae 蒿属 Artemisia

牛尾蒿

Artemisia dubia Wall. ex Bess.

| 药 材 名 | 牛尾蒿（药用部位：全草。别名：野蒿、茶绒、紫杆蒿）。

| 形态特征 | 半灌木状草本。主根木质，稍粗长，垂直，侧根多；根茎粗短，直径 0.5 ~ 2cm，有营养枝。茎多数或少数，丛生，直立或斜向上，高 80 ~ 120cm，基部木质，纵棱明显，紫褐色或绿褐色，分枝多，开展，枝长 15 ~ 35cm 或更长，常呈屈曲延伸；茎、枝幼时被短柔毛，后渐稀疏或无毛。叶厚纸质或纸质，叶面微被短柔毛，背面毛密，宿存；基生叶与茎下部叶大，卵形或长圆形，羽状 5 深裂，有时裂片上还有 1 ~ 2 小裂片，无柄，花期叶凋谢；中部叶卵形，长 5 ~ 12cm，宽 3 ~ 7cm，羽状 5 深裂，裂片椭圆状披针形、长圆状披针形或披针形，长 3 ~ 8cm，宽 5 ~ 12mm，先端尖，边缘无裂齿，基部渐狭，楔形，成柄状，有小型、披针形或线形的假托叶；上部叶与苞片叶指状 3

牛尾蒿

深裂或不分裂，裂片或不分裂的苞片叶椭圆状披针形或披针形。头状花序多数，宽卵球形或球形，直径 1.5 ~ 2mm，有短梗或近无梗，基部有小苞叶，在分枝的小枝上排成穗状花序或穗状花序状的总状花序，而在分枝上排成复总状花序，在茎上组成开展、具多级分枝大型的圆锥花序；总苞片 3 ~ 4 层，外层总苞片略短小，外、中层总苞片卵形、长卵形，背面无毛，有绿色中肋，边膜质，内层总苞片半膜质；雌花 6 ~ 8，花冠狭小，略呈圆锥形，檐部具 2 裂齿，花柱伸出花冠外甚长，先端二叉，叉端尖；两性花 2 ~ 10，不育，花冠管状，花药线形，先端附属物尖，长三角形，基部圆钝，花柱短，先端稍膨大，2 裂，不叉开。瘦果小，长圆形或倒卵形。花果期 8 ~ 10 月。

| **生境分布** | 生于低海拔至 2500m 地区的干山坡、草原、疏林下或林缘。分布于重庆黔江、綦江、沙坪坝、潼南、酉阳、巫溪、城口、涪陵、九龙坡、南川、丰都、云阳、垫江、璧山、巫山、合川、开州、秀山、江津等地。

| **资源情况** | 野生资源丰富。药材来源于野生。

| **采收加工** | 夏末秋初花期采割，切段，晾干。

| **药材性状** | 本品茎圆柱形，长短不等；表面紫红色、棕绿色、黄褐色，具纵棱，被稀疏绢状柔毛；质脆，易折断，断面不平整，中央有白色髓或小空洞。叶皱缩，多破碎，完整者 3 ~ 5 深裂或 3 指状深裂至渐不裂，上面深绿色，下面淡绿色。头状花序皱缩，较小；总苞片具宽的膜质边缘；边缘花雄性，中央花两性，花淡紫色至淡黄色。稀见少数瘦果。气微清香，味苦、微涩。

| **功能主治** | 苦，凉。清热解毒，杀虫利湿。用于寄生虫病，疫疱，皮肤病，咽喉疾病等。

| **用法用量** | 内服煎汤，6 ~ 9g。

菊科 Compositae 蒿属 Artemisia

五月艾 *Artemisia indica* Willd.

| 药 材 名 | 五月艾（药用部位：地上部分）。

| 形态特征 | 半灌木状草本，植株具浓烈的香气。主根明显，侧根多；根茎稍粗短，直立或斜向上，直径 3 ~ 7mm，常有短匍茎。茎单生或少数，高 80 ~ 150cm，褐色或上部微带红色，纵棱明显，分枝多，开展或稍开展，枝长 10 ~ 25cm；茎、枝初时微有短柔毛，后脱落。叶上面初时被灰白色或淡灰黄色绒毛，后渐稀疏或无毛，背面密被灰白色蛛丝状绒毛；基生叶与茎下部叶卵形或长卵形，（1 ~ ）2 回羽状分裂或近于大头羽状深裂，通常第 1 回全裂或深裂，每侧裂片 3 ~ 4，裂片椭圆形，上半部裂片大，基部裂片渐小，第 2 回为深或浅裂齿或为粗锯齿，或基生叶不分裂，有时中轴有狭翅，具短叶柄，花期叶均萎谢；中部叶卵形、长卵形或椭圆形，长 5 ~ 8cm，宽 3 ~ 5 cm，

五月艾

1（～2）回羽状全裂或为大头羽状深裂，每侧裂片 3（～4），裂片椭圆状披针形、线状披针形或线形，长 1 ～ 2cm，宽 3 ～ 5mm，不再分裂或有 1 ～ 2 深或浅裂齿，边缘不反卷或微反卷，近无柄，具小型假托叶；上部叶羽状全裂，每侧裂片 2（～3）；苞片叶 3 全裂或不分裂，裂片或不分裂的苞片叶披针形或线状披针形。头状花序卵形、长卵形或宽卵形，多数，直径 2 ～ 2.5mm，具短梗及小苞叶，直立，花后斜展或下垂，在分枝上排成穗状花序式的总状花序或复总状花序，而在茎上再组成开展或中等开展的圆锥花序；总苞片 3 ～ 4 层，外层总苞片略小，背面初时微被灰白色绒毛，后渐脱落无毛，有绿色中肋，边缘膜质，中、内层总苞片椭圆形或长卵形，背面近无毛，边缘宽膜质或全为半膜质；花序托小，凸起；雌花 4 ～ 8，花冠狭管状，檐部紫红色，具 2 ～ 3 裂齿，外面具小腺点，花柱伸出花冠外，先端二叉，叉端尖；两性花 8 ～ 12，花冠管状，外面具小腺点，檐部紫色；花药线形，先端附属物尖，长三角形，基部圆钝，花柱略比花冠长，先端二叉，花后反卷，叉端扁，扇形，并有睫毛。瘦果长圆形或倒卵形。花果期 8 ～ 10 月。

| **生境分布** | 生于低海拔或中海拔湿润地区的路旁、林缘、坡地或灌丛处。分布于重庆城口、巫溪、北碚、秀山等地。

| **资源情况** | 野生资源丰富。药材主要来源于野生。

| **采收加工** | 夏、秋季间枝叶茂盛时采收，晒干或阴干。

| **药材性状** | 本品茎呈圆柱形，长 50 ～ 100cm，直径 0.2 ～ 0.7cm；表面灰绿色或棕褐色，具纵棱，稀被灰白色绒毛或无毛；质略硬，易折断，断面中部有髓。叶互生，皱缩卷曲，完整者展开后呈卵状椭圆形，1 ～ 2 回羽状分裂，裂片椭圆形、椭圆状披针形或线状披针形，边缘有不规则粗锯齿，上表面灰绿色或深黄色，无腺点、无毛或有稀疏柔毛，下表面密生灰白色绒毛；叶柄基部有抱茎的假托叶。气清香，味苦。

| **功能主治** | 辛、苦，温；有小毒。归脾、肝、肾经。温经止血，散寒止痛，祛湿止痒。用于吐血，衄血，崩漏，月经过多，胎漏下血，少腹冷痛，经寒不调，宫冷不孕。外用于皮肤瘙痒。

| **用法用量** | 内服煎汤，5 ～ 10g。外用适量，煎汤洗。

| **附   注** | 本种喜温暖湿润气候，耐旱，耐阴。以疏松肥沃、富含腐殖质的壤土栽培为宜。

菊科 Compositae 蒿属 Artemisia

牡蒿
Artemisia japonica Thunb.

牡蒿

药材名

牡蒿（药用部位：地上部分。别名：流尿蒿、齐头蒿、水辣菜）、牡蒿根（药用部位：根。别名：齐头蒿根）、青蒿子（药用部位：花序）。

形态特征

多年生草本，植株有香气。主根稍明显，侧根多，常有块根；根茎稍粗短，直立或斜向上，直径 3 ～ 8mm，常有若干条营养枝。茎单生或少数，高 50 ～ 130cm，有纵棱，紫褐色或褐色，上半部分枝，枝长 5 ～ 15（～ 20）cm，通常贴向茎或斜向上长；茎、枝初时被微柔毛，后渐稀疏或无毛。叶纸质，两面无毛或初时微被短柔毛，后无毛；基生叶与茎下部叶倒卵形或宽匙形，长 4 ～ 6（～ 7）cm，宽 2 ～ 2.5（～ 3）cm，自叶上端斜向基部羽状深裂或半裂，裂片上端常有缺齿或无缺齿，具短柄，花期凋谢；中部叶匙形，长 2.5 ～ 3.5（～ 4.5）cm，宽 0.5 ～ 1（～ 2）cm，上端有 3 ～ 5 斜向基部的浅裂片或为深裂片，每裂片的上端有 2 ～ 3 小锯齿或无锯齿，叶基部楔形，渐狭窄，常有小型、线形的假托叶；上部叶小，上端具 3 浅裂或不分裂；苞片叶长椭圆形、椭圆形、披针形或线状披针形，先端不分裂或偶有浅裂。头状花序多数，卵球形或近球形，直径 1.5 ~ 2.5mm，无梗或有短梗，基部具线形的小苞叶，在分枝上通常排成穗状花序或穗状花序状的总状花序，并在茎上组成狭窄或中等开展的圆锥花序；总苞片 3 ~ 4 层，外层总苞片略小，外、中层总苞片卵形或长卵形，背面无毛，中肋绿色，边缘膜质，内层总苞片长卵形或宽卵形，半膜质；雌花 3 ~ 8，花冠狭圆锥状，檐部具 2 ~ 3 裂齿，花柱伸出花冠外，先端二叉，叉端尖；两性花 5 ~ 10，不育，花冠管状，花药线形，先端附属物尖，长三角形，基部钝，花柱短，先端稍膨大，2 裂，不叉开，退化子房不明显。瘦果小，倒卵形。花果期 7 ~ 10 月。

| **生境分布** | 生于中低海拔的林缘、林中空地、疏林下、旷野、灌丛、丘陵、山坡、路旁等湿润、半湿润或半干旱的地区。重庆各地均有分布。

| **资源情况** | 野生资源丰富。药材来源于野生。

| **采收加工** | 牡蒿：夏、秋季花果期采割，晒干。
牡蒿根：秋季采挖，除去泥土，洗净，晒干。
青蒿子：9 ~ 10 月花开放前采摘，除去杂质，阴干。

| **药材性状** | 牡蒿：本品茎圆柱形，上部有多数分枝；表面黄棕色，有纵向棱线；质硬，折断面粗糙，中央有白色的髓。叶多皱缩，展开后茎中部以下的叶呈楔形，绿棕色或棕褐色，先端或上部齿裂或羽裂；上部叶呈匙形，有微柔毛。头状花序灰黄色，外有苞片包被，内有两性花、雌花或果实数枚。气清香，味微甘、苦。
青蒿子：本品头状花序卵圆形或椭圆形，直径 1 ~ 1.5mm（如菜子般大）；总苞片 4 层，背面多少叶质，边缘宽膜质；瘦果长不及 1mm。

| **功能主治** | 牡蒿：苦，寒。清热解暑，退虚热。用于暑热外感，发热无汗，阴虚发热，疟疾，盗汗。
牡蒿根：苦、微甘，平。祛风，补虚，杀虫截疟。用于产后伤风感冒，风湿痹痛，劳伤乏力，虚肿，疟疾。
青蒿子：苦，寒。清虚热。用于虚劳发热，低热不退。

| **用法用量** | 牡蒿：内服煎汤，4.5 ~ 9g。
牡蒿根：内服煎汤，15 ~ 30g。
青蒿子：内服煎汤，4.5 ~ 9g。

菊科 Compositae 蒿属 Artemisia

白苞蒿
Artemisia lactiflora Wall. ex DC.

| **药 材 名** | 鸭脚艾（药用部位：全草。别名：白花蒿、肺痨草、鸭脚菜）。 |

| **形态特征** | 多年生草本。主根明显，侧根细而长；根茎短，直径 4 ~ 8（~ 15）mm。茎通常单生，直立，稀 2 至少数集生，高 50 ~ 150（~ 200）cm，绿褐色或深褐色，纵棱稍明显；上半部具开展、纤细、着生头状花序的分枝，枝长 5 ~ 15（~ 25）cm；茎、枝初时微被稀疏、白色的蛛丝状柔毛，后脱落无毛。叶薄纸质或纸质，上面初时被稀疏、不明显的腺毛状的短柔毛，背面初时微被稀疏短柔毛，后脱落无毛；基生叶与茎下部叶宽卵形或长卵形，2 回或 1 ~ 2 回羽状全裂，具长叶柄，花期叶多凋谢；中部叶卵圆形或长卵形，长 5.5 ~ 12.5（~ 14.5）cm，宽 4.5 ~ 8.5（~ 12）cm，1 回或 1 ~ 2 回羽状全裂，稀少深裂，每侧有裂片 3 ~ 4（~ 5），裂片或小裂片 |

白苞蒿

形状变化大，卵形、长卵形、倒卵形或椭圆形，基部与侧边中部裂片最大，长 2～8cm，宽 1～3cm，先端渐尖、长尖或钝尖，边缘常有细裂齿或锯齿或近全缘，中轴微有狭翅，叶柄长 2～5cm，两侧有时有小裂齿，基部具细小的假托叶；上部叶与苞片叶略小，羽状深裂或全裂，边缘有小裂齿或锯齿。头状花序长圆形，直径 1.5～2.5（～3）mm，无梗，基部无小苞叶，在分枝的小枝上数枚或 10 余排成密穗状花序，在分枝上排成复穗状花序，而在茎上端组成开展或略开展的圆锥花序，稀为狭窄的圆锥花序；总苞片 3～4 层，半膜质或膜质，背面无毛，外层总苞片略短小，卵形，中、内层总苞片长圆形、椭圆形或近倒卵状披针形；雌花 3～6，花冠狭管状，檐部具 2 裂齿，花柱细长，先端二叉，叉端钝尖；两性花 4～10，花冠管状，花药椭圆形，先端附属物尖，长三角形，基部圆钝，花柱近与花冠等长，先端二叉，叉端截形，有睫毛。瘦果倒卵形或倒卵状长圆形。花果期 8～11 月。

| **生境分布** | 生于林下、林缘、灌丛边缘、山谷等湿润或略为干燥地区。分布于重庆北碚、万州、丰都、璧山、秀山、巫山、大足、潼南、合川、城口、石柱、彭水、酉阳、铜梁、云阳、巫溪、垫江、永川、长寿、武隆、开州、梁平等地。

| **资源情况** | 野生资源丰富。药材来源于野生。

| **采收加工** | 夏、秋季采收，除去杂质和泥沙，晒干。

| **药材性状** | 本品茎圆柱形或扁圆柱形；表面深绿色至褐色，有明显的纵向棱线；质稍韧，不易折断，断面略显纤维性，中空或有较宽广的髓。叶互生，多皱缩或破碎，完整者展平后呈羽状分裂或深裂，似鸭掌状，裂片卵形，近先端者较大，裂片边缘有疏锯齿，上表面深绿色至褐色，下表面色略浅，无毛；有较长的叶柄。偶见头状花序顶生或腋生，花白色，细小，集成圆锥状花序。气微，味淡。

| **功能主治** | 辛、微苦，微温。归心、肝、脾经。活血散瘀，理气消肿。用于血瘀，痛经，闭经，产后瘀滞腹痛，食积腹胀，寒湿泄泻，疝气，脚气，阴疽肿痛，跌打损伤，烫火伤。

| **用法用量** | 内服煎汤，10～15g，鲜品加倍；或捣汁饮。外用适量，捣敷；或绞汁调敷。

菊科 Compositae 蒿属 Artemisia

野艾蒿
Artemisia lavandulaefolia DC.

| 药 材 名 | 野艾叶（药用部位：叶）。

| 形态特征 | 多年生草本，有时为半灌木状，植株有香气。主根稍明显，侧根多；根茎稍粗，直径 4 ~ 6mm，常匍地，有细而短的营养枝。茎少数，成小丛，稀少单生，高 50 ~ 120cm，具纵棱，分枝多，长 5 ~ 10cm，斜向上伸展；茎、枝被灰白色蛛丝状短柔毛。叶纸质，上面绿色，具密集白色腺点及小凹点，初时疏被灰白色蛛丝状柔毛，后毛稀疏或近无毛，背面除中脉外密被灰白色密绵毛；基生叶与茎下部叶宽卵形或近圆形，长 8 ~ 13cm，宽 7 ~ 8cm，2 回羽状全裂，或第 1 回全裂，第 2 回深裂，具长柄，花期叶萎谢；中部叶卵形、长圆形或近圆形，长 6 ~ 8cm，宽 5 ~ 7cm，（1 ~ ）2 回羽状全裂或第 2 回为深裂，每侧有裂片 2 ~ 3，裂片椭圆形或长卵形，长 3 ~ 5

野艾蒿

（～7）cm，宽5～7（～9）mm，每裂片具2～3线状披针形或披针形的小裂片或深裂齿，长3～7mm，宽2～3（～5）mm，先端尖，边缘反卷，叶柄长1～2（～3）cm，基部有小型羽状分裂的假托叶；上部叶羽状全裂，具短柄或近无柄；苞片叶3全裂或不分裂，裂片或不分裂的苞片叶为线状披针形或披针形，先端尖，边缘反卷。头状花序极多数，椭圆形或长圆形，直径2～2.5mm，有短梗或近无梗，具小苞叶，在分枝的上半部排成密穗状或复穗状花序，并在茎上组成狭长或中等开展、稀为开展的圆锥花序，花后头状花序多下倾；总苞片3～4层，外层总苞片略小，卵形或狭卵形，背面密被灰白色或灰黄色蛛丝状柔毛，边缘狭膜质，中层总苞片长卵形，背面疏被蛛丝状柔毛，边缘宽膜质，内层总苞片长圆形或椭圆形，半膜质，背面近无毛，花序托小，凸起；雌花4～9，花冠狭管状，檐部具2裂齿，紫红色，花柱线形，伸出花冠外，先端二叉，叉端尖；两性花10～20，花冠管状，檐部紫红色；花药线形，先端附属物尖，长三角形，基部具短尖头，花柱与花冠等长或略长于花冠，先端二叉，叉端扁，扇形。瘦果长卵形或倒卵形。花果期8～10月。

| **生境分布** | 生于中低海拔地区的路旁、林缘、山坡、草地、山谷、灌丛或河湖滨草地等。分布于重庆黔江、大足、潼南、城口、奉节、合川、石柱、铜梁、云阳、南川、开州、巫溪、北碚、南岸、荣昌等地。 |

| **资源情况** | 野生资源丰富。药材主要来源于野生，亦有少量栽培。 |

| **采收加工** | 夏季花未开时采摘，除去枯叶、茎枝及杂质，阴干。 |

| **药材性状** | 本品多皱缩破碎，完整者展开后呈卵形、长圆形，长2.5～6cm，宽1～4cm。上表面灰绿色至深绿色，有众多腺点及小凹点，疏被短柔毛，下表面密被白色绒毛；常2回羽状全裂或第2回深裂，少数羽状全裂或不裂，裂片卵形、长椭圆形至披针形，边缘常无裂齿。叶柄长，常有假托叶。质柔软。气清香，味苦。 |

| **功能主治** | 辛、苦，温；有小毒。归肝、脾、肾经。散寒止痛，温经止血。用于小腹冷痛，经寒不调，宫冷不孕，吐血，衄血，崩漏经多，妊娠下血。外用于皮肤瘙痒。 |

| **用法用量** | 内服煎汤，3～9g。外用适量，供灸治或熏洗用。 |

| **附　注** | 本种喜温暖湿润气候，耐旱，耐阴。以疏松肥沃、富含腐殖质的壤土栽培为宜。 |

菊科 Compositae 蒿属 Artemisia

魁蒿
Artemisia princeps Pamp.

魁蒿

药材名

艾叶（药用部位：叶）。

形态特征

多年生草本。主根稍粗，侧根多；根茎直立或斜上长，直径 3 ~ 7mm，偶有营养枝。茎少数，成丛或单生，高 60 ~ 150cm，紫褐色或褐色，纵棱明显，中上部以上分枝，枝长 5 ~ 10cm，斜向茎端；茎、枝初时被蛛丝状薄毛，后茎下部毛渐脱落无毛。叶厚纸质或纸质，叶面深绿色，无毛，背面密被灰白色蛛丝状绒毛；下部叶卵形或长卵形，1 ~ 2 回羽状深裂，每侧有裂片 2，裂片长圆形或长圆状椭圆形，再次羽状浅裂，具长柄，花期叶萎谢；中部叶卵形或卵状椭圆形，长 6 ~ 12cm，宽 4 ~ 8cm，羽状深裂或半裂，偶有全裂，每侧有裂片 2（~ 3），裂片椭圆状披针形或椭圆形，疏离或紧密，中央裂片通常较侧裂片大，而侧裂片中基部裂片通常较侧边的中部裂片大，先端钝或尖，不再分裂或每侧具 1 ~ 2 疏裂齿，叶柄长 1 ~ 2（~ 3）cm，基部有小型的假托叶；上部叶小，羽状深裂或半裂，每侧有裂片 1 ~ 2，裂片椭圆状披针形或披针形，具短柄；苞片叶 3 深裂或不分裂，裂片或不分裂的苞片叶为椭圆形或披针形,近无柄。头状花序多数,长圆形或长卵形,直径 1.5 ~ 2.5mm,无梗或具极短的梗,密集,下倾,基部有细小的小苞叶,在分枝上排成穗状或穗状花序式的总状花序,而在茎上组成开展或中等开展的圆锥花序;总苞片 3 ~ 4 层,覆瓦状排列,外层总苞片较小,卵形或狭卵形,背面绿色,微被蛛丝状毛,边缘狭膜质,中层总苞片长圆形或椭圆形,背面微被蛛丝状毛,有绿色中肋,边缘宽膜质,内层总苞片长圆状倒卵形,半膜质,边缘撕裂状;花序托小,凸起;雌花 5 ~ 7 朵,花冠狭管状,檐部具 2 裂齿,花柱伸出花冠外,先端二叉,叉端尖;两性花 4 ~ 9 朵,花冠管状,黄色或檐部紫红色,外面有疏腺点,花药线形,先端附属物尖,长三角形,基部有小尖头,花柱与花冠近等长,先端二叉,叉端截形,具睫毛。瘦果椭圆形或倒卵状椭圆形。花果期 7 ~ 11 月。

| 生境分布 | 生于低海拔或中海拔地区的路旁、山坡、灌丛、林缘或沟边。分布于重庆涪陵、丰都、忠县、长寿、垫江、北碚等地。

| 资源情况 | 野生资源丰富。药材来源于野生。

| 采收加工 | 夏季花未开时采摘,除去杂质,晒干。

| 功能主治 | 疏经止血,逐风止痒。用于月经不调,经闭腹痛,崩漏,产后腹痛,腹中寒痛,胎动不安,鼻衄,肠风出血,赤痢下血。

| 用法用量 | 内服煎汤,适量。

菊科 Compositae 蒿属 Artemisia

白莲蒿
Artemisia sacrorum Ledeb.

| **药 材 名** | 万年蒿（药用部位：地上部分）。

| **形态特征** | 半灌木状草本。根稍粗大，木质，垂直；根茎粗壮，直径可达3cm，常有多数、木质、直立或斜上长的营养枝。茎多数，常组成小丛，高50～100（～150）cm，褐色或灰褐色，具纵棱，下部木质，皮常剥裂或脱落，分枝多而长；茎、枝初时被微柔毛，后下部脱落无毛，上部宿存或无毛，上面绿色，初时微被灰白色短柔毛，后渐脱落，幼时有白色腺点，后腺点脱落，留有小凹穴，背面初时密被灰白色平贴的短柔毛，后无毛。茎下部与中部叶长卵形、三角状卵形或长椭圆状卵形，长2～10cm，宽2～8cm，2～3回栉齿状羽状分裂，第1回全裂，每侧有裂片3～5，裂片椭圆形或长椭圆形，每裂片

白莲蒿

再次羽状全裂，小裂片栉齿状披针形或线状披针形，每侧具数枚细小三角形的栉齿或小裂片短小成栉齿状，叶中轴两侧具 4 ~ 7 栉齿，叶柄长 1 ~ 5cm，扁平，两侧常有少数栉齿，基部有小型栉齿状分裂的假托叶；上部叶略小，1 ~ 2 回栉齿状羽状分裂，具短柄或近无柄；苞片叶栉齿状羽状分裂或不分裂，为线形或线状披针形。头状花序近球形，下垂，直径 2 ~ 3.5（~ 4）mm，具短梗或近无梗，在分枝上排成穗状花序式的总状花序，并在茎上组成密集或略开展的圆锥花序；总苞片 3 ~ 4 层，外层总苞片披针形或长椭圆形，初时密被灰白色短柔毛，后脱落无毛，中肋绿色，边缘膜质，中、内层总苞片椭圆形，近膜质或膜质，背面无毛；雌花 10 ~ 12，花冠狭管状或狭圆锥状，外面微有小腺点，檐部具 2（~ 3）裂齿，花柱线形，伸出花冠外，先端二叉，叉端锐尖；两性花 20 ~ 40，花冠管状，外面有微小腺点，花药椭圆状披针形，上端附属物尖，长三角形，基部圆钝或有短尖头，花柱与花冠管近等长，先端二叉，叉端有短睫毛。瘦果狭椭圆状卵形或狭圆锥形。花果期 8 ~ 10 月。

| 生境分布 | 生于中低海拔地区的山坡、路旁、灌丛或森林草原地区。分布于重庆彭水、奉节、酉阳、南川等地。

| 资源情况 | 野生资源一般。药材来源于野生。

| 采收加工 | 6 ~ 9 月割取地上部分，阴干。

| 药材性状 | 本品茎呈圆柱形，长 30 ~ 80cm；表面褐色或棕褐色，有纵直的棱线和沟纹，茎尖部被稀疏绒毛；体轻，质脆，易折断，断面黄色，中间有髓。叶片皱缩或卷曲，完整者呈 2 回羽状分裂，表面黄绿色，背面灰绿色。花小，黄色。气芳香，味苦、辛。

| 功能主治 | 苦，寒。清热利湿，退黄。用于急、慢性肝炎，肝硬化。

| 用法用量 | 内服煎汤，10 ~ 30g。

| 附　注 | （1）在 FOC 中，本种的拉丁学名被修订为 *Artemisia stechmanniana* Bess.。
（2）本种适宜生长在阳光充足、土壤疏松的地方，耐旱。

菊科 Compositae 蒿属 Artemisia

蒌蒿
Artemisia selengensis Turcz. ex Bess.

| 药 材 名 | 蒌蒿（药用部位：全草。别名：闾蒿、芦蒿）。

| 形态特征 | 多年生草本，植株具清香气味。根茎稍粗，直立或斜向上，直径4 ~ 10mm，有匍匐地下茎。茎少数或单一，高60 ~ 150cm，初时绿褐色，后为紫红色，无毛，有明显纵棱，下部通常半木质化，上部有着生头状花序的分枝，枝长6 ~ 10(~ 12)cm，稀更长，斜向上。叶纸质或薄纸质，上面绿色，无毛或近无毛，背面密被灰白色蛛丝状平贴的绵毛；茎下部叶宽卵形或卵形，长8 ~ 12cm，宽6 ~ 10cm，近成掌状或指状，3或5全裂或深裂，稀间有7裂或不分裂的叶，分裂叶的裂片线形或线状披针形，长5 ~ 7(~ 8)cm，宽3 ~ 5mm，不分裂的叶片为长椭圆形、椭圆状披针形或线状披针形，长6 ~ 12cm，宽5 ~ 20mm，先端锐尖，边缘通常具细锯齿，偶有少数短裂齿白色，

蒌蒿

而为椭圆状披针形或披针形，无柄。头状花序大，多数，半球形或近球形，直径（3～）4～6mm，具短梗，稀近无梗，基部常有线形的小苞叶，在分枝上排成总状花序或复总状花序，而在茎上组成开展或略狭窄的圆锥花序；总苞片3～4层，近等长，外层、中层总苞片长卵形或椭圆形，背面被灰白色微柔毛或近无毛，中肋绿色，边缘狭膜质，内层长椭圆形，膜质；花序托凸起，半球形，有白色托毛；雌花2（～3）层，20～30，花冠狭圆锥状，檐部具（2～）3～4裂齿，花柱线形，略伸出花冠外，先端二叉，叉端钝尖；两性花多层，80～120，花冠管状，花药披针形或线状披针形，上端附属物尖，长三角形，基部有短尖头，花柱与花冠等长，先端叉开，叉端截形，有睫毛。瘦果长圆形。花果期6～10月。

| **生境分布** | 生于路旁、荒地、河漫滩、草原、森林草原、干山坡或林缘等。分布于重庆长寿、江津、巫山、云阳、垫江、涪陵、南川、九龙坡、忠县、铜梁、巫溪、巴南、沙坪坝等地。

| **资源情况** | 野生资源较丰富。药材来源于野生。

| **采收加工** | 大籽蒿：秋季采收，除去老茎、枯叶，切段，晒干。
白蒿花：6～8月采收，鲜用或晾干。

| **药材性状** | 大籽蒿：本品茎类圆柱形，长短不一，直径可达5mm；绿色，表面有纵棱，可见互生的枝、叶或叶基，其上密被柔毛；质坚脆，易折断，断面纤维性，中央有白色髓。叶皱缩破碎，完整者2～3回羽状深裂，裂片线形，两面均被柔毛。头状花序较多，半球形，直径3～6mm，总花梗细瘦；总苞叶线形，苞片2～3裂，边缘有白色宽膜片，背面被短柔毛；花托卵形，边缘为雌花，内层花两性，均为管状；成熟花序可见倒卵形瘦果。气浓香，味微苦。

| **功能主治** | 大籽蒿：微甘、苦，寒。清热解毒，散肿止血，利肾。用于四肢关节肿胀，痈疖，肉瘤，肺病，肾病，咯血，衄血。
白蒿花：苦，凉。清热解毒，收湿敛疮。用于痈肿疔毒，湿疮，湿疹。

| **用法用量** | 大籽蒿：内服煎汤，干品6～9g，鲜品12～15g，浸膏2～3g。
白蒿花：内服煎汤，10～15g。外用适量，煎汤洗。

菊科 Compositae 紫菀属 Aster

三脉紫菀
Aster ageratoides Turcz.

| **药 材 名** | 山白菊（药用部位：全草或根。别名：土柴胡、红管药、野白菊）。

| **形态特征** | 多年生草本，根茎粗壮。茎直立，高 40 ~ 100cm，细或粗壮，有棱及沟，被柔毛或粗毛，上部有时屈折，有上升或开展的分枝。下部叶在花期枯落，叶片宽卵圆形，急狭成长柄；中部叶椭圆形或长圆状披针形，长 5 ~ 15cm，宽 1 ~ 5cm，中部以上急狭成楔形具宽翅的柄，先端渐尖，边缘有 3 ~ 7 对浅或深锯齿；上部叶渐小，有浅齿或全缘，全部叶纸质，上面被短糙毛，下面浅色，被短柔毛，常有腺点，或两面被短茸毛而下面沿脉被粗毛，有离基（有时长达 7cm）三出脉，侧脉 3 ~ 4 对，网脉常显明。头状花序直径 1.5 ~ 2cm，排列成伞房或圆锥伞房状，花序梗长 0.5 ~ 3cm；总苞倒锥状或半球状，直径 4 ~ 10mm，长 3 ~ 7mm；总苞片 3 层，覆瓦状排列，线状长

三脉紫菀

圆形，下部近革质或干膜质，上部绿色或紫褐色，外层长达 2mm，内层长约
4mm，有短缘毛；舌状花约 10，管部长 2mm，舌片线状长圆形，长达 11mm，
宽 2mm，紫色，浅红色或白色；管状花黄色，长 4.5 ~ 5.5mm，管部长 1.5mm，
裂片长 1 ~ 2mm；花柱附片长达 1mm。冠毛浅红褐色或污白色，长 3 ~ 4mm。
瘦果倒卵状长圆形，灰褐色，长 2 ~ 2.5mm，有边肋，一面常有肋，被短粗毛。
花果期 7 ~ 12 月。

| 生境分布 | 生于海拔 300 ~ 2350m 的林下、林缘、灌丛或山谷湿地。重庆各地均有分布。

| 资源情况 | 野生资源丰富。药材来源于野生。

| 采收加工 | 夏、秋季采收，洗净，鲜用或扎把晾干。

| 药材性状 | 本品根茎较粗壮，有多数棕黄色须根。茎圆柱形，直径 1 ~ 4mm，基部光滑或
略有毛，有时稍带淡褐色，下部茎呈暗紫色，上部茎多分枝，呈暗绿色；质脆，
易折断，断面不整齐，中央有髓，黄白色。单叶互生，多皱缩或破碎，完整者
展平后呈长椭圆状披针形，长 2 ~ 12cm，宽 2 ~ 5cm，灰绿色，边缘具疏锯齿，
具明显的离基三出脉，表面粗糙，背面网脉显著。头状花序顶生，排列成伞房
状或圆锥形，冠毛污白色或褐色。气微香，味微苦。以叶多、带花者为佳。

| 功能主治 | 苦、辛，凉。清热解毒，祛痰镇咳，
凉血止血。用于感冒发热，扁桃体炎，
支气管炎，肝炎，肠炎，痢疾，热淋，
血热吐衄，痈肿疔毒，蛇虫咬伤。

| 用法用量 | 内服煎汤，15 ~ 60g。外用适量，
鲜品捣敷。

| 附　　注 | （1）在 FOC 中，本种的拉丁学
名被修订为 *Aster trinervius* subsp.
ageratoides (Turczaninow) Grierson。
（2）本种的狭叶变种 *Aster ageratoides*
var. *gerlachii* (Hce) Chang 也作药用，
其功效与本种相同。

菊科 Compositae 紫菀属 *Aster*

小舌紫菀 *Aster albescens* (DC.) Hand.-Mazz.

| 药 材 名 | 小舌紫菀（药用部位：全草或花）。

| 形态特征 | 灌木，高 30 ~ 180cm。茎多分枝；老枝褐色，无毛，有圆形皮孔；当年生枝黄褐色，或有时被灰白色短柔毛和具柄腺毛，有密或疏生的叶。叶卵圆形、椭圆形或长圆披针形，长 3 ~ 17cm，宽 1 ~ 3cm，稀达 7cm，基部楔形或近圆形，全缘或有浅齿，先端尖或渐尖，上部叶小，多少披针形，全部叶近纸质，近无毛或上面被短柔毛而下面被白色或灰白色蛛丝状毛或茸毛，常杂有腺点或沿脉被粗毛；中脉和数个至 10 余对侧脉在下面凸起，侧脉在远离边缘处相互联结，网脉多少明显。头状花序直径 5 ~ 7mm，多数在茎和枝端排列成复伞房状；花序梗长 5 ~ 10mm，有钻形苞叶；总苞倒锥状，长约 5mm，上部直径 4 ~ 7mm；总苞片 3 ~ 4 层，覆瓦状排列，

小舌紫菀

被疏柔毛或茸毛或近无毛；外层狭披针形，长约 1mm，内层线状披针形，长 3.5 ~ 4.8mm，宽 0.6 ~ 0.8mm，先端稍尖，常带红色，近中脉草质，边缘宽膜质或基部稍草质；舌状花 15 ~ 30，管部长 2.5mm，舌片白色，浅红色或紫红色，长 4 ~ 5mm，宽 0.6 ~ 1.2mm；管状花黄色，长 4.5 ~ 5.5mm，管部长 2mm，裂片长 0.5mm，常有腺；花柱附片宽三角形，长 0.5mm；冠毛污白色，后红褐色，1 层，长 4mm，被多数近等长的微糙毛。瘦果长圆形，长 1.7 ~ 2.5mm，宽 0.5mm，有 4 ~ 6 肋，被白色短绢毛。花期 6 ~ 9 月，果期 8 ~ 10 月。

| **生境分布** | 生于海拔 500 ~ 2500m 的林下或灌丛中。分布于重庆綦江、黔江、奉节、江津、城口、忠县、璧山、涪陵、丰都、垫江、巫山、合川等地。

| **资源情况** | 野生资源丰富。药材来源于野生。

| **采收加工** | 夏、秋季采收，洗净，晾干。

| **功能主治** | 全草，利湿消肿，解毒，杀虫，止咳。花，清热解毒。用于瘟疫时病。

| **用法用量** | 内服煎汤，适量。外用适量，鲜品捣敷。

菊科 Compositae 紫菀属 Aster

耳叶紫菀 *Aster auriculatus* Franch.

| 药 材 名 | 蓑衣莲（药用部位：根。别名：银线菊）。

| 形态特征 | 多年生草本，根茎粗壮。茎直立，单生，稀丛生，高 40 ~ 70cm，上部稀全部有分枝，被开展的长粗毛，常有腺，下部有较密生的叶。下部叶在花期枯萎，倒卵圆形至长圆形，基部渐狭；中部叶长圆形或狭椭圆形，长 3 ~ 6cm，宽 0.5 ~ 1.2cm，下部稍狭，基部扩大成圆形抱茎的耳部，中部以上有浅齿或圆齿，或近全缘，先端钝或稍尖；上部叶小，线状披针形或长圆形；全部叶上面或两面被密糙毛，下面有腺且沿脉及边缘被长粗毛；中脉和 3 ~ 4 对侧脉在下面稍凸起，网脉细。头状花序直径 2 ~ 2.5cm，在茎和枝端排列成圆锥伞房状或伞房状；花序梗长 1 ~ 8cm，有线形苞叶；总苞半球形，长 6 ~ 8mm，直径 6 ~ 8mm；总苞片 3 层，线状披针形，近革质，外层上部草质，

耳叶紫菀

有密腺，或杂有短糙毛，长 3 ~ 4mm，宽
0.7 ~ 1mm，内层中脉有腺，边缘膜质，常撕
裂，长 6 ~ 7mm，宽达 1.5mm，常有紫色长
尖头；舌状花约 30，管部长 2.5 ~ 3mm，舌片
白色，长 8 ~ 10mm，宽 1 ~ 1.5mm；管状花
长 5mm，管部长 2.5mm，裂片长 1.5mm；花
柱附片长 0.5mm；冠毛 1 层，白色或稍红色，
长 5mm，被多数糙毛。瘦果狭倒卵圆形，长
3mm，被疏短毛。花果期 4 ~ 8 月。

| 生境分布 |

生于海拔 1500m 以上的疏林下、灌丛或草地。
分布于重庆开州、石柱、涪陵、武隆、南川等地。

| 资源情况 |

野生资源较少。药材来源于野生。

| 采收加工 |

秋季采挖，除去茎苗，洗净，切片，晒干。

| 功能主治 |

辛，温。发散风寒，止咳平喘。用于风寒感冒，
咳嗽，哮喘。

| 用法用量 |

内服煎汤，10 ~ 15g。

菊科 Compositae 紫菀属 Aster

亮叶紫菀 *Aster nitidus* Chang

| 药 材 名 | 亮叶紫菀（药用部位：全草）。

| 形态特征 | 灌木。茎多分枝，弯垂或倾斜，长 50 ～ 120cm，有棱及沟，有凸起的叶痕和腋芽；二年生或三年生枝紫褐色或锈色，无毛；当年生枝通常长不超过 10cm，黄褐色或紫色，被疏毛，上部被错杂的密毛，枝下部有较密的叶。叶卵圆至椭圆状披针形，长 2.5 ～ 4.5cm，稀达 7cm，宽 0.5 ～ 1.5cm，先端尖或有小尖头，全缘或近全缘，基部急狭成长 1.5 ～ 3mm 的柄；上部叶渐小，披针形或线状披针形，渐细尖；全部叶近革质，两面有光泽，无毛，但边缘及沿脉被微糙毛，离基三出脉在下面稍凸起，网脉显明。头状花序直径 2.5 ～ 3cm，3 ～ 6 在枝端排列成伞房状；花序梗细，长 2.5 ～ 4cm，有线形苞叶；总苞宽倒锥形，长 6 ～ 7mm，直径 7 ～ 8mm；总苞片约 3 层，外层

亮叶紫菀

长 4 ～ 5mm，宽 0.5mm，内 2 层近等长，长 6mm，宽 1.5mm，各层全缘或上部撕裂，有绿色中脉，边缘宽膜质；舌状花约 30，管部长 2 ～ 2.5mm，被疏短毛，舌片紫色，长 13mm，宽 1 ～ 1.8mm；管状花黄色，长 5mm，管部长 2mm，有短毛，裂片长 1.5mm；花柱附片长 0.7mm；冠毛污白色，较管状花稍短，被微糙毛，另有外层极短的毛。瘦果长圆形，稍扁，长约 2mm，基部稍狭，被短疏毛。花期 4 ～ 5 月。

| 生境分布 | 生于海拔 550 ～ 1100m 的低山林下。分布于重庆石柱、武隆、酉阳、南川等地。

| 资源情况 | 野生资源较少。药材来源于野生。

| 采收加工 | 夏、秋季采收，洗净，晾干。

| 功能主治 | 清热解毒。

| 用法用量 | 内服煎汤，适量。

菊科 Compositae 紫菀属 Aster

琴叶紫菀
Aster panduratus Nees ex Walper

| 药 材 名 | 岗边菊（药用部位：带根全草。别名：大风草、鱼鳅串）。

| 形态特征 | 多年生草本。根茎粗壮。茎直立，高 50 ~ 100cm，单生或丛生，细或粗壮，被开展的长粗毛，常有腺，上部有分枝，有较密生的叶。下部叶在花期枯萎或生存，匙状长圆形，长达 12cm，宽达 2.5cm，下部渐狭成长柄；中部叶长圆状匙形，长 4 ~ 9cm，宽 1.5 ~ 2.5cm，下部稍狭，但基部扩大成心形或有圆耳，半抱茎，全缘或有疏齿，先端急尖或钝而有小尖头；上部叶渐小，卵状长圆形，基部心形抱茎，常全缘；全部叶稍厚质，两面被长贴毛和密短毛，有腺，下面沿脉及边缘被长毛；中脉在下面凸起，侧脉不显明。头状花序直径 2 ~ 2.5cm，在枝端单生或呈疏散伞房状排列；花序梗长 0.5 ~ 3cm 或达 5cm，有线状披针形或卵形苞叶；总苞半球形，长约 5mm，宽

琴叶紫菀

6 ~ 8mm；总苞片 3 层，长圆状披针形，外层草质，长 2 ~ 3mm，宽 0.7mm，先端尖或稍钝，被密短毛及腺，内层上部或中脉草质，长 4mm，宽约 1mm，上部或中脉草质，边缘膜质而无毛；舌状花约 30，管部长 1.5mm，舌片浅紫色，长约 8mm，宽 1 ~ 2mm；管状花长约 4mm，管部长 1mm，被密短毛，裂片长达 1mm；花柱附片长 0.4mm；冠毛白色或稍红色，约与管状花花冠等长，被稍不等长的微糙毛。瘦果卵状长圆形，长几达 2mm，基部狭，两面有肋，被柔毛。花期 2 ~ 9 月，果期 6 ~ 10 月。

| 生境分布 | 生于海拔 250 ~ 1500m 的山坡灌丛、草地、溪岸、路旁。分布于重庆巫山、黔江、南川、合川、北碚、忠县等地。

| 资源情况 | 野生资源较少。药材来源于野生。

| 采收加工 | 夏、秋季拔取带根全草，洗净，切段，晒干。

| 功能主治 | 苦、辛，温。温肺止咳，散寒止痛。用于肺寒咳喘，胃脘冷痛。

| 用法用量 | 内服煎汤，15 ~ 30g。

菊科 Compositae 紫菀属 Aster

钻叶紫菀
Aster subulatus Michx.

钻叶紫菀

药材名

瑞连草（药用部位：全草。别名：白菊花、土柴胡、九龙箭）。

形态特征

一年生草本，高 25 ~ 80cm。茎基部略带红色，上部有分枝。叶互生，无柄；基部叶倒披针形，花期凋落；中部叶线状披针形，长6 ~ 10cm，宽 0.5 ~ 1cm，先端尖或钝，全缘，上部叶渐狭线形。头状花序顶生，排成圆锥花序；总苞钟状；总苞片 3 ~ 4 层，外层较短，内层较长，线状钻形，无毛，背面绿色，先端略带红色；舌状花细狭，小，红色；管状花多数，短于冠毛。瘦果略被毛。花期 9 ~ 11 月。

生境分布

生于 200 ~ 1000m 的溪河或阴湿路旁草丛。分布于重庆南川、綦江、巴南等地。

资源情况

野生资源较少。药材来源于野生。

采收加工

秋季采收，切段，鲜用或晒干。

| **功能主治** | 苦、酸，凉。清热解毒。用于痈肿，湿疹。

| **用法用量** | 内服煎汤，10 ~ 30g。外用适量，捣敷。

菊科 Compositae 紫菀属 *Aster*

紫菀
Aster tataricus L. f.

| 药 材 名 | 紫菀（药用部位：根、根茎。别名：青菀、返魂草根、紫菀茸）。

| 形态特征 | 多年生草本。根茎斜升。茎直立，高 40 ~ 50cm，粗壮，基部有纤维状枯叶残片且常有不定根，有棱及沟，被疏粗毛，有疏生的叶。基部叶在花期枯落，长圆形或椭圆状匙形，下半部渐狭成长柄，连叶柄长 20 ~ 50cm，宽 3 ~ 13cm，先端尖或渐尖，边缘有具小尖头的圆齿或浅齿；下部叶匙状长圆形，常较小，下部渐狭或急狭成具宽翅的柄，渐尖，边缘除顶部外有密锯齿；中部叶长圆形或长圆状披针形，无柄，全缘或有浅齿，上部叶狭小；全部叶厚纸质，上面被短糙毛，下面被稍疏的但沿脉较密的短粗毛；中脉粗壮，与 5 ~ 10 对侧脉在下面凸起，网脉明显。头状花序多数，直径 2.5 ~ 4.5cm，

紫菀

在茎和枝端排列成复伞房状；花序梗长，有线形苞叶；总苞半球形，长 7 ~ 9mm，直径 10 ~ 25mm；总苞片 3 层，线形或线状披针形，先端尖或圆形，外层长 3 ~ 4mm，宽 1mm，全部或上部草质，被密短毛，内层长达 8mm，宽达 1.5mm，边缘宽膜质且带紫红色，有草质中脉；舌状花约 20 余，管部长 3mm，舌片蓝紫色，长 15 ~ 17mm，宽 2.5 ~ 3.5mm，有 4 至多脉；管状花长 6 ~ 7mm，稍被毛，裂片长 1.5mm；花柱附片披针形，长 0.5mm。瘦果倒卵状长圆形，紫褐色，长 2.5 ~ 3mm，两面各有 1 脉，少有 3 脉，上部被疏粗毛；冠毛污白色或带红色，长 6mm，被多数不等长的糙毛。花期 7 ~ 9 月，果期 8 ~ 10 月。

| 生境分布 | 生于海拔 400 ~ 2000m 的低山阴坡湿地、山顶、低山草地或沼泽地。分布于重庆黔江、巫山、武隆、南川、巫溪、梁平、石柱等地。

| 资源情况 | 野生资源一般。药材主要来源于栽培。

| 采收加工 | 春、秋季采挖，除去有节的根茎（习称"母根"）和泥沙，编成辫状晒干或直接晒干。

| 药材性状 | 本品根呈不规则块状，大小不一，先端有茎、叶的残基；质稍硬。根茎簇生多数细根，长 3 ~ 15cm，直径 0.1 ~ 0.3cm，多编成辫状；表面紫红色或灰红色，有纵皱纹；质较柔韧。气微香，味甘、微苦。

| 功能主治 | 辛、苦，温。归肺经。润肺下气，消痰止咳。用于痰多喘咳，新久咳嗽，劳嗽咯血。

| 用法用量 | 内服煎汤，5 ~ 10g。

| 附　　注 | 本种喜温暖湿润气候，耐寒，怕干旱。以疏松、肥沃、湿润的砂壤土栽培为佳。

菊科 Compositae 雏菊属 Bellis

雏菊 *Bellis perennis* L.

| 药 材 名 | 雏菊（药用部位：全草）。

| 形态特征 | 多年生或一年生葶状草本，高10cm左右。叶基生，匙形，先端圆钝，基部渐狭成柄，上半部边缘有疏钝齿或波状齿。头状花序单生，直径2.5 ~ 3.5cm，花葶被毛；总苞半球形或宽钟形；总苞片近2层，稍不等长，长椭圆形，先端钝，外面被柔毛；舌状花1层，雌性，舌片白色带粉红色，开展，全缘或有2 ~ 3齿；管状花多数，两性，均能结实。瘦果倒卵形，扁平，有边脉，被细毛，无冠毛。

| 生境分布 | 栽培于庭院。重庆各地均有分布。

| 资源情况 | 野生资源稀少，栽培资源较丰富。药材来源于栽培。

雏菊

|采收加工|　夏、秋季采收，洗净，晒干。

|功能主治|　清热除湿。

|用法用量|　内服煎汤，适量。

|附　　注|　本种喜冷凉气候，忌炎热，喜光，又耐半阴，对土壤要求不严格。种子发芽适
温 22 ~ 28℃，生育适温 20 ~ 25℃。

菊科 Compositae 鬼针草属 Bidens

婆婆针
Bidens bipinnata L.

| 药 材 名 | 鬼针草（药用部位：地上部分。别名：盲肠草、跳虱草、一把针）。

| 形态特征 | 一年生草本。茎直立，高 30 ~ 120cm，下部略具 4 棱，无毛或上部被稀疏柔毛，基部直径 2 ~ 7cm。叶对生，具柄，叶柄长 2 ~ 6cm，背面微凸或扁平，腹面沟槽，槽内及边缘被疏柔毛，叶片长 5 ~ 14cm，2 回羽状分裂，第 1 次分裂深达中肋，裂片再次羽状分裂，小裂片三角形或菱状披针形，具 1 ~ 2 对缺刻或深裂，顶生裂片狭，先端渐尖，边缘有稀疏不规整的粗齿，两面均被疏柔毛。头状花序直径 6 ~ 10mm；花序梗长 1 ~ 5cm，果时长 2 ~ 10cm；总苞杯形，基部有柔毛，外层苞片 5 ~ 7，条形，开花时长 2.5mm，果时长达5mm，草质，先端钝，被稍密的短柔毛，内层苞片膜质，椭圆形，长 3.5 ~ 4mm，花后伸长为狭披针形，果时长 6 ~ 8mm，背面褐

婆婆针

色，被短柔毛，具黄色边缘；托片狭披针形，长约 5mm，果时长可达 12mm；舌状花通常 1 ～ 3，不育，舌片黄色，椭圆形或倒卵状披针形，长 4 ～ 5mm，宽 2.5 ～ 3.2mm，先端全缘或具 2 ～ 3 齿；盘花筒状，黄色，长约 4.5mm，冠檐 5 齿裂。瘦果条形，略扁，具 3 ～ 4 棱，长 12 ～ 18mm，宽约 1mm，具瘤状突起及小刚毛，先端芒刺 3 ～ 4，很少为 2 的，长 3 ～ 4mm，具倒刺毛。

| 生境分布 | 生于路边荒地、山坡及田间。重庆各地均有分布。

| 资源情况 | 野生资源丰富。药材主要来源于野生，亦有少量栽培。

| 采收加工 | 夏、秋季开花盛期，采收地上部分，除去杂草，鲜用或晒干。

| 药材性状 | 本品鲜者茎略呈方形，幼茎有短柔毛；叶对生或互生，羽状分裂，小裂片三角状或菱状披针形，边缘具不规则细齿或钝齿，两面略有短毛，纸质；头状花序直径 5 ～ 10mm，总花梗长 2 ～ 10cm，总苞片条状椭圆形，先端尖或钝，被细短毛，舌状花黄色，通常 1 ～ 3，不育，筒状花黄色，发育，长约 5mm；气微，味淡。干者茎方形，幼茎有短柔毛；叶边缘具不规则细齿或钝齿，两面略有短毛，纸质而脆，多皱缩破碎；瘦果条形，具 3 ～ 4 棱，冠毛 3 ～ 4；有时可见头状花序；气微，味淡。

| 功能主治 | 苦，微寒；无毒。清热解毒，祛风除湿，活血消肿。用于咽喉肿痛，泄泻，痢疾，黄疸，肠痈，疔疮肿毒，蛇虫咬伤，风湿痹痛，跌打损伤。

| 用法用量 | 内服煎汤，15 ～ 30g，鲜品加倍；或捣汁。外用适量，捣敷或取汁涂；或煎汤熏洗。孕妇忌服。

| 附　注 | 本种喜温暖湿润气候。以疏松肥沃、富含腐殖质的砂壤土、黏壤土栽培为宜。

菊科 Compositae 鬼针草属 Bidens

金盏银盘
Bidens biternata (Lour.) Merr. et Sherff

金盏银盘

药 材 名

金盏银盘（药用部位：全草。别名：铁筅帚、千条针、金盘银盏）。

形态特征

一年生草本。茎直立，高 30 ～ 150cm，略具 4 棱，无毛或被稀疏卷曲短柔毛，基部直径 1 ～ 9mm。叶为一回羽状复叶，顶生小叶卵形至长圆状卵形或卵状披针形，长 2 ～ 7cm，宽 1 ～ 2.5cm，先端渐尖，基部楔形，边缘具稍密且近于均匀的锯齿，有时 1 侧深裂为 1 小裂片，两面均被柔毛，侧生小叶 1 ～ 2 对，卵形或卵状长圆形，近顶部的 1 对稍小，通常不分裂，基部下延，无柄或具短柄，下部的 1 对约与顶生小叶相等，具明显的柄，三出复叶状分裂或仅一侧具 1 裂片，裂片椭圆形，边缘有锯齿；总叶柄长 1.5 ～ 5cm，无毛或被疏柔毛。头状花序直径 7 ～ 10mm，花序梗长 1.5 ～ 5.5cm，果时长 4.5 ～ 11cm；总苞基部被短柔毛，外层苞片 8 ～ 10，草质，条形，长 3 ～ 6.5mm，先端锐尖，背面密被短柔毛，内层苞片长椭圆形或长圆状披针形，长 5 ～ 6mm，背面褐色，有深色纵条纹，被短柔毛；舌状花通常 3 ～ 5，不育，舌片淡黄色，长椭圆形，长约 4mm，宽 2.5 ～ 3mm，先端 3 齿裂，或有时无舌状花；盘花筒状，长 4 ～ 5.5mm，冠檐 5 齿裂。瘦果条形，黑色，长 9 ～ 19mm，宽 1mm，具 4 棱，两端稍狭，多少被小刚毛，先端芒刺 3 ～ 4，长 3 ～ 4mm，具倒刺毛。

| 生境分布 | 生于路边、村旁或荒地中。分布于重庆云阳、万州、黔江、酉阳、石柱、涪陵、南川、北碚、綦江、潼南、城口、丰都等地。

| 资源情况 | 野生资源丰富。药材来源于野生。

| 采收加工 | 夏、秋季枝叶茂盛和花开时采收，晒干。

| 药材性状 | 本品茎略具 4 棱，长 30 ～ 150cm，基部直径 1 ～ 9mm；表面淡棕褐色。叶对生，一或二回三出复叶，卵形或卵状披针形，长 2 ～ 7cm，宽 1 ～ 2.5cm，先端渐尖，基部楔形，叶缘具细齿。头状花序干枯，具长梗。瘦果易脱落，条形，具棱，先端芒刺 3 ～ 4，残存花托近圆形。气微，味淡。

| 功能主治 | 甘、微苦，凉。归肺、心、胃经。疏风，清热，解毒。用于风热感冒，乳蛾，肠痈，毒蛇咬伤，湿热泻痢，黄疸。外用于疖疮，痔疮。

| 用法用量 | 内服煎汤，15 ～ 30g。外用适量，捣敷；或煎汤熏洗。

| 附　注 | 本种药材的基原还有鬼针草 *Bidens pilosa* L.。

菊科 Compositae 鬼针草属 Bidens

鬼针草 *Bidens pilosa* L.

| 药 材 名 | 三叶鬼针草（药用部位：全草。别名：盲肠草、鬼针草、婆婆针）。

| 形态特征 | 一年生草本。茎直立，高 30 ～ 100cm，钝四棱形，无毛或上部被极稀疏的柔毛，基部直径可达 6mm。茎下部叶较小，3 裂或不分裂，通常在开花前枯萎，中部叶具长 1.5 ～ 5cm 无翅的柄，三出，小叶 3，很少为具 5（～ 7）小叶的羽状复叶，两侧小叶椭圆形或卵状椭圆形，长 2 ～ 4.5cm，宽 1.5 ～ 2.5cm，先端锐尖，基部近圆形或阔楔形，有时偏斜，不对称，具短柄，边缘有锯齿、顶生小叶较大，长椭圆形或卵状长圆形，长 3.5 ～ 7cm，先端渐尖，基部渐狭或近圆形，具长 1 ～ 2cm 的叶柄，边缘有锯齿，无毛或被极稀疏的短柔毛，上部叶小，3 裂或不分裂，条状披针形。头状花序直径 8 ～ 9mm，有长 1 ～ 6cm（果时长 3 ～ 10cm）的花序梗；总苞基部被短柔毛，苞

鬼针草

片 7 ~ 8，条状匙形，上部稍宽，开花时长 3 ~ 4mm，果时长至 5mm，草质，边缘疏被短柔毛或几无毛，外层托片披针形，果时长 5 ~ 6mm，干膜质，背面褐色，具黄色边缘，内层较狭，条状披针形；无舌状花；盘花筒状，长约 4.5mm，冠檐 5 齿裂。瘦果黑色，条形，略扁，具棱，长 7 ~ 13mm，宽约 1mm，上部具稀疏瘤状突起及刚毛，先端芒刺 3 ~ 4，长 1.5 ~ 2.5mm，具倒刺毛。

| 生境分布 | 生于村旁、路边或荒地中。分布于重庆北碚、万州、綦江、彭水、江津、长寿、永川、潼南、涪陵、合川、巫山、秀山、忠县、黔江、铜梁、云阳、酉阳、璧山、巫溪、南川、九龙坡、丰都、城口、石柱、武隆、垫江、大足、梁平、荣昌、沙坪坝等地。

| 资源情况 | 野生资源丰富。药材主要来源于野生，亦有少量栽培。

| 采收加工 | 夏、秋季采收，除去泥土，晒干。

| 药材性状 | 本品根呈倒圆锥形。茎略呈方形或近圆柱状，基部略带紫色，上部分枝；表面黄绿色或黄棕色，具细纵棱，幼枝被毛，老枝毛较少；体轻，质脆，易折断，断面黄白色，髓部白色或中空。叶纸质，多皱缩或破碎、脱落，完整者展平后 3 深裂，有的 5 深裂，呈绿褐色或暗棕色，边缘锯齿状，上、下表面被毛，以下表面较少。茎顶或叶腋处可见淡棕色头状花序或果实脱落后残存的盘状花托。瘦果扁平，线形，具 4 棱，稍有硬毛，冠毛芒状。气微，味微苦。以叶多、枝嫩、色黄棕者为佳。

| 功能主治 | 苦，平。归肝、肺、大肠经。清热解毒，散瘀消肿。用于阑尾炎，肾炎，胆囊炎，肠炎，菌痢，肝炎，腹膜炎，上呼吸道感染，流行性感冒，咳嗽，扁桃体炎，喉炎，闭经，烫火伤，毒蛇咬伤，跌打损伤，皮肤感染，小儿惊风，疳积等。

| 用法用量 | 内服煎汤，9 ~ 30g，鲜品 60 ~ 90g。外用捣敷；或煎汤洗。

| 附　注 | 本种喜温暖湿润气候。以疏松肥沃、富含腐殖质的砂壤土、黏壤土栽培为宜。

菊科 Compositae 鬼针草属 Bidens

白花鬼针草
Bidens pilosa L. var. *radiata* Sch.-Bip.

白花鬼针草

| 药 材 名 |

鬼针草（药用部位：全草。别名：金杯银盏、金盏银盆、盲肠草）。

| 形态特征 |

本种与原变种鬼针草的区别在于头状花序边缘具舌状花 5 ~ 7，舌片椭圆状倒卵形，白色，长 5 ~ 8mm，宽 3.5 ~ 5mm，先端钝或有缺刻。

| 生境分布 |

生于村旁、路边及荒地中。分布于重庆綦江、南岸、大足、云阳、丰都、酉阳、南川、忠县、涪陵、长寿、九龙坡、武隆、石柱、北碚、巴南、荣昌、沙坪坝等地。

| 资源情况 |

野生资源丰富。药材来源于野生。

| 采收加工 |

夏、秋季采收，切段，晒干。

| 药材性状 |

本品茎呈方柱形，具 4 棱，四面中央有纵沟及灰棕色纵纹理，节明显，稀有柔毛及

叶迹；体轻，质坚脆，易折断，髓部白色。叶对生，完整者展平后披针形或3深裂，灰绿色或灰黄绿色，两面稀有灰白色短柔毛。花白色，具舌状花5～7。瘦果条形，黑褐色，具4棱，先端芒状冠毛3～4或已脱落。气微，味微苦。

| **功能主治** | 苦、甘，凉。清热解毒，利湿健脾。用于感冒发热，咽喉肿痛，胃痛，黄疸，泄泻，痔疮。

| **用法用量** | 内服煎汤，15～30g。外用适量，煎汤洗。

菊科 Compositae 鬼针草属 Bidens

狼杷草 *Bidens tripartita* L.

狼杷草

药 材 名

狼把草（药用部位：全草。别名：鬼叉、郎耶菜、乌杷）。

形态特征

一年生草本。茎高 20 ~ 150cm，圆柱形或具钝棱而稍呈四方形，基部直径 2 ~ 7mm，无毛，绿色或带紫色，上部分枝或有时自基部分枝。叶对生，下部的较小，不分裂，边缘具锯齿，通常于花期枯萎，中部叶具柄，叶柄长 0.8 ~ 2.5cm，有狭翅；叶片无毛或下面有极稀疏的小硬毛，长 4 ~ 13cm，长椭圆状披针形，不分裂（极少）或近基部浅裂成 1 对小裂片，通常 3 ~ 5 深裂，裂深几达中肋，两侧裂片披针形至狭披针形，长 3 ~ 7cm，宽 8 ~ 12mm，顶生裂片较大，披针形或长椭圆状披针形，长 5 ~ 11cm，宽 1.5 ~ 3cm，两端渐狭，与侧生裂片边缘均具疏锯齿，上部叶较小，披针形，3 裂或不分裂。头状花序单生茎端及枝端，直径 1 ~ 3cm，高 1 ~ 1.5cm，具较长的花序梗；总苞盘状，外层苞片 5 ~ 9，条形或匙状倒披针形，长 1 ~ 3.5cm，先端钝，具缘毛，叶状，内层苞片长椭圆形或卵状披针形，长 6 ~ 9mm，膜质，褐色，有纵条纹，具透明或淡黄色的边缘；托片条状披针形，约与瘦果等长，背面有褐色条纹，边缘透明；无舌状花，全为筒状两性花，花冠长 4～5mm，冠檐 4 裂；花药基部钝，先端有椭圆形附器，花丝上部增宽。瘦果扁，楔形或倒卵状楔形，长 6～11mm，宽 2～3mm，边缘有倒刺毛，先端芒刺通常 2，极少 3～4，长 2～4mm，两侧有倒刺毛。

| 生境分布 | 生于路边荒野或水边湿地。分布于重庆云阳、开州、万州、忠县、梁平、丰都、酉阳、黔江、石柱、武隆、南川、渝北、北碚等地。

| 资源情况 | 野生资源较丰富。药材来源于野生。

| 采收加工 | 夏、秋季花期采收，除去泥沙，洗净，干燥。

| 药材性状 | 本品根呈圆柱形，灰黄色，多分枝，有须根。茎呈圆柱形或略呈方柱形，基部茎节常生须根，长 30～60cm；表面暗绿色或暗紫色，有纵纹。叶对生，多皱缩或破碎，完整者展平后呈椭圆形或椭圆状披针形，长 6～12cm；上部叶常 3 裂，下部叶常 5 裂，绿色，边缘有锯齿；叶柄有狭翅。头状花序顶生或腋生，总苞片多数，外层叶状，有毛。管状花黄色。瘦果扁平，两侧边缘各有 1 列倒钩刺，冠毛芒状，多为 2。气微，味苦。以色绿、叶多、有花者为佳。

| 功能主治 | 苦，平。清利湿热。用于咽喉疼痛，湿热泄泻，痢疾，小便淋痛。外用于疖肿，皮癣。

| 用法用量 | 内服煎汤，9～15g。外用鲜品适量。

| 附　注 | 本种喜酸性至中性土壤，也能耐盐碱，经常成为禾本科、莎草科、蓼科中某些湿生植物群落的亚优势种或优势种。本种常群生，或为单优势种纯群落，也以伴生种或亚优势种参与群落的组成。

菊科 Compositae 艾纳香属 Blumea

馥芳艾纳香 *Blumea aromatica* DC.

| **药 材 名** | 山风（药用部位：全草。别名：香艾）。

| **形态特征** | 粗壮草本或亚灌木状。茎直立，高 0.5 ~ 3m，基部直径约 1cm 或更粗，木质，有分枝，具粗沟纹，被黏绒毛或上部花序轴被开展的密柔毛，杂有腺毛，叶腋常有束生的白色或污白色糙毛，有时绒毛多少脱落，节间长约 5cm，在下部较短。下部叶近无柄，倒卵形、倒披针形或椭圆形，长 20 ~ 22cm，宽 6 ~ 8cm，基部渐狭，先端短尖，边缘有不规则粗细相间的锯齿，在两粗齿间有 3 ~ 5 细齿，上面被疏糙毛，下面被糙伏毛，脉上的毛较密，杂有多数腺体，侧脉 10 ~ 16 对，在下面多少凸起，有明显的网脉；中部叶倒卵状长圆形或长椭圆形，长 12 ~ 18cm，宽 4 ~ 5cm，基部渐狭，下延，有时多少抱茎；上部叶较小，披针形或卵状披针形。头状花序多数，直径 1 ~ 1.5cm，

馥芳艾纳香

无柄或有长 1 ~ 1.5cm 的柄，花序柄被柔毛，杂有卷腺毛，腋生和顶生，排列成疏或密的具叶的大圆锥花序；总苞圆柱形或近钟形，长 0.8 ~ 10mm，与花盘等长或稍长于花盘；总苞片 5 ~ 6 层，绿色，草质或干膜质，外层长圆状披针形，长 2 ~ 4mm，先端钝或稍尖，背面被短柔毛，杂有腺体，中层和内层近干膜质，线形，长 6 ~ 10mm，背面被疏毛，有时仅于脊处具腺体；花托平，蜂窝状，直径 2.5 ~ 3.5mm，流苏状；花黄色；雌花多数，花冠细管状，长 6 ~ 7mm，先端 2 ~ 3 齿裂，裂片有腺点；两性花花冠管状，向上渐宽，长约 10mm，裂片三角形，有疏或密腺体，少有疏毛。瘦果圆柱形，有 12 棱，长约 1mm，被柔毛；冠毛棕红色至淡褐色，糙毛状，长 7 ~ 9mm。花期 10 月至翌年 3 月。

| 生境分布 | 生于低山林缘、荒坡或山谷路旁。分布于重庆黔江、垫江、彭水、綦江、忠县、长寿、酉阳、丰都、云阳、涪陵、南川、九龙坡、沙坪坝、巴南、石柱、武隆、江津、渝北、合川、北碚等地。

| 资源情况 | 野生资源丰富。药材来源于野生。

| 采收加工 | 夏、秋季采收，洗净，阴干。

| 药材性状 | 本品茎分枝，密被灰黄色黏绒毛和腺毛；体轻，质较脆，易折断，断面圆形，皮部菲薄，髓部白色，占茎的大部分。老茎基部木质化，黑褐色，坚硬。单叶互生，完整者倒卵形或椭圆状倒披针形，长 8 ~ 18cm，宽 3 ~ 5cm，先端渐尖，基部下延，有时有裂片，边缘有细锯齿，上面被疏糙毛，下面被黄褐色绒毛，在叶脉处较明显。头状花序顶生或腋生，疏圆锥状；总苞半球状或近钟形，总苞片 4 ~ 5 层，矩圆状披针形；花托平，蜂窝状。揉搓后有清香气，味辛、微苦。

| 功能主治 | 辛、微苦，温。归肺经。祛风消肿，活血止痒。用于风湿关节痛，湿疹，皮肤瘙痒，外伤出血。

| 用法用量 | 内服煎汤，9 ~ 15g；浸酒或煎汤冲酒服。外用适量，煎汤熏洗患处；或捣敷患处。

菊科 Compositae 艾纳香属 Blumea

艾纳香
Blumea balsamifera (L.) DC.

艾纳香

| 药 材 名 |

艾纳香（药用部位：叶、嫩枝。别名：冰片草、大风艾、大骨风）、艾纳香根（药用部位：根。别名：大风艾根）。

| 形态特征 |

多年生草本或亚灌木，高 1 ~ 3m。茎皮灰褐色，有纵条棱，被黄褐色密柔毛。下部叶宽椭圆形或长圆状披针形，长 22 ~ 25cm，宽 8 ~ 10cm，先端短尖或锐，基部渐狭，叶柄两侧有 3 ~ 5 对狭线形的附属物，边缘有细锯齿，上面被柔毛，下面被淡褐色或黄白色密绢状绵毛；中脉在下面凸起，侧脉 10 ~ 15 对；上部叶长圆状披针形或卵状披针形，长 7 ~ 12cm，宽 1.5 ~ 3.5cm，先端渐尖，无柄或有短柄，常有附属物。花序梗被黄色密柔毛；总苞钟形；总苞片约 6 层，外层长圆形，背面被密柔毛，中层线形，内层长于外层 4 倍；花托蜂窝状；花黄色；雌花多数，花冠檐部 2 ~ 4 齿裂；两性花花冠檐部 5 齿裂，被短柔毛。瘦果圆柱形，具棱 5，被密柔毛；冠毛红褐色，糙毛状。

| 生境分布 |

生于海拔 600 ~ 1000m 的林缘、林下、河床谷地或草地上。分布于重庆黔江、丰都、涪陵、永川、秀山、璧山、武隆、铜梁、开州、石柱、北碚、大足、巴南等地。

| 资源情况 |
野生资源一般。药材来源于野生。

| 采收加工 |
艾纳香：夏、秋季采割，晒干。

艾纳香根：秋季采挖，切片，晒干。

| 药材性状 |
艾纳香：本品茎呈圆柱形，有分枝；表面灰褐色或棕褐色，有纵条棱，被灰白色绒毛；质脆，易折断，断面中央有白色的髓。单叶互生，皱缩或破碎，完整者展平后呈椭圆形或长圆状披针形，长 8 ~ 15cm，宽 3 ~ 6cm，边缘具不规则上弯的锯齿；具短柄，柄的两侧常有 2 ~ 4 对线性小裂片；叶黄绿色或灰绿色，略皱缩而稍显粗糙，被短绒毛，叶背密被白色或浅棕黄色绒毛；纸质、稍柔韧，干时质脆、易碎。气清香，味苦、辛。

| 功能主治 |
艾纳香：辛、微苦，温。归肺、胃、肝经。祛风除湿，温中止泻，活血解毒。用于风寒感冒，头风头痛，风湿痹痛，寒湿泻痢，月经不调，痛经，跌打伤痛，湿疹，癣疮，蛇虫咬伤。

艾纳香根：辛，温。祛风活血，利水消肿。用于风湿关节痛，消化不良，泄泻，水肿，血瘀痛经，跌打肿痛等。

| 用法用量 |
艾纳香：内服煎汤，10 ~ 20g。外用适量，煎汤洗；或研末调敷患处。

艾纳香根：内服煎汤，10 ~ 30g；或浸酒。

| 附　注 |
（1）本种喜温暖气候，耐干旱，耐瘠薄。一般在比较疏松、排水良好的土壤中都能种植。

（2）研究表明，本种主要含有黄酮、萜、噻吩、苯丙素、挥发油等多类化学成分，具有很好的抗肿瘤、保肝护肝、抗氧化、抗菌、抗病毒等生物学活性。

菊科 Compositae 艾纳香属 Blumea

毛毡草

Blumea hieracifolia (D. Don) DC.

毛毡草

药 材 名

毛毡草（药用部位：全草。别名：臭草、鹅掌风、走马风）。

形态特征

草本。茎直立，高 0.5 ~ 1.5m，基部直径 4 ~ 6mm，不分枝或少有上部有分枝，具条棱，被开展的密绢毛状长柔毛，杂有头状具柄腺毛，在上部和花序轴被毛更密，基部有时多少脱毛，节间长 1 ~ 2cm。叶主要茎生，下部和中部叶椭圆形或长椭圆形，稀倒卵形，长 7 ~ 10cm，宽 2 ~ 3.5cm，基部渐狭，下延，近无柄，先端短尖或小凸尖，边缘有硬尖齿，上面被白色短毛，下面被密绢毛状绒毛或绵毛，中脉和 5 ~ 6 对侧脉在下面多少明显；上部叶较小，无柄，长圆形至长圆状披针形，长 2 ~ 4cm，宽 0.4 ~ 1.4cm，两面被白色密绵毛或丝光毛，先端短尖，边缘有尖齿。头状花序多数，直径 5 ~ 8mm，2 ~ 7 簇生，排列成穗状圆锥花序；总苞圆柱形或钟形；总苞片 4 ~ 5 层，上部淡紫色，外层线状披针形，长 2 ~ 3mm，先端渐尖，背面被白色绒毛，中层线状长圆形，长 4 ~ 6mm，先端短急尖，边缘干膜质，背面被疏毛或上半部被疏绒毛，内层极狭，丝状，干膜质，无毛，长约 6mm；花托稍凸，直径 2 ~ 3mm，无毛；花黄色；雌花多数，花冠细管状，长约 6mm，檐部 3 齿裂，无毛；两性花较少数，花冠管状，与雌花几等长，檐部 5 浅裂，稀 6 浅裂，裂片三角形，被疏毛，杂有腺体。瘦果圆柱形，长 1 ~ 1.2mm，具 10 棱，被毛；冠毛白色，糙毛状，易脱落，长约 6mm。花期 12 月至翌年 4 月。

| 生境分布 | 生于田边、路旁或低山灌丛中。分布于重庆城口、云阳、开州、南川、合川、九龙坡等地。

| 资源情况 | 野生资源稀少。药材来源于野生。

| 采收加工 | 全年均可采收，鲜用或切段晾干。

| 功能主治 | 微辛，凉。清热解毒。用于泄泻，毒虫蜇伤。

| 用法用量 | 内服煎汤，10 ~ 15g。外用适量，煎汤洗；或捣汁涂。

菊科 Compositae 艾纳香属 Blumea

东风草
Blumea megacephala (Randeria) Chang et Tseng

| **药 材 名** | 东风草（药用部位：全草。别名：大头艾纳香、九里明、九里光）。

| **形态特征** | 攀缘状草质藤本或基部木质。茎圆柱形，多分枝，长1～3m或更长，基部直径5～10mm，有明显的沟纹，被疏毛或后脱毛，节间长6～12cm，小枝节间长2～4cm。下部和中部叶有长达2～5mm的叶柄，叶片卵形、卵状长圆形或长椭圆形，长7～10cm，宽2.5～4cm，基部圆形，先端短尖，边缘有疏细齿或点状齿，上面被疏毛或后脱毛，有光泽，干时常变淡黑色，下面无毛或多少被疏毛，中脉在上面明显，在下面凸起，侧脉5～7对，弧形上升，网状脉极明显；小枝上部的叶较小，椭圆形或卵状长圆形，长2～5cm，宽1～1.5cm，具短柄，边缘有细齿。头状花序疏散，直径1.5～2cm，通常1～7在腋生小枝先端排列成总状或近伞房状花序，再排成大型具叶的圆

东风草

锥花序；花序柄长 1 ~ 3cm；总苞半球形，与花盘几等长，长约 1cm；总苞片 5 ~ 6 层，外层厚质，卵形，先端钝或有时具短尖头，基部常弯曲，长 3 ~ 5mm，背面被密毛，中层质稍薄，带干膜质，线状长圆形，先端稍尖，长 8 ~ 10mm，背面脊处被毛，有缘毛，内层长于最外层的 3 倍；花托平，直径 8 ~ 11mm，被白色密长柔毛；花黄色；雌花多数，细管状，长约 8mm，檐部 2 ~ 4 齿裂，裂片先端浑圆，被短柔毛；两性花花冠管状，连伸出花冠的花药长约 1cm，被白色多细胞节毛，上部稍扩大，檐部 5 齿裂，裂片三角形，先端钝。瘦果圆柱形，有 10 棱，被疏毛，长约 1.5mm；冠毛白色，糙毛状，长约 6mm。花期 8 ~ 12 月。

| **生境分布** | 生于林缘或灌丛中，或山坡、丘陵阳处。分布于重庆涪陵、长寿、潼南、彭水、合川、丰都、綦江、南川、九龙坡、忠县、武隆、江津、铜梁、巴南、沙坪坝、南岸、北碚等地。

| **资源情况** | 野生资源丰富。药材来源于野生。

| **采收加工** | 夏、秋季采收，鲜用或切段晒干。

| **药材性状** | 本品茎表面浅棕色，近无毛。叶多皱缩破碎，完整者椭圆形或卵状椭圆形，长 7 ~ 10cm，宽 2.5 ~ 4cm，先端尖，基部楔形或圆形，浅棕褐色，上面粗糙，无毛，下面被微毛或近无毛，边缘具小齿，网脉极明显；叶柄长 2 ~ 5mm，被柔毛。有的残留头状花序。气微，味微苦。

| **功能主治** | 苦、微辛，凉。清热明目，祛风止痒，解毒消肿。用于目赤肿痛，翳膜遮睛，风疹，疥疮，皮肤瘙痒，痈肿疮疖，跌打红肿。

| **用法用量** | 内服煎汤，10 ~ 15g。外用适量，煎汤洗；或捣敷。

菊科 Compositae 艾纳香属 Blumea

柔毛艾纳香 *Blumea mollis* (D. Don) Merr.

柔毛艾纳香

| 药 材 名 |

红头草（药用部位：全草。别名：红头小仙、紫背倒提壶、肥儿宝）。

| 形态特征 |

草本。主根粗直，有纤维状叉开的侧根。茎直立，高 60 ~ 90cm，分枝或少有不分枝，具沟纹，被开展的白色长柔毛，杂有具柄腺毛，节间长 3 ~ 5cm。下部叶有长达 1 ~ 2cm 的叶柄，叶片倒卵形，长 7 ~ 9cm，宽 3 ~ 4cm，基部楔状渐狭，先端圆钝，边缘有不规则的密细齿，两面被绢状长柔毛，在下面通常较密，中脉在下面明显凸起，侧脉 5 ~ 7 对，弧状或斜上升，不抵边缘，网脉明显或仅在下面明显；中部叶具短柄，倒卵形至倒卵状长圆形，长 3 ~ 5cm，宽 2.5 ~ 3cm，基部楔尖，先端钝或短尖，有时具小尖头；上部叶渐小，近无柄，长 1 ~ 2cm，宽 0.3 ~ 0.8cm。头状花序多数，无或有短柄，直径 3 ~ 5mm，通常 3 ~ 5 簇生，密集成聚伞状花序，再排成大圆锥花序，花序柄长达 1cm，被密长柔毛；总苞圆柱形，长约 5mm，总苞片近 4 层，草质，紫色至淡红色，长于花盘，花后反折，外层线形，长约 3mm，先端渐尖，背面被密柔毛，杂有腺体，中层与外层同形，长约 5mm，边缘干膜质，背面被疏毛，内层狭，长于外层 2 倍，先端锐尖；花托多少扁平，直径 1 ~ 2.5mm，蜂窝状，无毛；花紫红色或花冠下半部淡白色；雌花多数，花冠细管状，长 4 ~ 5mm，檐部 3 齿裂，裂片无毛；两性花约 10，花冠管状，长约 5mm，向上渐增大，檐部 5 浅裂，裂片近三角形，先端圆形或短尖，具乳头状突起及短柔毛。瘦果圆柱形，近有角至表面圆滑，长约 1mm，被短柔毛；冠毛白色，糙毛状，长约 3mm，易脱落。花期几乎全年。

| **生境分布** | 生于海拔 400 ~ 900m 的田野或空旷草地。分布于重庆垫江、北碚等地。

| **资源情况** | 野生资源较少。药材来源于野生。

| **采收加工** | 花期采割，除去泥沙，阴干。

| **药材性状** | 本品茎呈圆柱形，有的基部分枝，长 20 ~ 60cm；表面绿褐色或带紫红色，密被淡黄色长柔毛和腺毛。基生叶常脱落，茎生叶互生，有短柄或近无柄；叶片皱缩，展平后呈椭圆形或矩圆状倒卵形，长 2 ~ 6cm，宽 0.8 ~ 2.5cm；先端稍尖或钝，基部楔形，两面密被长柔毛和腺毛，边缘有细锯齿。花棕紫色，头状花序近无梗，生于茎顶及上部叶腋，排列紧密成近圆锥状；总苞半球形，苞片 4 ~ 5 层，条形，被毛，均为管状花。瘦果矩圆形，细小，冠毛白色。气香，味淡。

| **功能主治** | 微苦，平。消炎，解毒。用于肺炎，腮腺炎，口腔炎，乳腺炎。

| **用法用量** | 内服煎汤，9 ~ 15g。

| **附　注** | 在 FOC 中，本种的拉丁学名被修订为 *Blumea axillaris* (Lamarck) Candolle。

菊科 Compositae 飞廉属 Carduus

节毛飞廉
Carduus acanthoides L.

节毛飞廉

| 药 材 名 |

飞廉（药用部位：全草或根。别名：藏飞廉、飞轻、老牛错）。

| 形态特征 |

二年生或多年生植物，高（10～）20～100cm。茎单生，有条棱，有长分枝或不分枝，全部茎枝被稀疏或下部稍稠密的多细胞长节毛，接头状花序下部的毛通常密厚。基部及下部茎叶长椭圆形或长倒披针形，长6～29cm，宽2～7cm，羽状浅裂、半裂或深裂，侧裂片6～12对，半椭圆形、偏斜半椭圆形或三角形，边缘有大小不等的钝三角形刺齿，齿顶及齿缘有黄白色针刺，齿顶针刺较长，长达3mm，少有长5mm的，或叶边缘有大锯齿，不呈明显的羽状分裂；向上叶渐小，与基部及下部茎叶同形并等样分裂，接头状花序下部的叶宽线形或线形，有时不裂；全部茎叶两面同色，绿色，沿脉有稀疏的多细胞长节毛，基部渐狭，两侧沿茎下延成茎翼；茎翼齿裂，齿顶及齿缘有长达3mm的针刺，少有几达5mm长的针刺，头状花序下部的茎翼有时为针刺状。头状花序几无花序梗，3～5集生或疏松排列于茎顶或枝端；总苞卵形或卵圆形，直径1.5～2

（～2.5）cm；总苞片多层，覆瓦状排列，向内层渐长，最外层线形或钻状长三角形，长约 7mm，宽约 1mm，中内层钻状三角形至钻状披针形，长 8～14mm，宽 1.5～1.58mm，最内层线形或钻状披针形，长 16mm，宽约 1mm，中外层苞片先端有长 1～2mm 的褐色或淡黄色的针刺，最内层及近最内层向先端钻状长渐尖，无针刺；全部苞片无毛或被稀疏蛛丝毛；小花红紫色，长 1.7cm，檐部长 9mm，5 深裂，裂片线形，细管部长 8mm。瘦果长椭圆形，但中部收窄，长 4mm，浅褐色，有多数横皱纹，基底着生面平，先端截形，有蜡质果缘，果缘全缘，无齿裂；冠毛多层，白色，或稍带褐色，不等长，向内层渐长，冠毛刚毛锯齿状，长达 1.5cm，先端稍扁平扩大。花果期 5～10 月。

| 生境分布 | 生于海拔 360～2500m 的山坡、草地、林缘、灌丛中、山谷、山沟、水边或田间。分布于重庆城口、奉节、南川等地。

| 资源情况 | 野生资源较少。药材主要来源于野生，亦有栽培。

| 采收加工 | 春、夏季采收全草及花，秋季挖根，鲜用或除花阴干外，其余切段晒干。

| 药材性状 | 本品茎呈圆柱形，直径 0.2～1cm，具纵棱，并附有绿色的翅，翅有针刺；质脆，断面髓部白色，常呈空洞。叶椭圆状披针形，长 5～20cm，羽状深裂，裂片边缘具刺，上面绿色，具细毛或近光滑，下面具蛛丝状毛。头状花序干缩；总苞钟形，黄褐色，苞片数层，线状披针形，先端长尖成刺向外反卷，内层苞片膜质，带紫色。花紫红色，冠毛刺状，黄白色。气味微弱。

| 功能主治 | 微苦，凉。祛风，清热，利湿，凉血止血，活血消肿。用于感冒咳嗽，头痛眩晕，泌尿系感染，乳糜尿，带下，黄疸，风湿痹痛，吐血，衄血，尿血，月经过多，功能性子宫出血，跌打损伤，疔疮疖肿，痔疮肿痛，烧伤。

| 用法用量 | 内服煎汤，9～30g，鲜品 30～60g；或入丸、散；或浸酒。外用适量，煎汤洗；或鲜品捣敷；或烧存性，研末掺。血虚及脾胃功能弱者慎服。

| 附　　注 | 本种喜温暖或凉爽气候，耐寒和干旱。对土壤要求不严，一般土壤均可栽种。

菊科 Compositae 天名精属 Carpesium

天名精
Carpesium abrotanoides L.

| 药 材 名 | 鹤虱（药用部位：果实。别名：鹄虱、鬼虱、北鹤虱）、天名精（药用部位：全草。别名：天名精草、野叶子烟、天门精）。

| 形态特征 | 多年生粗壮草本。茎高 60 ~ 100cm，圆柱状，下部木质，近于无毛，上部密被短柔毛，有明显的纵条纹，多分枝。基生叶于开花前凋萎，茎下部叶广椭圆形或长椭圆形，长 8 ~ 16cm，宽 4 ~ 7cm，先端钝或锐尖，基部楔形，三面深绿色，被短柔毛，老时脱落，几无毛，叶面粗糙，下面淡绿色，密被短柔毛，有细小腺点，边缘具不规整的钝齿，齿端有腺体状胼胝体；叶柄长 5 ~ 15mm，密被短柔毛；茎上部节间长 1 ~ 2.5cm，叶较密，长椭圆形或椭圆状披针形，先端渐尖或锐尖，基部阔楔形，无柄或具短柄。头状花序多数，生于茎端及沿茎、枝生于叶腋，近无梗，成穗状花序式排列，着生于茎

天名精

端及枝端者具椭圆形或披针形长 6 ~ 15mm 的苞叶 2 ~ 4，腋生头状花序无苞叶或有时具 1 ~ 2 甚小的苞叶；总苞钟球形，基部宽，上端稍收缩，成熟时开展成扁球形，直径 6 ~ 8mm；苞片 3 层，外层较短，卵圆形，先端钝或短渐尖，膜质或先端草质，具缘毛，背面被短柔毛，内层长圆形，先端圆钝或具不明显的啮蚀状小齿；雌花狭筒状，长 1.5mm；两性花筒状，长 2 ~ 2.5mm，向上渐宽，冠檐 5 齿裂。瘦果长约 3.5mm。

| 生境分布 | 生于海拔 2000m 以下的村旁、路边荒地、溪边或林缘。重庆各地均有分布。

| 资源情况 | 野生资源丰富。药材来源于野生。

| 采收加工 | 鹤虱：秋季果实成熟时采收，晒干，除去杂质。
天名精：秋季花开时采收，除去杂质，晾干。

| 药材性状 | 鹤虱：本品呈圆柱状，细小，长 3 ~ 4mm，直径不及 1mm。表面黄褐色或暗褐色，具多数纵棱。先端收缩成细喙状，先端扩展成灰白色圆环；基部稍尖，有着生痕迹。果皮薄，纤维性，种皮菲薄，透明，子叶 2，类白色，稍有油性。气特异，味微苦。
天名精：本品长约 1m。根呈圆柱形，弯曲，直径 0.4 ~ 0.6cm；表面淡黄色或灰绿色，有纵纹，有多数须根；质坚硬，难折断，断面不整齐，皮部极薄，木部黄白色，可见放射状纹理。茎呈圆柱形；表面黄棕色或黄绿色，具数条微凸起的纵棱和灰白色毛茸，有的节部具紫斑；质坚韧。叶多皱缩，完整者展开后呈宽椭圆形或矩圆形，上表面深绿色，下表面浅绿色，两面均被微毛。头状花序腋生，黄绿色。果实条形，表面具细条纹，两端膨大。气微，味淡。

| 功能主治 | 鹤虱：苦、辛，平；有小毒。归脾、胃经。杀虫消积。用于蛔虫病，蛲虫病，绦虫病，虫积腹痛，小儿疳积。
天名精：辛，寒。归肝、肺经。清热化痰，解毒杀虫，破瘀止血。用于乳蛾喉痹，急、慢惊风，牙痛，疔疮肿毒，痔瘘，皮肤痒疹，毒蛇咬伤，虫积，血瘕，吐血，衄血，血淋，创伤出血。

| 用法用量 | 鹤虱：内服煎汤，3 ~ 9g。
天名精：内服煎汤，10 ~ 15g。

菊科 Compositae 天名精属 Carpesium

烟管头草 *Carpesium cernuum* L.

| 药 材 名 | 野烟叶（药用部位：全草。别名：杓儿菜、烟袋草、挖耳草）、挖耳草根（药用部位：根）。

| 形态特征 | 多年生草本。茎高50～100cm，下部密被白色长柔毛及卷曲的短柔毛，基部及叶腋尤密，常成绵毛状，上部被疏柔毛，后渐脱落稀疏，有明显的纵条纹，多分枝。基生叶于开花前凋萎，稀宿存；茎下部叶较大，具长柄，叶柄长约为叶片的2/3或近等长，下部具狭翅，向叶基渐宽，叶片长椭圆形或匙状长椭圆形，长6～12cm，宽4～6cm，先端锐尖或钝，基部长渐狭下延，上面绿色，被稍密的倒伏柔毛，下面淡绿色，被白色长柔毛，沿叶脉较密，在中肋及叶柄上常密集成绒毛状，两面均有腺点，边缘具稍不规整具胼胝尖的锯齿；中部叶椭圆形至长椭圆形，长8～11cm，宽3～4cm，先端渐尖或锐尖，

烟管头草

基部楔形，具短柄，上部叶渐小，椭圆形至椭圆状披针形，近全缘。头状花序单生茎端及枝端，开花时下垂；苞叶多枚，大小不等，其中 2 ~ 3 较大，椭圆状披针形，长 2 ~ 5cm，两端渐狭，具短柄，密被柔毛及腺点，其余较小，条状披针形或条状匙形，稍长于总苞；总苞壳斗状，直径 1 ~ 2cm，长 7 ~ 8mm；苞片 4 层，外层苞片叶状，披针形，与内层苞片等长或稍长，草质或基部干膜质，密被长柔毛，先端钝，通常反折，中层及内层干膜质，狭矩圆形至条形，先端钝，有不规整的微齿；雌花狭筒状，长约 1.5mm，中部较宽，两端稍收缩；两性花筒状，向上增宽，冠檐 5 齿裂。瘦果长 4 ~ 4.5mm。

| 生境分布 | 生于海拔 150 ~ 1800m 的路边荒地及山坡、沟边等处。分布于重庆丰都、大足、酉阳、奉节、城口、忠县、云阳、涪陵、北碚、永川、巫溪、巫山、万州、武隆、石柱、秀山、南川、巴南、南岸、潼南等地。

| 资源情况 | 野生资源丰富。药材来源于野生。

| 采收加工 | 野烟叶：秋季结果前采挖，除去杂质，干燥。
挖耳草根：秋季采收，切片，晒干。

| 药材性状 | 野烟叶：本品地上部分长 50 ~ 100cm。茎圆柱形，有纵条纹；质硬，不易折断。茎下部叶长椭圆形，长 6 ~ 12cm，宽 4 ~ 6cm，多皱缩，易碎，绿色或绿褐色，两面均被白色或淡黄色柔毛和腺点，中、上部叶较小。头状花序单生于茎端或枝端，下垂；苞叶多枚，其中 2 ~ 3 较大，长 2 ~ 4cm；总苞直径 0.8 ~ 1.8cm，总苞片 4 层，外层苞片叶状，披针形，与内层苞片等长，草质或基部干膜质，先端常反卷。雌花狭筒状；两性花筒状。气微，味苦。

| 功能主治 | 野烟叶：苦、辛，凉。清热解毒，消肿止痛。用于感冒发热，咽喉肿痛，牙痛，疮疖肿毒。
挖耳草根：苦，凉。清热解毒。用于痢疾，牙痛，乳蛾，子宫脱垂，脱肛。

| 用法用量 | 野烟叶：内服煎汤，15 ~ 30g。
挖耳草根：内服煎汤，5 ~ 15g。

菊科 Compositae 天名精属 Carpesium

金挖耳

Carpesium divaricatum Sieb. et Zucc.

| **药 材 名** | 野烟叶（药用部位：全草。别名：金挖耳、挖耳草、朴地菊）、金挖耳根（药用部位：根。别名：野烟头）。

| **形态特征** | 多年生草本。茎直立，高 25 ～ 150cm，被白色柔毛，初时较密，后渐稀疏，中部以上分枝，枝通常近平展。基生叶于开花前凋萎，下部叶卵形或卵状长圆形，长 5 ～ 12cm，宽 3 ～ 7cm，先端锐尖或钝，基部圆形或稍呈心形，有时呈阔楔形，边缘具粗大具胼胝尖的牙齿，上面深绿色，被具球状膨大基部的柔毛，老时脱落，稀疏而留下膨大的基部，叶面稍粗糙，下面淡绿色，被白色短柔毛并杂以疏长柔毛，沿中肋较密，叶柄较叶片短或近等长，与叶片连接处有狭翅，下部无翅；中部叶长椭圆形，先端渐尖，基部楔形，叶柄较短，无翅，上部叶渐变小，长椭圆形或长圆状披针形，两端渐狭，几无柄。头

金挖耳

状花序单生茎端及枝端；苞叶 3 ~ 5，披针形至椭圆形，其中 2 较大，较总苞长 2 ~ 5 倍，密被柔毛和腺点；总苞卵球形，基部宽，上部稍收缩，长 5 ~ 6mm，直径 6 ~ 10mm，苞片 4 层，覆瓦状排列，外层短（向内逐层增长），广卵形，干膜质或先端稍带草质，背面被柔毛，中层狭长椭圆形，干膜质，先端钝，内层条形；雌花狭筒状，长 1.5 ~ 2mm，冠檐 4 ~ 5 齿裂；两性花筒状，长 3 ~ 3.5mm，向上稍宽，冠檐 5 齿裂，筒部在放大镜下可见极少数柔毛。瘦果长 3 ~ 3.5mm。

| 生境分布 | 生于海拔 300 ~ 1900m 的路旁或山坡灌丛中。分布于重庆酉阳、黔江、武隆、南川、北碚、巫溪等地。

| 资源情况 | 野生资源稀少。药材来源于野生。

| 采收加工 | 野烟叶：秋季结果前采挖，除去杂质，干燥。
金挖耳根：秋季采收，鲜用或切片晒干。

| 药材性状 | 野烟叶：本品茎圆柱形。茎下部叶卵形，卵状长圆形或阔卵形，长 4.5 ~ 7.5cm，宽 2.5 ~ 5.5cm，两面具短伏毛和腺点。苞叶 3 ~ 5，其中 2 较大，总苞直径 0.6 ~ 1.2cm，由外向内逐层增长，干膜质。

| 功能主治 | 野烟叶：苦、辛，凉。清热解毒，消肿止痛。用于感冒发热，咽喉肿痛，牙痛，疮疖肿毒。
金挖耳根：微苦、辛，平。止痛，解毒。用于产后腹痛，水泻腹痛，牙痛，乳蛾。

| 用法用量 | 野烟叶：内服煎汤，15 ~ 30g。
金挖耳根：内服煎汤，6 ~ 15g；或捣烂冲酒。外用适量，捣敷。

菊科 Compositae 天名精属 *Carpesium*

贵州天名精 *Carpesium faberi* Winkl.

| 药 材 名 | 贵州天名精（药用部位：全草）。

| 形态特征 | 多年生草本。茎高 30 ~ 75cm，通常带紫褐色，有不明显的纵条纹，下部被开展的白色长柔毛，上部毛较短而稍密，后渐脱落稀疏，中上部具多数分枝。基生叶于开花前枯萎；茎下部叶卵形至卵状披针形，长 4 ~ 7cm，宽 2 ~ 3cm，先端渐尖，基部阔楔形或近圆形，稍下延，边缘具稍不规整具胼胝尖的疏齿，上面深绿色，被倒伏的硬毛状毛，下面淡绿色，被白色疏长柔毛，沿叶脉较密，叶柄长 1 ~ 5cm，被稀疏的白色长柔毛，上部由于叶基下延而具狭翅；中部叶披针形，长 5 ~ 9cm，宽 1 ~ 2.5cm，具短柄，边缘具稀疏锯齿或近全缘；上部叶渐变小，披针形至条状披针形，近全缘。头状花序多数，生于茎、枝端及下部枝条的叶腋，几无梗，常呈穗状花

贵州天名精

序式排列；苞片 2 ~ 3，椭圆形至椭圆状披针形，长 6 ~ 15mm，先端钝或具短尖头，基部渐狭，具短柄，两面被柔毛；总苞钟状，长约 5mm，直径 3 ~ 5mm；苞片 4 层，干膜质，外层较短，卵形，先端锐尖，背面被微毛，中层狭矩圆形，先端钝或有细齿，内层条形；雌花狭筒状，长 1.2 ~ 1.5mm，冠檐 4 ~ 5 齿裂；两性花筒状，长约 2mm，向上稍增宽，冠檐 5 齿裂。瘦果长 2 ~ 2.5mm。

| 生境分布 | 生于海拔 700 ~ 1900m 的路边旷地或林缘。分布于重庆巫山、奉节、南川、北碚、丰都等地。

| 资源情况 | 野生资源稀少。药材来源于野生。

| 采收加工 | 秋季采收，除去杂质，干燥。

| 功能主治 | 清热解毒，消肿止痛。用于跌打损伤，头痛，驱虫。

| 用法用量 | 内服煎汤，适量。外用适量，捣敷。

菊科 Compositae 天名精属 Carpesium

长叶天名精

Carpesium longifolium Chen et C. M. Hu

| 药 材 名 | 长叶天名精（药用部位：全草。别名：乌筋草）。

| 形态特征 | 多年生草本。茎直立，高 50 ~ 100cm，圆柱状，基部木质，直径 3 ~ 6mm，几无毛，上部被稀疏紧贴的短柔毛，有明显纵条纹，中部以上分枝，枝细瘦，上部被较密的短柔毛。基生叶于开花前枯萎；茎下部及中部叶椭圆形或椭圆状披针形，长 10 ~ 23cm，宽 3.5 ~ 6cm，先端渐尖，基部长渐狭，边缘近全缘或被稀疏胼胝尖头，两面近于无毛或被极稀疏的细长毛，上面深绿色，中肋紫色，下面淡绿色，具球状白色及金黄色小腺点，叶柄长 2 ~ 4cm；上部叶披针形至狭披针形，长 8 ~ 15cm，宽 1.5 ~ 3cm，两端渐狭，近全缘，无柄或具短柄。头状花序穗状花序式排列，腋生者通常无苞叶或具极小的苞叶，着生于茎端及枝端者具苞叶，苞叶 2 ~ 4，披针形，长

长叶天名精

1.5 ~ 3.5cm，两端渐狭，被疏柔毛；总苞半球形，长 6 ~ 7mm，直径 8 ~ 12mm；苞片 4 层，外层短，卵圆形，长约为内层的 1/2，先端锐尖，干膜质或先端稍带绿色，背面被稀疏短柔毛，中层矩圆形，长 5 ~ 6mm，宽约 2mm，先端圆钝，具缘毛或细齿，最内层条状披针形，宽约 1mm，先端稍钝；雌花 3 ~ 4 层，花冠狭筒状，长约 2mm，冠檐 5 齿裂；两性花筒状，长 3 ~ 3.5mm，向上稍增宽，冠檐 5 齿裂。瘦果长约 3mm。

| **生境分布** | 生于海拔 800 ~ 2300m 的山坡灌丛边或林下。分布于重庆黔江、江津、云阳、酉阳、丰都、武隆、奉节、万州、石柱、南川等地。

| **资源情况** | 野生资源一般。药材来源于野生。

| **采收加工** | 秋季采收，除去杂质，干燥。

| **功能主治** | 苦，寒。清热解毒，消肿。用于漆疮，毒蛇咬伤，痈疮肿毒。

| **用法用量** | 内服煎汤，适量。外用适量，捣敷。

| **附　注** | 本种喜温暖湿润气候和阴湿环境，在山区、平原等地均可栽培。

菊科 Compositae 天名精属 Carpesium

小花金挖耳 *Carpesium minum* Hemsl.

| 药 材 名 | 小金挖耳（药用部位：全草。别名：小野烟、茄叶细辛、散血草）。 |

| 形态特征 | 多年生草本。茎直立，高 10 ~ 30cm，基部常带紫褐色，密被卷曲柔毛，后渐稀疏，露出腺点状突起，节间长 5 ~ 16mm。叶稍厚，下部叶椭圆形或椭圆状披针形，长 4 ~ 9cm，宽 1 ~ 2.2cm，先端锐尖或钝，基部渐狭，上面深绿色，下面淡绿色，初被柔毛，后渐脱落，几无毛或沿叶脉被稀疏柔毛，两面均有腺点状突起，触之有粗糙感觉，边缘中上部有不明显的疏锯齿，齿端有腺体状胼胝，叶柄长 1 ~ 3cm，与叶片中肋通常均带紫色，被毛与茎相似；上部叶较小，披针形或条状披针形，近全缘，具短柄或无柄。头状花序单生茎、枝端，直立或下垂；苞叶 2 ~ 4，2 较大，条状披针形，长 6 ~ 15mm，密被短柔毛；总苞钟状，长约 5mm，直径 4 ~ 6mm；苞片 3 ~ 4 层， |

小花金挖耳

外层较短，卵形至卵状披针形，干膜质，先端锐尖，少数上部带绿色，背面被极稀疏的柔毛，内层条状披针形，先端钝，有不规整的细齿；雌花狭筒状，长 1 ~ 1.5mm，冠檐 5 齿裂；两性花筒状，长约 2mm，向上稍宽，冠檐 5 齿裂。瘦果长约 1.8mm。

| 生境分布 | 生于海拔 500 ~ 1200m 的山坡草丛中或水沟边。分布于重庆巫溪、黔江、武隆、南川、彭山等地。

| 资源情况 | 野生资源稀少。药材来源于野生。

| 采收加工 | 春、夏季采收，鲜用或切段晒干。

| 药材性状 | 本品茎基部紫褐色，密被卷曲柔毛。叶披针形至椭圆形，先端锐尖或钝，基部渐狭；叶片绿色，两面均有腺点状突起，触之有粗糙感，叶缘有明显的疏锯齿或全缘；叶柄与叶片中肋通常带紫色，被柔毛；头状花序单生于茎、枝端；苞叶条状披针形，密被短柔毛；总苞钟状，苞片卵形至卵状披针形，干膜质。气香，味微苦。

| 功能主治 | 辛、苦，凉。解毒消肿，清热凉血。用于吐血，咯血，尿血，血崩，无名肿毒，腮腺炎。

| 用法用量 | 内服煎汤，5 ~ 15g。外用适量，捣敷。

菊科 Compositae 红花属 Carthamus

红花
Carthamus tinctorius L.

| 药 材 名 | 红花（药用部位：管状花。别名：红蓝花、刺红花、草红花）。

| 形态特征 | 一年生草本，高（20～）50～100（～150）cm。茎直立，上部分枝，全部茎枝白色或淡白色，光滑，无毛。中下部茎叶披针形、卵状披针形或长椭圆形，长7～15cm，宽2.5～6cm，边缘具大锯齿、重锯齿、小锯齿以至无锯齿而全缘，极少有羽状深裂的，齿顶有针刺，针刺长1～1.5mm，向上的叶渐小，披针形，边缘有锯齿，齿顶针刺较长，长达3mm；全部叶质地坚硬，革质，两面无毛无腺点，有光泽，基部无柄，半抱茎。头状花序多数，在茎枝先端排成伞房花序，为苞叶所围绕，苞片椭圆形或卵状披针形，包括先端针刺长2.5～3cm，边缘有针刺，针刺长1～3mm，或无针刺，先端渐长，有篦齿状针刺，针刺长2mm；总苞卵形，直径2.5cm；总苞片4层，

红花

外层竖琴状，中部或下部有收缢，收缢以上叶质，绿色，边缘无针刺或有篦齿状针刺，针刺长达 3mm，先端渐尖，有长 1 ~ 2mm，收缢以下黄白色；中内层硬膜质，倒披针状椭圆形至长倒披针形，长达 2.2cm，先端渐尖；全部苞片无毛无腺点。小花红色、橘红色，全部为两性花，花冠长 2.8cm，细管部长 2cm，花冠裂片几达檐部基部。瘦果倒卵形，长 5.5mm，宽 5mm，乳白色，有 4 棱，棱在果实顶伸出，侧生于着生面；无冠毛。花果期 5 ~ 8 月。

| 生境分布 | 栽培于海拔 1000m 以下的向阳坡地。分布于重庆南川、北碚等地。

| 资源情况 | 栽培资源稀少，无野生资源。药材来源于栽培。

| 采收加工 | 夏季花由黄变红时采摘，阴干或晒干。

| 药材性状 | 本品为不带子房的管状花，长 1 ~ 2cm；表面红黄色或红色。花冠筒细长，先端 5 裂，裂片呈狭条形，长 5 ~ 8mm。雄蕊 5，花药聚合成筒状，黄白色；柱头长圆柱形，先端微分叉。质柔软。气微香，味微苦。

| 功能主治 | 辛，温。归心、肝经。活血通经，散瘀止痛。用于闭经，痛经，恶露不行，癥瘕痞块，胸痹心痛，瘀滞腹痛，胸胁刺痛，跌打损伤，疮疡肿痛。

| 用法用量 | 内服煎汤，3 ~ 10g。孕妇忌服。

菊科 Compositae 矢车菊属 Centaurea

矢车菊

Centaurea cyanus L.

|药 材 名| 矢车菊（药用部位：全草或花。别名：车轮花、蓝芙蓉）。

|形态特征| 一年生或二年生草本，高 30 ~ 70cm 或更高，直立，自中部分枝，
极少不分枝。全部茎枝灰白色，被薄蛛丝状卷毛。基生叶及下部茎
叶长椭圆状倒披针形或披针形，不分裂，全缘无锯齿或边缘具疏锯
齿至大头羽状分裂，侧裂片 1 ~ 3 对，长椭圆状披针形、线状披针
形或线形，全缘无锯齿，顶裂片较大，长椭圆状倒披针形或披针形，
边缘有小锯齿；中部茎叶线形、宽线形或线状披针形，长 4 ~ 9cm，
宽 4 ~ 8mm，先端渐尖，基部楔状，无叶柄，全缘无锯齿；上部茎
叶与中部茎叶同形，但渐小；全部茎叶两面异色或近异色，上面绿
色或灰绿色，被稀疏蛛丝毛或脱毛，下面灰白色，被薄绒毛。头状
花序多数或少数在茎枝先端排成伞房花序或圆锥花序；总苞椭圆

矢车菊

状，直径 1 ~ 1.5cm，被稀疏蛛丝毛；总苞片约 7 层，全部总苞片由外向内椭圆形、长椭圆形，外层与中层包括先端附属物长 3 ~ 6mm，宽 2 ~ 4mm，内层包括先端附属物长 1 ~ 11cm，宽 3 ~ 4mm；全部苞片先端有浅褐色或白色的附属物，内层的附属物较大，全部附属物沿苞片短下延，边缘流苏状锯齿；边花增大，长超于中央盘花，蓝色、白色、红色或紫色，檐部 5 ~ 8 裂；盘花浅蓝色或红色。瘦果椭圆形，长 3mm，宽 1.5mm，有细条纹，被稀疏的白色柔毛；冠毛白色或浅土红色，2 列，外列多层，向内层渐长，长达 3mm，内列 1 层，极短，全部冠毛刚毛状。花果期 2 ~ 8 月。

| 生境分布 | 栽培于公园、花园及校园。重庆各地均有分布。

| 资源情况 | 野生资源较少。药材来源于栽培。

| 功能主治 | 全草，清热解毒，消肿活血；浸出液可以明目。花，利尿。

| 附　　注 | （1）在 FOC 中，本种被修订为蓝花矢车菊 *Cyanus segetum* Hill，属名被修订为矢车菊属 *Cyanus*。

（2）本种适应性较强，喜阳光充足，不耐阴湿；较耐寒，喜冷、凉气候，忌炎热；喜肥沃及疏松土壤。本种有直根系，故多直播或带土移植，也可自播繁殖。

菊科 Compositae 石胡荽属 Centipeda

石胡荽
Centipeda minima (L.) A. Br. et Aschers.

| 药 材 名 | 鹅不食草（药用部位：全草。别名：鸡肠草、鹅不食、通天窍）。

| 形态特征 | 一年生小草本。茎多分枝，高 5 ~ 20cm，匍匐状，微被蛛丝状毛或无毛。叶互生，楔状倒披针形，长 7 ~ 18mm，先端钝，基部楔形，边缘有少数锯齿，无毛或背面微被蛛丝状毛。头状花序小，扁球形，直径约 3mm，单生叶腋，无花序梗或极短；总苞半球形；总苞片 2 层，椭圆状披针形，绿色，边透明膜质，外层较大；边花雌性，多层，花冠细管状，长约 0.2mm，淡绿黄色，先端 2 ~ 3 微裂；盘花两性，花冠管状，长约 0.5mm，先端 4 深裂，淡紫红色，下部有明显的狭管。瘦果椭圆形，长约 1mm，具 4 棱，棱上有长毛，无冠状冠毛。花果期 6 ~ 10 月。

石胡荽

| 生境分布 | 生于海拔 200 ～ 1200m 的路旁、荒野阴湿地。重庆各地均有分布。

| 资源情况 | 野生资源丰富。药材来源于野生。

| 采收加工 | 夏、秋季花开时采收，除去泥沙，晒干。

| 药材性状 | 本品缠结成团。须根纤细，淡黄色。茎细，多分枝；质脆，易折断，断面黄白色。叶小，近无柄；叶片多皱缩破碎，完整者展平后呈匙形，表面灰绿色或棕褐色，边缘有 3 ～ 5 锯齿。头状花序黄色或黄褐色。气微香，久嗅有刺激感，味苦、微辛。

| 功能主治 | 辛，温。归肺经。发散风寒，通鼻窍，止咳。用于风寒头痛，咳嗽痰多，鼻塞不通，鼻渊流涕。

| 用法用量 | 内服煎汤，6 ～ 9g。外用适量。

菊科 Compositae 茼蒿属 Chrysanthemum

茼蒿

Chrysanthemum coronarium L.

茼蒿

| 药 材 名 |

茼蒿（药用部位：全草。别名：艾菜）。

| 形态特征 |

一年生草本。光滑无毛或几光滑无毛。茎高达 70cm，不分枝或自中上部分枝。基生叶花期枯萎；中下部茎叶长椭圆形或长椭圆状倒卵形，长 8 ~ 10cm，无柄，2 回羽状分裂，1 回为深裂或几全裂，侧裂片 4 ~ 10 对，2 回为浅裂、半裂或深裂，裂片卵形或线形；上部叶小。头状花序单生茎顶或少数生于茎枝先端，但并不形成明显的伞房花序，花梗长 15 ~ 20cm；总苞直径 1.5 ~ 3cm；总苞片 4 层，内层长 1cm，先端膜质扩大成附片状；舌片长 1.5 ~ 2.5cm。舌状花瘦果有 3 凸起的狭翅肋，肋间有 1 ~ 2 明显的间肋；管状花瘦果有 1 ~ 2 椭圆形突起的肋及不明显的间肋。花果期 6 ~ 8 月。

| 生境分布 |

栽培于菜园。重庆各地均有分布。

| 资源情况 |

栽培资源丰富，无野生资源。药材来源于栽培。

| **功能主治** | 和脾胃，通便，清热养心，润肺祛痰。用于小便淋痛不利。

| **用法用量** | 内服煎汤，适量。

| **附　　注** | 在 FOC 中，本种的拉丁学名被修订为 *Glebionis coronaria* (L.) Cass. ex Spach，属名被修订为茼蒿属 *Glebionis*。

菊科 Compositae 茼蒿属 Chrysanthemum

南茼蒿

Chrysanthemum segetum L.

南茼蒿

| 药 材 名 |

茼蒿（药用部位：茎叶。别名：茼蒿菜、蓬蒿、菊花菜）。

| 形态特征 |

光滑无毛或几光滑无毛，高 20 ~ 60cm。茎直立，富肉质。叶椭圆形、倒卵状披针形或倒卵状椭圆形，边缘有不规则的大锯齿，少有成羽状浅裂的，长 4 ~ 6cm，基部楔形，无柄。头状花序单生茎端或少数生茎枝先端，但不形成伞房花序，花梗长 5cm。总苞直径 1 ~ 2cm。内层总苞片先端膜质扩大几成附片状。舌片长达 1.5cm。舌状花瘦果有 2 条具狭翅的侧肋，间肋不明显，每面 3 ~ 6 条，贴近。管状花瘦果的肋约 10 条，等形等距，椭圆状。花果期 3 ~ 6 月。

| 生境分布 |

栽培于菜地。分布于重庆武隆、彭水、南川、南岸等地。

| 资源情况 |

野生资源稀少。药材主要来源于栽培。

| **采收加工** | 春、夏季采收，鲜用。

| **功能主治** | 辛、甘，凉。归心、脾、胃经。和脾胃，消痰饮，安心神。用于脾胃不和，二便不通，咳嗽痰多，烦热不安。

| **用法用量** | 内服煎汤，鲜品 60 ~ 90g。泄泻者禁用。

| **附　　注** | 在 FOC 中，本种被修订为 *Glebionis segetum* (Linn.) Fourr.，属名被修订为茼蒿属 *Glebionis*。

菊科 Compositae 菊苣属 Cichorium

菊苣 *Cichorium intybus* L.

| **药 材 名** | 菊苣（药用部位：地上部分。别名：蓝菊）、菊苣根（药用部位：根）。

| **形态特征** | 多年生草本，高 40 ~ 100cm。茎直立，单生，分枝开展或极开展，全部茎枝绿色，有条棱，被极稀疏的长而弯曲的糙毛或刚毛或几无毛。基生叶莲座状，花期生存，倒披针状长椭圆形，包括基部渐狭的叶柄全长 15 ~ 34cm，宽 2 ~ 4cm，基部渐狭有翼柄，大头状倒向羽状深裂或羽状深裂或不分裂而边缘有稀疏的尖锯齿，侧裂片 3 ~ 6 对或更多，顶侧裂片较大，向下侧裂片渐小，全部侧裂片镰刀形或不规则镰刀形或三角形；茎生叶少数，较小，卵状倒披针形至披针形，无柄，基部圆形或戟形扩大半抱茎；全部叶质地薄，两面被稀疏的多细胞长节毛，但叶脉及边缘的毛较多。头状花序多数，单生或数个集生于茎顶或枝端，或 2 ~ 8 为 1 组沿花枝排列成穗状花序；

菊苣

总苞圆柱状，长 8 ～ 12mm；总苞片 2 层，外层披针形，长 8 ～ 13mm，宽 2 ～ 2.5mm，上半部绿色，草质，边缘有长缘毛，背面有极稀疏的头状具柄的长腺毛或单毛，下半部淡黄白色，质地坚硬，革质；内层总苞片线状披针形，长达 1.2cm，宽约 2mm，下部稍坚硬，上部边缘及背面通常有极稀疏的头状具柄的长腺毛并杂有长单毛；舌状小花蓝色，长约 14mm，有色斑。瘦果倒卵状、椭圆状或倒楔形，外层瘦果压扁，紧贴内层总苞片，3 ～ 5 棱，先端截形，向下收窄，褐色，有棕黑色色斑；冠毛极短，2 ～ 3 层，膜片状，长 0.2 ～ 0.3mm。花果期 5 ～ 10 月。

| 生境分布 | 生于河边、水沟边或山坡，或栽培于房前屋后。分布于重庆涪陵、巴南、丰都、忠县、北碚等地。

| 资源情况 | 野生和栽培资源均稀少。药材来源于野生。

| 采收加工 | 菊苣：夏、秋季采割，除去泥沙和杂质，晒干。
菊苣根：夏、秋季采收，切片，晒干。

| 药材性状 | 菊苣：本品茎表面近光滑。茎生叶少，长圆状披针形。头状花序少数，簇生；苞片外短内长，无毛或先端被稀毛。瘦果鳞片状，冠毛短，长 0.2 ～ 0.3mm。

| 功能主治 | 菊苣：微苦、咸，凉。归肝、胆、胃经。清肝利胆，健胃消食，利尿消肿。用于湿热黄疸，胃痛食少，水肿尿少。
菊苣根：微苦，凉。清热，健胃。用于消化不良，胸腹胀闷。

| 用法用量 | 菊苣：内服煎汤，9 ～ 18g。
菊苣根：内服研末，3 ～ 6g。

菊科 Compositae 蓟属 Cirsium

刺盖草 *Cirsium bracteiferum* Shih

刺盖草

| 药 材 名 |

刺盖草（药用部位：根）。

| 形态特征 |

茎直立，高 40cm，上部被稠密的多细胞长节毛并混生稀疏蛛丝毛。上部茎叶长椭圆状披针形，长 13cm，宽 4cm，羽状深裂，基部耳状扩大半抱茎，侧裂片 6 ~ 7 对，偏斜三角形，先端急尖，有长针刺，边缘有稀疏的刺齿及针刺，齿顶有针刺，全部针刺长 3 ~ 6mm，接头状花序下部的叶与上部茎叶同形并等样分裂，但较小；全部茎叶两面同色，绿色，被多细胞短节毛或节毛成糠秕状，沿脉的毛稍稠密。头状花序下倾，在茎端排成总状花序，植株通常含有 4 头状花序，花序梗长或短，通常裸露，被稠密的多细胞长节毛；总苞宽钟状，无毛，直径 3 ~ 4.5cm；总苞片 6 层，镊合状排列或至少不为明显的覆瓦状排列，近等长或内层渐短；外层或近外层苞叶状，草质，钻状长椭圆形或钻状披针形，长 3.5 ~ 4cm，宽 3 ~ 5mm 上部钻状渐尖，先端有短针刺，边缘微齿裂及针刺；中内层长椭圆形或宽线形，长达 2.1cm，先端急尖；最内层狭线形，与中内层等长或稍短。小花紫红色，花冠长 2.2cm，细管部长 1cm，檐部长 1.2cm，5 深裂。瘦果不成熟；冠毛褐色，多层；冠毛刚毛羽毛状，向先端渐细，基部联合成环，整体脱落。花期 7 月。

| 生境分布 | 生于路旁草丛中向阳处。分布于重庆南川等地。

| 资源情况 | 野生资源较少。药材来源于野生。

| 采收加工 | 春、夏季开花前采挖，洗净，切段晒干。

| 功能主治 | 苦，平。凉血，利水，祛风，补虚。用于吐血，下血，水肿，虚弱，跌打损伤，痈痛红肿，痒疹，疥癣。

| 用法用量 | 内服煎汤，适量。

菊科 Compositae 蓟属 Cirsium

等苞蓟 *Cirsium fargesii* (Franch.) Diels

等苞蓟

| 药 材 名 |

等苞蓟（药用部位：根）。

| 形态特征 |

茎直立，有条棱，全部茎枝被稀疏蛛丝毛及多细胞长节毛。中下部茎叶较大，全形宽披针形或披针形，边缘大小不等三角形刺齿，齿顶有针刺，齿缘针刺较稀疏且短，顶裂片长披针形，边缘有针刺或有明显的齿痕；中上部茎叶渐小，与中下部茎叶同形并等样分裂，无柄，基部扩大半抱茎；全部茎叶两面异色，上面绿色，无毛，下面浅灰白色，被蛛丝状薄绒毛。头状花序少数，在茎枝先端排成伞房花序；总苞宽钟状，总苞片约4层，中部以上开展或稍向下反折，先端有褐色短针刺，中部以下或基部边缘有针刺，先端有短针刺，边缘无针刺；小花淡紫色。瘦果不成熟；冠毛多层，基部联合成环，整体脱落，冠毛刚毛长羽毛状。花期7月。

| 生境分布 |

生于海拔 1500 ~ 2440m 的山坡路旁或林缘。分布于重庆城口、南川等地。

| 资源情况 | 野生资源稀少。药材主要来源于野生。

| 采收加工 | 春、夏季花开前采挖，洗净，晾干。

| 功能主治 | 清热，凉血，祛风。

| 用法用量 | 内服煎汤，适量。

菊科 Compositae 蓟属 Cirsium

灰蓟 *Cirsium griseum* Lévl.

灰蓟

| 药 材 名 |

灰蓟（药用部位：全草或根。别名：大蓟、总状蓟）。

| 形态特征 |

多年生草本，高 0.5 ～ 1m。有块根，块根纺锤状或萝卜状，直径达 1.5cm。茎直立，通常分枝，全部茎枝被稠密的多细胞长节毛并混生蛛丝毛，接头状花序下部灰白色，被稠密的绒毛。下部和中部茎叶全形披针形或卵状披针形，羽状深裂或几全裂，长12 ～ 16cm，宽 6.5 ～ 8cm，或更大，基部耳状扩大抱茎，侧裂片 4 ～ 7 对，长三角形或披针形，先端渐尖有针刺，基部两侧或仅一侧边缘有 1 三角形刺齿或无刺齿，全部裂片或刺齿先端有长针刺，针刺长 3 ～ 13mm，边缘针刺缘毛状，长 1 ～ 1.5mm；向上的叶与中下部茎叶同形并等样分裂，接头状花序下部的叶常针刺化；全部叶质地坚硬，两面异色，上面淡绿色，被稠密的贴伏针刺，下面灰白色，被稠密或密厚的绒毛。头状花序在茎枝先端排成总状或总状伞房花序；总苞宽钟状，直径 3.5cm，被稀疏蛛丝毛；总苞片 7 层，镊合状排列或至少不形成明显的覆瓦状排列，外层与中层钻状长卵形或钻

状长椭圆形，长 1 ~ 2cm，钻状部分长 8 ~ 13mm，内层及最内层线状披针形至线形，长 2.5cm，宽 1.5 ~ 2mm；小花白色、黄白色，极少紫色，花冠长 2cm，细管部长 9mm，檐部长 1.1cm，不等 5 深裂。瘦果压扁，楔状倒披针形，先端斜截形，长 5mm，宽 2.5mm；冠毛浅褐色，多层，基部联合成环，整体脱落，冠毛刚毛长冠毛状，长 2cm。花果期 5 ~ 9 月。

| 生境分布 | 生于海拔 1200 ~ 2700m 的山谷或山坡草地。分布于重庆巫溪、丰都、巫山、南川等地。

| 资源情况 | 野生资源较少。药材来源于野生。

| 采收加工 | 夏、秋季采收，切片，晒干。

| 功能主治 | 苦，凉。清热，凉血，调经。用于月经不调，衄血，尿血，烫火伤。

| 用法用量 | 内服煎汤，10 ~ 15g。

| 附　　注 | 在 FOC 中，本种的拉丁学名被修订为 *Cirsium botryodes* Petr. ex Hand.-Mazz.。

菊科 Compositae 蓟属 Cirsium

湖北蓟 *Cirsium hupehense* Pamp.

湖北蓟

药材名

湖北蓟（药用部位：全草）。

形态特征

多年生草本，高（30~）50~100（~150）cm。
根直伸，直径可达 1cm，茎直立，基部直
径可达 1.3cm，上部或自下部长分枝，分
枝斜升，或不分枝，全部茎枝有条棱，
上部灰白色，被薄绒毛。中部茎叶长椭圆
形或长椭圆状披针形，长 9~18cm，宽
1.5~3cm，不分裂，边缘有针刺，针刺
长短不等长，相间排列，贴伏或斜伸，或
边缘（主要是下部边缘）有三角形或斜三
角形锯齿，锯齿或深或浅，但绝不构成明
显的羽裂，针刺长者长 2.5mm，短者不足
1mm，向上的叶渐小，同形或长披针形或
宽线形，并具有等样的针刺；全部叶质地
厚，两面异色，上面绿色，被稀疏的糠秕
状糙伏毛，下面灰白色，被密厚的绒毛。
头状花序在茎枝先端排成伞房花序，少有
头状花序单生茎顶而植株只含有 1 头状花序
的；总苞卵球形，直径 2~2.5cm，无毛；
总苞片约 6 层，覆瓦状排列，向内层渐长，
最外层长三角形，长约 5mm，宽约 1mm，
先端针刺长不足 1mm；中层卵状三角形，

包括先端针刺长 8mm，宽 2mm，先端针刺长 2mm；内层及最内层三角状披针形或宽线形，长 1 ～ 1.5cm，宽 1 ～ 1.5mm，先端膜质扩大，膜质；全部苞片外面沿中脉有黑色黏腺；小花紫红色或粉红色，花冠长 2.2cm，檐部长 1.1cm，不等 5 浅裂。瘦果偏斜楔状倒卵形，长 3.5cm，宽 2mm，压扁，先端斜截形；冠毛浅褐色，多层，基部联合成环，整体脱落，冠毛刚毛长羽毛状，长 1.5cm，先端渐细。花果期 8 ～ 11 月。

| 生境分布 | 生于海拔 500 ～ 2500m 的山坡灌木林中或林缘、草丛、荒地或田间。分布于重庆城口、巫溪、巫山、忠县、万州、南川、秀山、奉节等地。

| 资源情况 | 野生资源较少。药材来源于野生。

| 采收加工 | 夏、秋季采收，晒干。

| 功能主治 | 清热解毒，利湿凉血。

| 用法用量 | 内服煎汤，适量。

| 附　　注 | 在 FOC 中，本种被修订为线叶蓟 *Cirsium lineare* (Thunb.) Sch.-Bip.。

菊科 Compositae 蓟属 Cirsium

蓟

Cirsium japonicum Fisch. ex DC.

| 药 材 名 | 大蓟（药用部位：地上部分。别名：恶鸡婆、山萝卜、大刺儿菜）。

| 形态特征 | 多年生草本。块根纺锤状或萝卜状，直径达 7mm。茎直立，30 ~ 80（100 ~ 150）cm，分枝或不分枝，全部茎枝有条棱，被稠密或稀疏的多细胞长节毛，接头状花序下部灰白色，被稠密绒毛及多细胞节毛。基生叶较大，全形卵形、长倒卵形、椭圆形或长椭圆形，长 8 ~ 20cm，宽 2.5 ~ 8cm，羽状深裂或几全裂，基部渐狭成短或长翼柄，柄翼边缘有针刺及刺齿；侧裂片 6 ~ 12 对，中部侧裂片较大，向下及向下的侧裂片渐小，全部侧裂片排列稀疏或紧密，卵状披针形、半椭圆形、斜三角形、长三角形或三角状披针形，宽狭变化极大，或宽达 3cm，或狭至 0.5cm，边缘有稀疏大小不等小锯齿，或锯齿较大而使整个叶片呈现较为明显的 2 回羽状分裂状态，齿顶

蓟

针刺长可达 6mm，短可至 2mm，齿缘针刺小而密或几无针刺，顶裂片披针形或长三角形；自基部向上的叶渐小，与基生叶同形并等样分裂，但无柄，基部扩大半抱茎；全部茎叶两面同色，绿色，两面沿脉有稀疏的多细胞长或短节毛或几无毛。头状花序直立，少有下垂的，少数生茎端而花序极短，不呈明显的花序式排列，少有头状花序单生茎端的；总苞钟状，直径 3cm；总苞片约 6 层，覆瓦状排列，向内层渐长，外层与中层卵状三角形至长三角形，长 0.8 ~ 1.3cm，宽 3 ~ 3.5mm，先端长渐尖，有长 1 ~ 2mm 的针刺，内层披针形或线状披针形，长 1.5 ~ 2cm，宽 2 ~ 3mm，先端渐尖呈软针刺状；全部苞片外面有微糙毛并沿中肋有黏腺；小花红色或紫色，长 2.1cm，檐部长 1.2cm，不等 5 浅裂，细管部长 9mm。瘦果压扁，偏斜楔状倒披针状，长 4mm，宽 2.5mm，先端斜截形；冠毛浅褐色，多层，基部联合成环，整体脱落，冠毛刚毛长羽毛状，长达 2cm，内层向先端纺锤状扩大或渐细。花果期 4 ~ 11 月。

| 生境分布 | 生于海拔 250 ~ 2100m 的山坡林中、林缘、灌丛中、草地、荒地、田间、路旁或溪旁。分布于重庆黔江、南岸、巫山、彭水、涪陵、奉节、城口、忠县、酉阳、石柱、云阳、丰都、江津、南川、巫溪、长寿、武隆、开州、北碚、梁平等地。

| 资源情况 | 野生资源丰富。药材主要来源于野生，亦有栽培。

| 采收加工 | 夏、秋季花开时采割，除去杂质，晒干。

| 药材性状 | 本品茎呈圆柱形，基部直径可达 1.2cm；表面绿褐色或棕褐色，有数条纵棱，被丝状毛；断面灰白色，髓部疏松或中空。叶皱缩，多破碎，完整者展平后呈倒披针形或倒卵状椭圆形，羽状深裂，边缘具不等长的针刺；上表面灰绿色或黄棕色，下表面色较浅，两面均被灰白色丝状毛。头状花序顶生，球形或椭圆形，总苞黄褐色，羽状冠毛灰白色。气微，味淡。

| 功能主治 | 甘、苦，凉。归心、肝经。凉血止血，散瘀，解毒消痈。用于衄血，吐血，尿血，便血，崩漏，外伤出血，痈肿疮毒。

| 用法用量 | 内服煎汤，9 ~ 15g。

| 附 注 | 本种喜温暖湿润气候，耐寒，耐旱，适应性较强。对土壤要求不严，以土层深厚、疏松肥沃的砂壤土或壤土栽培为宜。

菊科 Compositae 蓟属 Cirsium

线叶蓟

Cirsium lineare (Thunb.) Sch.-Bip.

| 药 材 名 | 线叶蓟（药用部位：全草或根。别名：野红花、山红花、尖叶小蓟）。

| 形态特征 | 多年生草本。根直伸。茎直立，有条棱，基部直径 7mm，高 60 ~ 150cm，上部有分枝，分枝坚挺，全部茎枝被稀疏的蛛丝毛及多细胞长节毛，或无毛至几无毛。下部和中部茎叶长椭圆形、披针形或倒披针形，长 6 ~ 12cm，宽 2 ~ 2.5cm，有时长可达 23cm，宽可达 5cm；向上的叶渐小，与中下部茎叶同形或长披针形或线状披针形、宽线形或狭线形；全部茎叶不分裂，先端急尖或钝或尾状渐尖，基部渐狭，在中下部茎成长或短翼柄，在上部叶则无叶柄，两面异色或稍见异色，上面绿色，被多细胞长或短节毛，下面色淡或淡白色，被稀疏的蛛丝状薄毛或至少上部叶如此；边缘有细密的针刺，针刺内弯，或针刺不等大而平展，少有在叶的下部两侧边缘有凹缺状微

线叶蓟

浅齿的。头状花序生花序分枝先端，多数或少数在茎枝先端排成稀疏的圆锥状伞房花序；总苞卵形或长卵形，直径 1.5 ～ 2cm；总苞片约 6 层，覆瓦状排列，向内层渐长，外层与中层三角形及三角状披针形，长 5 ～ 8mm，宽 2 ～ 5mm，先端有针刺，针刺长 2mm，内层披针形或三角状披针形，长达 1cm，先端渐尖，最内层线形或线状披针形，长 1.3 ～ 1.5cm，先端膜质扩大，红色；小花紫红色，花冠长 2cm，檐部长 1cm，不等 5 深裂。瘦果倒金字塔状，长 2.5mm，先端截形；冠毛浅褐色，多层，基部联合成环，整体脱落，冠毛刚毛长羽毛状，长达 1.5cm。花果期 9 ～ 10 月。

| 生境分布 | 生于海拔 400 ～ 1700m 的山坡或路旁。分布于重庆巫溪、黔江、南川、彭水、丰都、忠县、酉阳、长寿、垫江等地。

| 资源情况 | 野生资源一般。药材来源于野生。

| 采收加工 | 秋季采收，鲜用或切片晒干。

| 功能主治 | 酸，温。活血散瘀，解毒消肿。用于月经不调，闭经，痛经，乳腺炎，跌打损伤，尿路感染，痈疖，蛇咬伤。

| 用法用量 | 内服煎汤，15 ～ 30g。外用适量，捣敷。

菊科 Compositae 蓟属 Cirsium

烟管蓟
Cirsium pendulum Fisch. ex DC.

| 药 材 名 | 烟管蓟（药用部位：全草或根。别名：大蓟）。

| 形态特征 | 多年生草本，高1～3m。茎直立，粗壮，上部分枝，全部茎枝有条棱，被极稀疏的蛛丝状及多细胞长节毛，上部花序分枝上的蛛丝毛稍稠密。基生叶及下部茎叶全形长椭圆形、偏斜椭圆形、长倒披针形或椭圆形，下部渐狭成长或短翼柄或无柄，明显的但却不规则2回羽状分裂，1回为深裂，1回侧裂片5～7对，半长椭圆形或偏斜披针形，中部侧裂片较大，长4～16cm，宽1.5～6cm，向上向下的侧裂片渐小，全部1回侧裂片仅一侧深裂或半裂，而另侧不裂，边缘有针刺状缘毛或兼有少数小型刺齿，2回侧裂片斜三角形，2回顶裂片长披针形或宽线形，全部2回裂片边缘及先端有针刺；向上的叶渐小，无柄或扩大成耳状抱茎；全部叶两面同色，绿色或下面

烟管蓟

稍淡，无毛，边缘及齿顶或裂片先端针刺长可达 3mm。头状花序下垂，在茎枝先端排成总状圆锥花序；总苞钟状，直径 3.5 ~ 5cm，无毛；总苞片约 10 层，覆瓦状排列，外层与中层长三角形至钻状披针形，全长 1 ~ 4cm，宽 1 ~ 2.5mm，上部或中部以上钻状，向外反折或开展，内层及最内层披针形或线状披针形，长 1.2 ~ 2.5cm，宽 1.5 ~ 2mm，先端短钻状渐尖；小花紫色或红色，花冠长 2.2cm，细管部细丝状，长 1.6cm，檐部短，长 6mm，5 浅裂。瘦果偏斜楔状倒披针形，先端斜截形，长 4mm，宽 2mm，稍压扁；冠毛污白色，多层，基部联合成环，整体脱落，冠毛刚毛长羽毛状，长达 2.2cm，向先端渐细。花果期 6 ~ 9 月。

| **生境分布** | 生于海拔 300 ~ 2240m 的山谷、山坡草地、林缘、林下、岩石缝隙、溪旁或村旁。分布于重庆黔江、酉阳、忠县、云阳等地。

| **资源情况** | 野生资源较少。药材来源于野生。

| **采收加工** | 春、夏季采收全草，秋后采根，鲜用或切段晒干。

| **功能主治** | 甘、苦，凉。解毒，止血，补虚。用于疮肿，疟疾，外伤出血，体虚。

| **用法用量** | 内服煎汤，4.5 ~ 9g，鲜品可用 30 ~ 60g；加酒煨服；或鲜品捣汁。外用适量，鲜品捣敷。

菊科 Compositae 蓟属 Cirsium

刺儿菜
Cirsium setosum (Willd.) MB.

| **药 材 名** | 小蓟（药用部位：地上部分。别名：刺儿菜、小恶鸡婆、刺蓟菜）。

| **形态特征** | 多年生草本。茎直立，高 30 ~ 80（~ 120）cm，基部直径 3 ~ 5mm，
有时可达 1cm，上部有分枝，花序分枝无毛或被薄绒毛。基生叶和
中部茎叶椭圆形、长椭圆形或椭圆状倒披针形，先端钝或圆形，基
部楔形，有时有极短的叶柄，通常无叶柄，长 7 ~ 15cm，宽 1.5 ~ 10cm，
上部茎叶渐小，椭圆形或披针形或线状披针形，或全部茎叶不分裂，
叶缘有细密的针刺，针刺紧贴叶缘，或叶缘有刺齿，齿顶针刺大小
不等，针刺长达 3.5mm，或大部茎叶羽状浅裂或半裂或边缘粗大圆
锯齿，裂片或锯齿斜三角形，先端钝，齿顶及裂片先端有较长的针刺，
齿缘及裂片边缘的针刺较短且贴伏；全部茎叶两面同色，绿色或下
面色淡，两面无毛，极少两面异色，上面绿色，无毛，下面被稀疏

刺儿菜

或稠密的绒毛而呈现灰色的，亦极少两面同色，灰绿色，两面被薄绒毛。头状花序单生茎端，或植株含少数或多数头状花序在茎枝先端排成伞房花序；总苞卵形、长卵形或卵圆形，直径 1.5 ~ 2cm；总苞片约 6 层，覆瓦状排列，向内层渐长，外层与中层宽 1.5 ~ 2mm，包括先端针刺长 5 ~ 8mm；内层及最内层长椭圆形至线形，长 1.1 ~ 2cm，宽 1 ~ 1.8mm；中外层苞片先端有长不足 0.5mm 的短针刺，内层及最内层渐尖，膜质，短针刺。小花紫红色或白色；雌花花冠长 2.4cm，檐部长 6mm，细管部细丝状，长 1.8cm；两性花花冠长 1.8cm，檐部长 6mm，细管部细丝状，长 1.2mm。瘦果淡黄色，椭圆形或偏斜椭圆形，压扁，长 3mm，宽 1.5mm，先端斜截形；冠毛污白色，多层，整体脱落，冠毛刚毛长羽毛状，长 3.5cm，先端渐细。花果期 5 ~ 9 月。

| **生境分布** | 生于海拔 170 ~ 2650m 的山坡、河旁或荒地、田间。重庆各地均有分布。

| **资源情况** | 野生资源丰富。药材主要来源于野生，亦有栽培。

| **采收加工** | 夏、秋季花开时采割，除去杂质，晒干。

| **药材性状** | 本品茎呈圆柱形，有的上部分枝，长 5 ~ 30cm， 直径 0.2 ~ 0.5cm；表面灰绿色或带紫色，具纵棱及白色柔毛；质脆，易折断，断面中空。叶互生，无柄或有短柄；叶片皱缩或破碎，完整者展平后呈长椭圆形或长圆状披针形，长 3 ~ 12cm，宽 0.5 ~ 3cm；全缘或微齿裂至羽状深裂，齿尖具针刺；上表面绿褐色，下表面灰绿色，两面均被白色柔毛。头状花序单个或数个顶生；总苞钟状，苞片 5 ~ 8 层，黄绿色；花紫红色。气微，味微苦。

| **功能主治** | 甘、苦，凉。归心、肝经。凉血止血，散瘀，解毒消痈。用于衄血，吐血，尿血，血淋，便血，崩漏，外伤出血，痈肿疮毒。

| **用法用量** | 内服煎汤，5 ~ 12g。

| **附　　注** | （1）在 FOC 中，本种的拉丁学名被修订 为 *Cirsium arvense* var. *integrifolium* C. Wimm. et Grabowski。
（2）本种喜温暖湿润气候，耐寒、耐旱，适应性较强，对土壤要求不严。

菊科 Compositae 白酒草属 Conyza

香丝草
Conyza bonariensis (L.) Cronq.

| 药 材 名 | 野塘蒿（药用部位：全草。别名：小山艾、小加蓬、火草苗）。

| 形态特征 | 一年生或二年生草本。根纺锤状，常斜升，具纤维状根。茎直立或斜升，高 20 ~ 50cm，稀更高，中部以上常分枝，常有斜上不育的侧枝，密被贴短毛，杂有开展的疏长毛。叶密集，基部叶花期常枯萎；下部叶倒披针形或长圆状披针形，长 3 ~ 5cm，宽 0.3 ~ 1cm，先端尖或稍钝，基部渐狭成长柄，通常具粗齿或羽状浅裂；中部和上部叶具短柄或无柄，狭披针形或线形，长 3 ~ 7cm，宽 0.3 ~ 0.5cm，中部叶具齿，上部叶全缘，两面均密被贴糙毛。头状花序多数，直径 8 ~ 10mm，在茎端排列成总状或总状圆锥花序，花序梗长 10 ~ 15mm；总苞椭圆状卵形，长约 5mm，宽约 8mm，总苞片 2 ~ 3 层，线形，先端尖，背面密被灰白色短糙毛，外层稍短或短于内层之半，

香丝草

内层长约 4mm，宽 0.7mm，具干膜质边缘；花托稍平，有明显的蜂窝孔，直径 3 ~ 4mm；雌花多层，白色，花冠细管状，长 3 ~ 3.5mm，无舌片或先端仅有 3 ~ 4 细齿；两性花淡黄色，花冠管状，长约 3mm，管部上部被疏微毛，上端具 5 齿裂。瘦果线状披针形，长 1.5mm，扁压，被疏短毛；冠毛 1 层，淡红褐色，长约 4mm。花期 5 ~ 10 月。

| 生境分布 | 生于荒地、田边或路旁。重庆各地均有分布。

| 资源情况 | 野生资源丰富。药材来源于野生。

| 采收加工 | 夏、秋季采收，鲜用或切段晒干。

| 功能主治 | 苦，凉。清热解毒，除湿止痛，止血。用于感冒，疟疾，风湿性关节炎，疮疡脓肿，外伤出血。

| 用法用量 | 内服煎汤，9 ~ 12g。外用适量，捣敷。

| 附 注 | 在 FOC 中，本种的拉丁学名被修订为 *Erigeron bonariensis* L.，属名被修订为飞蓬属 *Erigeron*。

菊科 Compositae 白酒草属 Conyza

小蓬草 *Conyza canadensis* (L.) Cronq.

| 药 材 名 | 小飞蓬（药用部位：地上部分。别名：蛇舌草、祁州一枝蒿、竹叶艾）。

| 形态特征 | 一年生草本。根纺锤状，具纤维状根。茎直立，高 50 ~ 100cm 或更高，圆柱状，多少具棱，有条纹，被疏长硬毛，上部多分枝。叶密集，基部叶花期常枯萎；下部叶倒披针形，长 6 ~ 10cm，宽 1 ~ 1.5cm，先端尖或渐尖，基部渐狭成柄，边缘具疏锯齿或全缘；中部和上部叶较小，线状披针形或线形，近无柄或无柄，全缘或少有具 1 ~ 2 齿，两面或仅上面被疏短毛，边缘常被上弯的硬缘毛。头状花序多数，小，直径 3 ~ 4mm，排列成顶生多分枝的大圆锥花序；花序梗细，长 5 ~ 10mm，总苞近圆柱状，长 2.5 ~ 4mm；总苞片 2 ~ 3 层，淡绿色，线状披针形或线形，先端渐尖，外层约短于内层之半背面被疏毛，内层长 3 ~ 3.5mm，宽约 0.3mm，边缘干膜质，无毛；花

小蓬草

托平，直径 2 ~ 2.5mm，具不明显的凸起；雌花多数，舌状，白色，长 2.5 ~ 3.5mm，舌片小，稍超出花盘，线形，先端具 2 钝小齿；两性花淡黄色，花冠管状，长 2.5 ~ 3mm，上端具 4 或 5 齿裂，管部上部被疏微毛。瘦果线状披针形，长 1.2 ~ 1.5mm，稍扁压，被贴微毛；冠毛污白色，1 层，糙毛状，长 2.5 ~ 3mm。花期 5 ~ 9 月。

| 生境分布 | 生于旷野、荒地、田边或路旁。重庆各地均有分布。

| 资源情况 | 野生资源丰富。药材来源于野生。

| 采收加工 | 春、夏季采收，鲜用或切段晒干。

| 药材性状 | 本品茎直立，表面黄绿色或绿色，具细棱及粗糙毛。单叶互生，展平后呈线状披针形，基部狭，先端渐尖，叶缘具疏锯齿或全缘，有长缘毛。多数小头状花序集成圆锥花序状，花黄棕色。气香特异，味微苦。

| 功能主治 | 微苦、辛，凉。清热利湿，散瘀消肿。用于肠炎，痢疾，肝炎，胆囊炎，跌打损伤，疮疖肿毒，风湿骨痛，外伤出血，牛皮癣。

| 用法用量 | 内服煎汤，15 ~ 30g。外用适量，鲜品捣敷。

| 附　　注 | 在 FOC 中，本种的拉丁学名被修订为 *Erigeron canadensis* L.，属名被修订为飞蓬属 *Erigeron*。

菊科 Compositae 白酒草属 Conyza

白酒草

Conyza japonica (Thunb.) Less.

| 药 材 名 | 白酒草（药用部位：根。别名：刀口药、酒药草、小白酒草）。

| 形态特征 | 一年生或二年生草本。根斜上，不分枝，少有丛生而呈纤维状。茎直立，高（15 ~ ）20 ~ 45cm，或更高，有细条纹，基部直径 2 ~ 4mm，自茎基部或在中部以上分枝，少有不分枝，枝斜上或开展，全株被白色长柔毛或短糙毛，或下部多少脱毛。叶通常密集于茎较下部，呈莲座状，基部叶倒卵形或匙形，先端圆形，基部长渐狭，长 6 ~ 7cm，较下部叶有长柄，长 3 ~ 13cm，叶片长圆形或椭圆状长圆形，或倒披针形，先端圆形，基部楔形，常下延成具宽翅的柄，边缘有圆齿或粗锯齿，有 4 ~ 5 对侧脉，在下面明显，两面被白色长柔毛；中部叶疏生，倒披针状长圆形或长圆状披针形，无柄，长 3.5 ~ 5cm，宽 5 ~ 15mm，先端钝，基部宽而半抱茎，边缘有小尖齿，上部叶渐小，

白酒草

披针形或线状披针形，两面被长贴毛。头状花序较多数，通常在茎及枝端密集成球状或伞房状，干时直径 11mm；花序梗纤细，长 4 ~ 6mm，密被长柔毛；总苞半球形，长约 5 ~ 5.5mm，宽 8 ~ 10mm；总苞片 3 ~ 4 层，覆瓦状，外层较短，卵状披针形，长约 2mm，内层线状披针形，长 4 ~ 5mm，先端尖或渐尖，边缘膜质或多少变紫色，背面沿中脉绿色，被长柔毛，干时常反折。花全部结实，黄色，外围的雌花极多数，花冠丝状，长 1.7 ~ 2mm，先端有微毛，短于花柱的 2.5 倍；中央的两性花少数（约 15 ~ 16），花冠管状，长约 4mm，上部膨大，有 5 卵形裂片，裂片先端有微毛；花托半球形，中央明显凸起，两性花的窝孔较外围雌花的大，具短齿。瘦果长圆形，黄色，长 1 ~ 1.2mm，扁压，两端缩小，边缘脉状，两面无肋，有微毛；冠毛污白色或稍红色，长 4.5mm，糙毛状，近等长，先端狭。花期 5 ~ 9 月。

| 生境分布 | 生于海拔 650 ~ 1200m 的山谷田边、山坡草地或林缘。分布于重庆丰都、垫江、南岸、江津、奉节、酉阳、云阳、南川、忠县、长寿、武隆、石柱、巫溪、巴南、北碚等地。

| 资源情况 | 野生资源较丰富。药材来源于野生。

| 采收加工 | 夏、秋季采收，切段，晒干。

| 功能主治 | 苦、辛，寒。清热止痛，祛风化痰。用于胸膜炎，肺炎，咽喉肿痛，小儿惊风。

| 用法用量 | 内服煎汤，9 ~ 15g。

| 附　　注 | 在 FOC 中，本种的拉丁学名被修订为 *Eschenbachia japonica* (Thunb.) J. Kost.，属名被修订为白酒草属 *Eschenbachia*。

菊科 Compositae 白酒草属 *Conyza*

苏门白酒草
Conyza sumatrensis (Retz.) Walker

| 药 材 名 | 竹叶艾（药用部位：全草）。

| 形态特征 | 一年生或二年生草本。根纺锤状，直或弯，具纤维状根。茎粗壮，直立，具条棱，绿色或下部红紫色，被较密灰白色上弯糙短毛，杂有开展的疏柔毛。叶密集，基部叶花期凋落，下部叶倒披针形或披针形，中部和上部叶渐小，狭披针形或近线形，具齿或全缘，两面特别下面被密糙短毛。头状花序多数，直径5～8mm；花序梗长3～5mm；苞片卵状短圆柱形，总苞片3层，灰绿色，线状披针形或线形，先端渐尖，背面被糙短毛，外层稍短或短于内层之半；花托稍平，具明显小窝孔；雌花多层，管部细长，舌片淡黄色或淡紫色；两性花6～11，花冠淡黄色，管部上部被疏微毛。瘦果线状披针形，被贴微毛；冠毛初时白色，后变黄褐色。花期5～10月。

苏门白酒草

| 生境分布 | 生于山坡草地、旷野、路旁。分布于重庆忠县、云阳、武隆、北碚、南川等地。

| 资源情况 | 野生资源一般。药材来源于野生。

| 采收加工 | 夏、秋季采收，切段，晒干。

| 功能主治 | 辛，平。化痰，通络，止血。用于咳嗽痰多，风湿麻痹，子宫出血。

| 用法用量 | 内服煎汤，3 ~ 6g。

| 附　　注 | 在 FOC 中，本种的拉丁学名被修订为 *Erigeron sumatrensis* Retz.，属名被修订为飞蓬属 *Erigeron*。

菊科 Compositae 金鸡菊属 Coreopsis

剑叶金鸡菊 *Coreopsis lanceolata* L.

| 药 材 名 | 线叶金鸡菊（药用部位：全草。别名：大金鸡菊、线叶波斯菊）。

| 形态特征 | 多年生草本，高 30 ~ 70cm。有纺锤状根。茎直立，无毛或基部被软毛，上部有分枝。叶较少数，在茎基部成对簇生，有长柄，叶片匙形或线状倒披针形，基部楔形，先端钝或圆形，长 3.5 ~ 7cm，宽 1.3 ~ 1.7cm；茎上部叶少数，全缘或 3 深裂，裂片长圆形或线状披针形，顶裂片较大，长 6 ~ 8cm，宽 1.5 ~ 2cm，基部窄，先端钝，叶柄通常长 6 ~ 7cm，基部膨大，有缘毛；上部叶无柄，线形或线状披针形。头状花序在茎端单生，直径 4 ~ 5cm；总苞片内外层近等长，披针形，长 6 ~ 10mm，先端尖；舌状花黄色，舌片倒卵形或楔形；管状花狭钟形，瘦果圆形或椭圆形，长 2.5 ~ 3mm，边缘有宽翅，先端有 2 短鳞片。花期 5 ~ 9 月。

剑叶金鸡菊

| **生境分布** | 栽培于庭院。重庆各地均有分布。

| **资源情况** | 野生资源稀少，栽培资源一般。药材来源于栽培。

| **采收加工** | 夏、秋季采收，鲜用或切段晒干。

| **功能主治** | 辛，平。解热毒，消痈肿。用于疮疡肿毒等。

| **用法用量** | 外用适量，捣敷。

| **附　注** | 本种耐寒、耐旱、耐半阴，适应性强，喜阳光充足的环境及排水良好的砂壤土。

菊科 Compositae 金鸡菊属 Coreopsis

两色金鸡菊 *Coreopsis tinctoria* Nutt.

| 药 材 名 | 蛇目菊（药用部位：全草。别名：孔雀草、波斯菊、痢疾草）。

| 形态特征 | 一年生草本，无毛，高 30 ~ 100cm。茎直立，上部有分枝。叶对生，下部及中部叶有长柄，2 回羽状全裂，裂片线形或线状披针形，全缘；上部叶无柄或下延成翅状柄，线形。头状花序多数，有细长花序梗，直径 2 ~ 4cm，排列成伞房或疏圆锥花序状；总苞半球形，总苞片外层较短，长约 3mm，内层卵状长圆形，长 5 ~ 6mm，先端尖；舌状花黄色，舌片倒卵形，长 8 ~ 15mm；管状花红褐色，狭钟形。瘦果长圆形或纺锤形，长 2.5 ~ 3mm，两面光滑或有瘤状突起，先端有 2 细芒。花期 5 ~ 9 月，果期 8 ~ 10 月。

| 生境分布 | 栽培于庭院。重庆各地均有分布。

两色金鸡菊

资源情况	野生资源较少。药材来源于栽培。
采收加工	春、夏季采收，鲜用或切段晒干。
功能主治	甘，平。归心、肝经。清湿热，解毒消痈。用于湿热痢疾，目赤肿痛，痈肿疮毒。
用法用量	内服煎汤，15～30g。外用适量，捣敷。
附　　注	本种喜光，但耐半阴，耐寒，耐旱，对土壤要求不严，适应性强。对二氧化硫有较强的抗性。

菊科 Compositae 秋英属 Cosmos

秋英
Cosmos bipinnata Cav.

| 药 材 名 | 秋英（药用部位：全草）。

| 形态特征 | 一年生或多年生草本，高 1 ～ 2m。根纺锤状，多须根，或近茎基部有不定根。茎无毛或稍被柔毛。叶 2 回羽状深裂，裂片线形或丝状线形。头状花序单生，直径 3 ～ 6cm；花序梗长 6 ～ 18cm；总苞片外层披针形或线状披针形，近革质，淡绿色，具深紫色条纹，上端长狭尖，与内层等长，长 10 ～ 15mm，内层椭圆状卵形，膜质；托片平展，上端成丝状，与瘦果近等长；舌状花紫红色，粉红色或白色，舌片椭圆状倒卵形，长 2 ～ 3cm，宽 1.2 ～ 1.8cm，有 3 ～ 5 钝齿；管状花黄色，长 6 ～ 8mm，管部短，上部圆柱形，有披针状裂片；花柱具短凸尖的附器。瘦果黑紫色，长 8 ～ 12mm，无毛，上端具长喙，有 2 ～ 3 尖刺。花期 6 ～ 8 月，果期 9 ～ 10 月。

秋英

| **生境分布** | 生于海拔 500 ～ 1500m 的路旁、田埂、溪岸。重庆各地均有分布。

| **资源情况** | 栽培资源较丰富。药材来源于栽培。

| **采收加工** | 夏、秋季采收，去除杂质，晒干。

| **功能主治** | 甘，平。清热解毒，化湿。用于急、慢性痢疾，目赤肿痛。外用于痈疮肿毒。

| **用法用量** | 内服煎汤，全草 30 ～ 60g。外用鲜全草加红糖适量，捣烂外敷。

菊科 Compositae 秋英属 Cosmos

黄秋英 *Cosmos sulphureus* Cav.

| 药 材 名 | 硫黄菊（药用部位：全草。别名：硫华菊、黄波斯菊）。 |

| 形态特征 | 一年生草本植物，植株高 60 ～ 100cm，多分枝。叶对生，2 ～ 3 回羽状深裂，裂片较宽，披针形至椭圆形，有短尖，叶缘粗糙。头状花序生于枝顶，舌状花金黄色或橘黄色。瘦果被粗毛，连同喙长达 18 ～ 25mm，喙纤弱。花期 7 ～ 8 月。 |

| 生境分布 | 栽培于庭院。重庆各地均有分布。 |

| 资源情况 | 野生资源稀少，栽培资源较丰富。药材来源于栽培。 |

| 功能主治 | 清热解毒，明目化湿。用于咳嗽。 |

黄秋英

| **用法用量** | 内服煎汤，适量。

菊科 Compositae 野茼蒿属 Crassocephalum

野茼蒿

Crassocephalum crepidioides (Benth.) S. Moore

| 药 材 名 | 野木耳菜（药用部位：全草。别名：假茼蒿、飞机菜、解放草）。

| 形态特征 | 直立草本，高 20 ~ 120cm。茎有纵条棱，无毛。叶膜质，椭圆形或长圆状椭圆形，长 7 ~ 12cm，宽 4 ~ 5cm，先端渐尖，基部楔形，边缘有不规则锯齿或重锯齿，或有时基部羽状裂，两面无或近无毛；叶柄长 2 ~ 2.5cm。头状花序数个在茎端排成伞房状，直径约 3cm，总苞钟状，长 1 ~ 1.2cm，基部截形，有数枚不等长的线形小苞片；总苞片 1 层，线状披针形，等长，宽约 1.5mm，具狭膜质边缘，先端有簇状毛；小花全部管状，两性，花冠红褐色或橙红色，檐部 5 齿裂，花柱基部呈小球状，分枝，先端尖，被乳头状毛。瘦果狭圆柱形，赤红色，有肋，被毛；冠毛极多数，白色，绢毛状，易脱落。花期 7 ~ 12 月。

野茼蒿

| 生境分布 | 生于海拔 200 ~ 1800m 的水边、路旁、柳林沼泽地、林下或山坡灌丛中。重庆各地均有分布。

| 资源情况 | 野生资源较丰富。药材来源于野生。

| 采收加工 | 夏季采收，鲜用或晒干。

| 功能主治 | 微苦、辛，平。清热解毒，调和脾胃。用于感冒，肠炎，痢疾，口腔炎，乳腺炎，消化不良。

| 用法用量 | 内服煎汤，30 ~ 60g；或绞汁。外用适量，捣敷。

菊科 Compositae 大丽花属 Dahlia

大丽花 *Dahlia pinnata* Cav.

| 药 材 名 | 大理菊（药用部位：块根。别名：天竺牡丹、大理花、西番莲）。

| 形态特征 | 多年生草本。有巨大棒状块根。茎直立，多分枝，高 1.5 ~ 2m，粗壮。叶 1 ~ 3 回羽状全裂，上部叶有时不分裂，裂片卵形或长圆状卵形，下面灰绿色，两面无毛。头状花序大，有长花序梗，常下垂，宽 6 ~ 12cm；总苞片外层约 5，卵状椭圆形，叶质，内层膜质，椭圆状披针形；舌状花 1 层，白色、红色或紫色，常卵形，先端有不明显的 3 齿，或全缘；管状花黄色，有时在栽培种全部为舌状花。瘦果长圆形，长 9 ~ 12mm，宽 3 ~ 4mm，黑色，扁平，有 2 不明显的齿。花期 6 ~ 12 月，果期 9 ~ 10 月。

| 生境分布 | 栽培于庭院。重庆各地均有分布。

大丽花

| **资源情况** | 野生资源稀少，栽培资源较丰富。药材来源于栽培。

| **采收加工** | 秋季采挖，洗净，晒干或鲜用。

| **药材性状** | 本品呈长纺锤形，微弯，有的已压扁，有的切成2瓣，长6～10cm，直径3～4.5cm。表面灰白色或类白色，未去皮者黄棕色，有明显而不规则的纵沟纹，先端有茎基痕，先端及尾部均呈纤维状。质硬，不易折断，断面类白色，角质化。气微，味淡。

| **功能主治** | 辛、甘，平。清热解毒，散瘀止痛。用于腮腺炎，龋齿疼痛，无名肿毒，跌打损伤等。

| **用法用量** | 内服煎汤，6～15g。外用适量，捣敷。

| **附　注** | 本种喜冷凉和通风良好的环境，既不耐寒又畏酷暑，不耐旱、涝，要求栽培于疏松、排水良好的肥沃砂壤土。

菊科 Compositae 菊属 Dendranthema

甘菊
Dendranthema lavandulifolium (Fisch. ex Trautv.) Ling et Shih

| 药 材 名 | 野菊花（药用部位：花。别名：山菊花、千层菊、黄菊花）。

| 形态特征 | 多年生草本，高 0.3 ~ 1.5m。有地下匍匐茎。茎直立，多分枝；茎枝被稀疏柔毛，上部及花序梗上毛稍多。中部茎叶卵形、宽卵形或椭圆状卵形，长 2 ~ 5cm，宽 1.5 ~ 4.5cm；2 回羽状分裂，1 回全裂或几全裂，2 回为半裂或浅裂；全部叶两面同色，被稀疏或稍多的柔毛或上面几无毛；中部茎叶叶柄长 0.5 ~ 1cm，柄基有分裂的叶耳或无耳。头状花序多数在茎枝先端排成疏松或稍紧密的复伞房花序，总苞碟形；总苞片约 5 层，外层线形或线状长圆形，无毛或被稀柔毛，中内层卵形、长椭圆形至倒披针形，边缘白色或浅褐色膜质；舌状花黄色，舌片椭圆形。瘦果。花果期 5 ~ 11 月。

甘菊

| 生境分布 | 生于海拔 630 ~ 2200m 的山坡下、林边、林下、小灌丛间及山沟、溪旁、路边草丛中。分布于重庆城口等地。

| 资源情况 | 野生资源稀少。药材来源于野生。

| 采收加工 | 春、夏季采收，切段，晒干。

| 药材性状 | 本品直径 1 ~ 1.5cm；总苞片 4 ~ 5 层，外层苞片线形或线状长圆形，长 2.5mm；中、内层苞片卵形、长椭圆形至倒披针形。舌状花黄色，舌片椭圆形，长 5 ~ 7.5mm。以完整、色黄、气香者为佳。

| 功能主治 | 苦、辛，平。清热解毒，疏风平肝。用于疔疮，痈疽，丹毒，湿疹，皮炎，风热感冒，咽喉肿痛，高血压。

| 用法用量 | 内服煎汤，9 ~ 24g，鲜品可用 30 ~ 60g。外用适量，捣敷；煎汤漱口或淋洗。脾胃虚寒者、孕妇慎用。

| 附　注 | 在 FOC 中，本种的拉丁学名被修订为 *Chrysanthemum lavandulifolium* (Fischer ex Trautvetter) Makino，属名被修订为菊属 *Chrysanthemum*。

菊科 Compositae 菊属 Dendranthema

菊花 *Dendranthema morifolium* (Ramat.) Tzvel.

| **药材名** | 菊花（药用部位：头状花序。别名：白菊花）、菊花苗（药用部位：幼嫩茎叶。别名：玉英）、菊花叶（药用部位：叶。别名：容成）、菊花根（药用部位：根。别名：长生）。

| **形态特征** | 多年生草本，高 60 ~ 150cm。茎直立，分枝或不分枝，被柔毛。叶卵形至披针形，长 5 ~ 15cm，羽状浅裂或半裂，有短柄，叶下面被白色短柔毛。头状花序直径 2.5 ~ 20cm，大小不一；总苞片多层，外层外面被柔毛；舌状花颜色各种；管状花黄色。

| **生境分布** | 栽培于山坡、田埂、平地、房前屋后。重庆各地均有分布。

| **资源情况** | 栽培资源较丰富。药材来源于栽培。

菊花

| 采收加工 | 菊花：9～11月花盛开时分批采收，阴干或烘干，或熏、蒸后晒干。
菊花苗：春季或夏初采收，阴干或鲜用。
菊花叶：夏、秋季采摘，洗净，鲜用或晒干。
菊花根：秋、冬季采挖，洗净，鲜用或晒干。

| 药材性状 | 菊花：呈碟形或扁球形，直径2.5～4cm，常数个相连成片。舌状花类白色或黄色，平展或微折叠，彼此粘连，通常无腺点；管状花多数，外露。味微甘。

| 功能主治 | 菊花：甘、苦，微寒。归肺、肝经。散风清热，平肝明目，清热解毒。用于风热感冒，头痛眩晕，目赤肿痛，眼目昏花，疮痈肿毒。
菊花苗：甘、微苦，凉。清肝明目。用于头风眩晕，目生翳膜。
菊花叶：辛、甘，平。清肝明目，解毒消肿。用于头风，目眩，疔疮，痈肿。
菊花根：苦、甘，寒。利小便，清热解毒。用于癃闭，咽喉肿痛，痈肿疔毒。

| 用法用量 | 菊花：内服煎汤，5～10g。气虚胃寒、食少泄泻之病，宜少用之。凡阳虚或头痛而恶寒者忌用。
菊花苗：内服煎汤，6～12g。外用适量，煎汤熏洗。
菊花叶：内服煎汤，9～15g；或捣汁。外用适量，捣敷。
菊花根：内服煎汤，15～30g；或捣汁。外用适量，捣敷。

菊科 Compositae 菊属 Dendranthema

野菊

Dendranthema indicum (L.) Des Moul.

| 药 材 名 | 野菊花（药用部位：头状花序。别名：山菊花、千层菊、黄菊花）、野菊（药用部位：地上部分。别名：野菊花、土菊花、草菊）。

| 形态特征 | 多年生草本，高 0.25 ~ 1m。有地下长或短匍匐茎。茎直立或铺散，分枝或仅在茎顶有伞房状花序分枝。茎枝被稀疏的毛，上部及花序枝上的毛稍多或较多。基生叶和下部叶花期脱落；中部茎叶卵形、长卵形或椭圆状卵形，长 3 ~ 7（~ 10）cm，宽 2 ~ 4（~ 7）cm，羽状半裂、浅裂或分裂不明显而边缘有浅锯齿，基部截形或稍心形或宽楔形，叶柄长 1 ~ 2cm，柄基无耳或有分裂的叶耳，两面同色或几同色，淡绿色，或干后两面成橄榄色，被稀疏的短柔毛，或下面的毛稍多。头状花序直径 1.5 ~ 2.5cm，多数在茎枝先端排成疏松的伞房圆锥花序或少数在茎顶排成伞房花序；总苞片约 5 层，外层

野菊

卵形或卵状三角形，长 2.5 ~ 3mm，中层卵形，内层长椭圆形，长 11mm；全部苞片边缘白色或褐色宽膜质，先端钝或圆；舌状花黄色，舌片长 10 ~ 13mm，先端全缘或具 2 ~ 3 齿。瘦果长 1.5 ~ 1.8mm。花期 6 ~ 11 月。

| 生境分布 | 生于山坡草地、灌丛、河边水湿地、田边或路旁。重庆各地均有分布。

| 资源情况 | 野生资源丰富。药材主要来源于野生。

| 采收加工 | 野菊花：秋、冬季花初开放时采摘，晒干或蒸后晒干。
野菊：秋季花开时采割，晒干。

| 药材性状 | 野菊花：本品呈类球形，直径 0.3 ~ 1cm，棕黄色。总苞由 4 ~ 5 层苞片组成，外层卵形或条形，外表面中部灰绿色或浅棕色，通常被白毛，边缘膜质；内层长椭圆形，膜质，外表面无毛。总苞基部有的残留总花梗。舌状花 1 轮，黄色至棕黄色，皱缩卷曲；管状花多数，深黄色。体轻。气芳香，味苦。
野菊：本品长 25 ~ 90cm，被白色柔毛。茎呈圆柱形，上部有分枝，浅棕色，具纵纹，直径 2 ~ 5mm；质脆，易折断，断面中部有白色的髓。单叶互生，叶柄长 1 ~ 2cm；叶片多皱缩，展开后呈卵形，羽状分裂，侧裂片 2，顶裂片 1，边缘具锯齿；叶片上表面柔毛短少，呈绿色，下表面密被柔毛，呈灰绿色；叶腋处有时可见 1 对 3 深裂的假托叶。先端可见呈伞房状排列的头状花序，花苞直径 3 ~ 10mm。具特异香气，味微苦、辛。

| 功能主治 | 野菊花：苦、辛，微寒。归肝、心经。清热解毒，泻火平肝。用于疔疮痈肿，目赤肿痛，头痛眩晕。
野菊：苦、辛，微寒。归肝、心经。清热解毒，凉血散瘀。用于疔疮痈肿，目赤肿痛，头痛眩晕等。

| 用法用量 | 野菊花：内服煎汤，9 ~ 15g。外用适量，煎汤洗或制膏外涂。
野菊：内服煎汤，9 ~ 15g。外用煎汤洗或捣敷。

| 附　　注 | （1）在 FOC 中，本种的拉丁学名被修订为 *Chrysanthemum indicum* L.，属名被修订为菊属 *Chrysanthemum*。
（2）本种喜凉爽湿润气候，耐寒。以土层深厚、疏松肥沃、富含腐殖质的壤土栽培为宜。

菊科 Compositae 鱼眼草属 Dichrocephala

鱼眼草
Dichrocephala auriculata (Thunb.) Druce

| 药 材 名 | 蚯疽草（药用部位：全草。别名：白头菜、夜明草、肉桂草）。

| 形态特征 | 一年生草本，直立或铺散，高 12 ~ 50cm。茎通常粗壮，少有纤细的，不分枝或分枝自基部而铺散，或分枝自中部而斜升，基部直径 2 ~ 5mm；茎枝被白色长或短绒毛，上部及接花序处的毛较密，或果期脱毛或近无毛。叶卵形，椭圆形或披针形；中部茎叶长 3 ~ 12cm，宽 2 ~ 4.5cm，大头羽裂，顶裂片宽大，宽达 4.5cm，侧裂片 1 ~ 2 对，通常对生而少有偏斜的，基部渐狭成具翅的长或短柄，叶柄长 1 ~ 3.5cm；自中部向上或向下的叶渐小同形；基部叶通常不裂，常卵形；全部叶边缘重粗锯齿或缺刻状，少有规则圆锯齿的，叶两面被稀疏的短柔毛，下面沿脉的毛较密，或稀毛或无毛；中下部叶的叶腋通常有不发育的叶簇或小枝，被较密的绒毛。头状花序小，球形，

鱼眼草

直径 3 ~ 5mm，生于枝端，多数头状花序在枝端或茎顶排列成疏松或紧密的伞房状花序或伞房状圆锥花序；花序梗纤细，长达 2cm；总苞片 1 ~ 2 层，膜质，长圆形或长圆状披针形，稍不等长，长约 1mm，先端急尖，微锯齿状撕裂；外围雌花多层，紫色，花冠极细，线形，长 0.5mm，先端通常 2 齿；中央两性花黄绿色，少数，长 0.5mm，管部短，狭细，檐部长钟状，先端 4 ~ 5 齿。瘦果压扁，倒披针形，边缘脉状加厚；无冠毛，或两性花瘦果先端有 1 ~ 2 细毛状冠毛。花果期全年。

| 生境分布 | 生于海拔 150 ~ 2000m 的路边草丛中。分布于重庆垫江、綦江、大足、黔江、南岸、璧山、秀山、江津、合川、潼南、梁平、永川、万州、涪陵、忠县、九龙坡、南川、长寿、丰都、云阳、武隆、铜梁、巫溪、北碚、巴南、沙坪坝、荣昌等地。

| 资源情况 | 野生资源较丰富。药材来源于野生。

| 采收加工 | 夏、秋季采收，鲜用或晒干。

| 功能主治 | 苦、辛，平。活血调经，解毒消肿。用于月经不调，扭伤肿痛，疔毒，毒蛇咬伤。

| 用法用量 | 内服煎汤，9 ~ 15g；研末，3 ~ 6g。外用适量，鲜品捣敷。

| 附　注 | 在 FOC 中，本种的拉丁学名被修订为 *Dichrocephala integrifolia* (Linnaeus f.) Kuntze。

菊科 Compositae 鱼眼草属 Dichrocephala

小鱼眼草

Dichrocephala benthamii C. B. Clarke

| 药 材 名 | 鱼眼草（药用部位：全草。别名：胡椒草、小馒头草、地细辛）。

| 形态特征 | 一年生草本，高 15 ~ 35cm，少有仅高 6cm 的，近直立或铺散。茎单生或簇生，通常粗壮，少有纤细的，常自基部长出多数密集的匍匐斜升的茎而无明显的主茎，或明显假轴分枝而主茎扭曲不显著，或有明显的主茎而基部直径约 4mm；整个茎枝被白色长或短柔毛，上部及接花序处的毛常稠密而开展，有时中下部稀毛或脱毛。叶倒卵形、长倒卵形，匙形或长圆形；中部茎叶长 3 ~ 6cm，宽 1.5 ~ 3cm，羽裂或大头羽裂，侧裂片 1 ~ 3 对，向下渐收窄，基部扩大，耳状抱茎，自中部向上或向下的叶渐小，匙形或宽匙形，边缘深圆锯齿；有时植株全部叶较小，匙形，长 2 ~ 2.5cm，宽约 1cm；全部叶两面被白色疏或密短毛，有时脱毛或几无毛。头状花序小，扁球形，直径

小鱼眼草

约 5mm，生于枝端，少数或多数头状花序在茎顶和枝端排成疏松或紧密的伞房花序或圆锥状伞房花序；花序梗稍粗，被尘状微柔毛或几无毛；总苞片 1 ~ 2 层，长圆形，稍不等长，长约 1mm，边缘锯齿状微裂；花托半圆球形突起，先端平；外围雌花多层，白色，花冠卵形或坛形，基部膨大，上端收窄，长 0.6 ~ 0.7mm，先端具 2 ~ 3 微齿；中央两性花少数，黄绿色，花冠管状，长 0.8 ~ 0.9mm，管部短，狭细，檐部长钟状，有 4 ~ 5 裂齿。瘦果压扁，光滑倒披针形，边缘脉状加厚；无冠毛，或两性花瘦果的先端有 1 ~ 2 细毛状冠毛。花果期全年。

| 生境分布 | 生于海拔 650 ~ 1860m 的田边、草丛中。分布于重庆南川、合川、北碚、涪陵、丰都等地。

| 资源情况 | 野生资源较少。药材来源于野生。

| 采收加工 | 夏季采收，洗净，鲜用或晒干。

| 药材性状 | 本品根丛生。茎单生或丛生，圆柱形，上部具分枝，四棱形或扁平；表面绿色至深绿色，有的微带紫色，茎被毛。叶互生，倒卵形、长倒卵形、匙形或长圆形，两面均被疏毛，长 2.5 ~ 6cm。头状花序，扁球形，似鱼眼。气微，味苦。

| 功能主治 | 苦，凉。归肺、肝、脾经。清热解毒，祛风明目，温中散寒，活血调经，行气止痛。用于肝炎，小儿消化不良，小儿感冒发热，肺炎，喉炎，风热咳嗽，病后虚弱，月经不调，泄泻，疟疾，牙痛，乳腺炎，夜盲，目翳，口疮，疮疡，跌打肿痛，蛇咬伤。

| 用法用量 | 内服煎汤，15 ~ 20g。外用适量，煎汤洗；或捣敷患处。

菊科 Compositae 鳢肠属 *Eclipta*

鳢肠
Eclipta prostrata (L.) L.

| 药 材 名 | 墨旱莲（药用部位：地上部分。别名：旱莲草、莲子草、墨头草）。

| 形态特征 | 一年生草本。茎直立，斜升或平卧，高达 60cm，通常自基部分枝，被贴生糙毛。叶长圆状披针形或披针形，无柄或有极短的叶柄，长 3 ~ 10cm，宽 0.5 ~ 2.5cm，先端尖或渐尖，边缘有细锯齿或有时仅波状，两面被密硬糙毛。头状花序直径 6 ~ 8mm，有长 2 ~ 4cm 的细花序梗；总苞球状钟形，总苞片绿色，草质，5 ~ 6 排成 2 层，长圆形或长圆状披针形，外层较内层稍短，背面及边缘被白色短伏毛；外围的雌花 2 层，舌状，长 2 ~ 3mm，舌片短，先端 2 浅裂或全缘；中央的两性花多数，花冠管状，白色，长约 1.5mm，先端 4 齿裂；花柱分枝钝，有乳头状突起；花托凸，有披针形或线形的托片，托片中部以上被微毛。瘦果暗褐色，长 2.8mm，雌花的瘦果三棱形，

鳢肠

两性花的瘦果扁四棱形，先端截形，具 1 ～ 3 细齿，基部稍缩小，边缘具白色的肋，表面有小瘤状突起，无毛。花期 6 ～ 9 月。

| **生境分布** | 生于海拔 400 ～ 1500m 的山地、溪边。重庆各地均有分布。

| **资源情况** | 野生资源较丰富。药材来源于野生。

| **采收加工** | 花开时采割，晒干。

| **药材性状** | 本品全体被白色绒毛。茎呈圆柱形，有纵棱，直径 2 ～ 5mm；表面绿褐色或墨绿色。叶对生，近无柄，叶片皱缩卷曲或破碎，完整者展平后呈长披针形，全缘或具浅齿，墨绿色。头状花序直径 2 ～ 6mm。瘦果椭圆形而扁，长 2 ～ 3mm，棕色或浅褐色。气微，味微咸。

| **功能主治** | 甘、酸，寒。归肾、肝经。滋补肝肾，凉血止血。用于肝肾阴虚，牙齿松动，须发早白，眩晕耳鸣，腰膝酸软，阴虚血热，吐血，衄血，尿血，血痢，崩漏下血，外伤出血。

| **用法用量** | 内服煎汤，6 ～ 12g。

| **附　　注** | 本种喜湿润气候，耐阴湿。以潮湿、疏松肥沃、富含腐殖质的砂土或壤土栽培为宜。

菊科 Compositae 一点红属 Emilia

一点红 *Emilia sonchifolia* (L.) DC.

药 材 名	一点红（药用部位：全草。别名：紫背草、红背叶、叶下红）。
形态特征	一年生草本。根垂直。茎直立或斜升，高 25 ~ 40cm，稍弯，通常自基部分枝，灰绿色，无毛或被疏短毛。叶质较厚，下部叶密集，大头羽状分裂，长 5 ~ 10cm，宽 2.5 ~ 6.5cm，顶生裂片大，宽卵状三角形，先端钝或近圆形，具不规则的齿，侧生裂片通常 1 对，长圆形或长圆状披针形，先端钝或尖，具波状齿，上面深绿色，下面常变紫色，两面被短卷毛；中部茎叶疏生，较小，卵状披针形或长圆状披针形，无柄，基部箭状抱茎，先端急尖，全缘或有不规则细齿；上部叶少数，线形。头状花序长 8mm，后伸长达 14mm，在开花前下垂，花后直立，通常 2 ~ 5，在枝端排列成疏伞房状；花序梗细，长 2.5 ~ 5cm，无苞片，总苞圆柱形，长 8 ~ 14mm，宽

一点红

5 ～ 8mm，基部无小苞片；总苞片1层，8 ～ 9，长圆状线形或线形，黄绿色，约与小花等长，先端渐尖，边缘窄膜质，背面无毛；小花粉红色或紫色，长约9mm，管部细长，檐部渐扩大，具5深裂。瘦果圆柱形，长 3 ～ 4mm，具5棱，肋间被微毛；冠毛丰富，白色，细软。花果期7 ～ 10月。

| 生境分布 | 生于海拔 250 ～ 2000m 的路边、荒坡草丛中。重庆各地均有分布。

| 资源情况 | 野生资源较丰富。药材来源于野生。

| 采收加工 | 夏、秋季采收，鲜用或晒干。

| 药材性状 | 本品根茎呈圆柱形，细长，浅棕黄色。茎多分枝，细圆柱形，有纵纹，灰青色或黄褐色。叶纸质，多皱缩，灰青色，基部叶卵形，成琴状分裂，上部叶较小，基部稍抱茎。头状花序干枯，花多脱落，仅存花托及总苞，苞片茶褐色。瘦果浅黄褐色，冠毛极多，白色。具干草气，味淡、微咸。

| 功能主治 | 辛、微苦，凉。归肝、胃、肺、大肠、膀胱经。清热解毒，消肿利尿。用于痢疾，腹泻，尿路感染，上呼吸道感染，便血，肠痈，目赤，乳蛾，疔疮肿毒。

| 用法用量 | 内服煎汤，15 ～ 20g。外用适量，煎汤洗；或鲜品捣敷。

| 附　注 | （1）本种的全草亦为苗族常用药材，被称为"窝喃涌"。
（2）本种喜温暖阴凉、潮湿环境，生长适温为 20 ～ 32℃，常生于疏松、湿润之处，但较耐旱、耐瘠，能于干燥的荒坡上生长，不耐渍，忌土壤板结。

菊科 Compositae 飞蓬属 Erigeron

飞蓬
Erigeron acer L.

| **药 材 名** | 飞蓬花（药用部位：花、种子）。 |

| **形态特征** | 二年生草本。茎单生，稀数个，高 5 ~ 60cm，基部直径 1 ~ 4mm，直立，上部或少有下部有分枝，绿色或有时紫色，具明显的条纹，被较密而开展的硬长毛，杂有疏贴短毛，在头状花序下部常被具柄腺毛，或有时近无毛，节间长 0.5 ~ 2.5cm。基部叶较密集，花期常生存，倒披针形，长 1.5 ~ 10cm，宽 0.3 ~ 1.2cm，先端钝或尖，基部渐狭成长柄，全缘或极少具 1 至数个小尖齿，具不明显的 3 脉；中部和上部叶披针形，无柄，长 0.5 ~ 8cm，宽 0.1 ~ 0.8cm，先端急尖；最上部和枝上的叶极小，线形，具 1 脉；全部叶两面被较密或疏开展的硬长毛。头状花序多数，在茎、枝端排列成密而窄或少有疏而宽的圆锥花序，或有时头状花序较少数，伞房状排列， |

飞蓬

长 6 ～ 10mm，宽 11 ～ 21mm；总苞半球形，总苞片 3 层，线状披针形，绿色或稀紫色，先端尖，背面被密或较密的开展的长硬毛，杂有具柄的腺毛，内层常短于花盘，长 5 ～ 7mm，宽 0.5 ～ 0.8mm，边缘膜质，外层几短于内层的 1/2；雌花外层的舌状，长 5 ～ 7mm，管部长 2.5 ～ 3.5mm，舌片淡红紫色，少有白色，宽约 0.25mm，较内层的细管状，无色，长 3 ～ 3.5mm，花柱与舌片同色，伸出管部 1 ～ 1.5mm；中央的两性花管状，黄色，长 4 ～ 5mm，管部长 1.5 ～ 2mm，上部被疏贴微毛，檐部圆柱形，裂片无毛。瘦果长圆状披针形，长约 1.8mm，宽 0.4mm，扁压，被疏贴短毛；冠毛 2 层，白色，刚毛状，外层极短，内层长 5 ～ 6mm。花期 7 ～ 9 月。

| **生境分布** | 生于海拔 1400 ～ 2200m 的山坡草地、牧场或林缘。分布于重庆丰都、巫山、忠县、武隆、九龙坡等地。

| **资源情况** | 野生资源一般。药材来源于野生。

| **采收加工** | 6 ～ 8 月采集花和种子，晒干。

| **功能主治** | 花，用于发热性疾病。种子，用于血性腹泻。

| **用法用量** | 内服煎汤，5 ～ 15g。

菊科 Compositae 飞蓬属 Erigeron

一年蓬
Erigeron annuus (L.) Pers.

一年蓬

| 药 材 名 |

一年蓬（药用部位：全草。别名：女菀、野蒿、牙肿消）。

| 形态特征 |

一年生或二年生草本。茎粗壮，高30 ~ 100cm，基部直径6mm，直立，上部有分枝，绿色，下部被开展的长硬毛，上部被较密的上弯的短硬毛。基部叶花期枯萎，长圆形或宽卵形，少有近圆形，长4 ~ 17cm，宽1.5 ~ 4cm，或更宽，先端尖或钝，基部狭成具翅的长柄，边缘具粗齿；下部叶与基部叶同形，但叶柄较短；中部和上部叶较小，长圆状披针形或披针形，长1 ~ 9cm，宽0.5 ~ 2cm，先端尖，具短柄或无柄，边缘有不规则的齿或近全缘，最上部叶线形，全部叶边缘被短硬毛，两面被疏短硬毛，或有时近无毛。头状花序数个或多数，排列成疏圆锥花序，长6 ~ 8mm，宽10 ~ 15mm；总苞半球形，总苞片3层，草质，披针形，长3 ~ 5mm，宽0.5 ~ 1mm，近等长或外层稍短，淡绿色或多少褐色，背面密被腺毛和疏长节毛；外围的雌花舌状，2层，长6 ~ 8mm，管部长1 ~ 1.5mm，上部被疏微毛，舌片平展，白色，或有时淡天蓝色，线形，宽 0.6mm，先端具 2 小齿，花柱分枝线形；中央的两性花管状，黄色，管部长约 0.5mm，檐部近倒锥形，裂片无毛。瘦果披针形，长约 1.2mm，扁压，被疏贴柔毛；冠毛异形，雌花的冠毛极短，膜片状连成小冠，两性花的冠毛 2 层，外层鳞片状，内层为 10 ~ 15 长约 2mm 的刚毛。花期 6 ~ 9 月。

| 生境分布 | 生于海拔 100 ~ 2000m 的山坡、路边或田野。重庆各地均有分布。

| 资源情况 | 野生资源较丰富。药材来源于野生。

| 采收加工 | 夏、秋季采收，洗净，鲜用或晒干。

| 药材性状 | 本品根呈圆锥形，有分枝，黄棕色，具多数须根。全体疏被粗毛。茎呈圆柱形，长 40 ~ 80cm，直径 2 ~ 4mm；表面黄绿色，有纵棱线；质脆，易折断，断面有大型白色的髓。单叶互生，叶片皱缩或已破碎，完整者展平后呈披针形，黄绿色。有的于枝顶和叶腋可见头状花序排列成伞房状或圆锥状花序，花淡棕色。气微，味微苦。

| 功能主治 | 甘、苦，凉。归胃、大肠经。消食止泻，清热解毒，截疟。用于消化不良，胃肠炎，齿龈炎，疟疾，毒蛇咬伤等。

| 用法用量 | 内服煎汤，30 ~ 60g。外用适量，捣敷。

菊科 Compositae 泽兰属 Eupatorium

多须公 *Eupatorium chinense* L.

多须公

药 材 名

广东土牛膝（药用部位：根。别名：斑骨相思、土牛膝、华泽兰）、华泽兰（药用部位：全草）。

形态特征

多年生草本，高 70 ～ 100cm，全部茎草质；或小灌木或半小灌木状，高 2 ～ 2.5m，基部、下部或中部以下茎木质。全株多分枝，茎枝被污白色柔毛，茎枝下部花期脱毛、疏毛。叶对生，中部茎生叶卵形或宽卵形，稀卵状披针形、长卵形或披针状卵形，长 4.5 ～ 10cm，基部圆，羽状脉，叶两面被白色柔毛及黄色腺点，茎生叶有圆锯齿；叶柄长 2 ～ 4mm。头状花序在茎顶及枝端排成大型疏散复伞房花序，花序直径达 30cm；总苞钟状，长约 5mm，总苞片 3 层，外层苞片卵形或披针状卵形，外被柔毛及稀疏腺点，中层及内层苞片椭圆形或椭圆状披针形，长 5 ～ 6mm，上部及边缘白色，膜质，背面无毛，有黄色腺点；花白色、粉色或红色，疏被黄色腺点。瘦果熟时淡黑褐色，椭圆状，疏被黄色腺点。花果期 6 ～ 11 月。

| **生境分布** | 生于海拔 400 ～ 1830m 的林中、林缘或山谷。分布于重庆綦江、涪陵、长寿、丰都、垫江等地。 |

| **资源情况** | 野生资源较丰富。药材来源于野生。 |

| **采收加工** | 广东土牛膝：秋季采挖，洗净，切段，晒干。
华泽兰：夏、秋季采收，洗净，鲜用或晒干。 |

| **药材性状** | 广东土牛膝：本品呈细长圆柱形，有的稍弯曲，上端稍粗，下端较细，长 5 ～ 35cm，最长可达 50cm，直径 0.1 ～ 0.6cm。表面灰黄色或棕褐色，有细微的纵皱纹及稍疏的须根痕。质硬而脆，易折断，断面纤维状，皮部棕灰色，易分离，木部较大。气香，味微辛、苦。 |

| **功能主治** | 广东土牛膝：微辛、苦，凉。清热解毒，凉血利咽。用于白喉，扁桃体炎，咽喉炎，感冒高热，麻疹，肺炎，支气管炎，吐血，血淋，外伤肿痛，毒蛇咬伤。
华泽兰：苦、辛，平；有毒。清热解毒，消肿活血。用于风热感冒，胸胁痛，脘痛腹胀，跌打损伤，痈肿疮毒，蛇咬伤。 |

| **用法用量** | 广东土牛膝：内服煎汤，9 ～ 15g。外用适量，捣敷；或煎汤洗。孕妇忌服。
华泽兰：内服煎汤，10 ～ 20g，鲜品 30 ～ 60g。外用适量，捣敷；或煎汤洗。孕妇禁服。 |

菊科 Compositae 泽兰属 *Eupatorium*

佩兰
Eupatorium fortunei Turcz.

| 药 材 名 | 佩兰（药用部位：地上部分。别名：水泽兰、兰草、泽兰）、千金花（药用部位：花）。

| 形态特征 | 多年生草本，高 40 ~ 100cm。根茎横走，淡红褐色。茎直立，绿色或红紫色，分枝少或仅在茎顶有伞房状花序分枝；全部茎枝被稀疏的短柔毛，花序分枝及花序梗上的毛较密。中部茎叶较大，3 全裂或 3 深裂；上部的茎叶常不分裂，或全部茎叶不裂，披针形或长椭圆状披针形或长椭圆形；全部茎叶两面光滑，无毛，无腺点，羽状脉，边缘有粗齿或不规则的细齿；中部以下茎叶渐小，基部叶花期枯萎。头状花序多数在茎顶及枝端排成复伞房花序；总苞钟状；全部苞片紫红色，外面无毛，无腺点，先端钝；花白色或带微红色，花冠长

佩兰

约 5mm，外面无腺点。瘦果黑褐色，长椭圆形，5 棱，长 3 ~ 4mm；冠毛白色，长约 5mm。花果期 7 ~ 11 月。

| 生境分布 | 生于海拔 400 ~ 1200m 的路边灌丛或山沟路旁。分布于重庆城口、万州、綦江、云阳、酉阳、南川、丰都、巫溪、巫山等地。

| 资源情况 | 野生资源一般。药材来源于野生和栽培。

| 采收加工 | 佩兰：夏、秋季分 2 次采割，除去杂质，晒干。
千金花：夏、秋季采收，洗净，鲜用或阴干。

| 药材性状 | 佩兰：本品茎呈圆柱形，长 30 ~ 100cm，直径 0.2 ~ 0.5cm；表面黄棕色或黄绿色，有的带紫色，有明显的节及纵棱线；质脆，断面髓部白色或中空。叶对生，有柄，叶片多皱缩破碎，绿褐色，完整者 3 裂或不分裂，分裂者中间裂片较大，展平后呈披针形或长圆状披针形，基部狭窄，边缘有锯齿；不分裂者展平后呈卵圆形、卵状披针形或椭圆形。气芳香，味微苦。

| 功能主治 | 佩兰：辛，平。芳香化湿，醒脾开胃，发表解暑。用于湿浊中阻，脘痞呕恶，口中甜腻，口臭，多涎，暑湿表证，头胀胸闷。
千金花：苦、辛，平。化湿宣气。用于痢疾。

| 用法用量 | 佩兰：内服煎汤，3 ~ 10g。
千金花：内服酒煮，3 ~ 6g；或浸酒。

| 附　注 | 本种喜温暖湿润气候，耐寒，怕旱，怕涝。气温低于 19℃时生长缓慢，高温高湿季节则生长迅速。对土壤要求不严，以疏松肥沃、排水良好的砂壤土栽培为宜。

菊科 Compositae 泽兰属 Eupatorium

异叶泽兰
Eupatorium heterophyllum DC.

异叶泽兰

| 药 材 名 |

红梗草（药用部位：全草。别名：红升麻、泽兰、红秆草）、红梗草根（药用部位：根）。

| 形态特征 |

多年生草本，高 1 ~ 2m；或小半灌木状，中下部木质。茎枝直立，分枝斜升，上部花序分枝伞房状，全部茎枝被白毛。叶对生，中部茎叶较大，3 裂，总叶柄长 0.5 ~ 1cm，中裂片大，长椭圆形，侧裂片较小，或中部或全部茎叶不分裂，长椭圆状披针形。全部叶两面密被黄色腺点，上面粗涩，下面柔软，羽状脉 3 ~ 7 对，边缘有齿；茎基部叶花期枯萎。头状花序多数，排成复伞房花序，花序直径达 25cm；总苞钟状，长 7 ~ 9mm；总苞片覆瓦状排列，3 层，外层短，卵形，背面被毛，中、内层苞片长椭圆形，全部苞片紫红色，先端圆；花白色或微带红色，花冠长约 5mm，外面被稀疏黄色腺点。瘦果黑褐色，长椭圆状，长 3.5mm，5 棱，散布黄色腺体，无毛；冠毛白色，长约 5mm。花果期 4 ~ 10 月。

| 生境分布 |

生于海拔 700 ~ 2000m 的山坡林下、林缘、草地或河谷中。分布于重庆城口、酉阳、黔江、涪陵、南川、开州、江津、云阳、奉节、巫溪、石柱、北碚、巫山等地。

| 资源情况 | 野生资源一般。药材来源于野生。

| 采收加工 | 红梗草：夏、秋季采收，洗净，鲜用或晒干。
红梗草根：秋、冬、春季采挖，洗净，切片，晒干。

| 药材性状 | 红梗草：本品茎呈圆柱形，直径2～7mm，下部木质，灰棕色，上部嫩茎灰淡绿色，被白色短毛；质脆，易折断。叶多皱缩破碎，完整者展平后呈椭圆形或披针形，边缘有圆锯齿，暗绿色或灰绿色，两面有黄色腺点及短白毛。微臭，味微苦。

| 功能主治 | 红梗草：甘、苦，微温。归肝、肾经。活血祛瘀，除湿止痛，消肿利水，通经，行血破瘀，排脓。用于产后瘀血不行，月经不调，水肿，跌打损伤，痈疽疮毒。
红梗草根：微苦、微辛，凉。解表退热。用于感冒发热，头痛。

| 用法用量 | 红梗草：内服煎汤，9～15g。外用适量，捣敷。
红梗草根：内服煎汤，9～15g。

菊科 Compositae 泽兰属 *Eupatorium*

南川泽兰

Eupatorium nanchuanense Ling et Shih

| 药 材 名 | 南川泽兰（药用部位：全草）。

| 形态特征 | 多年生草本，高 30 ~ 120cm。根茎横走，有长 1 ~ 3cm 的短节间，节上发出成对的地上茎；地上茎直立，淡褐色、紫红色或暗紫红色，分枝斜升，上部花序分枝伞房状；全部茎枝被皱波状白色短柔毛，花梗上的毛较密，中下部疏毛或脱毛。叶不规整对生，叶腋处常有发育的叶芽；中部茎叶 3 全裂，有长约 1cm 的叶柄，中裂片大，长椭圆形或长披针状椭圆形，长 6 ~ 8cm，基部楔形，先端尾状长渐尖，羽状半裂、深裂或基部 1 对羽片较大，侧裂片较小，长 3 ~ 5cm，长椭圆形或披针状长椭圆形，羽状浅裂或半裂或缺刻状锯齿；上部叶 3 全裂，或不规则 3 深裂，侧裂片不等大，中裂片边缘疏缺刻状锯齿，或不分裂，常披针形或卵状披针形；茎基部叶花期枯萎；

南川泽兰

全部叶上面深绿，下面色淡，两面被稀疏贴伏的白色短毛和黄色腺点。头状花序多数，在茎枝先端排成复伞房花序，花序直径 8 ~ 12cm；总苞钟状，长约 6mm；总苞片 3 层，覆瓦状排列，外层短，椭圆形，长 2.5mm，中、内层苞片长 5mm，长椭圆形或披针状长椭圆形；全部苞片先端圆形，染紫红色；花白色或带红色；花冠长 5mm，外面被稀疏黄色小腺点。瘦果黑褐色，6 ~ 7 棱，椭圆形，长 3mm，上部近冠毛处被稀疏的白色微毛；冠毛白色，长 4mm。花果期 6 ~ 7 月。

| **生境分布** | 生于海拔 1200 ~ 1656m 的山坡。分布于重庆彭水、南川、武隆等地。

| **资源情况** | 野生资源较少。药材来源于野生。

| **采收加工** | 夏、秋季采收，洗净，晒干。

| **功能主治** | 清热化痰，止咳。

| **用法用量** | 内服煎汤，适量。

大吴风草 *Farfugium japonicum* (L. f.) Kitam.

大吴风草

| 药 材 名 |

莲蓬草（药用部位：全草。别名：独角莲、荷叶术、八角乌）。

| 形态特征 |

多年生葶状草本。根茎粗壮，直径达 1.2cm。花葶高达 70cm，幼时被密的淡黄色柔毛，后多少脱毛，基部直径 5 ~ 6mm，被极密的柔毛。叶全部基生，莲座状，有长柄，叶柄长 15 ~ 25cm，幼时被与花葶上一样的毛，后多脱毛，基部扩大，呈短鞘，抱茎，鞘内被密毛；叶片肾形，长 9 ~ 13cm，宽 11 ~ 22cm，先端圆形，全缘或有小齿至掌状浅裂，基部弯缺宽，长为叶片的 1/3，叶质厚，近革质，两面幼时被灰色柔毛，后脱毛，上面绿色，下面淡绿色；茎生叶 1 ~ 3，苞叶状，长圆形或线状披针形，长 1 ~ 2cm。头状花序辐射状，2 ~ 7，排列成伞房状花序；花序梗长 2 ~ 13cm，被毛；总苞钟形或宽陀螺形，长 12 ~ 15mm，口部宽达 15mm，总苞片 12 ~ 14 层，长圆形，先端渐尖，背部被毛，内层边缘褐色宽膜质；舌状花 8 ~ 12，黄色，舌片长圆形或匙状长圆形，长 15 ~ 22mm，宽 3 ~ 4mm，先端圆形或急尖，管部长 6 ~ 9mm；管状花多数，长

10～12mm，管部长约6mm，花药基部有尾，冠毛白色，与花冠等长。瘦果圆柱形，长达7mm，有纵肋，被成行的短毛。花果期8月至翌年3月。

| 生境分布 | 生于低海拔地区的林下、山谷或草丛。分布于重庆酉阳、南川等地。

| 资源情况 | 野生资源稀少。药材来源于野生，亦有栽培。

| 采收加工 | 夏、秋季采收，鲜用或晒干。

| 药材性状 | 本品根茎形状不规则；表面褐色；质坚硬，折断面纤维性。叶丛生于根茎先端，叶片多皱缩，棕绿色，被毛，质脆，易碎；叶柄被黄褐色长柔毛。气微，味淡。

| 功能主治 | 辛、甘、微苦，凉。清热解毒，凉血止血，消肿散结。用于感冒，咽喉肿痛，咳嗽咯血，便血，尿血，月经不调，乳腺炎，瘰疬，痈疖肿毒，疔疮湿疹，跌打损伤，蛇咬伤。

| 用法用量 | 内服煎汤，9～15g，鲜品30～60g。外用适量，捣敷。

菊科 Compositae 牛膝菊属 Galinsoga

牛膝菊 *Galinsoga parviflora* Cav.

牛膝菊

| 药 材 名 |

辣子草（药用部位：全草。别名：铜锤草、兔儿草、珍珠草）、向阳花（药用部位：花）。

| 形态特征 |

一年生草本，高 10 ～ 80cm。茎直立，圆形，分枝，有细条纹，节膨大，略被毛或近无毛。单叶对生，叶柄长 1 ～ 2cm；叶片草质，卵圆形至披针形，长 3 ～ 6.5cm，宽 1.5 ～ 4cm，先端渐尖，基部圆形至宽楔形，边缘有齿或近全缘，上面绿色，下面淡绿色，基出 3 脉，或 5 脉，叶脉在上面凹下，下面凸起，稍被毛。头状花序小，直径 3 ～ 4mm，顶生或腋生，有细长的梗；总苞半球形；总苞片 2 层，宽卵形，绿色，近膜质；花异型，全部结实；舌状花 4 ～ 5，白色，1 层，雌性；筒状花黄色，两性，先端 5 齿裂；花托凸起，有披针形托片。瘦果长 1 ～ 1.5mm，3 棱或中央的瘦果 4 ～ 5 棱，黑色，常压扁，被白色微毛；舌状花冠毛毛状，脱落；管状花冠毛膜片状，白色，披针形，边缘流苏状，固结于冠毛环上，整体脱落。花果期 7 ～ 10 月。

| 生境分布 |

生于海拔 500 ～ 1800m 的沟边、路边草丛中。

分布于重庆綦江、丰都、酉阳、奉节、城口、秀山、永川、云阳、涪陵、长寿、忠县、武隆、北碚、石柱、巫溪、巴南等地。

| 资源情况 |

野生资源较丰富。药材来源于野生。

| 采收加工 |

辣子草：夏、秋季采收，洗净，鲜用或晒干。

向阳花：秋季采摘，晒干。

| 功能主治 |

辣子草：淡，平。消炎，消肿，止血。用于乳蛾，咽喉痛，扁桃体炎，急性黄疸性肝炎，外伤出血。

向阳花：清肝明目。用于夜盲症，视力模糊及其他眼疾。

| 用法用量 |

辣子草：内服煎汤，30～60g。外用适量，研末敷。

向阳花：内服煎汤，15～25g。

| 附　注 |

本种喜冷凉气候，不耐热，在土壤肥沃而湿润的地区生长较多。重庆地区有栽培。

菊科 Compositae 大丁草属 Gerbera

大丁草

Gerbera anandria (L.) Sch.-Bip.

| 药 材 名 | 大丁草（药用部位：全草。别名：豹子药、苦马菜、米汤菜）。

| 形态特征 | 多年生草本。植株具春、秋二型之别。春型者根茎短，根颈多少为枯残的叶柄所围裹；根簇生，粗而略带肉质。叶基生，莲座状，于花期全部发育，叶片形状多变异，通常为倒披针形或倒卵状长圆形，长 2 ~ 6cm，宽 1 ~ 3cm，先端钝圆，常具短尖头，基部渐狭、钝、截平或有时为浅心形，边缘具齿、深波状或琴状羽裂，裂片疏离，凹缺圆，顶裂大，卵形，具齿，上面被蛛丝状毛或脱落近无毛，下面密被蛛丝状绵毛；侧脉 4 ~ 6 对，纤细，顶裂基部常有 1 对下部分枝的侧脉；叶柄长 2 ~ 4cm 或有时更长，被白色绵毛。花葶单生或数个丛生，直立或弯垂，纤细，棒状，长 5 ~ 20cm，被蛛丝状毛，毛愈向先端愈密；苞叶疏生，线形或线状钻形，长 6 ~ 7mm，通常

大丁草

被毛。头状花序单生于花葶之顶，倒锥形，直径 10 ~ 15mm；总苞略短于冠毛；总苞片约 3 层，外层线形，长约 4mm，内层长，线状披针形，长达 8mm，二者先端均钝，且带紫红色，背部被绵毛；花托平，无毛，直径 3 ~ 4mm；雌花花冠舌状，长 10 ~ 12mm，舌片长圆形，长 6 ~ 8mm，先端具不整齐的 3 齿或有时钝圆，带紫红色，内 2 裂丝状，长 1.5 ~ 2mm，花冠管纤细，长 3 ~ 4mm，无退化雄蕊；两性花花冠管状二唇形，长 6 ~ 8cm，外唇阔，长约 3mm，先端具 3 齿，内唇 2 裂丝状，长 2.5 ~ 3mm；花药先端圆，基部具尖的尾部；花柱分枝长约 1mm，内侧扁，先端钝圆。瘦果纺锤形，具纵棱，被白色粗毛，长 5 ~ 6mm；冠毛粗糙，污白色，长 5 ~ 7mm。秋型者植株较高，花葶长可达 30cm；叶片大，长 8 ~ 15cm，宽 4 ~ 6.5cm；头状花序外层雌花管状二唇形，无舌片。花期春、秋季。

| 生境分布 |　生于海拔 1100 ~ 2500m 的山坡灌丛、草地。分布于重庆酉阳、万州、城口、巫山、南川等地。

| 资源情况 |　野生资源稀少。药材来源于野生。

| 采收加工 |　夏、秋季采收，洗净，鲜用或晒干。

| 药材性状 |　本品卷缩成团，枯绿色。根茎短，下生多数细须根。基生叶丛生，莲座状；叶片椭圆状宽卵形，先端钝圆，基部心形，边缘浅齿状。花葶长 8 ~ 19cm，有的具白色蛛丝状毛，有条形苞叶；头状花序单生，直径 2cm，小植物花序边缘为舌状花，淡紫红色，中央花管状，黄色，植株仅有管状花。瘦果纺锤形，两端收缩。气微，味辛辣、苦。

| 功能主治 |　苦，寒。清热利湿，解毒消肿。用于肺热咳嗽，湿热泻痢，热淋，风湿关节痛，痈疮肿毒，臁疮，虫蛇咬伤，烫火伤，外伤出血。

| 用法用量 |　内服煎汤，15 ~ 30g；或泡酒。外用适量，捣敷。

| 附　　注 |　（1）在 FOC 中，本种的拉丁学名被修订为 *Leibnitzia anandria* (Linnaeus) Turczaninow，属名被修订为大丁草属 *Leibnitzia*。
（2）本种在重庆分布范围广，但资源一般，现主要利用野生资源，未来可对其开展栽培研究，保障其可持续利用。

菊科 Compositae 鼠麴草属 Gnaphalium

宽叶鼠麴草
Gnaphalium adnatum (Wall. ex DC.) Kitam.

宽叶鼠麴草

| 药 材 名 |

地膏药（药用部位：全草或叶。别名：岩白菜、雾水草、白头翁）。

| 形态特征 |

粗壮草本。茎直立，高 0.5 ～ 1m，基部直径 4 ～ 8mm，下部通常不分枝或罕有分枝，上部有伞房状分枝，密被紧贴白色绵毛。基生叶花期时枯萎；茎生叶互生，叶片倒卵状披针形或倒披针状条形，长 4 ～ 9cm，宽 1 ～ 2.5cm，先端具小尖，基部狭窄，抱茎，全缘，叶脉 3，两面被密绒毛，杂有密糠秕状短毛，上部叶渐小，披针形或条状披针形。头状花序直径 5 ～ 6mm，在枝端密集成球形，排成大伞房花序；总苞近球形，直径 5 ～ 6mm，总苞片 3 ～ 4 层，干膜质，淡黄色或黄白色，外层倒卵形或倒披针形，内层长圆形或窄长圆形；雌花多数，结实，花冠丝状，顶部 3 ～ 4 齿裂，具腺点，花柱分枝纤细；两性花较少，通常 5 ～ 7，花冠管状，上部稍扩大，檐部 5 裂，裂片浑圆，具腺点。瘦果圆柱形，长约 0.5mm，具乳头状突起；冠毛白色，长约 3mm。花期 8 ～ 10 月。

| **生境分布** | 生于海拔 350 ～ 2200m 的林边、山坡草地或灌丛中。分布于重庆万州、黔江、南川、垫江等地。 |

| **资源情况** | 野生资源较少。药材来源于野生。 |

| **采收加工** | 春、夏季采收，除去杂质，鲜用或晒干。 |

| **功能主治** | 苦，寒。清热燥湿，解毒散结，止血。用于湿热痢疾，痈疽肿毒，瘰疬，外伤出血。 |

| **用法用量** | 内服煎汤，9 ～ 15g。外用适量，捣敷。 |

| **附　　注** | 在 FOC 中，本种被修订为宽叶拟鼠麴草 *Pseudognaphalium adnatum* (Candolle) Y. S. Chen，属名被修订为拟鼠麴草属 *Pseudognaphalium*。 |

菊科 Compositae 鼠麴草属 Gnaphalium

鼠麴草 Gnaphalium affine D. Don

| 药 材 名 | 鼠曲草（药用部位：全草。别名：清明草、清明香、毛掋）。

| 形态特征 | 一年生草本。茎直立或基部发出的枝下部斜升，高 10 ~ 40cm 或更高，基部直径约 3mm，上部不分枝，有沟纹，被白色厚绵毛。叶无柄，匙状倒披针形或倒卵状匙形，长 5 ~ 7cm，上部叶基部稍下延，具刺尖头，两面被白色绵毛。头状花序在枝顶密集成伞房状，花黄色或淡黄色；总苞钟形，总苞片 2 ~ 3 层，金黄色或柠檬黄色，膜质，有光泽，外层倒卵形或匙状倒卵形，背面基部被绵毛，内层长匙形，背面无毛。瘦果倒卵形或倒卵状圆柱形；冠毛粗糙，污白色，易脱落，基部联合成 2 束。花期 1 ~ 4 月及 8 ~ 11 月。

| 生境分布 | 生于山地草丛中或路旁。重庆各地均有分布。

鼠麴草

| **资源情况** | 野生资源较丰富。药材来源于野生。 |

| **采收加工** | 春、夏季花开时采收，除去杂质，晒干。 |

| **药材性状** | 本品密被灰白色绵毛。根较细，灰棕色。茎常自基部分枝成丛，长 15 ~ 30cm，直径约 0.2cm。基生叶已脱落，茎生叶互生，无柄，叶片皱缩，质柔软，展平后呈条状匙形或倒披针形，长 2 ~ 4cm，宽 0.3 ~ 1cm，全缘，两面均密被灰白色绵毛。头状花序多数，顶生，金黄色或棕黄色，花冠常脱落。气微，味淡。 |

| **功能主治** | 微甘，平。归肺、肝、肾经。祛痰，止咳，平喘，祛风湿，降血压。用于咳嗽，痰喘，风湿痹痛，高血压。 |

| **用法用量** | 内服煎汤，6 ~ 15g。外用适量，煎汤洗；或捣敷。 |

| **附　　注** | （1）在 FOC 中，本种被修订为拟鼠麹草 *Pseudognaphalium affine* (D. Don) Anderberg，属名被修订为拟鼠麹草属 *Pseudognaphalium*。
（2）本种是温性中生牧草，适宜生长的土壤 pH 为 4.0 ~ 8.2。 |

菊科 Compositae 鼠麴草属 Gnaphalium

秋鼠麴草
Gnaphalium hypoleucum DC.

| **药 材 名** | 天水蚁草（药用部位：全草。别名：碎蚁草、火草、大水牛草）。

| **形态特征** | 粗壮草本。茎高达70cm，基部木质，上部有斜升分枝，被白色厚绵毛。叶线形，长约8cm，基部稍抱茎，上面被腺毛，或沿中脉被疏蛛丝状毛，下面被白色绵毛，叶脉1，无柄。头状花序直径约4mm，无或有短梗，在枝端密集成伞房状；花黄色；总苞球形，直径约4mm，总苞片4层，金黄色或黄色，有光泽，膜质或上半部膜质，外层倒卵形，背面被白色绵毛，内层线形，背面无毛。瘦果卵圆形或卵状圆柱形，先端平截，无毛，长约0.4mm；冠毛绢毛状，粗糙，污黄色，易脱落，基部分离。花期8～12月。

| **生境分布** | 生于海拔200～2700m的空旷砂土地、山地路旁或山坡上。分布于

秋鼠麴草

重庆城口、巫溪、巫山、奉节、酉阳、南川、长寿、万州、开州等地。

| **资源情况** | 野生资源较少。药材主要来源于野生。

| **采收加工** | 夏、秋季采收，洗净，鲜用或晒干。

| **功能主治** | 苦、甘，微寒。疏风清热，利湿，解毒。用于感冒，咳嗽，泄泻，痢疾，风湿痛，疮疡，瘰疬。

| **用法用量** | 内服煎汤，9 ~ 15g。外用适量，鲜品捣敷。

| **附　　注** | 在 FOC 中，本种被修订为秋拟鼠麴草 *Pseudognaphalium hypoleucum* (Candolle) Hilliard et B. L. Burtt，属名被修订为拟鼠麴草属 *Pseudognaphalium*。

菊科 Compositae 鼠麴草属 Gnaphalium

细叶鼠麴草

Gnaphalium japonicum Thunb.

| 药 材 名 | 天青地白（药用部位：全草。别名：毛女儿菜、清明草、火草）。

| 形态特征 | 一年生细弱草本。茎稍直立，不分枝或自基部发出数条匍匐的小枝，高 8 ~ 27cm，基部直径约 1mm，有细沟纹，密被白色绵毛，基部节间不明显，花葶节间长 1 ~ 3cm，紧接于花序下的最长，有时可达 9cm。基生叶在花期宿存，呈莲座状、线状剑形或线状倒披针形，长 3 ~ 9cm，宽 3 ~ 7mm，基部渐狭，下延，先端具短尖头，边缘多少反卷，上面绿色，疏被绵毛，下面白色，厚被白色绵毛，叶脉 1，在上面常凹入或几不显著，在下面明显凸起；茎叶（花葶的叶）少数，线状剑形或线状长圆形，长 2 ~ 3cm，宽 2 ~ 3mm，其余与基生叶相似；紧接复头状花序下面有 3 ~ 6 呈放射状或星芒状排列的线形或披针形小叶。头状花序少数，直径 2 ~ 3mm，无梗，在枝端密集

细叶鼠麴草

成球状，作复头状花序式排列，花黄色；总苞近钟形，直径约 3mm；总苞片 3 层，外层宽椭圆形，干膜质，带红褐色，长约 3mm，先端钝，背面被疏毛，中层倒卵状长圆形，上部带红褐色，长约 4mm，基部渐狭，先端钝或骤然紧缩而具短尖头，内层线形，长约 5mm，先端钝而带红褐色，3/5 处以下为浅绿色；雌花多数，花冠丝状，长约 4mm，先端 3 齿裂；两性花少数，花冠管状，长约 4mm，顶部稍扩大，檐部 5 浅裂，裂片先端骤然紧缩而具短尖头。瘦果纺锤状圆柱形，长约 1mm，密被棒状腺体；冠毛粗糙，白色，长约 4mm。花期 1～5 月。

| 生境分布 | 生于海拔 400～1500m 的山坡草地或灌木林下。分布于重庆忠县、酉阳、巴南、合川、丰都、云阳、垫江、璧山等地。

| 资源情况 | 野生资源一般。药材来源于野生。

| 采收加工 | 春末夏初采挖，除去泥土，晒干。

| 药材性状 | 本品多皱缩。根丛生，细长，外表面棕色。茎呈圆柱形，细长，密被白色绵毛，老茎较疏。基出叶莲座状，条状倒披针形，常向叶背反卷；茎生叶向上渐小，条形，稀疏互生，卷折，基部有极小的叶鞘，上表面暗绿色，疏被绵毛，下表面密被白色绒毛。头状花序，花淡红棕色。瘦果呈矩圆形，有细点，冠毛白色。气微，味淡。

| 功能主治 | 淡，凉。归肝、肺、小肠经。清肺平肝，解毒消肿。用于咳嗽，百日咳，神经衰弱，尿道炎，尿血，咽喉肿痛，小儿疳热，乳腺炎，痈疖，急性结膜炎，口腔炎，蛇咬伤。

| 用法用量 | 内服煎汤，15～30g。外用适量，捣敷。

菊科 Compositae 菊三七属 Gynura

红凤菜 *Gynura bicolor* (Willd.) DC.

红凤菜

药 材 名

观音苋（药用部位：全草。别名：木耳菜、血皮菜、水三七）。

形态特征

多年生草本，高 50 ～ 100cm，全株无毛。茎直立，柔软，基部稍木质，上部有伞房状分枝，干时有条棱。叶具柄或近无柄；叶片倒卵形或倒披针形，稀长圆状披针形，长 5 ～ 10cm，宽 2.5 ～ 4cm，先端尖或渐尖，基部楔状渐狭成具翅的叶柄，或近无柄而多少扩大，但不形成叶耳，边缘有不规则的波状齿或小尖齿，稀近基部羽状浅裂，侧脉 7 ～ 9 对，弧状上弯，上面绿色，下面干时变紫色，两面无毛；上部和分枝上的叶小，披针形至线状披针形，具短柄或近无柄。头状花序多数直径 10mm，在茎、枝端排列成疏伞房状；花序梗细，长 3 ～ 4cm，有 1 ～ 2（～ 3）丝状苞片；总苞狭钟状，长 11 ～ 15mm，宽 8 ～ 10mm，基部有 7 ～ 9 线形小苞片；总苞片 1 层，约 13，线状披针形或线形，长 11 ～ 15mm，宽 0.9 ～ 1.5（～ 2）mm，先端尖或渐尖，边缘干膜质，背面具 3 明显的肋，无毛；小花橙黄色至红色，花冠明显伸出总苞，长 13 ～ 15mm，管部细, 长 10 ~ 12mm, 裂片卵状三角形; 花药基部圆形, 或稍尖; 花柱分枝钻形, 被乳头状毛。瘦果圆柱形, 淡褐色, 长约 4mm, 具 10 ~ 15 肋, 无毛; 冠毛丰富, 白色, 绢毛状, 易脱落。花果期 5 ~ 10 月。

| **生境分布** | 生于海拔 600 ~ 1500m 的山坡林下、岩石上或河边湿处。分布于重庆万州、忠县、黔江、彭水、石柱、武隆、涪陵、丰都、长寿、南川、綦江、江津、璧山、大足、永川、铜梁、合川、巴南、江北、渝北、沙坪坝、九龙坡、南岸、北碚等地。

| **资源情况** | 野生资源一般。药材来源于野生和栽培。

| **采收加工** | 全年均可采收, 鲜用或晒干

| **药材性状** | 本品长 30 ~ 60cm, 无毛。叶互生, 多皱缩, 绿褐色, 背面带紫色, 完整者展平后呈椭圆状披针形, 长 6 ~ 9cm, 宽 1.5 ~ 3cm, 先端尖, 基部楔形, 下延成耳状, 边缘具不整齐锯齿; 叶柄短, 带紫褐色。可见头状花序顶生或腋生。瘦果红棕色, 冠毛多。气微, 味微甘。

| **功能主治** | 辛、甘, 凉。清热凉血, 解毒消肿。用于咯血, 崩漏, 外伤出血, 痛经, 痢疾, 疮疡肿毒, 跌打损伤, 溃疡久不收敛。

| **用法用量** | 内服煎汤, 10 ~ 30g, 鲜品 30 ~ 90g。外用适量, 鲜品捣敷; 或研末撒。

| **附　注** | 本种喜冷凉气候, 喜强光, 对土壤要求不严, 黄壤、砂壤、红壤均可种植, 土壤适宜 pH 为 5.5 ~ 6.5。本种根部耐旱。

菊科 Compositae 菊三七属 Gynura

菊三七

Gynura japonica (Thunb.) Juel.

菊三七

药材名

菊三七（药用部位：块根、根茎。别名：土三七、三七草、血三七）。

形态特征

高大多年生草本，高 60 ～ 150cm，或更高。根粗大成块状，直径 3 ～ 4cm，有多数纤维状根茎，直立，中空，基部木质，直径达 15mm，有明显的沟棱，幼时被卷柔毛，后变无毛，多分枝，小枝斜升。基部叶在花期常枯萎，基部和下部叶较小，椭圆形，不分裂至大头羽状，顶裂片大，中部叶大，具长或短柄，叶柄基部有圆形，具齿或羽状裂的叶耳，多少抱茎；叶片椭圆形或长圆状椭圆形，长 10 ～ 30cm，宽 8 ～ 15cm，羽状深裂，顶裂片大，倒卵形、长圆形至长圆状披针形，侧生裂片（2 ～）3 ～ 6 对，椭圆形、长圆形至长圆状线形，长 1.5 ～ 5cm，宽 0.5 ～ 2（～ 2.5）cm，先端尖或渐尖，边缘有大小不等的粗齿或锐锯齿、缺刻，稀全缘，上面绿色，下面绿色或变紫色，两面被贴生短毛或近无毛；上部叶较小，羽状分裂，渐变成苞叶。头状花序多数，直径 1.5 ～ 1.8cm，花茎枝端排成伞房状圆锥花序；每 1 花序枝有 3 ～ 8 头状花序；花序梗细，长 1 ～ 3

（～6）cm，被短柔毛，有 1～3 线形的苞片；总苞狭钟状或钟状，长 10～15mm，宽 8～15mm，基部有 9～11 线形小苞片；总苞片 1 层，13，线状披针形，长 10～15mm，宽 1～1.5mm，先端渐尖，边缘干膜质，背面无毛或被疏毛；小花 50～100，花冠黄色或橙黄色，长 13～15mm，管部细，长 10～12mm 上部扩大，裂片卵形，先端尖；花药基部钝；花柱分枝有钻形附器，被乳头状毛。瘦果圆柱形，棕褐色，长 4～5mm，具 10 肋，肋间被微毛；冠毛丰富，白色，绢毛状，易脱落。花果期 8～10 月。

| 生境分布 | 生于海拔 500～1500m 的山谷、山坡草地、林下、林缘，亦有栽培。分布于重庆万州、忠县、丰都、石柱、黔江、南川、北碚、綦江、秀山、涪陵等地。

| 资源情况 | 野生资源一般。药材来源于野生。

| 采收加工 | 秋季茎叶枯萎时采挖，除去泥沙及须根，干燥。

| 药材性状 | 本品为不规则肥厚团块。表面灰棕色或棕黄色，全体有瘤状突起及断续的纵皱纹和沟纹，先端常有凹陷的茎基痕或残留的茎基及芽痕，下部有须根痕。质坚硬，不易折断，断面不平坦，灰黄色，角质样。气微，味甘、淡后微苦。

| 功能主治 | 甘、微苦，温。归肝、胃经。消肿散瘀，清热解毒，祛风除湿，止痛止血。用于风湿疼痛，跌打损伤，吐血，衄血，便血，崩漏，疮疖痈肿，产后瘀滞腹痛，虫蛇咬伤。

| 用法用量 | 内服煎汤，3～9g；研粉吞服，每次 1～3g。外用适量。孕妇、儿童慎用。

| 附　　注 | 本种喜湿润和荫蔽环境，以质松肥沃的砂壤土栽培为最好。

菊科 Compositae 向日葵属 Helianthus

向日葵

Helianthus annuus L.

| 药 材 名 | 向日葵子（药用部位：果实。别名：天葵子、葵子）、向日葵花（药用部位：花。别名：葵花）、向日葵花盘（药用部位：花盘。别名：向日葵花托、向日葵饼、葵房）、向日葵叶（药用部位：叶。别名：菊花叶、一丈菊叶、菊子叶）、向日葵根（药用部位：根。别名：葵花根、向阳花根、朝阳花根）。

| 形态特征 | 一年生高大草本。茎直立，高 1 ~ 3m，粗壮，被白色粗硬毛，不分枝或有时上部分枝。叶互生，心状卵圆形或卵圆形，先端急尖或渐尖，有 3 基出脉，边缘有粗锯齿，两面被短糙毛，有长柄。头状花序极大，直径 10 ~ 30cm，单生于茎端或枝端，常下倾；总苞片多层，叶质，覆瓦状排列，卵形至卵状披针形，先端尾状渐尖，被长硬毛或纤毛；

向日葵

花托平或稍凸，有半膜质托片；舌状花多数，黄色，舌片开展，长圆状卵形或长圆形，不结实；管状花极多数，棕色或紫色，有披针形裂片，结果实。瘦果倒卵形或卵状长圆形，稍扁压，长 10 ~ 15mm，有细肋，常被白色短柔毛，上端有 2 膜片状早落的冠毛。花期 7 ~ 9 月，果期 8 ~ 9 月。

| 生境分布 | 栽培于田地。重庆各地均有分布。

| 资源情况 | 栽培资源较丰富。药材来源于栽培。

| 采收加工 | 向日葵子：秋季采收，鲜用或晒干。

向日葵花：夏季花开时采摘，鲜用或晒干。

向日葵花盘：秋季采收，除去果实，鲜用或晒干。

向日葵叶：夏、秋季采收，晒干。

向日葵根：夏、秋季采挖，洗净，鲜用或晒干。

| 药材性状 | 向日葵子：本品浅灰色或黑色，扁长卵形或椭圆形，内藏种子 1，淡黄色。

向日葵叶：本品多皱缩破碎，有的向一侧卷曲，完整者展平后呈广卵圆形，长 10 ~ 30cm，宽 8 ~ 25cm，先端急尖或渐尖。上表面绿褐色，下表面暗绿色，均被粗毛，边缘具粗锯齿，基部截形或心形，有 3 脉，叶柄长 10 ~ 25cm。质脆，易碎。气微，味微苦、涩。

| 功能主治 | 向日葵子：甘，平。透疹，止痢，拔痈脓。用于疹发不透，血痢，慢性骨髓炎。

向日葵花：微甘，平。祛风，平肝，利湿。用于头晕，耳鸣，小便淋浊。

向日葵花盘：甘，寒。归肝经。清热，平肝，止痛，止血。用于高血压，头痛，头晕，耳鸣，脘腹痛，痛经，子宫出血，湿疹。

向日葵叶：淡、苦，平。归肝、胃经。平肝潜阳，消食健胃。用于高血压，头痛，眩晕，胃脘胀满，嗳腐吞酸，腹痛等。

向日葵根：甘、淡，微寒。归胃、膀胱经。清热利湿，行气止痛。用于淋浊，水肿，带下，疝气，脘腹胀痛，跌打损伤。

| 用法用量 | 向日葵子：内服煎汤，15 ~ 30g；捣碎或开水炖。外用适量，捣敷或榨油涂。

向日葵花：内服煎汤，15 ~ 30g。

向日葵花盘：内服煎汤，15 ~ 60g。外用适量，捣敷；或研粉敷。

向日葵叶：内服煎汤，15 ~ 30g，鲜品加量。外用适量，捣敷。

向日葵根：内服煎汤，9 ~ 15g，鲜品加倍；或研末。外用适量，捣敷。

菊科 Compositae 向日葵属 Helianthus

菊芋
Helianthus tuberosus L.

菊芋

| 药 材 名 |

菊芋（药用部位：块茎、茎叶。别名：洋姜、番羌）。

| 形态特征 |

多年生草本，高 1 ～ 3m。有块状的地下茎及纤维状根。茎直立，有分枝，被白色短糙毛或刚毛。叶通常对生，有叶柄，但上部叶互生，下部叶卵圆形或卵状椭圆形，有长柄，长 10 ～ 16cm，宽 3 ～ 6cm，基部宽楔形或圆形，有时微心形，先端渐细尖，边缘有粗锯齿，有离基三出脉，上面被白色短粗毛，下面被柔毛，叶脉上被短硬毛；上部叶长椭圆形至阔披针形，基部渐狭，下延成短翅状，先端渐尖，短尾状。头状花序较大，少数或多数，单生枝端，有 1 ～ 2 线状披针形的苞叶，直立，直径 2 ～ 5cm；总苞片多层，披针形，长 14 ～ 17mm，宽 2 ～ 3mm，先端长渐尖，背面被短伏毛，边缘被开展的缘毛；托片长圆形，长 8mm，背面有肋，上端不等 3 浅裂；舌状花通常 12 ～ 20，舌片黄色，开展，长椭圆形，长 1.7 ～ 3cm；管状花花冠黄色，长 6mm。瘦果小，楔形，上端有 2 ～ 4 有毛的锥状扁芒。花期 8 ～ 9 月。

| 生境分布 |

生于海拔 250 ~ 1000m 的山坡、路边草丛中。重庆各地均有分布。

| 资源情况 |

野生资源较少，栽培资源较丰富。药材来源于栽培。

| 采收加工 |

秋季采挖块茎，夏、秋季采收茎叶，鲜用或晒干。

| 药材性状 |

本品块茎呈块状。茎上部分枝，被短糙毛或刚毛。基部叶对生，上部叶互生，长卵形至卵状椭圆形，长 10 ~ 15cm，宽 3 ~ 6cm，3 脉，上表面粗糙，下表面有柔毛，叶缘具锯齿，先端急尖或渐尖，基部宽楔形；叶柄上具狭翅。

| 功能主治 |

甘、微苦，凉。清热凉血，消肿。用于热病，肠热出血，跌打损伤，骨折肿痛等。

| 用法用量 |

内服煎汤，10 ~ 15g；或块根 1 个，生嚼服。外用适量，鲜茎叶捣敷。

| 附　注 |

本种耐寒抗旱，耐瘠薄，对土壤要求不严，除酸性土壤、沼泽和盐碱地带外，在一些不宜种植其他作物的土地，如废墟、宅边、路旁都可生长。

菊科 Compositae 泥胡菜属 Hemistepta

泥胡菜
Hemistepta lyrata (Bunge) Bunge

泥胡菜

药材名

泥胡菜（药用部位：全草或根。别名：剪刀草、苦荬菜、牛插鼻）。

形态特征

一年生草本，高 30 ~ 100cm。茎单生，很少簇生，通常纤细，被稀疏蛛丝毛，上部长分枝，少有不分枝的。基生叶长椭圆形或倒披针形，花期通常枯萎；中下部茎叶与基生叶同形，长 4 ~ 15cm 或更长，宽 1.5 ~ 5cm 或更宽，全部叶大头羽状深裂或几全裂，侧裂片 2 ~ 6 对，通常 4 ~ 6 对，极少为 1 对，倒卵形、长椭圆形、匙形、倒披针形或披针形，向基部的侧裂片渐小，顶裂片大，长菱形、三角形或卵形，全部裂片边缘三角形锯齿或重锯齿，侧裂片边缘通常稀锯齿，最下部侧裂片通常无锯齿；有时全部茎叶不裂或下部茎叶不裂，边缘有锯齿或无锯齿；全部茎叶质地薄，两面异色，上面绿色，无毛，下面灰白色，被厚或薄绒毛；基生叶及下部茎叶有长叶柄，叶柄长达 8cm，柄基扩大抱茎，上部茎叶的叶柄渐短，最上部茎叶无柄。头状花序在茎枝先端排成疏松伞房花序，少有植株仅含 1 头状花序而单生茎顶的；总苞宽钟状或半球形，直径 1.5 ~ 3cm；总苞片多层，覆瓦状排列，最外层长三角形，长 2mm，宽 1.3mm，外层及中层椭圆形或卵状椭圆形，长 2 ~ 4mm，宽 1.4 ~ 1.5mm，最内层线状长椭圆形或长椭圆形，长 7 ~ 10mm，宽 1.8mm；全部苞片质地薄，草质，中、外层苞片外面上方近先端有直立的鸡冠状突起的附片，附片紫红色，内层苞片先端长渐尖，上方染红色，但无鸡冠状突起的附片；小花紫色或红色，花冠长 1.4cm，檐部长 3mm，深 5 裂，花冠裂片线形，长 2.5mm，细管部为细丝状，长 1.1cm。瘦果小，楔状或偏斜楔形，长 2.2mm，深褐色，压扁，有 13 ~ 16 粗细不等的凸起的尖细肋，先端斜截形，有膜质果缘，基底着生面平或稍见偏斜；冠毛异型，白色，两层，外层冠毛刚毛羽毛状，长 1.3cm，基部联合成环，整体脱落，内层冠毛刚毛极短，鳞片状，3 ~ 9，着生于一侧，宿存。花果期 3 ~ 8 月。

| **生境分布** | 生于海拔 350 ~ 2180m 的河边、土边、田边、荒地。重庆各地均有分布。

| **资源情况** | 野生资源较丰富。药材来源于野生。

| **采收加工** | 夏、秋季采集，洗净，鲜用或晒干。

| **药材性状** | 本品长 30 ~ 80cm。茎具纵棱，光滑或略被绵毛。叶互生，多卷曲皱缩，完整者呈倒披针状卵圆形或倒披针形，羽状深裂。常有头状花序或球形总苞。瘦果圆柱形，长 2.5mm，具纵棱及白色冠毛。气微，味微苦。

| **功能主治** | 辛、苦，寒。清热解毒，散结消肿。用于痔漏，痈肿疔疮，乳痈，淋巴结炎，风疹瘙痒，外伤出血，骨折。

| **用法用量** | 内服煎汤，9 ~ 15g。外用适量，捣敷；或煎汤洗。

菊科 Compositae 山柳菊属 Hieracium

山柳菊
Hieracium umbellatum L.

山柳菊

药材名

山柳菊（药用部位：全草或根。别名：伞花山柳菊、柳叶蒲公英、九里明）。

形态特征

多年生草本，高 30 ~ 100cm。茎直立，单生或少数成簇生，粗壮或纤细，基部直径 2 ~ 5mm，下部特别是基部常淡红紫色，上部伞房花序状或伞房圆锥花序状分枝，通常无毛或粗糙，被极稀疏的小刺毛，极少被长单毛，但被白色的小星状毛，特别是茎上部及花梗处的星状毛较多。基生叶及下部茎叶花期脱落不存在；中上部茎叶多数或极多数，互生，无柄，披针形至狭线形，长 3 ~ 10cm，宽 0.5 ~ 2cm，基部狭楔形，先端急尖或短渐尖，边缘全缘、几全缘或边缘有稀疏的尖犬齿，上面无毛或被稀疏的蛛丝状柔毛，下面沿脉及边缘被短硬毛；向上的叶渐小，与中上部茎叶同形并具有相似的毛被。头状花序少数或多数，在茎枝先端排成伞房花序或伞房圆锥花序，极少茎不分枝而头状花序单生茎端，花序梗无头状具柄的腺毛及长单毛，但被稠密或稀疏的星状毛及较硬的短单毛；总苞黑绿色，钟状，长 8 ~ 10mm，总苞之下有或无小苞片；总苞片 3 ~ 4 层，向内层渐长，外层及最外层披针形，长 3.5 ~ 4.5mm，宽 0.8 ~ 1.2mm，最内层线状长椭圆形，长 8 ~ 10mm，宽 1mm，全部总苞片先端急尖，外面无毛，有时基部被星状毛，极少沿中脉被单毛及头状具柄的腺毛；舌状小花黄色。瘦果黑紫色，长近 3mm，圆柱形，向基部收窄，先端截形，有 10 高起的等粗的细肋，无毛；冠毛淡黄色，长约 6mm，糙毛状。花果期 7 ~ 9 月。

| 生境分布 |　生于海拔 750 ~ 1000m 的山坡草丛中、河滩沙地、林缘或林下。分布于重庆城口、巫溪、巫山、万州、云阳、石柱等地。

| 资源情况 |　野生资源较丰富。药材来源于野生。

| 采收加工 |　夏、秋季采收，除去泥土，洗净，多鲜用，或晒干。

| 功能主治 |　苦，凉。清热解毒，利湿消积。用于痈肿疮疖，尿路感染，小便淋痛，痢疾，腹痛积块，气喘。

| 用法用量 |　内服煎汤，9 ~ 15g。外用适量，捣敷。

菊科 Compositae 旋覆花属 Inula

羊耳菊
Inula cappa (Buch.-Ham.) DC.

| 药 材 名 | 白牛胆（药用部位：全草。别名：毛老虎、猪耳风、大力黄）、白牛胆根（药用部位：根。别名：山白芷、土白芷、小茅香）。

| 形态特征 | 亚灌木。根茎粗壮，多分枝。茎直立，高 70 ~ 200cm，粗壮，全部被污白色或浅褐色绢状或棉状密茸毛，上部或从中部起有分枝；全部有多少密生的叶，下部叶在花期脱落后留有被白色或污白色绵毛的腋芽。叶多少开展，长圆形或长圆状披针形；中部叶长 10 ~ 16cm，有长约 0.5cm 的叶柄，上部叶渐小近无柄；全部叶基部圆形或近楔形，先端钝或急尖，边缘有小尖头状细齿或浅齿，上面被基部疣状的密糙毛，沿中脉被较密的毛，下面被白色或污白色绢状厚茸毛；中脉和 10 ~ 12 对侧脉在下面高起，网脉明显。头状花序倒卵圆形，宽 5 ~ 8mm，多数密集于茎和枝端成聚伞圆锥花序；被绢状密茸毛，有线形的苞叶；总苞近钟形，长 5 ~ 7mm；总苞片

羊耳菊

约 5 层，线状披针形，外层较内层短 3 ~ 4 倍，先端稍尖，外面被污白色或带褐色绢状茸毛；小花长 4 ~ 5.5mm；边缘的小花舌片短小，有 3 ~ 4 裂片，或无舌片而有 4 退化雄蕊；中央的小花管状，上部有三角卵圆形裂片；冠毛污白色，约与管状花花冠同长，具 20 余糙毛。瘦果长圆柱形，长约 1.8mm，被白色长绢毛。花期 6 ~ 10 月，果期 8 ~ 12 月。

| **生境分布** | 生于海拔 500 ~ 1200m 的山地、丘陵、草坡、林缘。分布于重庆万州、秀山、南川、江津、北碚、九龙坡、巫溪等地。

| **资源情况** | 野生资源较少。药材来源于野生。

| **采收加工** | 白牛胆：全年均可采收，鲜用或晒干。
白牛胆根：立夏后采挖，洗净，鲜用或晒干。

| **药材性状** | 白牛胆：本品长 90 ~ 150cm。茎呈圆柱形，少分枝，直径 0.3 ~ 1cm；表面灰褐色至暗褐色，有细纵纹及凸起的椭圆形皮孔，叶痕明显，半月形，皮层易剥离；质硬，易折断，断面不平坦。叶片易脱落，常卷曲，展开后呈狭矩圆形或近倒卵形，长 7 ~ 9cm，宽 1.5 ~ 2cm，边缘有小锯齿，先端渐尖或钝形，基部浑圆或广楔形，上表面黄绿色，具黄色粗毛，下表面黄白色，被白色绢毛。偶带顶生或腋生的头状花序组成的伞房花丛。花小，为舌状花和管状花。瘦果具棱，有冠毛。气香，味辛、微苦。以茎粗壮、叶多者为佳。
白牛胆根：本品头部常残留短小地上茎，呈圆柱形，有分枝，长 2 ~ 5cm，直径 0.3 ~ 1.5cm。表面灰黑色或黑褐色，有稀疏须根或须根脱落残痕。皮薄，刮去表皮者呈灰褐色而有油性。质坚硬，切断面木部灰黄色，有黄色油点散在，头部中央有髓，呈海绵状。有特殊香气，刮擦根部嗅之气更香，味辛、微苦。以根条粗壮、残茎短小、气芳香者为佳。

| **功能主治** | 白牛胆：辛、甘、微苦，温。祛风散寒，行气利湿，解毒消肿。用于风寒感冒，咳嗽，风湿痹痛，泻痢，肝炎，乳腺炎，痔疮，湿疹，疥癣。
白牛胆根：辛、甘，温。祛风散寒，止咳定喘，行气止痛。用于风寒感冒，咳嗽，哮喘，头痛，牙痛，胃痛，疝气，风湿痹痛，跌打损伤，月经不调，带下，肾炎水肿。

| **用法用量** | 白牛胆：内服煎汤，15 ~ 30g。外用适量，捣敷；或煎汤洗。
白牛胆根：内服煎汤，15 ~ 30g。外用适量，研末撒敷。

| **附　　注** | 在 FOC 中，本种的拉丁学名被修订为 *Duhaldea cappa* (Buch.-Ham. ex DC.) Anderb.，属名被修订为羊耳菊属 *Duhaldea*。

菊科 Compositae 旋覆花属 Inula

水朝阳旋覆花
Inula helianthus-aquatica C. Y. Wu ex Ling

| 药 材 名 | 水朝阳草（药用部位：全草。别名：金沸草）、水朝阳旋覆花（药用部位：头状花序。别名：旋覆花、水旋复、水葵花）、水朝阳根（药用部位：根。别名：旋覆花根、金沸草根）。

| 形态特征 | 多年生草本。根茎长，常有具鳞片状叶和顶芽的细匍枝，茎下部也常有不定根。茎直立，高 30 ~ 80cm，基部直径达 7mm，有细沟，被薄柔毛，顶部被较密的毛，杂有腺点，上部有多少开展的伞房状长分枝或短花序枝，稀不分枝，节间长 1 ~ 4cm。叶卵圆状披针形或披针形，长 4 ~ 10cm，宽 1.4 ~ 4cm；下部叶常渐狭成柄状，在花期枯萎；中部以上叶无柄，基部圆形或楔形，或有小耳，半抱茎，边缘有细密的尖锯齿，先端尖或渐尖，上面无毛，下面有黄色腺点，脉上被短柔毛；中脉和 7 ~ 8 对侧脉在下面稍高起，网脉多少明显。头状花序单生茎端或枝端，直径 2.5 ~ 4.5cm；总苞半球形，直径 1 ~ 1.5cm，长

水朝阳旋覆花

7 ~ 9mm；总苞片多层，多少等长，外层线形，上部叶质，并被短柔毛，但最外层上部常叶状且较内层稍长，内层线状披针形，背面无毛，边缘宽膜质，有缘毛；舌状花较总苞长 2 ~ 3 倍，舌片黄色，线形，长约 1.5cm；管状花花冠长 3mm，有披针形裂片，裂片有腺点；冠毛污白色，较管状花花冠稍短，有 10 或稍多的微糙毛。瘦果圆柱形，有 10 深沟，无毛。花期 6 ~ 10 月，果期 9 ~ 10 月。

| 生境分布 | 生于海拔 1200m 以上的田边、草坡上、路旁或沼泽地。分布于重庆武隆、南川、巴南等地。

| 资源情况 | 野生资源稀少。药材来源于野生。

| 采收加工 | 水朝阳草：夏、秋季采割，鲜用或干燥。

水朝阳旋覆花：夏、秋季花初开放时采摘，除去杂质，干燥。

水朝阳根：夏、秋季采收，洗净，鲜用或晒干。

| 药材性状 | 水朝阳草：本品茎呈圆柱形，上部分枝，长 30 ~ 100cm，直径 0.2 ~ 0.5cm；表面绿褐色或棕褐色，疏被短柔毛，有多数细皱纹；质脆，断面黄白色，髓部中空。叶互生，完整者展平后呈卵状披针形至披针形，长 4 ~ 10cm，宽 0.5 ~ 2cm，先端尖，基部渐狭成叶柄或圆形、楔形或有小耳，半抱茎，边缘有尖锯齿，下表面有黄色腺点，脉上有短柔毛。头状花序单生于茎或枝端，直径 2.5 ~ 4.5cm；冠毛污白色，长约 0.3cm。气微，味微苦。

水朝阳旋覆花：本品呈圆盘状或扁球形，有时散落，直径 1 ~ 2cm；底部具多层绿黄色或浅绿色膜质总苞片，有时可见残留的短花梗。外缘一层舌状花多卷曲，黄色或黄褐色，长 0.8 ~ 1.5cm，先端 3 齿裂。中央筒状花密集，长约 15mm，有微粗糙毛。气香，味微苦。

| 功能主治 | 水朝阳草：辛、咸，温。归肺、大肠经。降气化痰，祛风除湿。用于咳喘痰多，胸闷气短，风湿痹痛，疔疮肿毒。

水朝阳旋覆花：苦、辛、咸，温。归肺、脾、胃、大肠经。降气，消痰，行气，止呕。用于风寒咳嗽，痰饮蓄结，胸膈痞满，咳喘痰多，呕吐噫气，心下痞硬。

水朝阳根：咸，温；有小毒。消肿止痛。用于牙龈炎，口腔溃疡，骨折。

| 用法用量 | 水朝阳草：内服煎汤，6 ~ 9g。外用适量，鲜品捣汁涂患处。

水朝阳旋覆花：内服煎汤，3 ~ 9g，包煎。

水朝阳根：内服煎汤，3 ~ 6g。外用适量，捣敷。

菊科 Compositae 旋覆花属 Inula

湖北旋覆花

Inula hupehensis (Ling) Ling

| 药 材 名 | 湖北朝阳花（药用部位：花序。别名：旋覆花、金沸花、金佛草）。

| 形态特征 | 多年生草本。根茎横走。茎基部有不定根，茎从膝曲的基部直立或斜升，高 30 ~ 50cm，基部直径达 5mm，被柔毛，下部常脱毛，上部被较密的长柔毛，有细沟，上部有少数开展的伞房状分枝，节间长 1 ~ 2cm。叶长圆状披针形至披针形，长 6 ~ 10cm，宽 1.5 ~ 2.5cm；下部叶较小，在花期枯萎，中部以上叶无柄，基部稍狭并扩大成圆耳形，抱茎，边缘有小尖头状疏锯齿，先端渐尖，下面有黄色腺点，脉上被短柔毛，上面无毛；中脉和 7 ~ 8 对侧脉在下面稍高起，网脉明显。头状花序单生枝端，直径 2.5 ~ 3.5cm；总苞半球形，直径 1 ~ 1.3cm，长 5 ~ 7mm；总苞片近等长，外层叶质或上部叶质，线状披针形，有腺点，被柔毛，内层线状披针形，

湖北旋覆花

无毛，边缘宽膜质，有缘毛；舌状花较总苞长 3 倍，舌片黄色，线形，长约 15mm，先端有 3 齿；管状花花冠长约 3mm，有披针形裂片，裂片有腺点；冠毛白色，约与花冠管部同长，有 5 或稍多的微糙毛。瘦果近圆柱形，先端截形，有 10 深陷的纵沟，无毛。花期 6 ~ 8 月，果期 8 ~ 9 月。

| **生境分布** | 生于海拔 1300 ~ 1900m 的林下或山坡草地。分布于重庆巫山、万州、奉节等地。

| **资源情况** | 野生资源较少。药材来源于野生。

| **采收加工** | 夏、秋季花初开放时采摘，除去茎、叶，晒干。

| **药材性状** | 本品呈扁球形或圆盘形，直径 2 ~ 4cm。总苞由多数苞片组成，呈覆瓦状排列，苞片披针形或条形，黄绿色，长 5 ~ 15mm，总苞基部可见残留花梗，苞片及花梗表面被白色绒毛。舌状花 1 列，黄色，长 15 ~ 20mm，多卷曲，易散落，先端 3 齿裂；管状花多数，棕黄色，长 4 ~ 5mm，先端 9 齿裂；子房先端冠毛白色，长约 2mm。有的可见细小的长椭圆形瘦果。体轻，易碎。气清香，味微苦。

| **功能主治** | 微苦、辛、咸，微温。归肺、脾、胃经。降气，化痰，止呕。用于风寒咳嗽，咳喘痰多，胸脘痞满，恶心呕吐。

| **用法用量** | 内服煎汤，3 ~ 9g，包煎。

| **附　　注** | 本种与旋覆花 *Inula japonica* Thunb. 功效相同，常作旋覆花用。

菊科 Compositae 旋覆花属 *Inula*

旋覆花 *Inula japonica* Thunb.

| 药 材 名 | 旋覆花(药用部位:头状花序。别名:六月菊、鼓子花、滴滴金)、旋覆花根(药用部位:根)。

| 形态特征 | 多年生草本。根茎短,有多少粗壮的须根。茎单生,2~3簇生,直立,高30~70cm,被长伏毛。基部叶常较小,在花期枯萎;中部叶长圆形、长圆状披针形或披针形,基部多少狭窄,常有圆形半抱茎的小耳,无柄,被疏伏毛和腺点,中脉和侧脉被较密的长毛;上部叶渐狭小,线状披针形。头状花序多数或少数排列成疏散的伞房花序;花序梗细长;总苞半球形,总苞片约6层,线状披针形,最外层常叶质而较长;舌状花黄色,舌片线形;管状花花冠有三角披针形裂片;冠毛1层,白色,有20余微糙毛,与管状花近等长。瘦果,圆柱形,先端截形,被疏短毛。花期6~10月,果期9~11月。

旋覆花

| **生境分布** | 生于海拔 150 ~ 2400m 的山坡路旁、湿润草地、河岸或田埂上。分布于重庆酉阳、巫山、万州、南川、北碚等地。 |

| **资源情况** | 野生资源较少，亦有少量栽培。药材来源于野生和栽培。 |

| **采收加工** | 旋覆花：夏、秋季花开放时采收，除去杂质，阴干或晒干。
旋覆花根：秋季采挖，洗净，晒干。 |

| **药材性状** | 旋覆花：本品呈扁球形或类球形，直径 1 ~ 2cm。总苞由多数苞片组成，呈覆瓦状排列，苞片披针形或条形，灰黄色，长 4 ~ 11mm；总苞基部有时残留花梗，苞片及花梗表面被白色绒毛；舌状花 1 列，黄色，长约 1cm，多卷曲，常脱落，先端 3 齿裂；管状花多数，棕黄色，长约 5mm，先端 5 齿裂；子房先端有多数白色冠毛，长 5 ~ 6mm。有的可见椭圆形小瘦果。体轻，易碎。气微，味微苦。 |

| **功能主治** | 旋覆花：苦、辛、咸，微温。归肺、脾、胃、大肠经。降气，消痰，行水，止呕。用于风寒咳嗽，痰饮蓄结，胸膈痞闷，咳喘痰多，呕吐噫气，心下痞硬。
旋覆花根：咸，温。祛风湿，平咳喘，解毒生肌。用于风湿痹痛，咳喘，疔疮。 |

| **用法用量** | 旋覆花：内服煎汤，3 ~ 9g，包煎。
旋覆花根：内服煎汤，9 ~ 15g。外用适量，捣敷。 |

| **附 注** | 本种喜温暖或凉爽的环境，以肥沃的砂壤土或腐殖质壤土栽培为佳，生长适温为 10 ~ 25℃，温度过高或过低都容易造成死苗，且在生长过程中需要充足的水分。资源现状调查发现，本种药材市场需求量大，因本种野外主要靠种子繁殖，种植繁殖困难，导致资源锐减，故应加强旋覆花的引种栽培研究及综合开发利用。 |

菊科 Compositae 小苦荬属 *Ixeridium*

中华小苦荬 *Ixeridium chinense* (Thunb.) Tzvel.

| 药 材 名 | 山苦荬（药用部位：全草或根。别名：苦菜、节托莲、小苦麦菜）。

| 形态特征 | 多年生草本，高 5 ~ 47cm。根垂直直伸，通常不分枝；根茎极短缩。茎直立，单生或少数茎成簇生，基部直径 1 ~ 3mm，上部伞房花序状分枝。基生叶长椭圆形、倒披针形、线形或舌形，包括叶柄长 2.5 ~ 15cm，宽 2 ~ 5.5cm，先端钝或急尖或向上渐窄，基部渐狭成有翼的短或长柄，全缘，不分裂亦无锯齿或边缘有尖齿或凹齿，或羽状浅裂、半裂或深裂，侧裂片 2 ~ 7 对，长三角形、线状三角形或线形，自中部向上或向下的侧裂片渐小，向基部的侧裂片常为锯齿状，有时为半圆形；茎生叶 2 ~ 4，极少 1 或无茎叶，长披针形或长椭圆状披针形，不裂，全缘，先端渐狭，基部扩大，耳状抱茎或至少基部茎生叶的基部有明显的耳状抱茎；全部叶两面无毛。

中华小苦荬

头状花序通常在茎枝先端排成伞房花序，含舌状小花 21 ~ 25；总苞圆柱状，长 8 ~ 9mm；总苞片 3 ~ 4 层，外层及最外层宽卵形，长 1.5mm，宽 0.8mm，先端急尖；内层长椭圆状倒披针形，长 8 ~ 9mm，宽 1 ~ 1.5mm，先端急尖。舌状小花黄色，干时带红色。瘦果褐色，长椭圆形，长 2.2mm，宽 0.3mm，有 10 高起的钝肋，肋上有上指的小刺毛，先端急尖成细喙，喙细，细丝状，长 2.8mm；冠毛白色，微糙，长 5mm。花果期 1 ~ 10 月。

| 生境分布 | 生于海拔 350 ~ 1500m 的山坡、路旁、河边灌丛或岩石缝中。分布于重庆南岸、璧山、荣昌、江津、北碚等地。

| 资源情况 | 野生资源较少。药材来源于野生。

| 采收加工 | 夏、秋季采收，除去杂质，鲜用或晒干。

| 药材性状 | 本品根细长，弯曲，黄棕色，具纵皱纹和残留的须根；质脆，易折段，断面黄绿色。茎自基部多分枝，圆柱形，无毛；断面中央具髓。叶多着生于基部，茎生叶 1，大多皱缩或破碎，完整者展开后呈条状披针形或篦状披针形，边缘具疏羽状齿。花淡紫色或黄白色，舌片先端 5 齿裂；冠毛白色。气微，味苦。

| 功能主治 | 苦，寒。归心、胃、大肠经。清热解毒，消肿排脓，凉血止血，生津止渴。用于肠痈，肺痈，疮疖肿毒，肺热咳嗽，消渴，泄泻，痢疾，带下阴痒，吐血，衄血，跌打损伤。

| 用法用量 | 内服煎汤，15 ~ 30g。外用鲜品适量，捣敷。

| 附　注 | 本种喜阳，耐寒，耐瘠薄。

菊科 Compositae 小苦荬属 Ixeridium

细叶小苦荬
Ixeridium gracile (DC.) Shih

| **药 材 名** | 粉苞苣（药用部位：全草。别名：细叶苦菜）。

| **形态特征** | 多年生草本，高 10 ~ 70cm。根茎极短。茎直立，上部伞房花序状
分枝或自基部分枝，全部茎枝无毛。基生叶长椭圆形、线形或狭线
形，长 4 ~ 15cm，宽 0.4 ~ 1cm，向两端渐狭，基部有长或短的狭
翼柄；茎生叶少数，狭披针形、狭线形，上部渐狭，基部无柄；全
部叶两面无毛，全缘。头状花序多数在茎枝先端排成伞房花序或伞
房圆锥花序，含 6 舌状小花，花序梗极纤细；总苞极小，圆柱状，
长 6mm；总苞片 2 层，外层少数且极小，2 ~ 3，卵形，长不足
1mm，宽不足 0.5mm，内层长，线状长椭圆形，长 6mm，宽 0.8mm。
瘦果褐色，长圆锥状，长 3mm，有细肋或细脉 10，向先端渐成细
丝状的喙，喙弯曲，长 1mm；冠毛褐色或淡黄色，微糙毛状，长

细叶小苦荬

3mm。花果期 3 ～ 10 月。

| **生境分布** | 生于海拔 800 ～ 1800m 的山坡、山谷林缘、林下、田间、荒地或草甸。分布于重庆巫溪、南川、合川、北碚、江津、武隆等地。

| **资源情况** | 野生资源较丰富。药材来源于野生。

| **采收加工** | 7 ～ 8 月采收，洗净，晒干或鲜用。

| **药材性状** | 本品长 10 ～ 30cm。茎单一或基部分枝。叶互生，皱缩，完整者展平后呈条状披针形或长条形，长 4 ～ 15cm，宽 5 ～ 9mm，全缘，几无柄。头状花序排列成聚伞状。瘦果纺锤形，棕褐色，具条棱，喙短，长约 1mm。气微，味苦。

| **功能主治** | 苦，微寒。清热解毒，消炎，消肿止痛。用于黄疸性肝炎，结膜炎，目赤肿痛，疖肿。

| **用法用量** | 内服煎汤，6 ～ 12g。外用适量，捣敷。

菊科 Compositae 小苦荬属 Ixeridium

抱茎小苦荬
Ixeridium sonchifolium (Maxim.) Shih

| 药 材 名 | 苦碟子（药用部位：全草。别名：满天星、苦荬菜）。

| 形态特征 | 多年生草本，高 15 ~ 60cm。根垂直直伸，不分枝或分枝；根茎极短。茎单生，直立，基部直径 1 ~ 4mm，上部伞房花序状或伞房圆锥花序状分枝，全部茎枝无毛。基生叶莲座状，匙形、长倒披针形或长椭圆形，包括基部渐狭的宽翼柄长 3 ~ 15cm，宽 1 ~ 3cm，或不分裂，边缘有锯齿，先端圆形或急尖，或大头羽状深裂，顶裂片大，近圆形、椭圆形或卵状椭圆形，先端圆形或急尖，边缘有锯齿，侧裂片 3 ~ 7 对，半椭圆形、三角形或线形，边缘有小锯齿；中下部茎叶长椭圆形、匙状椭圆形、倒披针形或披针形，与基生叶等大或较小，羽状浅裂或半裂，极少大头羽状分裂，向基部扩大，心形或耳状抱茎；上部茎叶及接花序分枝处的叶心状披针形，全缘，极少有锯齿或尖锯齿，

抱茎小苦荬

先端渐尖，向基部心形或圆耳状扩大抱茎；全部叶两面无毛。头状花序多数或少数，在茎枝先端排成伞房花序或伞房圆锥花序，含舌状小花约17；总苞圆柱形，长5～6mm；总苞片3层，外层及最外层短，卵形或长卵形，长1～3mm，宽0.3～0.5mm，先端急尖，内层长披针形，长5～6mm，宽1mm，先端急尖；全部总苞片外面无毛；舌状小花黄色。瘦果黑色，纺锤形，长2mm，宽0.5mm，有10高起的钝肋，上部沿肋被上指的小刺毛，向上渐尖成细喙，喙细丝状，长0.8mm；冠毛白色，微糙毛状，长3mm。花果期3～5月。

| **生境分布** | 生于海拔100～2700m的山坡或平原路旁、林下、河滩地、岩石上或庭院中。分布于重庆丰都、垫江、大足、潼南、城口、石柱、云阳、万州、铜梁、涪陵、酉阳、忠县、九龙坡、永川、长寿、南川、武隆、巫溪、璧山、北碚、巫山、合川、梁平、巴南、荣昌、沙坪坝等地。

| **资源情况** | 野生资源丰富。药材来源于野生。

| **采收加工** | 春、夏、秋季采收，除去杂质，鲜用或干燥。

| **药材性状** | 本品茎呈圆柱形，直径1.5～4mm；表面绿色、深绿色至黄棕色，有纵棱，无毛，节明显；质脆，易折断，折断时有粉尘飞出，断面略呈纤维性，髓部白色。叶互生，多皱缩破碎，完整者卵状矩圆形，长2～5cm，宽0.5～2cm，先端急尖，基部耳状，抱茎。头状花序有细梗，总苞片2层；外层总苞片5，极小，内层总苞片8，披针形。舌状花，黄色，先端截形，5齿裂，冠毛白色。气微，味微甘、苦。

| **功能主治** | 苦，凉。清热解毒，止痛消肿，活血祛瘀。用于咽喉肿痛，痈肿，疮疖，冠心病，心绞痛，脑梗死。

| **用法用量** | 内服煎汤，6～9g。

| **附　注** | （1）在FOC中，本种被修订为尖裂假还阳参 *Crepidiastrum sonchifolium* (Maximowicz) Pak et Kawano，属名被修订为假还阳参属 *Crepidiastrum*。
（2）本种喜湿，对土壤要求不严，但在土壤肥沃、水分充足的田地中生长势强。干旱时叶片边缘呈紫色；而土壤水分过量时，易产生烂根，叶变黄，甚至枯死。

菊科 Compositae 苦荬菜属 Ixeris

剪刀股
Ixeris japonica (Burm. f.) Nakai

| **药 材 名** | 剪刀股（药用部位：全草。别名：假蒲公英、鸭舌草、鹅公英）。

| **形态特征** | 多年生草本。根垂直直伸，生多数须根。茎基部平卧，高 12 ~ 35cm，基部有匍匐茎，节上生不定根与叶。基生叶花期生存，匙状倒披针形或舌形，长 3 ~ 11cm，宽 1 ~ 2cm，基部渐狭成具狭翼的长或短柄，边缘有锯齿至羽状半裂或深裂或大头羽状半裂或深裂，侧裂片 1 ~ 3 对，集中在叶片的中下部，偏斜三角形或椭圆形，先端急尖或钝，顶裂片椭圆形、长倒卵形或长椭圆形，先端钝或圆形，有小尖头；茎生叶少数，与基生叶同形或长椭圆形或长倒披针形，无柄或渐狭成短柄；花序分枝上或花序梗上的叶极小，卵形。头状花序 1 ~ 6 在茎枝先端排成伞房花序；总苞钟状，长 14mm，宽约 7mm；总苞片 2 ~ 3 层，外层极短，卵形，长 2mm，宽 1.2mm，先端急尖，内层长，

剪刀股

长椭圆状披针形或长披针形，长 14mm，宽 2mm，先端钝，外面先端有小鸡冠状突起或无；舌状小花 24，黄色。瘦果褐色，几纺锤形，长 5mm，宽 1mm，无毛，有 10 高起的尖翅肋，先端急尖成细喙，喙长 2mm，细丝状；冠毛白色，纤细，不等长，微糙，长 6.5mm。花果期 3～5 月。

| 生境分布 | 生于海拔 250～2200m 的路边潮湿地或田边。分布于重庆南岸、万州、秀山、江津、潼南、奉节、巫山、永川、铜梁、酉阳、巫溪、南川、北碚、黔江、开州、梁平、大足、合川等地。

| 资源情况 | 野生资源较丰富。药材来源于野生。

| 采收加工 | 春季采收，洗净，鲜用或晒干。

| 药材性状 | 本品主根圆柱形或纺锤形；表面灰黄色至棕黄色。叶基生，多破碎或皱缩卷曲，完整者展平后呈匙状倒披针形，长 3～11cm，宽 1～2cm，先端钝，基部下延成叶柄，全缘或具稀疏的锯齿或羽状深裂。花茎上常有不完整的头状花序或总苞。偶见长圆形瘦果，扁平。气微，味苦。

| 功能主治 | 苦，寒。归胃、肝、肾经。清热解毒，利尿消肿。用于肺脓疡，咽痛，目赤，乳腺炎，痈疽疮疡，水肿，小便不利。

| 用法用量 | 内服煎汤，10～15g。外用适量，捣敷。气血虚弱者慎服。

菊科 Compositae 苦荬菜属 Ixeris

苦荬菜
Ixeris polycephala Cass.

苦荬菜

| 药 材 名 |

苦荬菜（药用部位：全草。别名：苦荬、老鹳菜、盘儿草）。

| 形态特征 |

一年生草本。根垂直直伸，生多数须根。茎直立，全部茎枝无毛。基生叶花期生存，线形或线状披针形，基部渐狭成长或短柄；中下部茎叶披针形或线形；向上或最上部的叶渐小，与中下部茎叶同形，基部箭头状半抱茎或长椭圆形；全部叶两面无毛，全缘，极少下部边缘有稀疏的小尖头。头状花序多数，在茎枝先端排成伞房状花序，花序梗细；总苞圆柱状，总苞片3层；舌状小花黄色，极少白色，10～25。瘦果扁压，褐色，长椭圆形，无毛，有尖翅肋，先端急尖成长1.5mm的喙，喙细，细丝状；冠毛白色，纤细，微糙，不等长，长达4mm。花果期3～6月。

| 生境分布 |

生于海拔250～2200m的山坡林缘、灌丛、草地、田野路旁。分布于重庆南岸、万州、秀山、江津、潼南、奉节、巫山、永川、铜梁、酉阳、巫溪、南川、北碚、黔江、开州、

梁平、大足、合川等地。

资源情况

野生资源较丰富。药材来源于野生。

采收加工

春季采收，鲜用或阴干。

药材性状

本品茎呈圆柱形，直径 1 ~ 4mm，多分枝，光滑无毛，有纵棱；表面紫红色至青紫色；质硬而脆，断面髓部呈白色。叶皱缩，完整者展开后呈舌状卵形，长 4 ~ 8cm，宽 1 ~ 4cm，先端急尖，基部耳状，微抱茎，边缘具不规则锯齿，无毛，表面黄绿色。头状花序着生枝顶，黄色，冠毛白色；总苞圆筒形。果实纺锤形或圆形，稍扁平。气微，味苦、微酸、涩。以身干、无杂质、无泥者为佳。

功能主治

苦，寒。清热解毒，消肿止痛。用于痈疖肿毒，乳痈，咽喉肿痛，黄疸，痢疾，淋证，带下，跌打损伤。

用法用量

内服煎汤，9 ~ 15g，鲜品 30 ~ 60g。外用适量，捣敷；或研末调搽；煎汤洗或漱。

菊科 Compositae 马兰属 Kalimeris

裂叶马兰 *Kalimeris incisa* (Fisch.) DC.

裂叶马兰

药材名

马兰（药用部位：全草。别名：鱼鳅串、泥鳅串、紫菊）。

形态特征

多年生草本。有根茎。茎直立，高 60 ～ 120cm，有沟棱，无毛或疏生向上的白色短毛，上部分枝。叶纸质，下部叶在花期枯萎；中部叶长椭圆状披针形或披针形，边缘疏生缺刻状锯齿或间有羽状披针形尖裂片，上面无毛，边缘粗糙或有向上弯的短刚毛，下面近光滑；上部分枝上的叶小，条状披针形，全缘。头状花序单生枝端且排成伞房状；总苞半球形，总苞片 3 层，被微毛；舌状花淡蓝紫色，管部长约 1.5mm；管状花黄色，长 3 ～ 4mm，管部长 1 ～ 1.3mm。瘦果倒卵形，长 3 ～ 3.5mm，淡绿褐色，被白色短毛；冠毛长 0.5 ～ 1.2mm，淡红色。花果期 7 ～ 9 月。

生境分布

生于海拔 300 ～ 1750m 的沟边、竹林边、路边、草丛中。分布于重庆丰都、云阳、南川、黔江、巴南、九龙坡等地。

| **资源情况** | 野生资源较丰富。药材来源于野生。

| **采收加工** | 夏、秋季采收，洗净，鲜用或晒干。

| **药材性状** | 本品根茎呈细长圆柱形，着生多数浅棕黄色细根和须根。茎呈圆柱形，直径 2 ~ 3mm；表面黄绿色，有细纵纹；质脆，易折断，断面中央有白色的髓。叶互生，叶片皱缩卷曲，多已碎落，完整者展平后呈倒卵形、椭圆形或披针形，被短毛。有的于枝顶可见头状花序，花淡紫色或已结果。瘦果倒卵状长圆形，扁平，有毛。气微，味淡、微涩。

| **功能主治** | 辛，凉。归肺、肝、胃大肠经。凉血清热，利湿解毒。用于多种出血，疟疾，黄疸，水肿淋浊，咳嗽，咽痛喉痹，乳痈，痔疮，痈肿，丹毒，小儿疳积，蛇咬伤。

| **用法用量** | 内服煎汤，10 ~ 30g，鲜品 30 ~ 60g；或捣汁。外用捣敷；或煎汤熏洗；或捣汁滴耳。孕妇慎服。

| **附 注** | （1）在 FOC 中，本种的拉丁学名被修订为 *Aster incisus* Fisch，属名被修订为紫菀属 *Aster*。

（2）本种与马兰 *Kalimeris indica* (L.) Sch.-Bip. 功效相同，与其区别主要在于其叶羽状深裂。

（3）本种喜肥沃土壤，耐旱，亦耐涝，生活力强，为田间常见杂草。

菊科 Compositae 马兰属 Kalimeris

马兰

Kalimeris indica (L.) Sch.-Bip.

马兰

药材名

马兰草（药用部位：全草。别名：马兰、鱼鳅串、泥鳅串）、马兰根（药用部位：根茎）。

形态特征

多年生草本。根茎有匍枝，有时具直根。茎直立，高 30 ~ 70cm，上部被短毛，上部或从下部起有分枝。基部叶在花期枯萎；茎部叶倒披针形或倒卵状矩圆形，边缘从中部以上具有小尖头的钝或尖齿或有羽状裂片，上部叶小，全缘，基部急狭无柄；全部叶稍薄质，两面或上面被疏微毛或近无毛，边缘及下面沿脉被短粗毛，中脉在下面凸起。头状花序单生枝端并排列成疏伞房状；总苞半球形；总苞片 2 ~ 3 层，覆瓦状排列；花托圆锥形；舌状花 1 层，舌片浅紫色；管状花长 3.5mm，管部长 1.5mm，被短密毛。瘦果倒卵状矩圆形，褐色，边缘浅色而有厚肋，上部被腺及短柔毛；冠毛长 0.1 ~ 0.8mm，弱而易脱落，不等长。花期 5 ~ 9 月，果期 8 ~ 10 月。

生境分布

生于山坡草地，灌丛、林间空地或湿草地。重庆各地均有分布。

| 资源情况 | 野生资源丰富。药材主要来源于野生。

| 采收加工 | 马兰草：夏、秋季采收，鲜用或晒干。

马兰根：秋、冬季采挖，除去杂质，洗净，晒干或鲜用。

| 药材性状 | 马兰草：本品根茎呈细长圆柱形，着生多数浅细纵纹。茎圆柱形，直径 2 ~ 3mm；表面黄绿色，有细纵纹；质脆，易折断，断面中央有白色的髓。叶互生，叶片皱缩卷曲，多已碎落，完整者展平后呈倒卵形、椭圆形或披针形，被短毛。有的于枝顶可见头状花序，花淡紫色或已结果。瘦果倒卵状长圆形，扁平，有毛。气微，味淡、微涩。

马兰根：本品呈细长圆柱形，新的根茎多分枝、疏生于上年的老根茎上，常弯曲交错，直径 1 ~ 2mm。淡黄褐色至土黄色，具横皱缩及细纵皱纹，节不呈明显环状，但从芽或芽痕的存在可见到；根纤细，疏散生于节的周围，长 5cm 以上，直径在 1mm 以下。质韧，不易折断（但当年生根茎质韧，易折断），断面略呈纤维状，髓部白色。气微，味微涩。

| 功能主治 | 马兰草：辛，凉。凉血止血，清热利湿，解毒消肿。用于吐血，衄血，血痢，崩漏，创伤出血，黄疸，水肿，淋浊，感冒，咳嗽，咽痛喉痹，痔疮，痈肿，丹毒，小儿疳积。

马兰根：辛，平。清热解毒，止血，利尿，消肿。用于鼻衄，牙龈出血，咯血，皮下出血，湿热黄疸，小便淋痛，咽喉肿痛。

| 用法用量 | 马兰草：内服煎汤，10 ~ 30g，鲜品 30 ~ 60g；或捣汁。外用适量，捣敷；或煎汤熏洗。孕妇慎服。

马兰根：内服煎汤，10 ~ 30g。

| 附　注 | （1）在 FOC 中，本种的拉丁学名被修订为 *Aster indicus* L.，属名被修订为紫菀属 *Aster*。

（2）本种喜肥沃土壤，耐旱，亦耐涝，生活力强，为田间常见杂草。

菊科 Compositae 莴苣属 Lactuca

莴苣 *Lactuca sativa* L.

| 药 材 名 | 莴苣（药用部位：茎叶。别名：莴苣菜、千金菜、莴笋）、莴苣子（药
用部位：果实。别名：苣胜子、白苣子、生菜子）。

| 形态特征 | 一年生或二年生草本，高 25 ~ 100cm。根垂直直伸。茎直立，单生，
上部圆锥状花序分枝，全部茎枝白色。基生叶及下部茎叶大，不分裂，
倒披针形、椭圆形或椭圆状倒披针形，长 6 ~ 15cm，宽 1.5 ~ 6.5cm，
先端急尖、短渐尖或圆形，无柄，基部心形或箭头状半抱茎，边缘波
状或有细锯齿；向上的叶渐小，与基生叶及下部茎叶同形或披针形；
圆锥花序分枝下部的叶及圆锥花序分枝上的叶极小，卵状心形，无
柄，基部心形或箭头状抱茎，全缘；全部叶两面无毛。头状花序多数
或极多数，在茎枝先端排成圆锥花序；总苞果期卵球形，长 1.1cm，
宽 6mm；总苞片 5 层，最外层宽三角形，长约 1mm，宽约 2mm；外

莴苣

层三角形或披针形，长 5～7mm，宽约 2mm，中层披针形至卵状披针形，长约
9mm，宽 2～3mm，内层线状长椭圆形，长 1cm，宽约 2mm；全部总苞片先端急尖，
外面无毛；舌状小花约 15。瘦果倒披针形，长 4mm，宽 1.3mm，压扁，浅褐色，
每面有 6～7 细脉纹，先端急尖成细喙，喙细丝状，长约 4mm，与瘦果几等长；
冠毛 2 层，纤细，微糙毛状。花果期 2～9 月。

| 生境分布 | 栽培于菜园。重庆各地均有分布。

| 资源情况 | 野生资源稀少，栽培资源较丰富。药材来源于栽培。

| 采收加工 | 莴苣：春季嫩茎肥大时采收，多为鲜用。
莴苣子：夏、秋季果实成熟时，割取地上部分，晒干，打下种子，除去杂质，贮
藏于干燥通风处。

| 药材性状 | 莴苣子：本品呈长椭圆形至卵圆形，压扁，一端渐尖，另一端钝圆，长 3～5mm，
宽 1～2mm。外表面灰白色、棕褐色、黑褐色。瘦果每面具 7～8 条形成顺直
纹理的纵肋，用时可搓去外皮，多搓时即呈细毛状（纤维状）。搓去外皮后，
即露出棕色种仁，富油性。气弱，味微甘。

| 功能主治 | 莴苣：苦、甘，凉。利尿，
通乳，清热解毒。用于小便
不利，尿血，乳汁不通，虫
蛇咬伤，肿毒等。
莴苣子：辛、苦，微温。通
乳汁，利小便，活血行瘀。
用于乳汁不通，小便不利，
跌打损伤，瘀肿疼痛，阴囊
肿痛等。

| 用法用量 | 莴苣：内服煎汤，30～60g。
外用适量，捣敷。
莴苣子：内服煎汤，6～15g；
或研末，每次 3g。外用适量，
研末涂擦；或煎汤熏洗。

菊科 Compositae 稻槎菜属 Lapsana

稻槎菜 *Lapsana apogonoides* Maxim.

| 药 材 名 | 稻槎菜（药用部位：全草。别名：鹅里腌、回荠）。

| 形态特征 | 一年生矮小草本，高 7 ~ 20cm。茎细，自基部发出多数或少数的簇生分枝及莲座状叶丛；全部茎枝柔软，被细柔毛或无毛。基生叶全形椭圆形、长椭圆状匙形或长匙形，长 3 ~ 7cm，宽 1 ~ 2.5cm，大头羽状全裂或几全裂，有长 1 ~ 4cm 的叶柄，顶裂片卵形、菱形或椭圆形，边缘有极稀疏的小尖头，或长椭圆形而边缘大锯齿，齿顶有小尖头，侧裂片 2 ~ 3 对，椭圆形，全缘或边缘有极稀疏针刺状小尖头；茎生叶少数，与基生叶同形并等样分裂，向上茎叶渐小，不裂；全部叶质地柔软，两面同色，绿色，或下面色淡，淡绿色，几无毛。头状花序小，果期下垂或歪斜，少数（6 ~ 8）在茎枝先端排列成疏松的伞房状圆锥花序，花序梗纤细，总苞椭圆形或长圆形，

稻槎菜

长约5mm；总苞片2层，外层卵状披针形，长达1mm，宽0.5mm，内层椭圆状披针形，长5mm，宽1 ~ 1.2mm，先端喙状；全部总苞片草质，外面无毛；舌状小花黄色，两性。瘦果淡黄色，稍压扁，长椭圆形或长椭圆状倒披针形，长4.5mm，宽1mm，有12粗细不等细纵肋，肋上被微粗毛，先端两侧各有1下垂的长钩刺，无冠毛。花果期1 ~ 6月。

| 生境分布 | 生于海拔460m左右的路边或田间。分布于重庆彭水、南川、巴南、南岸、长寿、北碚等地。

| 资源情况 | 野生资源稀少。药材来源于野生。

| 采收加工 | 春、夏季采收，洗净，鲜用或晒干。

| 功能主治 | 苦，平。清热解毒，透疹。用于咽喉肿痛，痢疾，疮疡肿毒，蛇咬伤，麻疹透发不畅。

| 用法用量 | 内服煎汤，15 ~ 30g；或捣汁。外用适量，鲜品捣敷。

| 附 注 | 在FOC中，本种的拉丁学名被修订为 *Lapsanastrum apogonoides* (Maximowicz) Pak et K. Bremer，属名被修订为大丁草属 *Lapsanastrum*。

菊科 Compositae 橐吾属 *Ligularia*

鹿蹄橐吾
Ligularia hodgsonii Hook.

| 药 材 名 | 毛紫菀（药用部位：根、根茎。别名：川紫菀、山紫菀、滇紫菀）。

| 形态特征 | 多年生草本。根肉质，多数。茎直立，高达100cm，上部及花序被毛，下部光滑，具棱，基部直径3～5mm，被枯叶柄纤维包围。丛生叶及茎下部叶具柄，基部具窄鞘，叶片肾形，长（2～）5～8cm，宽4.5～13.5cm，边缘具齿，齿间具睫毛，叶质厚，两面光滑，叶脉掌状；茎中、上部叶少，宽约1cm，叶片肾形，较下部者小。头状花序辐射状，排列成伞房状；苞片舟形，长2～3cm，宽约1cm；花序梗长0.5～2.5cm；小苞片线状钻形，极短；总苞宽钟形，长大于宽；总苞片8～9，2层，排列紧密，长圆形，宽3～4mm，紫红色，被褐色睫毛，内层具宽膜质边缘；舌状花黄色，长15～25mm，宽达6mm，先端钝，有小齿，管部长约4mm；管状花多数，伸出总苞

鹿蹄橐吾

之外，长 9 ~ 10mm，管部长 2 ~ 3mm，冠毛红褐色，与花冠等长。瘦果圆柱形，长 7 ~ 8mm，光滑，具肋。花果期 7 ~ 10 月。

| **生境分布** | 生于海拔 850 ~ 2700m 的山坡草地、林中。分布于重庆城口、巫溪、开州、云阳、石柱、武隆、南川、奉节等地。

| **资源情况** | 野生资源较少。药材来源于野生和栽培。

| **采收加工** | 秋季采挖，除去泥沙，干燥。

| **药材性状** | 本品根茎呈不规则块状或葫芦形，大小不等；先端有较硬的茎基和纤维状叶柄残基，较大的部分被切去而露出切面。根茎上簇生多数弯曲的须根，须根长短不一，长可达 25cm，直径 0.1 ~ 0.3cm；表面灰褐色或黑褐色，有纵皱纹。质硬，须根较脆，易折断，断面色较浅，中央有 1 小木心。气微香，味微苦、辛。

| **功能主治** | 辛、苦，微温。归肺经。祛痰止咳，温肺下气。用于气逆咳嗽，痰吐不利，久咳，痰中带血。

| **用法用量** | 内服煎汤，4.5 ~ 9g。

菊科 Compositae 橐吾属 Ligularia

离舌橐吾
Ligularia veitchiana (Hemsl.) Greenm.

| 药 材 名 | 山紫菀（药用部位：根、根茎。别名：土紫菀）。

| 形态特征 | 多年生草本。根肉质，多数。茎直立，高 60 ~ 120cm，上部及花序幼时被白色蛛丝状毛和黄褐色有节短柔毛，后蛛丝状毛多脱落，下部光滑，基部直径 4 ~ 9mm，被枯叶柄纤维包围。丛生叶和茎下部叶具柄，叶柄长 15 ~ 47cm，光滑，完全成熟后上面平，无槽，下面半圆形，实心，基部具窄鞘，叶片三角形或卵状心形，有时近肾形，长 7 ~ 17cm，宽 12 ~ 26cm，先端圆形或钝，边缘有整齐的尖齿，基部近戟形，弯缺宽，长为叶片的 1/3，两侧裂片长圆形或近圆形，叉开，两面光滑或下面脉上被白色短毛，叶脉掌状；茎中、上部叶与下部者同形，较小，具短柄或无柄，叶鞘膨大，全缘。总状花序长 13 ~ 40cm；苞片常位于花序梗的中部，包被总苞，宽卵形至卵

离舌橐吾

状披针形，长 0.8 ~ 3cm，宽达 24cm，向上渐小，先端长渐尖，全缘或上半部有齿，近膜质，干时浅红褐色；花序梗长 0.5 ~ 3.5cm，向上渐短；头状花序多数，辐射状；小苞片狭披针形至线形；总苞钟形或筒状钟形，长 8 ~ 10（~ 15）mm，宽 5 ~ 8mm；总苞片 7 ~ 9，2 层，长圆形，宽 2 ~ 3mm，先端急尖，背部被有节短柔毛，内层边缘膜质；舌状花 6 ~ 10，黄色，疏离，舌片狭倒披针形，长 13 ~ 22mm，宽约 2mm，先端圆形，管部长 5 ~ 11mm；管状花多数，长 9 ~ 15mm，管部长 5 ~ 8mm，檐部裂片先端被密的乳突，冠毛黄白色，有时污白色，与管部等长或长为管部的 1/2。瘦果（未熟）光滑。花期 7 ~ 9 月。

| **生境分布** | 生于海拔 1200 ~ 2700m 的河边、山坡或林下。分布于重庆城口、巫溪、巫山、奉节、万州、南川、彭水、黔江、云阳、酉阳、涪陵等地。

| **资源情况** | 野生资源较少。药材来源于野生。

| **采收加工** | 春、秋季采挖，除去茎叶，洗净泥土，晒干。

| **功能主治** | 苦、辛，温。归肺经。祛痰止咳，润肺下气。用于气逆咳嗽，痰吐不利，肺虚久咳，痰中带血。

| **用法用量** | 内服煎汤，4.5 ~ 9g。

菊科 Compositae 橐吾属 Ligularia

川鄂橐吾 *Ligularia wilsoniana* (Hemsl.) Greenm.

川鄂橐吾

| 药 材 名 |

川鄂橐吾（药用部位：根、根茎。别名：马蹄当归、马兰花）。

| 形态特征 |

多年生草本。根肉质，多数。茎直立，粗壮，高 60 ~ 100cm，被有节短柔毛，基部直径达 1cm。丛生叶与茎下部叶具柄，叶柄粗壮，长 19 ~ 51cm，被有节短柔毛，基部具鞘，叶片肾形，长 6.5 ~ 13.5cm，宽 11 ~ 24cm，先端圆形，边缘具密而尖的齿，基部心形，弯缺宽，长为叶片的 1/3，上面被有节短柔毛，下部光滑，叶脉掌状，网脉在下面明显；茎中部叶与下部者同形，较小；茎上部叶减缩。总状花序长 15 ~ 34cm；苞片丝状，下部者长达 2.5cm，向上渐短；花序梗长 10 ~ 15mm；头状花序多数，辐射状；小苞片丝状钻形，极或不显；总苞钟状陀螺形，长 7 ~ 8mm，宽 6 ~ 7mm，总苞片 7 ~ 8，2 层，长圆形或披针形，宽 2 ~ 4mm，先端急尖或三角形，背部光滑，内层边缘膜质；舌状花 5 ~ 6，舌片长圆形，长 7 ~ 9mm，宽 3 ~ 4mm，先端钝圆；管状花多数，长 6 ~ 7mm，管部长 2.5 ~ 3mm，冠毛白色，与花冠等长。瘦果（未熟）光滑。花期 7 ~ 9 月。

| **生境分布** | 生于海拔 1600 ～ 2050m 的草坡或林下。分布于重庆城口、巫溪、武隆、南川、奉节等地。 |

| **资源情况** | 野生资源较少。药材来源于野生。 |

| **采收加工** | 秋季采收，除去泥土，干燥。 |

| **功能主治** | 辛，温。归肺经。祛痰止咳，温肺下气。用于气逆咳嗽，痰吐不利，肺虚久咳，痰中带血。 |

| **用法用量** | 内服煎汤，4.5 ～ 9g。 |

菊科 Compositae 粘冠草属 Myriactis

圆舌粘冠草 *Myriactis nepalensis* Less.

| **药 材 名** | 油头草（药用部位：根或全草。别名：山羊梅、大鱼眼草、无喙齿冠草）。

| **形态特征** | 一年生草本，通常粗壮，高达 1m。根茎短，横走。茎直立，基部直径达 1cm；茎中部或基部分枝，茎枝无毛，或接头状花序处疏被毛或糠秕状毛。中部茎生叶长椭圆形或卵状长椭圆形，长 4 ~ 10cm，有锯齿，基部渐窄下延成具翅叶柄；基生叶及茎下部叶较大，间或浅裂或深裂，侧裂片 1 ~ 2 对，叶柄长达 10cm；上部茎叶渐小，长椭圆形或长披针形，渐无柄，接花序下部的叶边缘有小齿或无齿；叶上面均无毛，下面沿脉被极稀疏柔毛。头状花序球形或半球形，直径 1 ~ 1.5cm，单生茎顶或枝端，排成疏散伞房状或伞房状圆锥花序；总苞片 2 ~ 3 层，外面被微柔毛；边缘舌状雌花多层，舌片圆形；两性花管状，管部被微柔毛。瘦果扁，边缘脉状加厚，先端

圆舌粘冠草

有黏质分泌物，无冠毛。花果期 4 ~ 11 月。

| **生境分布** | 生于海拔 800 ~ 1200m 的山坡密林下。分布于重庆綦江、永川、忠县、云阳、巫溪、南川、丰都、大足等地。

| **资源情况** | 野生资源较丰富。药材来源于野生和栽培。

| **采收加工** | 夏、秋季采收，洗净，晾干。

| **功能主治** | 微辛，平。清热解毒，透疹，止痛。用于痢疾，肠炎，中耳炎，麻疹透发不畅，牙痛，关节肿痛。

| **用法用量** | 内服煎汤，9 ~ 15g。

菊科 Compositae 紫菊属 Notoseris

细梗紫菊 *Notoseris gracilipes* Shih

| **药 材 名** | 细梗紫菊（药用部位：全草）。

| **形态特征** | 多年生草本，高 1m。茎单生，直立，基部直径 1cm，上部圆锥花序状分枝，全部茎枝被多细胞节毛。中下部茎生叶大头羽状全裂，叶柄长 4 ~ 8cm，顶裂片三角状戟形，长 10 ~ 14cm，侧裂片 1 ~ 2（~ 3）对，椭圆形，长 2.5 ~ 4.5cm；中上部叶宽披针形、卵状披针形或线状长椭圆形；叶两面沿脉疏被节毛，边缘有尖齿。头状花序排成圆锥状花序；总苞圆柱状，长 1cm，直径 3 ~ 4mm，总苞片 3 层，紫红色，无毛，外、中层三角状披针形或披针形，长 2 ~ 4mm，内层长椭圆形或长椭圆状披针形，长 1cm；舌状小花 5，紫色。瘦果倒披针形，扁，棕黑色，长 4mm，每面有 7 纵肋，先端平截；冠毛白色。花果期 6 月。

细梗紫菊

| **生境分布** | 生于海拔 1600 ～ 2500m 的山坡林下。分布于重庆城口、巫山、奉节、南川等地。

| **资源情况** | 野生资源较少。药材来源于野生。

| **采收加工** | 夏季采挖全草，除去泥土，晒干。

| **功能主治** | 苦，凉。清热解毒，祛风除湿。用于喉炎，肠炎，疮痈肿毒，风湿关节疼痛。

| **用法用量** | 内服煎汤，适量。

| **附　　注** | （1）在 FOC 中，本种被修订为黑花紫菊 *Notoseris melanantha* (Franch.) Shih。
（2）本种的全草在部分地区同作紫菊 *Notoseris psilolepis* Shih 入药。

菊科 Compositae 紫菊属 Notoseris

多裂紫菊 *Notoseris henryi* (Dunn) Shih

多裂紫菊

药材名

多裂紫菊（药用部位：全草）。

形态特征

多年生草本，高 0.5 ~ 2m。茎直立，单生，基部直径 1cm，上部圆锥花序状分枝，全部茎枝无毛。中、下部茎叶羽状深裂或几全裂，全形卵形，长 12 ~ 22cm，宽 8 ~ 18cm；上部茎叶与中、下部茎叶同形并等样分裂，但渐小；花序分枝上的叶线形，边缘有小尖头状细锯齿；全部叶两面粗糙，被短糙毛。头状花序多数在茎枝先端排成圆锥状花序；总苞圆柱状，长 1.5cm，宽 2 ~ 3mm；总苞片 3 层，中、外层小，长 2 ~ 6mm，宽 1 ~ 1.5mm，先端急尖或渐尖，内层长椭圆形，长 1.5cm，宽 2mm，先端圆形；全部苞片无毛，紫红色；舌状小花 5，红色或粉红色。瘦果棕红色，压扁，倒披针形，长 5mm，宽约 1mm，先端截形，无喙，每面有 7 高起的纵肋；冠毛白色，2 层，细锯齿状，长 9mm。花果期 8 ~ 12 月。

生境分布

生于海拔 1325 ~ 2200m 的山坡林缘、林下。分布于重庆黔江、彭水、长寿、璧山、北碚、垫江、巫山、南川、合川、武隆等地。

| **资源情况** | 野生资源较丰富。药材主要来源于野生。

| **采收加工** | 夏季采挖全草，除去泥土，晒干。

| **功能主治** | 清热解毒，止血。用于咳嗽，乳腺炎，疮痈肿毒，痔疮出血，外伤出血，毒蛇咬伤。

| **用法用量** | 内服煎汤，适量。

| **附　　注** | 在 FOC 中，本种被修订为黑花紫菊 *Notoseris melanantha* (Franch.) Shih。

菊科 Compositae 紫菊属 Notoseris

南川紫菊
Notoseris porphyrolepis Shih

| 药 材 名 | 紫菊（药用部位：全草。别名：羽裂山莴苣）。

| 形态特征 | 多年生草本，高 0.7 ～ 1.5m。茎直立，单生，基部直径 5mm，上部圆锥花序状分枝，全部茎枝无毛。中、下部茎叶羽状深裂或几全裂，有长 4.5cm 的叶柄，侧裂片 2 ～ 3 对，长椭圆形或偏斜长椭圆形，长 3 ～ 4cm，宽 1 ～ 1.5cm，同对的侧裂片等大，顶裂片与侧裂片同形等大，全部裂片先端急尖或渐尖，有小尖头，边缘有小尖头或仅边缘一侧有 1 三角形大齿或每侧各有 1 三角形大齿；上部茎叶不裂，长椭圆形或长椭圆状披针形，长 5.5cm，宽 1cm，先端渐尖，边缘有稀疏小尖头；全部叶两面无毛。头状花序多数，在茎枝先端排成圆锥花序；总苞圆柱状，长 1.5cm，直径 2 ～ 3mm；总苞片 3 层，中、外层披针形或长椭圆形，小，长 3 ～ 6mm，宽 1 ～ 1.5mm，内

南川紫菊

层长椭圆形，长 1.5cm，宽 2mm，全部苞片先端钝或圆形，紫红色，无毛；舌状小花 5，紫红色。瘦果倒披针形，扁压，棕红色，长 5mm，宽 1.8mm，先端截形，无喙，每面有 9 高起的纵肋；冠毛白色，3 层，细锯齿状，长 8mm。花果期 9 月。

| 生境分布 | 生于海拔 1600 ~ 2000m 的山坡林下。分布于重庆武隆、巴南、江津、南川等地。

| 资源情况 | 野生资源稀少。药材主要来源于野生，外销内用。

| 功能主治 | 苦，凉。清热解毒，祛风除湿。用于喉炎，肠炎，疮痈肿毒，风湿关节疼痛。

| 用法用量 | 内服煎汤，适量。

| 附　注 | 本种的全草在部分地区同作紫菊 *Notoseris psilolepis* Shih 入药。

菊科 Compositae 紫菊属 Notoseris

三花紫菊

Notoseris triflora (Hemsl.) Shih

三花紫菊

| 药 材 名 |

三花紫菊（药用部位：全草）。

| 形态特征 |

多年生草本，高约 1m。茎直立，单生，基部直径 5mm，上部圆锥花序状分枝，全部茎枝被稀疏的多细胞节毛。中下部茎叶大头羽状深裂或几全裂，有长达 17cm 的叶柄，顶裂片三角状戟形、卵状戟形、卵形或心形，长 12 ~ 19cm，宽 11 ~ 17cm，先端渐尖或急尖，基部浅心形、戟形或圆形，侧裂片 1 对，椭圆形，长 2 ~ 3cm，宽 1 ~ 1.5cm，先端圆形或钝；中上部茎叶与中下部茎叶等样分裂，有翼柄或羽轴有翼，柄基耳状扩大抱茎，顶裂片或叶片三角形、卵形或三角状戟形或卵状三角形，基部浅心形，戟形或圆形，侧裂片 1 对，与中下部茎叶的侧裂片同形；上部叶与花序分枝上的叶长椭圆形或宽线形，先端渐尖；全部叶或裂片有三角状不等大锯齿，齿顶有小尖头，或几全缘，两面无毛。头状花序含 3 舌状小花，多数，在茎枝先端排成圆锥花序；总苞圆柱状，长 1cm；总苞片 3 层，外层长卵形至披针形，小，长 1.8 ~ 5mm，宽 1mm 或不足 1mm，先端急尖，内层长椭圆形，长 1cm，宽 2mm，先端钝

或急尖；全部总苞片外面紫色，无毛；舌状小花紫色。瘦果倒披针形，紫红色，扁压，长 4.2mm，宽 1mm，先端截形，无喙，每面有 7 高起的纵肋；冠毛白色，2 层，长 7mm，细锯齿状。花果期 7 ～ 10 月。

| **生境分布** | 生于海拔 1800 ～ 1900m 的山坡草地或林缘。分布于重庆城口、南川等地。

| **资源情况** | 野生资源稀少。药材来源于野生。

| **采收加工** | 夏季采挖全草，除去泥土，晒干。

| **功能主治** | 清热解毒，祛风除湿。

| **用法用量** | 内服煎汤，适量。

菊科 Compositae 黄瓜菜属 Paraixeris

黄瓜菜

Paraixeris denticulata (Houtt.) Nakai

| 药 材 名 | 苦荬菜（药用部位：全草或根。别名：野苦荬菜、牛舌菜、盘儿草）。

| 形态特征 | 一年生或二年生草本，高 30 ～ 120cm。根直伸，生须根。茎直立，上中部伞房花序状分枝，无毛。基生叶及下部茎叶花期枯萎脱落；中下部茎叶卵形或披针形，不分裂，长 3 ～ 10cm，宽 1 ～ 5cm，先端急尖或钝，有宽翼柄，基部圆形，耳部圆耳状扩大抱茎，或无柄，边缘大锯齿或重锯齿或全缘；上部及最上部茎叶与中下部茎叶同形，但渐小，边缘大锯齿或重锯齿或全缘，无柄，向基部渐宽，基部耳状扩大抱茎；全部叶两面无毛。头状花序排成伞房状，含15舌状小花；总苞圆柱状，长 7 ～ 9mm；总苞片 2 层，外层小于 0.5mm，先端急尖，内层长，披针形，先端钝；全部总苞片外面无毛；舌状小花黄色。瘦果长椭圆形，扁平，黑褐色，长 2.1mm，喙长 0.4mm；冠毛白色，

黄瓜菜

长 3.5mm。花果期 5 ～ 11 月。

| **生境分布** | 生于海拔 250 ～ 1280m 的山坡林缘、林下、田边、岩石上或岩石缝隙中。分布于重庆彭水、涪陵、綦江、黔江、城口、奉节、万州、北碚等地。

| **资源情况** | 野生资源丰富。药材主要来源于野生。

| **采收加工** | 春、夏季花开前采收，洗净，鲜用或晒干。

| **功能主治** | 苦，微寒。归心、肺、肝、胃经。清热解毒，消痈散结，祛瘀消肿，止痛，止血，止带。用于咽喉肿痛，肺痈，乳痈，血淋，黄疸，疔肿，跌打损伤，无名肿毒，蛇虫咬伤，烫火伤，下肢淋巴管炎，子宫出血，带下过多，滴虫性阴道炎。

| **用法用量** | 内服煎汤，9 ～ 15g，鲜品 30 ～ 60g。外用鲜品，捣敷患处（疖肿）；干品研末，油调外搽（烫火伤）；煎汤熏洗（滴虫性阴道炎）。

| **附　　注** | 在 FOC 中，本种被修订为黄瓜假还阳参 *Crepidiastrum denticulatum* (Houttuyn) Pak et Kawano，属名被修订为假还阳参属 *Crepidiastrum*。

菊科 Compositae 蟹甲草属 Parasenecio

深山蟹甲草 *Parasenecio profundorum* (Dunn) Y. L. Chen

深山蟹甲草

| 药 材 名 |

泡桐七（药用部位：全草）。

| 形态特征 |

多年生草本。根茎粗壮横卧。茎单生，直立，被疏蛛丝状毛，后变无毛，上部被锈褐色腺状短柔毛。叶具长叶柄；叶片膜质，宽卵形或卵状菱形，基部截形或微心形，上面被疏短糙毛，下面被疏蛛丝状毛，后变无毛；中部茎叶半抱茎；上部叶渐小，具短叶柄。头状花序多数，在茎端排列成疏散的圆锥花序；花序梗细，被疏腺状短柔毛，有 1 ~ 3 线形小苞片；总苞圆柱形，总苞片 5，被微毛，边缘膜质，外面无毛或近无毛；小花 5，花冠黄色；花药伸出花冠，基部尾状；花柱分枝外弯，先端截形，被乳头状微毛。瘦果圆柱形，长约 6mm，无毛而具肋；冠毛白色，短于花冠或与花冠近等长。花果期 8 ~ 9 月。

| 生境分布 |

生于海拔 1000 ~ 2100m 的山坡、林缘或山谷潮湿处。分布于重庆城口、巫溪、丰都、巫山、南川等地。

| **资源情况** | 野生资源较少。药材主要来源于野生。

| **采收加工** | 夏、秋季采收，切段，晾干。

| **药材性状** | 本品根茎粗壮。茎被毛。叶膜质，似泡桐叶，长 10 ~ 13cm，宽 10 ~ 12cm。头状花序多数，在茎端排列成疏散的圆锥花序；花序梗细，被疏腺状短柔毛，具 1 ~ 3 线形小苞片；总苞筒状圆柱形，总苞片长圆状条形；花 3 ~ 4，黄棕色。气微，味微甘。

| **功能主治** | 清热解毒，消肿止痛。用于疮疖肿痛，头癣，跌打损伤等。

| **用法用量** | 外用适量，煎汤熏洗；或研末敷。

菊科 Compositae 银胶菊属 Parthenium

银胶菊 *Parthenium hysterophorus* L.

| 药 材 名 | 银胶菊（药用部位：全草）。

| 形态特征 | 一年生草本。茎直立，多分枝，具条纹，被短柔毛。下部和中部叶2回羽状深裂，全形卵形或椭圆形，羽片3～4对，小羽片卵状或长圆状，常具齿，两面被毛；上部叶无柄，羽裂。头状花序多数，伞房花序，花序柄被粗毛；总苞宽钟形或近半球形，总苞片2层；舌状花1层，5，白色，长约1.3mm，舌片卵形或卵圆形，先端2裂；管状花多数，长约2mm，檐部4浅裂，裂片短尖或短渐尖，具乳头状突起，雄蕊4。雌花瘦果倒卵形，基部渐尖，干时黑色，长约2.5mm，被疏腺点；冠毛2，鳞片状，长圆形，长约0.5mm，先端截平或有时具细齿。花期4～10月。

银胶菊

| **生境分布** | 生于海拔 90 ~ 1500m 的旷地、路旁、河边或坡地上。分布于重庆九龙坡等地。

| **资源情况** | 野生资源稀少。药材主要来源于野生。

| **采收加工** | 秋季采收，晾干。

| **功能主治** | 强壮，解热，通经，镇痛。用于神经痛，疟疾，疮疡肿毒。

| **用法用量** | 内服煎汤，适量。

菊科 Compositae 蜂斗菜属 Petasites

蜂斗菜
Petasites japonicus (Sieb. et Zucc.) Maxim.

| 药材名 | 蜂斗菜（药用部位：全草或根茎。别名：葫芦叶、蛇头草、黑南瓜）。

| 形态特征 | 多年生草本，雌雄异株。雄株花茎在花后高 10 ~ 30cm，不分枝，被密或疏褐色短柔。基生叶具长柄，叶片圆形或肾状圆形，不分裂，上面绿色，幼时被卷柔毛，下面被蛛丝状毛，后脱毛，纸质；苞叶长圆形或卵状长圆形，长 3 ~ 8cm，薄质，紧贴花葶。头状花序多数，密伞房状，有同形小花；总苞筒状，基部有披针形苞片；总苞片 2 层；全部小花管状，两性，不结实；花冠白色，有宽长圆形的附片。雌性花葶有密苞片；密伞房状花序，花后排成总状，稀下部有分枝；头状花序具异形小花；雌花多数，花冠丝状；花柱明显伸出花冠，先端头状，2 浅裂，被乳头状毛。瘦果圆柱形，长 3.5mm，无毛；冠毛白色，长约 12mm，细糙毛状。花期 4 ~ 5 月，果期 6 月。

蜂斗菜

| **生境分布** | 生于海拔 560 ~ 2500m 的溪边、草地或灌丛中。分布于重庆奉节、南川、巫山、北碚、丰都、綦江、涪陵、江津、沙坪坝等地。 |

| **资源情况** | 野生资源丰富。药材主要来源于野生。 |

| **采收加工** | 夏、秋季采挖，洗净，鲜用或晒干。 |

| **功能主治** | 苦、辛，凉。消肿解毒，散瘀消肿。用于毒蛇咬伤，痈疖肿毒，跌打损伤，咽喉肿痛等。 |

| **用法用量** | 内服煎汤，9 ~ 15g。外用适量，鲜品捣敷；或煎汤含漱。 |

| **附　注** | 本种在重庆广布，资源丰富，既可作蔬菜食用，又可作香辛料，同时还具有药用价值，具有开发为保健品的潜力。 |

菊科 Compositae 毛连菜属 Picris

毛连菜
Picris hieracioides L.

毛连菜

药材名

毛连菜（药用部位：花序。别名：毛苦荬菜、牛连菜）、毛柴胡（药用部位：全草或根。别名：枪刀菜、毛牛耳大黄）。

形态特征

二年生草本，高 16 ~ 120cm。根垂直直伸，粗壮。茎直立，上部呈伞房状或伞房圆状分枝，有纵沟纹，被稠密或稀疏的亮色分叉的钩状硬毛。基生叶花期枯萎；下部茎生叶长椭圆形或宽披针形，长 8 ~ 34cm，全缘或有锯齿，基部渐窄成翼柄；中部和上部叶披针形或线形，无柄，基部半抱茎；最上部叶全缘；叶两面被硬毛。头状花序排成伞房或伞房圆锥花序，花序梗细长；总苞圆柱状钟形，长达 1.2cm，总苞片 3 层，背面被硬毛和柔毛，外层线形，长 2 ~ 4mm，内层线状披针形，长 1 ~ 1.2cm，边缘白色，膜质；舌状小花黄色，花冠筒被白色柔毛。瘦果纺锤形，长约 3mm，棕褐色；冠毛白色。花果期 6 ~ 9 月。

生境分布

生于海拔 560 ~ 3400m 的山坡草地、林下、沟边、田间、撂荒地或沙滩地。分布于重庆巫山、奉节、武隆、开州、南川等地。

| **资源情况** | 野生资源一般。药材主要来源于野生。

| **采收加工** | 毛连菜：夏季花开时采收，洗净，晒干。
毛柴胡：夏、秋季采收，洗净，晒干。

| **功能主治** | 毛连菜：苦、咸，微温。理肺止咳，化痰平喘，宽胸。用于咳嗽痰多，咳喘，嗳气，胸腹闷胀。
毛柴胡：辛，凉。清热解毒，散瘀，利尿。用于流行性感冒发热，乳痈，无名肿毒，跌打损伤，小便不利。

| **用法用量** | 毛连菜：内服煎汤，3 ~ 9g。
毛柴胡：内服煎汤，9 ~ 15g。外用适量，捣敷。

菊科 Compositae 翅果菊属 Pterocypsela

台湾翅果菊

Pterocypsela formosana (Maxim.) Shih

| 药 材 名 | 台湾翅果菊（药用部位：全草。别名：台湾山莴苣）。

| 形态特征 | 一年生草本，高 0.5 ～ 1.5m。根分枝，常呈萝卜状。茎直立，单生，基部直径达 7mm，上部伞房花序状分枝，分枝长或短，上部茎枝被稠密或稀疏的长刚毛或脱毛而至无毛。下部及中部茎叶全形椭圆形、长椭圆形、披针形或倒披针形，羽状深裂或几全裂，有长达 5cm 的翼柄，柄基稍扩大抱茎；上部茎叶与中部茎叶同形并等样分裂或不裂而为披针形，全缘，基部圆耳状扩大半抱茎；全部叶两面粗糙，下面沿脉被小刺毛。头状花序多数，在茎枝先端排成伞房状花序；总苞果期卵球形；总苞片 4 ～ 5 层；舌状小花约 21，黄色。瘦果椭圆形，棕黑色，边缘有宽翅，先端急尖成长 2.8mm 的细丝状喙；冠毛白色，几为单毛状。花果期 4 ～ 11 月。

台湾翅果菊

| 生境分布 | 生于海拔 140 ~ 2000m 的山坡草地或田间、路旁。分布于重庆开州、万州、酉阳、黔江、彭水、武隆、南川、涪陵、北碚、潼南、云阳、垫江等地。

| 资源情况 | 野生资源一般。药材主要来源于野生。

| 采收加工 | 夏、秋季采收，鲜用或切段晒干。

| 功能主治 | 清热解毒，祛风活血。用于疥癣，疔疮痈肿，毒蛇咬伤。

| 用法用量 | 内服煎汤，适量。外用适量，鲜品捣敷。

| 附　　注 | 在 FOC 中，本种的拉丁学名被修订为 *Lactuca formosana* Maxim.，属名被修订为莴苣属 *Lactuca*。

菊科 Compositae 翅果菊属 Pterocypsela

翅果菊

Pterocypsela indica (L.) Shih

翅果菊

药材名

山莴苣（药用部位：全草或根。别名：土莴苣、鸭子食、苦麻菜）。

形态特征

一年生或二年生草本。根直伸，生须根。茎直立，单生，高 0.4 ~ 2m，基部直径 3 ~ 10mm，上部圆锥状分枝，全部茎枝无毛。全部茎叶线形，中部茎叶长达 21cm 或过之，宽 0.5 ~ 1cm；或全部茎叶线状长椭圆形，中下部茎叶长 13 ~ 22cm，宽 1.5 ~ 3cm 或全部茎叶椭圆形，中下部茎叶长 15 ~ 20cm，宽 6 ~ 8cm，边缘有齿；全部茎叶先端长渐急尖，基部楔形渐狭，无柄，两面无毛。头状花序果期卵球形，排成圆锥状；总苞长 1.5cm，宽 9mm，总苞片 4 层，外层卵形，长 3 ~ 3.5mm，宽 1.5 ~ 2mm，中、内层长披针或线状披针形，长 1cm 或过之，宽 1 ~ 2mm，先端钝或圆形，全部苞片边缘染紫红色；舌状小花 25，黄色。瘦果椭圆形，长 3 ~ 5mm，宽 1.5 ~ 2mm，黑色，扁压，边缘有宽翅，先端急尖或渐尖成 0.5 ~ 1.5mm 细或稍粗的喙，每面有 1 细纵脉纹；冠毛 2 层，白色，几单毛状，长 8mm。花果期 4 ~ 11 月。

| 生境分布 | 生于山谷、山坡林缘或林下、灌丛中或水沟边、山坡草地或田间。分布于重庆綦江、石柱、潼南、合川、丰都、武隆、铜梁、开州、巫溪、万州、南川等地。

| 资源情况 | 野生资源丰富。药材主要来源于野生。

| 采收加工 | 春、夏季采收，洗净，鲜用或晒干。

| 药材性状 | 本品根呈圆锥形，多自顶部分枝，长 5 ～ 15cm，直径 0.7 ～ 1.7cm，先端有圆盘形的芽或芽痕；表面灰黄色或灰褐色，具细纵皱纹及横向点状须根痕，经加工蒸煮者呈黄棕色，半透明状；质坚实，较易折断，折断面近乎平坦，隐约可见不规则的形成层环纹，有时有放射状裂隙；气微臭，味微甘而后苦。茎长条形而抽皱。叶互生，无柄，叶形多变，叶缘不分裂、深裂或全裂，基部扩大成戟形半抱茎。有的可见头状花序或果序。果实黑色，具灰白色长冠毛。气微，味微甘而后苦。

| 功能主治 | 苦，寒。清热解毒，活血祛瘀，利湿排脓。用于阑尾炎，痢疾，肠炎，肝炎，眼结膜炎，产后瘀血腹痛，痈肿疔疮。

| 用法用量 | 内服煎汤，9 ～ 15g。外用适量，鲜品捣敷。

| 附　　注 | 在 FOC 中，本种的拉丁学名被修订为 *Lactuca indica* L.，属名被修订为莴苣属 *Lactuca*。